***ACCESO GRATIS** a la Lectura en la Nube*

Para visualizar el libro electrónico en la nube de lectura envíe junto a su nombre y apellidos una fotografía del código de barras situado en la contraportada del libro y otra del ticket de compra a la dirección:

ebooktirant@tirant.com

En un máximo de 72 horas laborables le enviaremos el código de acceso con sus instrucciones.

I CONGRESO HISPANO-LUSO DE DERECHO DE SOCIEDADES Y CRISIS EMPRESARIALES

Homenaje al Prof. Doutor Jorge Manuel Coutinho de Abreu

I CONGRESO HISPANO-LUSO DE DERECHO DE SOCIEDADES Y CRISIS EMPRESARIALES

Homenaje al Prof. Doutor Jorge Manuel Coutinho de Abreu

Director

FERNANDO CARBAJO CASCÓN

Coordinador

MARTÍN GONZÁLEZ-ORÚS CHARRO

VNIVERSIDAD D SALAMANCA

tirant lo blanch
Valencia, 2025

Director de la Colección:

FERNANDO CARBAJO CASCÓN

Catedrático de Derecho Mercantil de la Universidad de Salamanca

EDITA: TIRANT LO BLANCH
C/ Artes Gráficas, 14 - 46010 - Valencia
TELFS.: 96/361 00 48 - 50
FAX: 96/369 41 51
Email: tlb@tirant.com
www.tirant.com
Librería virtual: www.tirant.es
DEPÓSITO LEGAL: V-317-2026
ISBN (Universidad de Salamanca): 978-84-1091-145-1
ISBN: 979-13-7021-513-2
MAQUETA: Tink Factoría de Color

Si tiene alguna queja o sugerencia, envíenos un mail a: *atencioncliente@tirant.com*. En caso de no ser atendida su sugerencia, por favor, lea en *www.tirant.net/ index.php/empresa/politicas-de-empresa* nuestro procedimiento de quejas.

Responsabilidad Social Corporativa: http://www.tirant.net/Docs/RSCTirant.pdf

Autores

María del Mar Bustillo Saiz
Fernando Carbajo Cascón
Ricardo Costa
Marcos Cruz González
Luisa María Esteban Ramos
Ángel Marina García-Tuñón
César Gilo Gómez
Maria Elisabete Gomes Ramos
Martín González-Orús Charro
Benjamín Peñas Moyano
María Jesús Peñas Moyano
Jesús Quijano González
Pedro J. Rubio Vicente
Alexandre de Soveral Martins
Paulo de Tarso Domingues

Prof. Doutor Jorge Manuel Coutinho de Abreu

Índice

SEGUNDA PARTE
DERECHO DE LA INSOLVENCIA

Prólogo

Este libro recoge —corregidas y ampliadas— las aportaciones científicas al I Congreso Hispano-Luso de Derecho de Sociedades y de las Crisis Empresariales que tuvo lugar en el Aula Unamuno del Edificio de las Escuelas Mayores de la Universidad de Salamanca los días 18 y 19 de abril de 2024.

El objetivo perseguido con la organización de este primer Congreso es doble.

De un lado, hermanar a las Facultades de Derecho de cuatro grandes Universidades cercanas geográficamente, como son las de Salamanca, Valladolid, Coimbra y Oporto, aprovechando la excelente relación que afortunadamente une desde hace tiempo a mercantilistas y civilistas de las cuatro instituciones universitarias, así como a los cuatro Decanos y Directores de las Facultades de Derecho: el profesor Paulo de Tarso Domingues (Universidade de Porto), Jónatas Machado (Universidad de Coimbra), Javier García Medina (Universidad de Valladolid) y, quien suscribe estas breves palabras de presentación, Fernando Carbajo Cascón (Universidad de Salamanca).

De otro lado, rendir un merecido y sentido homenaje desde España a uno de los más grandes e influyentes comercialistas lusos: el profesor Jorge Manuel Coutinho de Abreu, respetado por igual tanto por los colegas portugueses como por los colegas españoles que hemos tenido la fortuna de compartir academia y relación personal con él durante largos años, aprendiendo mucho de sus enseñanzas en conferencias y seminarios así como de su vasta obra escrita, fundamental para el estudio del Derecho de sociedades y del Derecho de las crisis empresariales.

El encuentro en las aulas de Salamanca sirvió para poner en contacto y estrechar relaciones entre investigadores acreditados y noveles del Derecho privado de las cuatro Universidades, con vocación de continuidad en el futuro para desarrollar encuentros similares —más ambiciosos si cabe— en las aulas de Oporto, Valladolid y Coimbra, y con la intención manifiesta de abrir progresivamente la participación a especialistas del Derecho Mercantil y Civil de otras universidades españolas y portuguesas.

El progresivo acercamiento entre mercantilistas y civilistas de cuatro importantes Facultades de Derecho tan cercanas geográficamente, debe servir para un mejor conocimiento de los ordenamientos jurídicos, jurisprudencia y doctrina científica de dos países hermanos, como son España y Portugal.

Como Catedrático de Derecho Mercantil quiero expresar mi agradecimiento más profundo a mis colegas y amigos de la Universidad de Valladolid, por compartir desde el primer momento de manera entusiasta este proyecto de acercamiento científico entre las cuatro Facultades de Derecho. También a los queridos colegas de las Universidades de Porto y Coimbra por su complicidad y predisposición para la organización del encuentro en homenaje al Maestro Coutinho de Abreu. Por supuesto, el agradecimiento lo hago extensivo a quienes hemos coincidido en los equipos de dirección de las cuatro Facultades de Derecho, con el deseo de que la relación institucional se mantenga cercana al margen de las personas que vayan ocupando la dirección en el futuro.

Con el compromiso y el esfuerzo de todos conseguiremos —sin duda— mantener en el tiempo esta iniciativa, en provecho de las generaciones futuras de investigadores y de las más cercanas y cordiales relaciones entre instituciones universitarias que están llamadas a entenderse y trabajar en común para reforzar las relaciones comerciales y sociales entre nuestros dos extraordinarios países.

FERNANDO CARBAJO CASCÓN
Decano de la Facultad de Derecho de la Universidad de Salamanca

Presentación

Magnífico Rector de la Universidad de Salamanca, Excmo. Sr. D. David Díez Martinez, Excmo. Decano de la Facultad de Derecho de la Universidad de Salamanca, Senhor Professor Fernando Carbajo Cascón, Excmo. Diretor da Faculdade de Direito da Universidade de Coimbra, Senhor Doutor Jónatas Machado, Excmo. Decano de la Facultad de Derecho de la Universidad de Valladolid, Senhor Professor Javier García Medina, Excmos. Colegas, Excmas. Senhoras e Excmos. Senhores, E, last but not least, Excmo. Senhor Doutor Jorge Coutinho de Abreu,

Foi com júbilo que a Faculdade de Direito da Universidade do Porto, por decisão unânime do seu Conselho Científico, se associou à merecidíssima e justíssima homenagem —e aqui os superlativos não são exagerados— que a Universidade de Salamanca, movida pelo impulso do seu Decano, Prof. Fernando Carbajo, decidiu prestar ao Senhor Doutor Jorge Coutinho de Abreu.

O Doutor Coutinho de Abreu é seguramente, na atualidade, o mais importante e mais reputado comercialista e societarista de língua portuguesa, tendo contribuído, de forma decisiva, para o *aggiornamento* e para a modernização do direito societário português.

A sua obra é conhecida e reconhecida não apenas pela doutrina e jurisprudência portuguesas (onde é profusamente citada), mas em todos os cantos do Mundo onde chega a influência portuguesa. O seu Curso de Direito Comercial está, p. ex., por iniciativa da Universidade de Macau, traduzido para a língua chinesa.

Quem quiser, hoje, conhecer e compreender o direito comercial em geral, mas, sobretudo, o direito societário português tem obrigatoriamente de conhecer a obra do Doutor Coutinho de Abreu.

Os dois volumes do seu Curso de Direito Comercial e o monumental Comentário (composto por 7 volumes) ao Código das Sociedades Comerciais que superiormente coordenou —obras que me permito destacar de entre os seus inúmeros livros e artigos— são absolutamente imprescindíveis e obrigatórios para a compreensão do ordenamento jurídico português nestas áreas.

O Doutor Coutinho de Abreu soube ainda criar, de forma completamente inovadora no meio académico em Portugal, uma Escola (Escola com letra maiúscula), agregando à sua volta muitos outros Colegas que desafiou e implicou em projetos que promoveu e a que dedicou muita da sua energia, nomeadamente o Instituto do Direito das Empresas e do Trabalho, associado à Faculdade de Direito de Coimbra, o referido Comentário ao Código das Sociedades e a criação da primeira revista jurídica portuguesa especificamente dedicada ao direito das sociedades (a "Direito das Sociedades em Revista").

Ele marca também várias gerações de alunos, que puderam beneficiar da sua lição. Recordo-me bem —logo que se doutorou e assumiu a regência da disciplina de Direito Comercial— da sua preocupação em imediatamente fornecer umas lições atualizadas aos seus alunos (uma vez que as que eram usadas até então tinham quase 30 anos!).

Por isto e por muito mais que poderia ser acrescentado,

Em nome da Faculdade de Direito da Universidade do Porto e, julgo que o posso também afirmar, em nome de toda a comunidade jurídica portuguesa e lusófona, **Muito Obrigado** Senhor Doutor Jorge Coutinho de Abreu!

PAULO DE TARSO DOMINGUES
Diretor da Faculdade de Direito da Universidade do Porto

PRIMERA PARTE
DERECHO DE SOCIEDADES

Las competencias de gestión de la junta general en el caso de operaciones sobre activos esenciales

FERNANDO CARBAJO CASCÓN
Catedrático de Derecho Mercantil
Universidad de Salamanca

RESUMEN

La competencia en materia de activos esenciales en favor de la junta de socios en las sociedades de capital continúa despertando mucho interés y gran cantidad de interrogantes más de diez años después de que la Ley 21/2014, de 3 de diciembre, incorporara en nuestra Ley de Sociedades de Capital los artículos 160 f) y 511 bis. Al margen del ámbito estrictamente societario, cuyo régimen es de por sí complejo y genera no pocos interrogantes que han provocado un intenso debate doctrinal y jurisprudencial pendiente de resolver en algunos aspectos por el Tribunal Supremo o, en su caso, por el legislador, cabe abordar el asunto también desde la perspectiva de la sociedad de capital en situación de crisis. Así pues, en el presente trabajo analizaremos también la enajenación de los activos esenciales en entidades declaradas en concurso en cada una de sus fases (común, convenio y liquidación), así como durante las negociaciones preconcursales para acordar un plan de reestructuración.

Palabras clave: Activos esenciales, junta general, insolvencia.

ABSTRACT

The competence in matters of essential assets in favour of the shareholders' meeting in capital companies continues to arouse much interest and raise many questions more than ten years after Law 21/2014, of 3 December, incorporated articles 160 f) and 511 bis into spanish Capital Companies Act. Apart from the strictly corporate sphere, whose regime is in itself complex and generates quite a few questions that have generated an intense doctrinal and jurisprudential debate pending resolution in some aspects by the Supreme Court or, where appropriate, by the legislator, it is worth addressing the issue from the perspective of the capital company in a situation of crisis. In this paper we will also analyse the disposal of essential assets in entities declared bankrupt in each of their phases (common, arrangement and liquidation), as well as during the pre-bankruptcy negotiations to agree a restructuring plan.

Keywords: *Essential assets, general meeting, insolvencia.*

NES SOBRE ACTIVOS ESENCIALES A LA DECISIÓN DE LA JUNTA GENERAL. CONSECUENCIAS DE SU INCUMPLIMIENTO: 1. Las posiciones divididas de la doctrina científica. 2. La posición de la Dirección General de Seguridad Jurídica y Fe Pública. 3. Las diferentes posiciones mantenidas en la Jurisprudencia. 4. Valoración final. IV. SOBRE LA APLICACIÓN DE LAS COMPETENCIAS DE LA JUNTA EN MATERIA DE ACTIVOS ESENCIALES EN SITUACIONES DE DISOLUCIÓN Y LIQUIDACIÓN, PRECONCURSALES Y CONCURSALES: 1. Inaplicación de las reglas de los artículos 160 f) y 511bis TRLSC en estados de disolución y liquidación societarias. 2. Competencias de la Junta General en la propuesta de "pre-pack" concursal. 3. Competencias de la Junta en operaciones sobre activos esenciales durante el concurso de acreedores: 3.1. Operaciones sobre activos esenciales en la fase común del concurso; 3.2. Operaciones sobre activos esenciales en la fase de convenio; 3.3. Operaciones sobre activos esenciales en fase de liquidación. 4. Competencias de la Junta General en operaciones sobre activos esenciales durante las negociaciones preconcursales para acordar un plan de reestructuración.

I. PLANTEAMIENTO

Establece el artículo 160 letra f) del Texto Refundido de la Ley de Sociedades de Capital de 2010 (en adelante, TRLSC), introducido por la Ley 21/2014, de 3 de diciembre, de modificación del Texto Refundido de la Ley de Sociedades de Capital para la mejora del gobierno corporativo, que es competencia de la Junta General deliberar y acordar sobre: "*La adquisición, la enajenación o la aportación a otra sociedad de activos esenciales. Se presume el carácter esencial del activo cuando el importe de la operación supere el veinticinco por ciento del valor de los activos que figuren en el último balance aprobado*".

Con anterioridad a esta reforma la doctrina científica y jurisprudencial venia considerando que quedaban sometidos de forma implícita a la competencia de la Junta General todos los actos y operaciones que pudieran producir indirectamente una modificación del objeto social determinado en los estatutos sociales, operaciones de modificaciones estructurales, la liquidación de hecho de la sociedad o que, en general, sirvieran para alterar la posición de los socios. A modo de ejemplo se citaba la aportación de activos de la compañía a otra entidad con objeto distinto a cambio de acciones, que pudiera implicar un cambio de objeto; la cesión global de activo y/o pasivo a cambio de acciones de la cesionaria, sin liquidación, que impidiera el desarrollo del objeto social e implicase un cambio de objeto; la llamada "venta-fusión" (fusión impropia que tiene lugar cuando una sociedad aporta a otra todos sus activos en un aumento de capital, para luego disolverse y adjudicar a sus socios las acciones recibidas en contraprestación); la transmisión de activos esenciales que impiden o imposibilitan el desarrollo del objeto social, como la transmisión de la concesión administrativa y las tarjetas de transporte de la sociedad dedicada al transporte de viajeros por autobús (cfr. STS núm. 117/2007 de 8 febrero); la renuncia del derecho de arrendamiento del local en que la sociedad desarrolla su objeto, que es un acto en clara contradicción con el objeto social y que, de hecho, supone la extinción de la sociedad dada la esencialidad de la base física que constituía el local para el desarrollo de la actividad empresarial (cfr. STS 722/2006 de 6 julio); o un acuerdo del Consejo de Administración por el que se reducen las actividades de la sociedad a la comercial, con exclusión de la industrial contemplada en los estatutos sociales y que implicaría un cambio de objeto social (cfr. STS núm. 117/2007 de 8 febrero).

En el caso de operaciones sobre activos esenciales, el vigente artículo 160 f) TRLSC atribuye ya de forma explícita la competencia para decidir al respecto a la Junta General, dando así carta de naturaleza a la opinión doctrinal y jurisprudencial dominante. No obstante, como vamos a ver, en lugar de cerrar el problema y dar seguridad jurídica a todas las partes implicadas (la sociedad, sus socios, sus administradores y los terceros que contratan con ella), la norma plantea más dudas que certezas a la hora de su aplicación práctica.

Como acertadamente se ha dicho, la atribución de competencias a la Junta General para decidir sobre los actos de disposición de activos esenciales no es una especialidad del Derecho español, por más que nuestro ordenamiento sea uno de los más exigentes tanto por el tipo de sociedades a los que se aplica como por los actos y negocios jurídicos que comprende; ya porque en otros países reglas de esta naturaleza y finalidad se limitan a las sociedades anónimas (Alemania) o incluso a sociedades anónimas que cotizan en mercados de valores (Reino Unido o Bélgica), ya porque reglas de este tipo se circunscriben a las operaciones de transmisión de activos pero no de adquisición (Bélgica), ya porque se reservan a operaciones claramente relevantes que supongan una modificación sustancial del objeto social o una alteración relevante de los derechos de los socios

(Italia), o ya porque solo se aplican a casos extremos en los que estén implicados la totalidad o cuasi-totalidad de los activos de la sociedad (EE.UU-Delaware)[1].

Estamos ante una norma interna de carácter organizativo-corporativo, aunque con relevante trascendencia negocial externa: la atribución de competencia a la Junta General para decidir en último término sobre actos de transmisión de activos relevantes para la entidad; lo cual, junto a la regla del artículo 161 TRLSC[2], constituye un ejemplo claro y específico de la quiebra del principio de distribución de competencias entre órganos para permitir la injerencia de la junta de socios en asuntos de gestión[3], con la finalidad última de estimular el llamado "activismo accionarial" o conocimiento y participación activa de los socios y accionistas en asuntos de especial trascendencia para la sociedad que afectan o pueden afectar a sus derechos e intereses, y con ello a su posición corporativo-plutocrática en la entidad.

Esta norma constituye, en fin, una clara manifestación de los nuevos principios y reglas de buen gobierno corporativo introducidos en el ordenamiento jurídico-societario español por la Ley 31/2014, de 3 de diciembre, de reforma del Texto Refundido de la Ley de Sociedades de Capital para la mejora del Gobierno Corporativo.

---

1 IRIBARREN BLANCO, M., "Competencia de la junta general sobre la disposición de activos esenciales: tendencias en el derecho comparado y cuestiones en los grupos de sociedades", en Actualidad Jurídica Uría Menéndez, nº 65, octubre 2024, pp. 63-81 (65-66).

2 "*Salvo disposición contraria de los estatutos, la junta general de las sociedades de capital podrá impartir instrucciones al órgano de administración o someter a su autorización la adopción por dicho órgano de decisiones o acuerdos sobre determinados asuntos de gestión, sin perjuicio de lo establecido en el artículo 234.*"

3 Vid. ESTEBAN VELASCO, G., "Distribución de competencias entre la Junta General y el órgano de Administración, en particular las nuevas facultades de la Junta sobre activos esenciales", en Rodríguez Artigas, F. (Dir.), *Junta General y Consejo de Administración de la Sociedad cotizada*, Tomo I, Aranzadi, Cizur Menor, 2016, pp. 28-89. ALCALÁ DÍAZ, M. Á., *Las competencias de la junta en asuntos de gestión*, La Ley, Madrid, 2018. BOQUERA MATARREDONA, J., "La intervención de la junta general en asuntos de gestión", en García-Cruces González, J. A. (Dir.), *La gobernanza de las sociedades no cotizadas*, Tirant lo Blanch, Valencia, 2020, pp. 101-140.

El principio de distribución de competencias entre órganos sociales atribuye la función de gestión y representación al órgano de administración, lo que incluirá la capacidad de decidir la compra, venta o cualquier otro acto de disposición (incluyendo la constitución de garantías u otros negocios jurídico-reales limitados) sobre todo tipo de activos. Pero dicho principio quiebra en casos puntuales por la voluntad del legislador para garantizar un mejor gobierno corporativo, recogida en la Ley 31/2014, de 3 de diciembre, de reforma del TRLSC para la mejora del gobierno corporativo, reservando a la voluntad superior de la Junta General la decisión última de decidir realizar o no operaciones sobre activos esenciales, en cuanto órgano jerárquicamente superior cuando se trata de tomar decisiones encaminadas a modificar la estructura organizativa-corporativa o financiera-patrimonial de la sociedad, o sobre la disolución y liquidación de la organización societaria.

Esta regla aparece vinculada, por tanto, a un determinado supuesto de hecho que constituye un acto de gestión propiamente dicho, particularmente importante por su trascendencia para la sociedad debido a su carácter a priori estratégico: la adquisición, enajenación o aportación a otra sociedad de activos que son o pueden ser esenciales para el patrimonio social y, por tanto, para la estructura jurídica y financiera de la sociedad y para la realización de su objeto social y, con ello, para el devenir futuro de la empresa social[4]. Y digo a priori porque la regla parte de una presunción *iuris tantum* para facilitar su aplicación: el carácter esencial del activo se presume cuando el importe de la operación supere el veinticinco por ciento del valor de los activos que figuren en el último balance aprobado por la sociedad. Aunque habrá que determinar caso por caso el carácter verdaderamente esencial de un concreto activo en cada concreta sociedad para determinar si es verdaderamente esencial y si, por tanto, es preciso

---

4 ESTEBAN VELASCO, G. "Distribución de competencias entre la Junta General y el órgano de administración, en particular las nuevas facultades de la Junta sobre activos esenciales", cit., pp. 29-89. GALLEGO SÁNCHEZ, E., "Operaciones sobre activos esenciales", en Peñas Moyano, M. J. (Dir.), *Estudios de Derecho de sociedades y de Derecho concursal: libro en homenaje al profesor Jesús Quijano González*, Ediciones Universidad de Valladolid, Valladolid, 2023, pp. 349-368.

someter a la decisión de la Junta General la autorización o validación de la operación propuesta por el órgano de administración, lo cual —como vamos a ver— introduce flexibilidad, pero también supone un importante factor de inseguridad jurídica que no contribuye a la aplicación pacífica de la norma, erigiéndose en un posible factor de conflictividad entre socios y administradores (y los terceros afectados).

Esta regla de nueva organización corporativa se amplía en la legislación española para el subtipo de las sociedades anónimas cotizadas con las competencias adicionales reservadas a la Junta General en el artículo 511bis TRLSC, a fin de decidir sobre operaciones de filialización (esto es, la transferencia a entidades dependientes de actividades esenciales desarrolladas hasta ese momento por la propia sociedad, aunque ésta mantenga el pleno dominio de esas sociedades), operaciones cuyo efecto sea equivalente al de la liquidación de la sociedad y decisiones que tengan que ver con la política de remuneraciones de los consejeros (que se consideran esenciales por el impacto que pudieran tener para el patrimonio social y para la imagen misma de la entidad).

Dice en concreto el citado artículo 511bis, apartado 1, TRLSC ("Competencias adicionales") que: 1. "*En las sociedades cotizadas constituyen materias reservadas a la competencia de la junta general, además de las reconocidas en el artículo 160, las siguientes: a) las transferencia a entidades dependientes de actividades esenciales desarrolladas hasta ese momento por la propia sociedad, aunque esta mantenga el pleno dominio de aquellas; b) las operaciones cuyo efecto sea equivalente al de la liquidación de la sociedad; c) la política de remuneraciones de los consejeros en los términos establecidos en esta ley*".

A pesar de las diferencias de redacción, y aunque esta regla estaba pensada inicialmente solo para las sociedades anónimas cotizadas, se entiende comúnmente que ambas normas tienen un ámbito de aplicación sustancialmente coincidente, por lo que es lógico pensar en una interpretación uniforme del artículo 160 f) TRLSC tanto para sociedades de capital en general como para sociedades anónimas cotizadas, incluyendo dentro de las operaciones sobre activos esenciales en estas últimas las ya mencionadas de filialización y cualesquiera otras que equivalgan o aboquen en la práctica a la liquidación de hecho de la sociedad[5].

II. OPERACIONES SOBRE ACTIVOS ESENCIALES

De los artículos 160 f) y 511bis TRLSC se desprende que el concepto de "activo esencial" se erige en pauta de referencia o noción fundamental para la aplicación de ambas normas, por lo que la determinación del tipo de operaciones sujetas a la norma y el carácter esencial o no del activo se convierten en cuestiones previas a dilucidar en cada caso concreto. Cuestiones conceptuales pero de eminente trascendencia práctica.

1. Operaciones incluidas en la regla del artículo 160 f) TRLSC

Por lo que se refiere al tipo de operaciones sujetas a la regla del artículo 160 f) TRLSC, esta se refiere de forma explícita a operaciones de transmisión de activos esenciales, sea por su adquisición o por su enajenación, independientemente de la forma jurídica concreta que se utilice (incluyendo expresamente la aportación a sociedad). Nada dice, sin embargo, sobre si quedan incluidas las operaciones de gravamen sobre activos esenciales de la organización o las operaciones de financiación de la sociedad por importes que superen el veinticinco por ciento del valor de sus activos según el último balance aprobado.

La STS, Sala Primera, núm. 1045/2023, de 27 de junio[6], tras declarar con carácter previo que la norma del artículo 160 f) TRLSC

---

5 Vid. IRIBARREN BLANCO, M., "Competencia de la junta general sobre la disposición de activos esenciales...", cit., p. 64. En particular, por lo que se refiere a la aplicación de la norma en grupos de sociedades, en operaciones de filialización y subfilialización o de otra naturaleza que indirectamente impliquen la adquisición de derechos o intereses sobre activos esenciales (vid. pp. 74-81).

6 Vid. https://www.cuatrecasas.com/es/spain/mercantil/art/lsc-articulo-160f-financiacion-gravamenes

entronca con la doctrina de las denominadas "competencias implícitas o no escritas" de la Junta General, asumida ya por la Sala anteriormente (SSTS 722/2006, de 6 de julio, 117/2007, de 8 de febrero, 285/2008, de 17 de abril y 426/2009, de 19 de junio)[7], y tras apuntar que para decidir si un acuerdo tiene por objeto una operación sobre activos esenciales es necesario realizar una interpretación de dicha norma que priorice el criterio sistemático (porque la operación produzca un resultado funcionalmente equivalente al de aquellas operaciones que típicamente entran en el ámbito de competencias de la Junta General) y el teleológico (pues la norma persigue residenciar en Junta los acuerdos que inciden de modo sustancial en la posición jurídica y económica de los socios y/o en la estructura o la actividad de la sociedad), atendiendo a las consecuencias que la operación tiene desde el punto de vista de la actividad y la estructura jurídica y económica de la sociedad, de su subsistencia o del riesgo inicialmente asumido por los socios[8], trata el asunto[9] disponiendo que, en

---

7 Apunta el Tribunal que la norma del artículo 160 f) TRLSC "*reserva a la junta general la competencia para adoptar decisiones que, pese a que por su naturaleza negocial podrían en principio ser formalmente adoptadas por los administradores, producen un efecto equivalente al de acuerdos cuya adopción necesariamente corresponde a la junta general (modificaciones estructurales, modificaciones estatutarias, liquidación social y actuaciones similares), ya que sus resultados prácticos inciden de modo sustancial en la posición jurídica y económica de los socios y/o en la estructura económica y/o jurídica de la sociedad. Son cambios que afectan a la decisión originaria del socio de invertir en la sociedad. Por tal razón, la decisión última debe quedar confiada a los socios reunidos en junta general*".

8 "*El supuesto de hecho de la norma comprende tanto las operaciones en las que se enajenan activos o se aportan a otra sociedad, como aquellas en que es la sociedad la que adquiere esos activos. En ambos casos, es determinante que las consecuencias de la transmisión sean equivalentes a las de operaciones que típicamente entran en el ámbito de competencias de la junta, porque su trascendencia es equiparable a una modificación estructural o estatutaria significativa o alteran de forma sustancial el cálculo original del riesgo que asumió el socio, de modo que esté justificada la atribución de la decisión a los socios reunidos en la junta general*".

9 En un caso en que el consejo de administración de una sociedad anónima con activos valorados en 129 millones de euros aprueba un acuerdo para solicitar financiación por importe de setenta millones, se encuentra con el voto en contra e impugnación del acuerdo por un consejero que alega la infracción del artículo 160 f) TRLSC al considerar que corresponde a la Junta General la adopción de esa decisión. Tanto el Juzgado de lo Mercantil

principio, dentro del supuesto de hecho del artículo 160 f) TRLSC no estarían incluidas las operaciones de financiación de la sociedad, salvo que lleven aparejadas, siquiera a título de garantía, la posibilidad de una disposición sobre activos sociales de importancia. Añade que, en cualquier caso, incluso entendiendo que excepcionalmente pudieran estar incluidas algunas operaciones de financiación, no lo estarían las propias de la gestión ordinaria de la sociedad o las destinadas a obtener los recursos necesarios para el desenvolvimiento de la actividad propia del objeto social, resultando que el acuerdo de la Junta General solo sería necesario cuando la operación de financiación pusiera en riesgo la viabilidad de la sociedad o modificara sustancialmente el desarrollo de su actividad o cuando alterara profundamente el cálculo de riesgo inicial de los socios o su posición de control.

Por lo tanto, el Alto Tribunal admite que quedarán sometidas en todo caso a la nueva regla de distribución de competencias entre órganos del artículo 160 f) TRLSC las operaciones de financiación que lleven aparejadas garantías sobre activos esenciales de la sociedad de capital. Pero parece también admitir que podrían quedar incluidas en dicha regla, siquiera con carácter excepcional, aquellas otras operaciones de financiación que, sin involucrar garantías patrimoniales por parte de la sociedad, pudieran poner en riesgo la viabilidad de la organización, modificar sustancialmente el desarrollo de su objeto social o alterar profundamente el cálculo que hicieron los socios inicialmente al invertir en la sociedad o adquirir una posición de control en la misma; algo que tendrá que evaluarse *ad hoc* a partir de la base fáctica de cada caso concreto.

Considera así el Tribunal Supremo que es necesario atender a las concretas circunstancias de la operación para decidir si puede formar parte del supuesto de hecho en que la norma exige el acuerdo

---

como la Audiencia Provincial desestimaron la impugnación alegando que una operación de financiación forma parte del pasivo de la sociedad, no encajando en el concepto de activo ni, por tanto, en su valoración como activo esencial.

de la Junta General[10], pero de su argumentación se desprende implícitamente una postura favorable en principio a incluir dentro de las operaciones afectas a la regla del artículo 160 f) TRLSC no solo las de transmisión de activos esenciales en sentido estricto, sino también las de gravamen y financiación que afecten a activos que se puedan considerar esenciales para la sociedad o que se puedan considerar esenciales *lato sensu* para la estructura financiera-patrimonial y el devenir futuro de la organización.

2. *Concepto de activo esencial para la sociedad*

Entrando ya en el concepto mismo de activo esencial de una sociedad mercantil de capital, tanto el artículo 160 f) como el artículo 511 bis.2 TRLSC expresan con claridad que "*Se presume el carácter esencial del activo cuando el importe de la operación supere el veinticinco por ciento del valor de los activos que figuren en el último balance aprobado*".

---

10 "*En el caso enjuiciado, la operación de financiación no comportaba la transmisión ni la constitución de garantía alguna sobre activos afectos a una línea de actividad de la sociedad. Si bien la cuantía de la operación era muy elevada (70 millones de euros), una parte importante iba destinada a sustituir la financiación ya existente por lo que no se agravaba significativamente la deuda financiera de la sociedad. Y la operación permitía la financiación del "Plan de Negocios o Estratégico" para los años 2017-2021 del grupo al que pertenece la sociedad demandada, que había sido aprobado previamente y respecto del que no se había formulado impugnación, con lo que se permitía la continuación de la explotación de la actividad preexistente conforme al nuevo plan de negocios. Como afirma la sentencia recurrida, "[n]o hay adquisición ni desprendimiento de elementos físicos o inmateriales (fábrica, patentes, marcas, etc.) necesarios para la elaboración y comercialización de cervezas. Sino la obtención de liquidez para desarrollar el objeto social". En estas circunstancias, no puede entenderse que de dicho acto de gestión se deriven consecuencias que alteren de modo sustancial la posición de los socios o la estructura jurídica o económica de la sociedad, pese a su importancia cuantitativa, puesto que se trata de una acción necesaria para la eficacia de acuerdos previamente aprobados y no impugnados, en que el consejo de administración ha elegido una entre las diversas alternativas de financiación presentadas para la continuación de la actividad a la que venía dedicándose la sociedad (la fabricación de cerveza), dentro de su objeto social, conforme al nuevo plan de negocios. En definitiva, por las razones expuestas cabe concluir que el acuerdo impugnado no es subsumible el supuesto de hecho del art. 160.f LSC y no exige que sea aprobado por la junta de socios*".

Este porcentaje, criterio cuantitativo empleado como referencia o barrera para determinar el carácter esencial del activo objeto de una operación de adquisición, enajenación o aportación a otra sociedad (o de constitución de garantías o financiación), constituye —como se ha dicho ya— una presunción *iuris tantum* que admite prueba en contrario. Con lo cual, el activo objeto de una operación de disposición, financiación o garantía que supere ese cantidad no tiene por qué ser necesariamente esencial para la sociedad en cuestión si así se justifica objetivamente; y en sentido contrario, un activo que no alcance esa cifra puede resultar esencial para la sociedad si se fundamenta objetivamente.

De lo anterior se deriva que, sin perjuicio de tener en cuenta el criterio cuantitativo establecido como presunción *iuris tantum*, resulta prioritario en todo caso atender a criterios cualitativos para determinar la verdadera "esencialidad" del activo afectado en cada operación y, en consecuencia, para poder decidir al respecto[11]; sobre todo en aquellos casos en que la esencialidad no sea evidente y se discuta o debata la esencialidad del activo para la concreta sociedad de que se trate, es decir para su patrimonio y actividad.

Con todo, hubiera sido deseable que el factor o presunción cuantitativa de la esencialidad fuera mucho más elevado. El veinticinco por ciento del valor de los activos del último balance aprobado supone una referencia exigua, que complica la aplicación práctica de la norma en aquellos casos en que no resulte evidente la esencialidad cualitativa del activo objeto de una concreta operación[12]. Más aún en el caso de sociedades anónimas cotizadas cuyo patrimonio es sustancialmente más elevado que el de las no cotizadas. Quizás una referencia superior al cincuenta por ciento del capital social hubiera sido lo

---

11 Vid. GARCÍA-CRUCES GONZÁLEZ, J.A., "Artículo 160. Competencia de la junta", en García-Cruces González, J.A./Sancho Gargallo, I. *Comentarios a la Ley de Sociedades de Capital*, Tirant lo Blanch, Valencia, 2021, p. 2259.

12 En Bélgica, tras la reforma operada el 20 de diciembre de 2024 en su legislación de sociedades (cfr. artículo 1:151/1 del Code des Sociétés et des Associations del año 2019, la referencia cuantitativa se sitúa en el setenta y cinco por ciento de los activos de la sociedad, y se aplica únicamente a sociedades cotizadas. Vid. IRIBARREN BLANCO, M., "Competencia de la junta general sobre la disposición de activos esenciales...", cit., pp. 69-70.

adecuado teniendo en cuenta la aplicación de la norma a todo tipo de sociedades de capital.

Una interpretación conjunta del artículo 160 f) con el artículo 511 bis TRLSC permite concluir que lo relevante, a la hora de decidir sobre la esencialidad o no de un activo de la sociedad, es atender al carácter sustantivo o material de la operación y a sus consecuencias para la organización societaria y sus socios en el caso concreto, partiendo siempre de que la intención del legislador ha sido reservar a la competencia de la Junta General la decisión sobre operaciones de especial o mayor trascendencia para la estructura organizativa-corporativa y financiera-patrimonial de la sociedad, y, con ello, para el futuro de su actividad o de la organización como tal; de suerte que la "esencialidad" del activo no reside realmente en dicho activo como tal, sino en la trascendencia o especial relevancia que puede tener para el futuro de la organización en el caso concreto, esto es, en las consecuencias que un acto de disposición de un activo —compra, enajenación, aportación a sociedad, u otra operación equivalente— puede tener para la misma[13].

Apunta en este sentido la doctrina científica, que "*el carácter esencial se debe predicar de los casos en que la enajenación del activo comporta una alteración de la composición patrimonial, económica o financiera de la sociedad que conduce a que ésta ya no fuera reconocible como la que tenía con anteriorida*d"; con lo cual, "*La concreción de tal situación en el caso sería una cuestión de hecho, que exigiría una valoración casuística en función de criterios diversos*"[14].

En el caso concreto de una operación de enajenación o gravamen de un activo de la sociedad, este podrá considerarse esencial —incluso aunque no supere el umbral cuantitativo del veinticinco por ciento del valor de los activos que figure en el último balance apro-

---

13 Vid. FERNÁNDEZ DEL POZO, L., "Aproximación a la categoría de operaciones sobre activos esenciales, cuya decisión es competencia exclusiva de la Junta (artículos 160 f) y 511bis LSC)", La Ley Mercantil, núm. 11, 2015, pp. 25-26.

14 Vid. RECALDE CASTELLS, A., "Artículo 160. Competencias de la Junta", en Juste Mencía, J. (Dir.), *Comentario de la reforma del régimen de las sociedades de capital en materia de gobierno corporativo*, Civitas, Madrid, 2015, p. 41.

bado— cuando pueda considerarse imprescindible para que la sociedad pueda realizar su objeto social, de manera que su transmisión o el riesgo vinculado a su gravamen haría prácticamente inviable la realización de la actividad para la que se constituyó; entonces habrá que comparar la situación de la sociedad previa a la operación con la que resulte tras producirse la misma[15]. Así lo entiende también la escasa jurisprudencia existente hasta el momento sobre la materia.

La Sentencia de la Audiencia Provincial de Ourense, Secc. 1ª, núm. 326/2018, de 16 de octubre considera que: "*De lo dispuesto en la Exposición de Motivos de la norma se desprende que todo aquello que implique o se presente una pérdida patrimonial importante para la sociedad debe estar comprendido en el ámbito protector del precepto. El ámbito material de la protección se extiende así a cualesquiera bienes (mueble, inmueble, patentes, etc.), con un valor económico suficientemente importante como para ser considerados esenciales para la sociedad (...) Tampoco define la norma el concepto de activo esencial, y para facilitar su delimitación el legislador ha introducido una presunción legal de carácter cuantitativo, consistente en entender que afectan a activos esenciales, las operaciones cuya cuantía asciende al 25 % del valor de los activos de la sociedad, según el último balance aprobado. El criterio cuantitativo es meramente una presunción que desencadena la obligación de los administradores de someter o no a la decisión de la Junta General estas operaciones, pero no constituye un criterio para confirmar per se la naturaleza esencial del activo. Por ello, es posible que un activo pueda no ser esencial, aunque la operación de transmisión supere el umbral del 25 % de los activos de la sociedad, lo que únicamente obligará a los administradores a justificar su no esencialidad; y que un activo, cuya transmisión no supere ese porcentaje, pueda tener carácter esencial por alterar el desarrollo del objeto social de la entidad, lo que obligará a los administradores a someter la operación a la Junta General. Por tanto, para determinar si se enajenan, adquieren o aportan activos esenciales hay que comparar el objeto social realmente desarrollado por la sociedad antes y después del negocio*".

La Sentencia de la Audiencia Provincial de Asturias, Secc. 1ª, núm. 501/2020, de 26 de febrero, apunta que: "*Activos esenciales pueden ser considerados aquellos sin los cuales la sociedad no puede desarrollar*

---

15 RECALDE CASTELLS, "Artículo 160. Competencias de la Junta", cit., pp. 42-43.

la actividad que constituye su objeto social. Por tanto, para determinar si se han aportado activos esenciales hay que comparar el objeto social realmente desarrollado por la sociedad antes y después del negocio (...). Por otro lado, la presunción que señala dicho precepto del 25 % lo es iuris tantum, admitiendo, por tanto, prueba en contra, recayendo la carga de la prueba de que no se trata de un activo esencial sobre quien alegue tal cosa una vez demostrado que el activo pesa más del 25 % de los activos del balance (...). Afirmado el carácter esencial de los activos en la demanda y destruida por la parte demandada la presunción legal iuris tantum establecida al efecto para tal consideración, es el demandante quien debe soportar la carga de acreditar la esencialidad de los bienes inmuebles sobre la base de un criterio no cuantitativo, sino cualitativo. No resulta controvertido afirmar que la norma en cuestión no define el concepto de activo esencial y que, al objeto de facilitar su delimitación, se incluye una presunción legal de carácter cuantitativo, la cual, como se ha razonado, no se cumple en este caso, pero ello no impide acudir a otro criterio, no cuantitativo sino cualitativo, basado en la esencialidad de los bienes inmuebles en cuestión atendido el destino de las inversiones sociales comprometidas, es decir, acreditando que la operación llevada a cabo no resulta esencial para la estrategia corporativa. En tal sentido, se aprecia una ausencia de actividad probatoria en la parte actora".

Volviendo a la doctrina científica, se afirma que: "*Activos esenciales serían aquellos sin los cuales la sociedad no puede seguir realizando la actividad que constituye su objeto social (modificación de facto del objeto), que conducen a su disolución o que suponen una modificación estructural de la sociedad*"; de suerte que sólo cuando una operación sobre activos tenga una trascendencia para la estructura organizativa, financiera-patrimonial o funcional de la sociedad debería exigirse el acuerdo de la junta general, permaneciendo en el resto de casos las reglas generales u ordinarias que atribuyen el poder de decisión al órgano de administración de la sociedad, lo que incluye la disposición de sus activos[16]. De modo que, "*si se enajena un activo esencial, se está produciendo una modificación de facto del objeto social ya que la sociedad, después de la enajenación no dispone ya del activo que le permitiría desarrollar el*

[16] Vid. RECALDE CASTELLS, "Artículo 160. Competencias de la Junta", cit., pp. 43.

objeto social que venía desarrollando"[17]. En definitiva, "*(...) cuando los administradores sociales, al amparo de su competencia de gestión, decidieran la realización de ciertos actos de disposición que condujeran a un resultado funcionalmente equivalente a aquél que produciría la decisión de la junta en cualquiera de las materias que son objeto de su competencia, la decisión última debe quedar confiada a los socios reunidos en junta general*"[18].

Así, cuando un acto de adquisición, enajenación o aportación a otra sociedad de un activo esencial pueda ser susceptible de alterar sustancialmente la estructura organizativa y patrimonial de la empresa social, poner en riesgo la efectiva realización de su objeto social, suponer o encubrir una operación de filialización[19], o abocar a la sociedad a una situación de disolución y liquidación *de facto*, afectando directa o indirectamente a los derechos e intereses de los socios, la decisión sobre la disposición de ese activo no corresponde al órgano de administración, sino a la decisión de los socios expresada en un acuerdo de la Junta General.

Es más, el sometimiento a la Junta General de la decisión sobre actos de disposición de un activo esencial de la sociedad forma parte de los deberes de diligencia y lealtad de los administradores sociales, toda vez que, como, apunta el artículo 225.1 TRLSC "*Los administradores deberán desempeñar el cargo y cumplir los deberes impuestos por las leyes y los estatutos con la diligencia de un ordenado empresario (...) y subordinar, en todo caso, su interés particular al interés de la empresa*"; y en la misma línea, el artículo 227.1 TRLSC según el cual "*Los administradores deberán desempeñar el cargo con la lealtad de un fiel representante, obrando de buena fe y en el mejor interés de la sociedad*".

En ese sentido, la Recomendación nº 12 del Código de Buen Gobierno aprobado por la Comisión Nacional de los Mercados de Valores (CNMV) en el año 2015 (modificado en 2020), establece que

---

17 ALFARO ÁGUILA-REAL, J., "El nuevo artículo 160 f LSC", accesible en https://derechomercantilespana.blogspot.com/2015/02/el-nuevo-articulo-160-f-lsc.html).

18 GARCÍA-CRUCES GONZÁLEZ, "Artículo 160. Competencia de la junta", cit., p. 2261.

19 Cfr. Sentencia de la Audiencia Provincial de Asturias, Secc. 1ª, núm. 501/2020, de 26 de febrero.

los administradores deben desempeñar sus funciones con unidad de propósito e independencia de criterio, dispensando el mismo trato a todos los accionistas que se hallen en la misma posición y guiándose por el interés social, "*entendido como la consecución de un negocio rentable y sostenible a largo plazo, que promueva su continuidad y la maximización del valor económico de la empresa*". De suerte que la conservación en términos de rentabilidad y la maximización del valor de la empresa en el medio y largo plazo se perfilaría como pauta objetiva de interpretación del interés de la sociedad que deben perseguir los administradores y directivos en el desarrollo de sus funciones; razón por la que debería entenderse que, dentro de las pautas de buen gobierno corporativo introducidas por el legislador, formaría parte del interés social someter a la Junta General la decisión sobre cualquier acto de disposición de un activo que pueda considerarse esencial, ya que podría afectar a la estructura organizativa y/o financiero-patrimonial de la sociedad, al desarrollo efectivo de su objeto social e incluso a su propia supervivencia en el tráfico.

Expuestas estas consideraciones previas de carácter dogmático, parte de la doctrina científica coincide en proponer una interpretación restrictiva de la regla de organización corporativa excepcional del artículo 160 f) TRLSC (en tanto que supone una excepción a la regla general del principio de distribución de competencias que atribuye las de gestión al órgano de administración), de forma que sólo en casos donde la esencialidad del activo resulte indiscutible se debería exigir el acuerdo de la Junta General para validar o ratificar la decisión propuesta o adoptada por el órgano de administración[20/21], aplicándose dicha regla corporativa con sumo cuidado y cautela para no anular las competencias propias del órgano de administración mediante una extensión exagerada de las competencias atribuidas a la junta en asuntos de gestión con carácter excepcional[22].

---

20 Sobre la ratificación o aprobación a posteriori véase la SAP Barcelona, Secc. 15ª, núm. 800/2022, de 13 de mayo, ap. 12.

21 RECALDE CASTELLS, "Artículo 160. Competencias de la Junta", cit., p. 43)

22 GARCÍA-CRUCES GONZÁLEZ, "Artículo 160. Competencia de la junta", cit., p. 2262.

En la práctica, sin embargo, no serán pocos los casos donde se discuta intensamente sobre el carácter esencial o no de un activo, máxime cuando el legislador ha fijado una presunción cuantitativa notablemente baja, por lo que en aquellos casos donde se ponga en discusión, será imprescindible atender a criterios preferentemente cualitativos siguiendo una interpretación teleológica o finalista de la norma, atendiendo a la *mens legislatoris* de acuerdo con los parámetros antes apuntados, y teniendo presente también cuál es la actividad propia de la sociedad y el peso específico que el activo en cuestión tiene para la misma y las consecuencias a futuro de su adquisición o transmisión. Como hemos dicho ya anteriormente, atendiendo a una perspectiva fundamentalmente cualitativa, habrá que fijar la atención no tanto —o no solo— en la esencialidad del activo como tal, sino en la esencialidad —en el sentido de relevancia o importancia— de la operación de enajenación, compra o aportación a sociedad para el futuro de la entidad titular del activo en cuestión[23].

En esta línea, la SAP Salamanca, núm. 559/2022, de 6 de septiembre[24], consideró que un activo inmobiliario de una promotora inmobiliaria valorado en 1.196.516,78 € sobre un total de activos en el balance de la sociedad de 1.609.308 € "*constituye su principal activo tanto cuantitativa como cualitativamente, siendo fundamental, llegado el caso, para la reactivación de la actividad inmobiliaria de la entidad o para obtener liquidez llegado el caso, o para proceder a una ordenada disolución y liquidación de la sociedad respetando igualitariamente el derecho de los socios a su cuota de liquidación en función de sus respectivas participaciones en la sociedad (cfr. artículos 93 a., 94.1, 97 y 392 TRLSC)*".

La esencialidad del activo inmobiliario supone —según la Audiencia Provincial de Salamanca— que, si como consecuencia de su enajenación la sociedad quedase sin patrimonio relevante y sin actividad —o sin posibilidad o escasa posibilidad de reanudarla—

---

23 Vid. FERNÁNDEZ DEL POZO, L., "Aproximación a la categoría de operaciones sobre activos esenciales, cuya decisión es competencia exclusiva de la Junta [arts. 160 f) y 511 bis Ley de Sociedades de Capital]", La Ley Mercantil nº11 febrero, pp. 24-48.

24 Vid. https://www.cuatrecasas.com/es/spain/mercantil/art/de-nuevo-sobre-la-competencia-de-la-junta-sobre-activos-esenciales

perdería la razón de su existencia, que es realizar el objeto social, por lo que cabría suponer que la venta de ese activo supondría *de facto* una disolución y liquidación encubierta de la sociedad, que se llevaría a cabo por tanto sin respetar las normas legales pertinentes que exigen la adecuada valoración de los activos para el posterior reparto, en su caso, de la cuota de liquidación de los socios, a fin de garantizar el derecho de todos ellos y en especial el de los minoritarios en condiciones de igualdad[25]. Y añade que esa conclusión no se ve alterada por el hecho de que la sociedad en cuestión se encuentre —en el caso— en una posible causa técnica de disolución por falta de actividad (artículo 363.1.c. TRLSC), pues esa causa no había sido constatada en el caso concreto por la Junta General (lo que denota un posible margen de recuperación de la empresa una vez superada la crisis inmobiliaria), de modo que la sociedad solo estaría de hecho en situación de posible disolución pudiendo reactivarse en cualquier momento, lo cual probablemente no sería posible si se llevase a cabo la venta del principal activo inmobiliario, motivo por el que se hace más necesario el acuerdo de la Junta General para proceder a su venta.

Sin embargo, para un sector de la doctrina el valor contable de un activo inmobiliario no puede servir para determinar su esencialidad para la sociedad (aun siendo ostensible la diferencia de valor con el resto de los activos de la sociedad) cuando el objeto social de la misma sea precisamente la promoción y construcción inmobiliaria, toda vez que la compraventa de solares forma parte de las operaciones normales de la empresa, siendo así la competencia para decidir del órgano de administración y no de la Junta General[26].

Precisa al respecto la Dirección General de Seguridad Jurídica y Fe Pública que "*la norma no opera cuando la operación es propia del giro o tráfico de la empresa, pues entender lo contrario conduce a resultados*

---

[25] Con cita de la SAP Burgos, Secc. 3ª, núm. 625/2021, de 7 de diciembre, Fundamento de Derecho tercero.

[26] Así, RECALDE CASTELLS, "Artículo 160. Competencias de la Junta", cit., p. 42.

absurdos"[27]. Entiende, así, que si se interpreta el artículo 160.f) TRLSC de forma sistemática y finalista, se llega fácilmente a la conclusión de que la norma no es aplicable cuando la adquisición o transmisión del activo es una actividad propia del objeto social; de modo que en una sociedad que tiene por objeto la compraventa de inmuebles, la venta de un inmueble es un acto de gestión directa claramente comprendido en el objeto social, para el cual está facultado *ex lege* el órgano de administración (artículo 234 TRLSC), sin importar la cifra de capital o el importe del precio de venta. Y cita para avalar su postura la Sentencia del Tribunal Supremo núm. 1045/2023 de 27 junio, referida a una operación de financiación. Es decir, para la DGSJFP es preciso

---

[27] Señala la DGSJFP que la cualidad de "esencial" depende de actividad de la empresa y de la función que cumple en el desarrollo del objeto social, no del valor del activo. Y pone los siguientes ejemplos: En una sociedad constituida para desarrollar una patente o software, lo que es esencial es la patente o software, que probablemente tendrá un valor contable muy reducido respecto al valor del inmovilizado material. Siendo esencial para desarrollar el objeto social la patente o software, el administrador está facultado para adquirir, transmitir o alquilar el local de negocio u oficina donde se instale la empresa, pero no para transmitir la patente o software sin acuerdo de la Junta, porque el acto impide la realización del objeto social. Si se trata de una empresa dedicada al transporte de mercancías por carretera, el administrador podrá comprar el camión y financiar la adquisición, incluso hipotecando bienes sociales, y podrá vender los camiones para renovar la flota; pero sin autorización de la Junta no puede aportar la flota de camiones a otra sociedad a cambio de acciones de la misma. Y si la sociedad tiene por objeto la compraventa de inmuebles, como sucede en el presente caso, el administrador podrá comprar y vender inmuebles sin acuerdo de la Junta, cualquiera que sea su importe, porque es un acto de gestión directa o de ejecución del objeto social; también podrá aportar ciertos inmuebles a una nueva sociedad con análogo o idéntico objeto (filialización o participación en otras sociedades), porque la sociedad puede desarrollar su objeto de forma indirecta; incluso también podrá disponer del único inmueble que figura en el activo, como sucedería en el caso de la sociedad que tiene por objeto la ejecución de proyectos "llave en mano", o comprar, rehabilitar y/o construir y vender edificios singulares. Lo que no podrá el administrador sin acuerdo de la Junta es aportar todos los inmuebles a una sociedad con objeto social distinto a cambio de acciones de la misma, porque implica indirectamente un cambio de objeto social convirtiendo a la aportante en "holding".

huir de interpretaciones que conduzcan a resultados contrarios a la agilidad del tráfico-mercantil.

Sin embargo, la citada SAP Salamanca 559/2022, de 6 de septiembre considera que esta conclusión puede resultar válida en la mayoría de los casos, sobre todo cuando la operación se haga en términos normales o razonables de precio de mercado de esos activos, dentro de las operaciones habituales de compraventa inmobiliaria de esa entidad o con el ánimo de lograr liquidez para seguir desarrollando el objeto social. Pero no lo será cuando la operación en cuestión tenga lugar sobre un activo que constituya el bien principal de la sociedad, cuya venta pueda poner en riesgo la reactivación y realización del objeto social y, por ende, los intereses últimos de los socios, máxime si no se acredita que esté destinada a obtener liquidez para pagar deudas o para activar otras operaciones de la sociedad, generando un riesgo cierto de disolución y liquidación *de facto* de la sociedad y, con ello, una infravaloración de los derechos de los socios respecto de su cuota de liquidación llegada la situación de darse una extinción *de iure* de la sociedad.

Entiendo que esta lectura del problema se contiene también implícitamente en la argumentación que realiza la anteriormente citada STS, Sala Primera, núm. 1045/2023, de 27 de junio, cuando, al hilo de si debe quedar o no incluidas en la regla del artículo 160 f) TRLSC las operaciones de financiación de la sociedad, apunta que el acuerdo de la Junta General debe ser necesario cuando la operación de financiación pueda poner en riesgo la viabilidad de la sociedad o modifique sustancialmente el desarrollo de su actividad o altere profundamente el cálculo de riesgo inicial de los socios o su posición de control.

III. EL DEBER DE SOMETER LAS OPERACIONES SOBRE ACTIVOS ESENCIALES A LA DECISIÓN DE LA JUNTA GENERAL. CONSECUENCIAS DE SU INCUMPLIMIENTO

El artículo 160 f) TRLSC deja claro que es competencia exclusiva de la junta general de una sociedad de capital acordar, en su caso, la adquisición, enajenación o aportación a otra sociedad de activos esenciales, pero no indica qué consecuencias se derivan del incumplimiento de dicha regla. Según el Preámbulo (apartado IV) de la Ley 31/2014, de 3 de diciembre, que lo introdujo en el TRLSC 2010, la finalidad de dicho precepto es reservar esa decisión a la Junta General por tratarse de operaciones societarias que por su relevancia tienen efectos similares a las modificaciones estructurales. No obstante, como ha tenido ocasión de precisar la Dirección General de Seguridad Jurídica y Fe Pública al interpretar el artículo 160 f) TRLSC, "*La finalidad de la disposición del artículo 160.f), como se desprende de la ubicación sistemática de la misma (en el mismo artículo 160, entre los supuestos de modificación estatutaria y los de modificaciones estructurales), lleva a incluir en el supuesto normativo los casos de «filialización» y ejercicio indirecto del objeto social, las operaciones que conduzcan a la disolución y liquidación de la sociedad, y las que de hecho equivalgan a una modificación sustancial del objeto social o sustitución del mismo*" (cfr. por todas, RDGSJFP de 13 de abril de 2021). Esto es, un activo puede considerarse esencial si su transmisión pone en riesgo o dificulta gravemente la actividad de la sociedad (el ejercicio efectivo y real del objeto social) y su misma subsistencia, lo que justificaría la intervención de los socios a través de la junta general.

Por el contrario, el artículo 161 TRLSC dispone que, salvo disposición contraria de los estatutos, la junta general de la sociedades de capital podrá impartir instrucciones al órgano de administración o someter a su autorización la adopción por dicho órgano de decisiones o acuerdos sobre determinados asuntos de gestión, "*sin perjuicio de lo establecido en el artículo 234*", relativo a la eficacia de los actos de los administradores realizados fuera del alcance de su poder de representación en el ejercicio del objeto social ("la sociedad quedará obligada frente a terceros que hayan obrado de buena fe y sin culpa grave, aun cuando se desprenda de los estatutos inscritos en el Registro Mercantil que el acto no está comprendido en el objeto social"). Ello implica que, en caso de que el órgano de administración ignore las instrucciones recibidas de la junta o la obligación impuesta por esta de que someta a su autorización la decisión de determinados asuntos de gestión, el acto u operación en cuestión que realicen los administradores quedaría fuera de su poder de representación, a pesar de lo cual no podrá ser considerado nulo, incluso aunque no forme parte del objeto social estatutario inscrito en el Registro Mercantil, quedando obligada la sociedad frente a terceros que hayan obrado de buena fe y sin culpa grave.

Ambos preceptos forman parte de lo que se ha dado en llamar quiebra o ruptura del principio de distribución de competencias entre órganos, al atribuir a la junta general competencias que son propiamente de gestión y que correspondería, por tanto, exclusivamente al órgano de administración; aunque más bien constituyen reglas de buen gobierno corporativo para una redistribución de competencias entre órganos societarios, orientadas a conseguir una mayor implicación de los socios en los asuntos de gestión y para controlar la actividad de los administradores en asuntos de especial relevancia (activismo accionarial), superando el llamado conflicto de agencia entre representantes y representados.

Sin embargo, el artículo 161 TRLSC opta claramente por defender los intereses de los terceros de buena fe (y con ello la seguridad jurídica del tráfico económico), declarando la validez de la operación aun cuando se ignoren instrucciones o no se recabe el acuerdo de la junta incluso en asuntos que no formen parte del objeto social, mientras que el artículo 160 f) TRLSC guarda silencio absoluto sobre la eficacia externa que cabe atribuir al acuerdo de la junta general en operaciones sobre activos esenciales. O, dicho de otra forma, guarda silencio sobre la eficacia que cabe atribuir a una operación sobre activos esenciales articulada por los administradores sin recabar el acuerdo de la Junta General, sea antes de producirse la operación o bien como ratificación de la misma una vez concluida por los administradores. Lo anterior, al margen de las consecuencias que para los administradores pudieran derivarse a nivel interno en caso de no someter a la junta la decisión sobre operaciones de disposición de activos esenciales, que podrían ir desde su cese o separación (artículo 223 TRLSC) hasta la exigencia de responsabilidad mediante acciones sociales de responsabilidad por infracción de los deberes fiduciarios de diligencia y lealtad en caso de que se pudiera acreditar un daño para la sociedad (artículo 238 TRLSC), pasando por una posible impugnación del acuerdo del consejo de administración (si el órgano tuviera esta forma), *ex* artículo 251 TRLSC[28].

La cuestión a resolver es si ante la falta de acuerdo de la Junta General en caso de transmisión de activos esenciales de la sociedad, incumpliendo la regla de organización corporativa del artículo 160 f) TRLSC, la operación en cuestión concluida por los administradores en nombre de la sociedad ha de considerarse válida, y por tanto la sociedad quedaría vinculada en todo caso frente a terceros de buena fe, o si debe considerarse una operación nula de pleno derecho que determine la ineficacia del contrato y la restitución de las prestaciones entre los contratantes.

1. Las posiciones divididas de la doctrina científica

La omisión del legislador sobre las consecuencias de incumplir la regla que requiere el acuerdo de la junta general ha dado lugar a un interesante y polémico debate entre la doctrina científica, que se encuentra dividida en dos grandes corrientes.

De un lado quienes consideran que la sociedad quedará vinculada frente a terceros de buena fe por aplicación analógica del artículo 234.2 TRLSC, y sin perjuicio de los efectos internos que para los administradores pueda conllevar el incumplimiento de dicha regla[29].

---

28 Cfr. STS de 8 de febrero de 2007, relativa a un acuerdo del consejo para modificar el objeto social sin someter la decisión al acuerdo de la junta general.

29 Vid., entre otros, GONZÁLEZ MENESES, M., "La reforma de la Ley de sociedades de capital y la función notarial", en El Notario del Siglo XXI, nº 59, 2015; FERNÁNDEZ DEL POZO, L., "Aproximación a la categoría de operaciones sobre activos esenciales, cuya decisión es competencia exclusiva de la Junta (artículos 160 f) y 511bis LSC)", La Ley Mercantil, núm. 11, 2015, pp. 30 y ss. y 46 y ss.; FERNÁNDEZ DEL POZO, L., "Otra vez sobre el

De otro lado aquellos otros que ven en la regla del artículo 160 f) TRLSC una norma que atribuye reserva legal de competencia en asuntos de gestión a la junta general y que se erige en requisito de validez y eficacia de las operaciones sobre activos esenciales de la sociedad, cuyo incumplimiento debe abocar necesaria e ineludiblemente a la nulidad radical de la operación efectuada sobre tales activos esenciales por los administradores sin someterla a la autorización de la junta[30].

---

acto extralimitado sobre activos esenciales del malhadado art. 160 f) LSC", en *La Ley mercantil*, Nº 27, julio-agosto 2016; CABANAS TREJO, R., "Activos esenciales y competencia de la junta general de las sociedades de capital, ¿un riesgo para el tercero que contrata con la sociedad", Diario La Ley, nº 8521, abril de 2015; ÁLVAREZ ROYO-VILLANOVA, S./SÁNCHEZ SANTIAGO, J., "La nueva competencia de la junta general sobre activos esenciales: a vueltas con el artículo 160 f) LSC", Diario La Ley, nº 8546, mayo 2015; ALCALÁ DÍAZ, Mª A., "Ámbito de aplicación y consecuencias del incumplimiento del artículo 160.1 f) de la LSC", en AAVV, *Estudios sobre Derecho de Sociedades. Liber amicorum Prof. Luis Fernández de la Gándara*, Thomson Reuters Aranzadi, Cizur Menor, Navarra, 2016, pp. 295-299; ESTEBAN VELASCO, G., "Distribución de competencias entre la Junta General y el Órgano de Administración, en particular las nuevas facultades de la junta sobre activos esenciales", en AAVV, Junta General y Consejo de Administración en la sociedad cotizada, Thomson Reuters Aranzadi, Cizur Menor (Navarra), 2016, pp. 64-67; PÉREZ MILLÁN, D., "La competencia de la junta general respecto de operaciones sobre activos esenciales y el poder de representación de los administradores", en AAVV, *Estudios sobre órganos de las sociedades de capital. Liber amicorum Profs. Fernando Rodríguez Artigas y Gaudencio Esteban Velasco*, Vol. I, Consejo General del Notariado y Thomson Reuters Aranzadi, 2017, pp. 323 y ss..

30 Entre otros, RECALDE CASTELLS, A., "Artículo 160. Competencias de la Junta", en Juste Mencía, J., *Comentario de la reforma del régimen de las sociedades de capital en materia de gobierno corporativo*, Civitas, Madrid, 2015, pp. 44-47; ALFARO ÁGUILA-REAL, J., "El nuevo artículo 160.1 f) LSC", en blog almacén de derecho, 2015; MEGÍAS LÓPEZ, J., "Competencia de la junta general de sociedades de capital en materia de gestión: relaciones internas y externas", Diario La Ley nº 8608, septiembre 2015; REDONDO TRIGO, F., "El falsus procurator y los casos de falta de autorización de la Junta General para la adquisición, la enajenación o la aportación a otra sociedad de activos esenciales", Revista Crítica de Derecho Inmobiliario, nº 752, 2015, pp. 3748-3753; GUERRERO LEBRÓN, Mª J., "La competencia de la junta general en las operaciones relativas a activos esenciales (artículo 160.1

Quienes defienden la primera opción apuestan claramente por la protección de terceros de buena fe y, con ello, por la seguridad del tráfico, toda vez que —afirman— la Ley no sanciona expresamente que la falta de acuerdo de la junta para disponer de activos esenciales de la sociedad tenga como consecuencia la ineficacia o nulidad radical de esas operaciones. Entienden que la regla del artículo 160 letra f) TRLSC es una norma de organización corporativa interna de la sociedad, que en nada debe repercutir a terceros de buena fe, quienes no tienen por qué saber ni averiguar, a la hora de cerrar una operación con una sociedad de capital, si el activo objeto de la misma es esencial o no para ésta y si el administrador o administradores con quienes concluyen esa operación han recabado o no la autorización de la junta general. Por ello consideran que el legislador olvidó incluir en el artículo 160 f) la misma reserva que sí añadió en el artículo 161 al artículo 234, todos ellos del TRLSC, salvando no obstante esa omisión mediante su aplicación analógica.

Alegan, entre otros argumentos, que "*el tercero que adquiere de buena fe y sin culpa grave ignora que el administrador con quien contrata carece de competencia para decidir por cuanto se trata de activos esenciales, está protegido en su adquisición conforme a lo previsto en el artículo 234 LSC, aplicado directamente o por analogía, que tanto da*"[31]. Que "*la aplicación del artículo 234.2 LSC a los supuestos de incumplimiento del art. 160.f) LSC no sólo deriva de su funcionalidad como traslación de la normativa general de representación a la representación orgánica de las sociedades mercantiles, lo que explica su ámbito general a todos los casos de actuación con extralimitación del poder de representación, sino que en un plano práctico ofrece una solución equilibrada y coherente al conflicto entre la protección de terceros y socios*"[32]. O que "*la defensa del interés de los socios, por mucho que esa haya sido la*

---

f. Ley de Sociedades de Capital)", Revista de Derecho Mercantil, nº 298, 2015; GARCÍA-CRUCES GONZÁLEZ, J.A., "Artículo 160. Competencia de la junta", en García-Cruces González, J.A./Sancho Gargallo, I., *Comentarios a la Ley de Sociedades de Capital,* Tirant lo Blanch, Valencia, 2021, pp. 2664-2671.

31 FERNÁNDEZ DEL POZO, L., "Otra vez sobre el acto extralimitado sobre activos esenciales del malhadado art. 160 f) LSC", p. 5.

32 ALCALÁ DÍAZ, Mª A., "Ámbito de aplicación y consecuencias del incumplimiento del artículo 160.1 f) de la LSC", cit., p. 299.

finalidad que perseguía legislador al reconocer expresamente la competencia de la junta sobre estas operaciones, no justifica que se excluya la tutela de los terceros de buena fe"[33].

Alegan, también, que existe una semejanza entre los actos ajenos al objeto social del artículo 234.2 TRLSC y las operaciones sobre activos esenciales sin contar con la autorización de la junta general del artículo 160 f) TRLSC, lo que fundamentaría el mismo tratamiento ante excesos de poder de los administradores[34]. Ambos preceptos —dicen— constituyen un límite legal al poder de representación de los administradores, pero ese límite no puede excluir la protección de terceros de buena fe. De tal modo, los actos ajenos al objeto social y las operaciones sobre activos esenciales sin acuerdo de la Junta General no se considerarían radicalmente nulos, sino anulables (salvo que fueran ratificados por la junta) únicamente cuando los terceros hubieran actuado de mala fe y con culpa grave.

Esta fue la postura mantenida por la Sala Primera (Civil) del Tribunal Supremo con anterioridad a la reforma introducida en el artículo 160 f) TRLSC por la Ley 31/2014, en su Sentencia STS, núm. 285/2008, de 17 de abril, en un caso en que la administración enajenó todos los activos sociales necesarios para el desarrollo del objeto social. Declaró al respecto al Alto Tribunal que "*excede del tráfico normal de la empresa dejarla sin sus activos, sin autorización de la Junta General para este negocio de gestión extraordinario*", pero consideró no obstante que debía prevalecer la "*protección de terceros de buena fe y sin culpa grave ante el abuso de exceso de poderes de los Consejeros-Delegados*" (remitiéndose al artículo 129.2 LSA por analogía).

---

33 PÉREZ MILLÁN, D., "La competencia de la junta general respecto de operaciones sobre activos esenciales y el poder de representación de los administradores", cit., p. 327.

34 CABANAS TREJO, R., "Activos esenciales y competencia de la junta general de las sociedades de capital, ¿un riesgo para el tercero que contrata con la sociedad", cit., p. 7; ALCALÁ DÍAZ, Mª A., "Ámbito de aplicación y consecuencias del incumplimiento del artículo 160 f) de la LSC", cit., p. 329; PÉREZ MILLÁN, D., "La competencia de la junta general respecto de operaciones sobre activos esenciales y el poder de representación de los administradores", cit., pp. 330 y ss.

Para quienes sostienen la ineficacia absoluta de las operaciones sobre activos esenciales sin el acuerdo favorable de la Junta General, la aplicación directa o analógica del artículo 234.2 TRLSC para proteger a los terceros de buena fe "*conduciría a privar de efectos prácticos a la exigencia legal de que la junta decida sobre este tipo de asuntos*", ya que "*terminaría por desvirtuar la exigencia legal de que la junta se pronuncie sobre operaciones relativas a activos esenciales*"[35]. Se considera, asimismo, que "*en realidad la norma altera el régimen legal que regula la toma de decisiones en determinados negocios de disposición, requiriendo un acuerdo positivo de la junta como requisito para su validez. No se ocupa de un problema que afecte al poder de representación, sino que fija la capacidad de la sociedad en relación con operaciones tan relevantes, que exceden claramente de la gestión ordinaria que delimita el objeto social, y fija cuál es el órgano competente que debe actuar. Si la Ley establece una reserva legal de competencia a favor de la junta, la sociedad no queda vinculada sin su intervención. Cuando la operación impide continuar con la actividad definida en el objeto social y para la que se constituyó la sociedad, se ve afectada la misma capacidad especial de ésta y la de los administradores para actuar por cuenta y en representación suya. Por tanto el contrato concluido por los administradores en nombre de la sociedad no la vincularía y los socios podrían anular la operación al margen de la buena o mala fe del tercero*"[36].

En la misma línea, se señala que "*si esta previsión normativa tan solo tuviera anudados unos meros efectos internos, habría que concluir destacando que tal norma no aportaría nada a favor de la tutela de los socios y la revitalización de la junta general, que son algunos de los fines perseguidos con la reforma legal y la incorporación de este particular precepto...*". En consecuencia, el artículo 160 f) TRLSC constituye una reserva de competencia a favor de la Junta, por lo que debería concluirse "*afirmando la ineficacia de un acto de disposición sobre activos esenciales cuando éste no tuviera su respaldo en un acuerdo de la junta general que resultara debido, pues tal decisión se habría alcanzado por otro órgano social —los adminis-*

---

35 RECALDE CASTELLS, "Artículo 160. Competencias de la Junta", cit., p. 45.

36 RECALDE CASTELLS, "Artículo 160. Competencias de la Junta", cit., p. 45.

tradores sociales— que carecen de competencia para tomar una resolución de este tipo"[37].

En definitiva, quienes propugnan la tesis de la ineficacia de las operaciones sobre activos esenciales sin el acuerdo de la Junta coinciden en señalar que existe una reserva legal de competencia a favor de la Junta General que deja fuera de la competencia del Órgano de Administración decidir por sí solo —sin autorización o ratificación de la Junta— sobre actos de adquisición, enajenación o aportación a otra sociedad de activos que puedan considerarse esenciales para la sociedad, del mismo modo que la misma Ley de Sociedades de Capital atribuye a la Junta General competencia para adoptar otras decisiones en materia de gestión siendo determinante su acuerdo para la eficacia de tales actos (cfr. artículos 72, 162 y 220 TRLSC, en materia de adquisiciones onerosas en los dos años siguientes a la fundación, concesión de créditos y garantías a socios y administradores, y prestación de servicios a los administradores, respectivamente). Y que cuando el legislador no ha querido atribuir eficacia vinculante al acuerdo de la Junta, preservando la protección de terceros de buena fe, lo ha dicho expresamente, como sucede con el artículo 161 TRLSC (intervención de la junta en asuntos de gestión).

A los anteriores argumentos añaden que el artículo 234.2 TRLSC no puede superar esta expresa atribución legal de competencias de gestión a la Junta General, pues tiene su origen en el artículo 10.1 de la Primera Directiva en materia de Sociedades (Directiva 2009/101/CE del Parlamento Europeo y del Consejo, de 16 de septiembre de 2009, sobre determinados aspectos del Derecho de sociedades, versión consolidada que sustituyó a la Primera Directiva 68/151/CEE del Consejo, de 9 de marzo de 1968), sustituido ahora por el artículo 9.1 de la vigente Directiva (UE) 2017/1132 del Parlamento Europeo y del Consejo, de 14 de junio de 2017, sobre determinados aspectos del Derecho de sociedades. Norma esta que prevé la vinculación de la sociedad por los actos llevados a cabo por sus órganos sociales, incluso si no se corresponden con el objeto social de la sociedad, "*a menos que dichos actos excedan los poderes que la Ley atribuya o permita*

37 GARCÍA-CRUCES GONZÁLEZ, "Artículo 160. Competencia de la junta", cit., p. 2267.

atribuir a estos órganos". De manera que si la actuación de los administradores excediera las competencias que la Ley nacional les atribuya, dicha operación quedaría fuera del alcance de su poder de representación y la sociedad no quedaría vinculada frente a terceros, independientemente de si son de buena o mala fe[38]. Y defienden que esta interpretación viene confirmada por la STJCE, Sala Sexta, de 16 de diciembre de 1997 (Asunto C-104/96, "Rabobank"), según la cual "*hay que subrayar que tanto del tenor literal como del contenido de dicha disposición se deduce que se refiere a los límites de los poderes tal como están repartidos legalmente entre los diferentes órganos de la sociedad (...) El régimen de oponibilidad que resulta de dicho precepto se refiere a los poderes que la ley atribuye o permite atribuir a los órganos sociales, ley que pueden invocar los terceros...*" (cfr. apartados 22 y 23). De tal forma, lo que haría que el artículo 234.2 TRLSC no resulte aplicable a los casos de incumplimiento de la regla del artículo 160 f) TRLSC es que el precepto declara inoponibles los límites de origen estatutario, pero en ningún caso alude la norma a los límites legales que (como el reparto de competencias entre órganos), en su caso, pudieran establecer los Estados miembros.

2. *La posición de la Dirección General de Seguridad Jurídica y Fe Pública*

Desde el año 2015 la Dirección General de los Registros y del Notariado (actualmente Dirección General de Seguridad Jurídica y Fe Pública) se ha manifestado claramente a favor de la aplicación al caso del artículo 234.2 TRLSC al interpretar la eficacia del artículo 160 f) TRLSC, en sus Resoluciones de 11 junio, 26 junio, 8 julio, 10 julio, 27 julio, 28 julio, 29 julio, 23 octubre y 14 diciembre de 2015, continuada en otras posteriores de 22 y 29 de noviembre de 2017, 31 de mayo de 2018, 12 y 18 de junio de 2020, 13 de abril de 2021, 19 de julio de 2021, 21 de noviembre de 2022, 6 de septiembre de 2023 ó 6 de noviembre de 2024.

---

[38] GUERRERO LEBRÓN, Mª J., "La competencia de la junta general en las operaciones relativas a activos esenciales (artículo 160.1 f. Ley de Sociedades de Capital)", cit.

En la doctrina del Centro Directivo pesan evidentes motivos prácticos, propios de la actividad de Notarios y Registradores Mercantiles. Se afirma, así, que "*aunque normalmente el notario carecerá de suficientes elementos de juicio de carácter objetivo para apreciar si una operación afecta o no a activos esenciales de la sociedad, es necesario que en cumplimiento de su deber de velar por la adecuación a la legalidad de los actos y negocios que autoriza (cfr. artículo 17 bis de la Ley del Notariado), a la hora de redactar el instrumento público conforme a la voluntad común de los otorgantes —que deberá indagar, interpretar y adecuar al ordenamiento jurídico—, despliegue la mayor diligencia al informar a las partes sobre tales extremos y reflejar en el documento autorizado los elementos y circunstancias necesarios para apreciar la regularidad del negocio y fundar la buena fe del tercero que contrata con la sociedad*". Y en relación con la actividad del Registrador que, "*Por ello, sólo cuando según los medios que puede tener en cuenta al calificar el título presentado pueda apreciar el carácter esencial de los activos objeto del negocio documentado podrá controlar que la regla competencial haya sido respetada, sin que pueda exigir al representante de la sociedad manifestación alguna sobre tal extremo, pues en ninguna norma se impone dicha manifestación, a diferencia de lo que acontece en otros supuestos en los que se exige determinada manifestación del otorgante y la falta del requisito establecido (...) constituye impedimento legal para la práctica del asiento*". En definitiva, entiende el Centro Directivo que para la inscripción de un inmueble en el Registro de la Propiedad no es necesaria una manifestación en la escritura relativa al carácter esencial o no del activo ni acreditar el acuerdo de la Junta General para autorizar la operación, pues ni el artículo 160 TRLSC ni ningún otro precepto legal exige que en la escritura de compraventa de un inmueble haya de constar manifestación alguna acerca del carácter esencial o no del activo, o incorporarse certificación de los acuerdos de la Junta autorizando la transmisión, ni que la omisión de tal declaración sea defecto invalidante del título que impida la inscripción. Señala al respecto que si la Ley así lo hubiera querido, lo hubiera establecido expresamente, tal como sucede en otros casos (así, la reseña en la escritura de préstamo hipotecario del acta notarial *ex* artículo 15 LCCI, la manifestación de que la vivienda que se transmite no es la habitual de la familia *ex* artículo 1320 CC y concordantes forales o la declaración de que la finca no está arrendada ex artículo 25 LAU y artículo 11 LAR (cfr. RDGSJFP de 6 de noviembre de 2024).

Advierte en este sentido que "*El hecho de que la norma se refiera a un concepto jurídico indeterminado —«activos esenciales»— comporta evidentes problemas de interpretación. Pero, sin duda, son las consecuencias que haya de tener la omisión de la aprobación de la junta general lo que debe tomarse en consideración para determinar, en el ámbito de la seguridad jurídica preventiva, la forma de actuar del notario y del registrador*". Y concluye que "*deben descartarse interpretaciones de la norma incompatibles no sólo con su "ratio legis" sino con la imprescindible seguridad del tráfico jurídico*", pues "*es muy difícil apreciar a priori si un determinado acto queda incluido o no en el ámbito de facultades conferidas a los representantes orgánicos de la sociedad o, por referirse a activos esenciales, compete a la junta general; y no puede hacerse recaer en el tercero la carga de investigar la conexión entre el acto que va a realizar y el carácter de los activos a que se refiere*".

Para la DGSJFP, "*aun reconociendo que, según la doctrina del Tribunal Supremo, transmitir los activos esenciales excede de las competencias de los administradores, debe entenderse que con la exigencia de una certificación del órgano de administración competente o manifestación del representante de la sociedad sobre el carácter no esencial del activo, o prevenciones análogas, según las circunstancias que concurran en el caso concreto, cumplirá el notario con su deber de diligencia en el control sobre la adecuación del negocio a legalidad que tiene encomendado; pero sin que tal manifestación pueda considerarse como requisito imprescindible para practicar la inscripción, en atención a que el tercer adquirente de buena fe y sin culpa grave debe quedar protegido también en estos casos (cfr. artículo 234.2 de la Ley de Sociedades de Capital); todo ello sin perjuicio de la legitimación de la sociedad para exigir al administrador o apoderado la responsabilidad procedente si su actuación hubiese obviado el carácter esencial de los activos de que se trate*".

Y termina afirmando, en esa línea de tutela prioritaria de terceros de buena fe y, con ello, de la seguridad del tráfico, que "*el artículo 160 del texto refundido de la Ley de Sociedades de Capital no ha derogado el artículo 234.2 del mismo texto legal, por lo que la sociedad queda obligada frente a los terceros que hayan obrado de buena fe y sin culpa grave. No existe ninguna obligación de aportar un certificado o de hacer una manifestación expresa por parte del administrador de que el activo objeto del negocio documentado no es esencial, si bien con la manifestación contenida en la escritura sobre el carácter no esencial de tal activo se mejora la posición de la contraparte en cuanto a su deber de diligencia y valoración de la culpa grave. No obstante, la omisión de esta manifestación expresa no es por sí defecto que impida la inscripción. En todo caso el registrador podrá calificar el carácter esencial del activo cuando resulte así de forma manifiesta (caso, por ejemplo, de un activo afecto al objeto social que sea notoriamente imprescindible para el desarrollo del mismo) o cuando resulte de los elementos de que dispone al calificar (caso de que del propio título o de los asientos resulte la contravención de la norma por aplicación de la presunción legal)*".

3. Las diferentes posiciones mantenidas en la Jurisprudencia

No son muchos, hasta el momento, los pronunciamientos judiciales dictados en relación con la eficacia de la norma del artículo 160 f) TRLSC, apreciándose en los mismos también una disparidad de criterios.

La SAP Ourense, Secc. 1ª, núm. 326/2018, de 16 de octubre, considera que "*si se aplican las consecuencias de la infracción del art. 234 LSC al artículo 160 f) LSC, si el tercero adquirente es considerado de buena fe y sin culpa grave, estará protegido por el propio artículo 234; y por el contrario, si el adquirente, transmitente o, en su caso, acreedor pignoraticio no es considerado como tercero de buena fe, nos hallaríamos ante un supuesto de vicio en el consentimiento cuya consecuencia fundamental es la nulidad del acto que trae causa, y por tanto, del negocio jurídico correspondiente. (...) la infracción del artículo 160 f) LSC conlleva la posible aplicación analógica del artículo 234.2 LSC con base en la identidad de razón que puede existir entre el supuesto del artículo 160 f y el de los actos realizados por administradores con extralimitación respecto del objeto social inscrito frente a los que quedan protegidos los terceros de buena fe y sin culpa grave*".

Por el contrario, la SAP Asturias, Secc. 1ª, núm. 501/2020, de 26 de febrero, resuelve que "*por lo que respecta a la solución procedente cuando la decisión del administrador de realizar las aportaciones a las sociedades filiales se lleva a cabo sin disponer del acuerdo adoptado en Junta que así lo autorice, supone que aquél actuó vulnerando la distribución legal de competencias entre los distintos órganos de la sociedad y por tanto sin poder de representación, lo que conduce a la ineficacia de tal aportación frente a terceros al no quedar vinculada la sociedad frente a ellos (art. 1261 C.Civil), pues, como señala la doctrina mercantilista, nos encontramos ante un caso de exceso de poder. Se trata además del mismo criterio expuesto por la RDGRN 11 junio 2015 al hablar de "un supuesto de atribución legal de competencia a la junta general con la correlativa falta de poder de representación de aquéllos", así como por la STS 17 abril 2008 cuando califica la operación que excede del tráfico normal de la empresa al dejarla sin sus activos como un problema de "suficiencia de los poderes de los Consejeros-Delegados para llevar a cabo el otorgamiento de la escritura pública que se impugna""*.

La SAP Burgos, Secc. 3ª, núm. 625/2021, de 7 de diciembre, en un caso de responsabilidad social de administradores, se pronuncia *obiter dicta* sobre la materia señalando que "*(...) hemos de decir que la acción de responsabilidad del administrador tiene como base o punto de partida un acto u omisión imputable al mismo que ha sido adoptado en el ámbito de sus competencias como administrador, y en el presente caso no existe tal acto pues lo que existe es un acuerdo de la junta de socios, adoptado en el ámbito de competencia de la misma, pues la venta de un activo esencial requiere que sea aprobado por la junta (art. 160-f) de la LSC, por lo cual lo que procede, si se considera que el acuerdo no es conforme a Derecho en los términos del art. 204 de la LSC, es la impugnación del mismo*".

La SAP Murcia, Secc. 4ª, núm. 500/2022, de 12 de mayo, se pronuncia también tangencialmente sobre la cuestión, claramente a favor de la tesis de los efectos puramente internos del incumplimiento del artículo 160 f) TRLSC y, por tanto, de la vinculación de la sociedad frente a terceros de buena fe, entendiendo que si la mercantil vendedora actuó a través de su administrador, esto es lo determinante para apreciar la validez del acto (artículo 234 LSC), más allá de los efectos internos o intrasocietarios que pudiera tener la ausencia de cumplimiento del artículo 160 f) LSC.

La SAP Madrid, Secc. 28ª, 392/2022, de 27 de mayo, señala que el artículo 160 f) TRLSC es "*(...) una norma cuyo objeto es residenciar, en el plano interno de la sociedad, a favor de uno de los órganos sociales la competencia para tomar de la decisión de enajenar activos que se consideren esenciales. Pero una vez fijado esto en el citado plano intrasocietario, no se impone con ello un requisito de validez para el posterior negocio jurídico de enajenación que celebrarán luego los administradores sociales, como únicos representantes de la sociedad, con terceros, una vez tomada la decisión de enajenar por la Junta. La norma no establece, ni tiene en si misma la finalidad de establecer, un requisito de validez del negocio jurídico celebrado con terceros, el cual se regirá por las normas de validez contractual que le resulten aplicables*". Considera, en consecuencia, que "*si la observación de la validez del negocio jurídico celebrado con infracción de dicha norma no se basa en la concurrencia de requisitos internos de validez propios del tipo de negocio observado, sino en materia de emisión y representación en la expresión de la declaración de voluntad de los contratantes, entonces lo más lógico es atender al principio de representación ultravires de los administradores sociales y a la tutela de la seguridad en el tráfico jurídico*". Apunta el Tribunal, en este sentido, que la reforma llevada a cabo por la Ley 31/2014, respecto de aquella competencia de la Junta general, ha dejado incólume el artículo 234.2 TRLSC, el cual mantiene la fuerza obligacional de los negocios alcanzados por los administradores sociales, incluso con infracción de limitaciones de facultades inscritas en el Registro Mercantil, cuando los terceros contratantes con la sociedad actuaron de buena fe y sin culpa grave; norma esta, la del artículo 234.2 TRLSC, que a juicio del tribunal recoge un principio general sobre la extensión de representación de los administradores sociales (artículo 233 TRLSC) respecto de la tutela de la seguridad del tráfico jurídico.

En definitiva, para la Sección 28ª de la Audiencia Provincial de Madrid, el artículo 160 f) TRLSC "*no impone un deber de diligencia al tercero contratante de investigar proactivamente el carácter esencial o no del activo que adquiere, sino simplemente no incurrir en culpa grave, algo muy diferente*". Por lo tanto, los efectos de la infracción del artículo 160.f) TRLSC se manifiestan en dos planos distintos. El primero, el de las consecuencias intrasocietarias que para los administradores puede tener, en forma de responsabilidad, la vulneración de las competencias de la Junta de socios, tanto cuando los administradores sociales han podido actuar por negligencia al no contrastar debidamente el carácter esencial del bien, como por deslealtad, al conocer ese carácter, por hurtar a la Junta aquella posibilidad de decisión con la concurrencia de circunstancias que determinen, adicionalmente, la presencia de deslealtad. El segundo plano, el de la validez misma del negocio jurídico celebrado, susceptible de acción de anulabilidad *ex* artículo 232 TRLSC, pero solo cuando no sea predicable la buena fe del tercero contratante con la sociedad, o cuando hubiera actuado con culpa grave a la luz de las circunstancias que revelaban el carácter esencial del bien enajenado.

Por el contrario, la SAP Salamanca, núm. 559/2022, de 6 de septiembre[39], considera que la falta de mención al artículo 234.2 TRLSC en el artículo 160 f) TRLSC no puede ser tratada como una omisión o error inconsciente del legislador, pues ya contaba anteriormente con el precedente del artículo 161 TRLSC para las sociedades de responsabilidad limitada incluyendo expresamente la aplicación del artículo 234.2 TRLSC a ese supuesto, con lo que podría haber extendido la aplicación del artículo 234.2 TRLSC también al caso de las operaciones sobre activos esenciales si así lo hubiese querido. A lo que añade que no parece tampoco que pueda merecer el mismo tratamiento una reserva expresa de competencias para la aprobación de actos de disposición de activos esenciales, que la mera posibilidad de impartición de instrucciones para determinados asuntos de gestión, la cual, además, queda expuesta a una posible disposición en contrario de los estatutos de la sociedad, con fundamento en la autonomía de la voluntad de los socios (cfr. artículo 28 TRLSC). "*Por lo tanto, esa reserva expresa de competencia a favor de la junta implica que las operaciones sobre activos esenciales quedan fuera de las competencias del órgano de administración, por más que se trate de actos de gestión, debiendo limitarse su actuación, en su caso, a proponer la operación a la junta general (en caso de que la iniciativa no surja de la misma junta general impartiendo instrucciones a los administradores para su ejecución una vez aprobada) y llegado el momento a ejecutar la operación concluyendo el correspondiente negocio jurídico en nombre y representación de la sociedad. En consecuencia, no sería de aplicación el artículo 234.2 TRLSC, que trata sobre los excesos en las competencias de representación del órgano de administración al realizar actos no comprendidos en el objeto social, vinculando a la sociedad salvo que los terceros que con ella contratasen obrasen de mala fe y con culpa grave, en cuyo caso tales actos serían anulables (ineficacia relativa), salvo que la sociedad los ratificase, asumiéndolos como propios*". Para la Audiencia de Salamanca, en definitiva, el artículo 234.2 TRLSC es una norma de protección del tráfico (terceros de buena fe) y no puede ser de aplicación, salvo previsión expresa del legislador, a los casos de incumplimiento de una norma imperativa de naturaleza corporativa para la mejora del buen gobierno que tiene como obje-

---

39 https://www.cuatrecasas.com/es/spain/mercantil/art/de-nuevo-sobre-la-competencia-de-la-junta-sobre-activos-esenciales

tivo establecer una reserva de competencias a favor de la Junta General para favorecer la implicación de los socios y el control frente a actos de gestión que pueden tener una importancia relevante para la estructura organizativa, financiero-patrimonial y funcional de la sociedad.

A estos argumentos —añade— se suma el tenor literal del artículo 10.1 de la Primera Directiva en materia de Sociedades (en la versión codificada de la Directiva 2009/101/CE, de 16 de septiembre de 2009), el cual prevé que "*la sociedad quedará obligada frente a terceros por los actos realizados por sus órganos, incluso si estos actos no corresponden al objeto social de esta sociedad, a menos que dichos actos excedan los poderes que la Ley atribuya o permita atribuir a estos órganos*". Precepto que, según indica *obiter dicta* la STJCE, Sala Sexta, de 16 de diciembre de 1997 (Asunto C-104/96, "Rabobank"), "*(...) se refiere a los límites de los poderes tal como están repartidos legalmente entre los diferentes órganos de la sociedad*" (apartados 22 y 23). En consecuencia, concluye, "*la Directiva dejaría margen a los Estados miembros para establecer límites legales externos —además del objeto social determinado estatutariamente— a los poderes ('rectius', competencias) de los órganos sociales. Y el legislador español habría hecho uso de esa posibilidad fijando un límite legal externo e imperativo al poder de representación del órgano de administración al atribuir la competencia exclusiva de las decisiones sobre operaciones relativas a activos esenciales a la junta general, siendo el artículo 160 f) TRLSC una nueva norma de distribución de competencias entre órganos para la mejora del gobierno corporativo*".

Concluye, así, afirmando que de todos los antecedentes normativos cabe deducir que el legislador español no ha querido aplicar la norma del artículo 234.2 TRLSC a los casos de incumplimiento de la regla del artículo 160 f) TRLSC para otorgar protección a los terceros de buena por encima de los intereses de los socios. "*Seguramente porque, de haberlo hecho, la redistribución de competencias entre órganos introducida en esa norma por la Ley 31/2014, de 3 de diciembre con la intención de mejorar el gobierno corporativo de las sociedades mercantiles de capital quedaría vacía por completo de contenido (y de sentido desde una perspectiva teleológica)*"[40/41]. De manera que la única conclusión posible ha de ser la nulidad radical del negocio jurídico que da forma a la operación de disposición sobre activos esenciales sin autorización de la Junta General[42].

---

40 A juicio de la Sala, la voluntad del legislador español fue someter expresamente a la competencia de la junta general la decisión sobre los actos de disposición de activos esenciales de la sociedad, por más que se trate de actos de gestión competencia en principio del órgano de administración; todo ello en el marco de una nueva distribución de competencias entre órganos para favorecer el gobierno corporativo en sociedades de capital y, con ello, el control activo de los socios a través de la junta sobre determinados actos o asuntos de gestión especialmente relevantes para la estructura organizativa, financiero-patrimonial y funcional de la sociedad. El apartado f) del artículo 160 TRLSC estaría expresando la voluntad inmanente de la Ley de no aplicar a los casos de incumplimiento de la regla en él contenida la norma de tutela de terceros de buena fe para actos ajenos al objeto social prevista en el artículo 234.2 TRLSC, pues aplicando el canon de totalidad recogido en el artículo 3 CC, interpretando dicho artículo 160 f) TRLSC según el sentido propio de sus palabras, en relación con el contexto, los antecedentes históricos y legislativos, y la realidad social del tiempo en que ha de ser aplicado, atendiendo a su espíritu y finalidad, debería concluirse que el legislador ha dado preferencia en el mismo a los intereses de los socios sobre los de terceros, en un contexto —ya mencionado— de redistribución de competencias entre órganos para la mejora del gobierno corporativo en sociedades de capital.

41 Con todo, la referida SAP Salamanca 559/2022, de 6 de septiembre, analiza también el supuesto de hecho desde la perspectiva de la aplicación del artículo 234.2 TRLSC, concluyendo que tampoco resultaría de aplicación al quedar acreditada la actuación del tercero adquirente del activo esencial de mala fe y con culpa grave; en una situación muy particular de conflicto en el seno de una sociedad familiar.

42 Añade la Sala que no se trata tanto de una cuestión de nulidad del negocio jurídico por ausencia del consentimiento de la sociedad, *ex* artículo 1261 CC, por falta de capacidad (o de complemento de capacidad, como expresa parte de la doctrina) de los administradores como representantes de la sociedad (se ha llegado a hablar al respecto de que sería un caso de *falsus procurator*), como de un caso de nulidad radical por tratarse de actos u operaciones concluidos en infracción de una norma de *ius cogens* que no establece un efecto distinto para caso de contravención, en los términos previstos en el artículo 6.3 CC; una norma que afecta o puede afectar a la estructura organizativa, financiero-patrimonial de la sociedad y funcional (por la modificación de hecho del objeto social o imposibilidad material de

4. Valoración final

Es evidente que la discrepancia de criterios entre Audiencias Provinciales, Dirección General de Seguridad Jurídica y Fe Pública y doctrina científica debe terminar ya con una toma de postura definitiva por la Sala Primera del Tribunal Supremo o ya con una aclaración del sistema por el legislador, pues diez años después de la incorporación del artículo 160 f) TRLSC la situación dista de ser pacífica en un tema de notable relevancia práctica.

En el conflicto entre agilidad y seguridad del tráfico (que justificaría la aplicación del artículo 234.2 TRLSC) y los intereses de los socios en un contexto de buen gobierno corporativo, considero que debe primar esta última posición por coherencia interna del sistema a la luz de los antecedentes prelegislativos.

El apartado IV del Preámbulo de la Ley 31/2014, de 3 de diciembre, por la que se reforma el TRLSC para la mejora del gobierno corporativo es claro en sus objetivos por lo que se refiere a las modificaciones relativas a la Junta General de las sociedades de capital, al señalar que "*se pretende con carácter general reforzar su papel y abrir cauces para fomentar la participación accionarial*", a cuyo fin: *i)* se extiende expresamente la posibilidad de la junta de impartir instrucciones en materias de gestión a todas las sociedades de capital, manteniendo la previsión de que los estatutos puedan limitarla, y; *ii)* se amplían las competencias de la junta general en las sociedades para reservar a su aprobación aquellas operaciones societarias que por su relevancia tienen efectos similares a las modificaciones estructurales.

Entiendo, por tanto, que el artículo 160 f) TRLCS instituye una regla imperativa de competencia en exclusiva a favor de la Junta General, de manera que los administradores podrán proponer pero no decidir por sí solos operaciones relacionadas con activos esenciales

---

desarrollo del mismo) de la sociedad y, con ello, a los intereses de los socios, motivo por el que se ha buscado ampliar las competencias de la junta para tomar una decisión al respecto, aun tratándose de un acto de gestión, y cuya inobservancia aboca necesariamente a la nulidad de la operación realizada sin la aquiescencia de la Junta General, debiendo las partes proceder a la restitución de las prestaciones.

de la sociedad, entendidos estos desde una perspectiva cualitativa, en el sentido de las consecuencias que un acto de disposición de un determinado activo social (supere o no el 25 por 100 del total de los activos aprobados en el último balance) puede tener para la estructura organizativa, financiera y funcional de la entidad. En consecuencia, el acuerdo o decisión de la Junta General favorable a la disposición de un activo esencial será requisito de validez del propio negocio jurídico transmisivo. De lo contrario carecería de sentido y de eficacia práctica alguna la reforma legislativa introducida por la Ley 21/2014 en el contexto de la mejora del buen gobierno corporativo, uno de cuyos objetivos es precisamente estimular una participación más activa de los socios en los asuntos sociales de relevancia para la entidad.

En caso de que los administradores promuevan y concluyan operaciones de adquisición, enajenación o aportación a sociedad de activos esenciales (o de gravamen y en algunos casos de financiación) sin contar con la previa autorización de la Junta General, la sociedad no debería quedar vinculada por el negocio jurídico correspondiente, siendo la consecuencia natural de la falta de autorización la nulidad radical de dicho negocio con efectos *ex tunc*.

Entiendo que, de alguna manera, es esta la conclusión que parece desprenderse de la argumentación desarrollada por la Sala Primera del Tribunal Supremo en la ya referida STS 1045/2023, de 27 de junio, cuando dice que la norma del artículo 160 f) TRLSC "*(...) reserva a la junta general la competencia para adoptar decisiones que, pese a que por su naturaleza negocial podrían en principio ser formalmente adoptadas por los administradores, producen un efecto equivalente al de acuerdos cuya adopción necesariamente corresponde a la junta general (modificaciones estructurales, modificaciones estatutarias, liquidación social y actuaciones similares), ya que sus resultados prácticos inciden de modo sustancial en la posición jurídica y económica de los socios y/o en la estructura económica y/o jurídica de la sociedad*". De manera que "*(...) es necesario realizar una interpretación de la norma que priorice el criterio sistemático, porque la operación produzca un resultado funcionalmente equivalente al de aquellas operaciones que típicamente entran en el ámbito de competencias de la junta general, y el teleológico, pues la norma persigue residenciar en junta los acuerdos que inciden de modo sustancial en la posición jurídica y económica de los socios y/o en la estructu-*

ra o la actividad de la sociedad (...) de modo que esté justificada la atribución de la decisión a los socios reunidos en la junta general".

Es decir, si para el Tribunal Supremo está justificada la atribución de las decisiones relativas a operaciones sobre activos esenciales a los socios reunidos en la Junta General, parece lógico concluir que deberían considerarse nulas las operaciones sobre activos esenciales que fueran adoptadas por el órgano de administración sin someter a la Junta General la decisión final (sea antes de realizar la operación o, al menos, después de hacerlo solicitando la ratificación de la misma).

Con todo, no le falta razón a la DGSJFP al advertir que no siempre será fácil, ni para los administradores ni —mucho menos aún— para los terceros contratantes averiguar si un activo tiene la consideración de esencial para la sociedad de que se trate. Sin embargo, por más que en algunos casos pueda resultar evidente o al menos muy probable (también para Notarios y Registradores, como señala el propio Centro Directivo, en cuyo caso deben adoptar cautelas de comprobación previa a la autorización e inscripción), tanto los administradores como los terceros deberían extremar las cautelas cuando la operación presente visos de ser relevante para la sociedad (sea por el importe del activo o sea por la naturaleza del mismo en relación con la actividad de la entidad). De modo que los administradores deberían analizar a fondo la operación para, en su caso, recabar la autorización de la Junta General, y los terceros exigir a los administradores bien la certificación del acuerdo de la Junta o bien algún documento que acredite que el activo no puede considerarse esencial.

Lógicamente en caso de que no se haga así (y la experiencia demuestra que pocas veces se hace) las consecuencias no pueden ser las mismas para los terceros que para los administradores. Son estos últimos quienes están llamados a cumplir escrupulosamente con la legalidad establecida y a evitar conflictos de intereses, de acuerdo con lo establecido en los deberes fiduciarios de diligencia y lealtad (artículos 225 y 227 TRLSC). En particular, como manifestación del deber de diligencia los administradores deben valorar la esencialidad o no del activo concreto a fin de someter una hipotética operación al criterio de la Junta General. Según las reglas sobre discrecionalidad empresarial (artículo 226 TRLSC), el estándar de diligencia se entenderá cumplido cuando el administrador haya actuado de buena fe, sin interés personal en el asunto objeto de decisión, con información suficiente y con arreglo a un procedimiento de decisión adecuado. De este modo, cuando los administradores sometan a la Junta la decisión sobre la adquisición, enajenación o aportación a sociedad de un activo que puede ser esencial para la sociedad, cumplirán con este estándar de diligencia debida, pues el procedimiento de decisión adecuado en materia de operaciones sobre activos esenciales pasa por plantear la cuestión al criterio de la Junta General. En consecuencia, si no lo hicieran podrían incurrir en responsabilidad frente a la sociedad o frente a terceros, por el incumplimiento de su deber legal de diligencia y, según las circunstancias, por el incumplimiento de su deber de lealtad al interés de la sociedad.

La Junta General o los socios minoritarios y acreedores legitimados subsidiariamente podrían bien solicitar la nulidad de la operación o bien ejercitar la acción social de responsabilidad contra los administradores que, incumpliendo la obligación de someter a la consideración de la Junta una operación sobre un activo esencial hubieran causado algún tipo de daño o perjuicio a la sociedad (cfr. artículos 236 a 238 TRLSC). Y los terceros perjudicados por una posible nulidad de la operación sobre un activo esencial para la sociedad podrían recurrir a la acción individual de responsabilidad prevista en el artículo 241 TRLSC. De esta forma, cuando de las circunstancias que rodean la celebración del contrato no se desprenda para un tercero de buena fe que el activo objeto de la operación es esencial para la sociedad de capital con la que contrata, dicho tercero podrá ejercer contra los administradores que no disponían de competencias para concluir la operación la acción individual de responsabilidad, al haber actuado de forma negligente y lesionando directamente sus intereses[43].

---

[43] Vid. entre otros, ALFARO ÁGUILA-REAL, J., "El nuevo artículo 160 f LSC", cit.

IV. SOBRE LA APLICACIÓN DE LAS COMPETENCIAS DE LA JUNTA EN MATERIA DE ACTIVOS ESENCIALES EN SITUACIONES DE DISOLUCIÓN Y LIQUIDACIÓN, PRECONCURSALES Y CONCURSALES

1. *Inaplicación de las reglas de los artículos 160 f) y 511bis TRLSC en estados de disolución y liquidación societarias*

Disuelta y en fase de liquidación la sociedad de capital corresponde a los liquidadores concluir las operaciones pendientes y realizar las nuevas que sean necesarias para la liquidación de la sociedad, lo que implica cobrar los créditos pendientes y pagar las deudas sociales (artículos 384 y 385 TRLSC). Para ello, entre otras operaciones, tendrán que enajenar los bienes sociales (artículo 387 TRLSC).

Una vez abierta la fase de liquidación societaria el fin social se encamina a la liquidación de la entidad (fin liquidatorio), lo cual, en principio, impediría realizar nuevas operaciones propias de una empresa en funcionamiento. Sin embargo, la doctrina admite desde hace tiempo la posibilidad de realizar operaciones nuevas en la liquidación siempre que tengan como fin último la mejor y más eficiente liquidación de la empresa societaria[44].

Dentro de las operaciones de liquidación tienen cabida las de enajenación de la totalidad de la empresa, de unidades económicas autónomas y, por supuesto, de activos importantes de la empresa social. Todas ellas tendrían la consideración de operaciones sobre activos esenciales, motivo por el que debe valorarse la aplicación o no al caso de los artículos 160 f) y 511bis TRLSC y, por tanto, la obligación de los liquidadores de someter estas operaciones a la consideración de la Junta General para su validez. Entiendo, sin embargo, que —en principio— no tienen cabida las operaciones de adquisición o aportación a sociedad de activos esenciales durante la fase de liquidación, pues son operaciones propias de una empresa en funcionamiento

---

[44] Vid. MIQUEL, J., "Las operaciones de liquidación", en Rojo Fernández Río, A./Beltrán Sánchez, E. (Dirs.), *Disolución y liquidación de sociedades mercantiles*, Tirant lo Blanch, Valencia, 2009, pp. 211-248 (223).

y contrarias por tanto al fin de liquidación de la entidad. Solo en circunstancias excepcionales se podría admitir este tipo de operaciones en estado de liquidación, si se pudieran justificar en cada caso concreto por los liquidadores para el buen fin de la liquidación de la organización societaria (el completo pago de las deudas y, en su caso, el reparto de la cuota de liquidación)[45].

Nada dice la Ley sobre si la Junta General conserva sus competencias en materia de gestión durante la fase de liquidación. Sin embargo, dado que el objetivo último de la norma es impedir que los administradores puedan decidir, al margen de los socios, sobre operaciones que puedan suponer una modificación de hecho del objeto social o que ponga en riesgo la propia supervivencia de la empresa social tal como fue configurada por los socios durante el proceso fundacional o de modificación estatutaria, no parece que tenga sentido preservar esa competencia de gestión de la Junta General durante la fase de liquidación, pues en esta prima la oportunidad de liquidar los activos sociales para proceder al completo pago de las deudas de la sociedad y, en caso de superávit, asignar la cuota de liquidación a los socios. Preservar la capacidad de decisión de la Junta en estos casos podría poner en peligro oportunidades de enajenación de activos esenciales en el periodo de liquidación y, con ello, los intereses de los terceros en el cobro de sus créditos[46].

En definitiva, salvo que se pueda acreditar otra cosa en situaciones particulares, en las operaciones de liquidación los activos dejan de ser esenciales para la realización del objeto y fin sociales, pasando a ser simplemente activos liquidables[47], por lo que la norma parece

---

45 ¿Podría pensarse en aprovechar una oportunidad de negocio por parte de una sociedad en liquidación, comprando nuevos activos para su inmediata reventa que facilite el pago de las deudas y/o, en su caso, un mayor reparto de la cuota de liquidación?

46 Salvo en situaciones como la planteada en la nota precedente, en caso de que se admitiera la viabilidad de operaciones de ese tipo, pues en las mismas sí que estarían en juego no solo los intereses de los terceros acreedores sino también los de los socios.

47 Vid. NIETO CAROL, U., "Activos esenciales y sociedad en liquidación", en https://www.commenda.es/novedades-y-jurisprudencia/repertorio-jurisprudencial/organos-sociales/activos-esenciales-y-sociedad-en-liquidacion/.

perder su razón de ser y la decisión de enajenar correspondería exclusivamente al liquidador o liquidadores, tal y como recoge la Resolución de la DGSJFP de 29 de noviembre de 2017, según la cual *"el artículo 160.f) somete a la competencia de la junta general los actos de enajenación de activos esenciales porque pueden tener efectos similares a las modificaciones estructurales o equivalentes al de la liquidación de la sociedad o, porque se considera que excede de la administración ordinaria de la sociedad. Por ello, tal cautela carece de justificación en caso de enajenaciones que no son sino actos de realización del nuevo objeto social liquidatorio. Es la norma legal la que, con la apertura de la liquidación, no sólo faculta, sino que impone al órgano de administración la enajenación de los bienes para pagar a los acreedores y repartir el activo social".*

2. *Competencias de la Junta General en la propuesta de "pre-pack" concursal*

Establece el artículo 224bis, apartado 1, TRLC (introducido por la Ley 16/2022, de 5 de septiembre), que el deudor puede presentar, junto con la solicitud de declaración de concurso, una propuesta escrita vinculante de acreedor o de tercero para la adquisición de una o varias unidades productivas, debiendo asumir el acreedor o tercero la obligación de continuar o de reiniciar la actividad con la unidad o unidades productivas a las que se refiera por un mínimo de tres años. El apartado 8, del mismo artículo 224bis TRLC, señala que la transmisión de la unidad o de las unidades productivas al adjudicatario estará sometida a las demás reglas establecidas en la Ley concursal para esta clase de transmisiones.

Aunque nada diga la Ley Concursal, también estarán sometidas a otras reglas susceptibles de ser aplicadas a este tipo de transmisiones de empresas, entre ellas —lógicamente— la relativa a la competencia de la Junta General de sociedades de capital en operaciones sobre activos esenciales (artículos 160 f. y 511bis TRLSC), resultando evidente que la transmisión de la totalidad de la empresa o de unidades económicas autónomas ha de considerarse una operación sobre activos esenciales sujeta a la decisión de los socios reunidos en Junta General.

De modo que no tendría ninguna eficacia una propuesta de adquisición de la totalidad de la empresa o de una o varias unidades productivas presentada por los administradores sociales de una sociedad de capital junto a la solicitud de concurso de esta, si no va acompañada de un acuerdo favorable de la Junta General para realizar esa operación por más que la competencia para solicitar el concurso sea del órgano de administración y no de la junta general, pues en ese momento la empresa societaria sigue aún en funcionamiento pleno.

3. Competencias de la Junta en operaciones sobre activos esenciales durante el concurso de acreedores

Dispone el artículo 126 TRLC que: *"Durante la tramitación del concurso, se mantendrán los órganos de la persona jurídica concursada, sin perjuicio de los efectos que sobre el funcionamiento de cada uno de ellos produzca la intervención o la suspensión de las facultades de administración y disposición sobre los bienes y derechos de la masa activa"*.

El principio de conservación de la empresa se plasma con carácter general en el artículo 111, apartado 1, TRLC 2020, según el cual la declaración de concurso no interrumpirá la continuación de la actividad profesional o empresarial que viniera ejerciendo el deudor. Y en principio la declaración de concurso no altera las competencias de los órganos de las sociedades de capital ni tampoco la distribución de competencias entre ellos. Ahora bien, es claro que, declarado el concurso de acreedores de una sociedad mercantil de capital, tiene preferencia la aplicación de la normativa concursal sobre la societaria, priorizándose los fines perseguidos con el proceso concursal sobre los propios de la sociedad mercantil, lo cual incide de forma directa sobre las competencias de los órganos de la sociedad y, en particular, sobre las facultades de gestión y disposición del órgano de administración, supervisado o sustituido por la Administración Concursal durante la fase común del concurso y sustituido durante la fase de liquidación, pero también sobre las decisiones que puede adoptar la Junta General[48].

La transmisión u otras operaciones sobre activos esenciales (por ejemplo, el gravamen en garantía de operaciones de financiación) durante el concurso de acreedores puede tener lugar durante la fase común del concurso o en cualquiera de las de solución del concurso (convenio o liquidación). Aunque parece que no pueden recibir el mismo tratamiento durante la fase común del concurso que durante las fases de convenio o de liquidación. El criterio de la Administración Concursal será fundamental en cualquier decisión que se pueda adoptar sobre la enajenación de activos esenciales durante el concurso de acreedores, salvo en la fase de convenio; decisiones que no serán precisamente extrañas, toda vez que el legislador ha incentivado y facilitado la venta de unidades productivas y también de elementos individualizados o aislados del activo del concursado para procurar la conservación de la empresa al tiempo que facilita el cobro de los créditos pendientes de pago por parte de los acreedores.

3.1. Operaciones sobre activos esenciales en la fase común del concurso

Hasta la aceptación del cargo por la Administración Concursal el concursado persona física o los administradores del concursado persona jurídica solo podrán realizar los actos que sean imprescindibles para la continuación de su actividad, siempre que se ajusten a las condiciones normales del mercado, sin perjuicio de las medidas cautelares que, en su caso, hubiera adoptado el juez al declarar el concurso (artículo 111.2 TRLC). Parece claro, entonces, que los administradores de la sociedad de capital declarada en concurso no

---

48 Vid. ARIAS VARONA, F. J., "Fundamentos de la competencia de la junta general en materia de activos esenciales en caso de concurso de acreedores", en Arias Varona, F.J./Fernández Torres, I./Martínez Rosado, J. (Coords.), *Derecho de sociedades y de los mercados financieros: libro homenaje a Carmen Alonso Ledesma*, Iustel, Madrid, 2018, pp. 127-150. También, ARIAS VARONA, F. J., *La disposición de activos esenciales de sociedades en crisis*, Aranzadi, Cizur Menor, 2020.

podrán realizar operaciones sobre activos esenciales una vez declarado el concurso y hasta que no acepte el cargo la Administración concursal, pues la propia condición de esencialidad de un activo resulta incompatible con la condición de operación imprescindible para la continuación de la actividad, incluso aunque la operación pueda considerarse habitual dentro del objeto social de la sociedad. El riesgo de que esa operación sobre un activo susceptible de ser calificado como esencial pueda poner en riesgo los intereses de los acreedores, por más que pueda ser habitual y se ajuste a las condiciones del mercado, descarta que se puedan adoptar decisiones al respecto por los órganos de la sociedad, de modo que ni los administradores podrían adoptar decisiones al respecto ni tampoco plantear la operación a la Junta General, con lo que sería inaplicable en todo caso la regla de los artículos 160 f) y 511bis TRLSC.

Una vez aceptado el cargo por la Administración Concursal, en caso de intervención corresponderá a esta supervisar y autorizar los actos y operaciones propios del giro o tráfico del concursado que, por razón de su naturaleza o cuantía, puedan ser realizados por los administradores o directores generales de la persona jurídica concursada (cfr. artículo 112 TRLC). Y en caso de suspensión corresponderá a la Administración Concursal adoptar las medidas que sean necesarias para la continuación de la actividad profesional o empresarial del concursado (artículo 113 TRLC).

Por lo que se refiere, en particular, a la Junta General de una sociedad declarada en concurso de acreedores[49], cualquier reunión exige convocatoria en los términos legales o estatutarios que correspondan con la particularidad de que deberá ser también convocada la Administración Concursal (artículo 127.1 TRLC), siendo igualmente fundamental su participación en los casos de Junta Universal para la validez de esta (artículo 127.2 TRLC). La Administración concursal tendrá derecho de asistencia y voto en la Junta (artículo 127.1 TRLC) y los acuerdos de esta que tengan contenido patrimonial o relevancia directa para el concurso requerirán de su autorización para su eficacia (artículo 127.3 TRLC).

---

49 Vid. MARTÍNEZ FLÓREZ, A., *La junta general de la sociedad concursada*, Aranzadi, Cizur Menor, 2012.

En principio, las operaciones sobre activos esenciales pueden formar parte del giro o tráfico común o habitual de la empresa societaria en concurso de acreedores, sin embargo precisamente por su condición de esenciales exceden de las competencias propias del órgano de administración. Entonces, habrá que delimitar si es preciso respetar durante el concurso la regla de los artículos 160 f) y 511bis TRLSC a fin de solicitar la autorización de la Junta General por parte del órgano de administración (en caso de intervención) o directamente de la Administración Concursal (en caso de suspensión), así como la incidencia que tendrá el criterio de la Administración Concursal en la decisión final.

En todo caso, la decisión última será del Juez del concurso, ya que el artículo 205 TRLC establece como regla general que, hasta la aprobación del convenio o hasta la apertura de la liquidación, los bienes y derechos que integran la masa activa no se podrán enajenar o gravar sin la autorización del Juez, salvo en los casos excepcionales previstos en el artículo 206 TRLC.

Así las cosas, si una sociedad de capital declarada en concurso conserva su estructura orgánica, sin perjuicio del papel que corresponda a la Administración Concursal, cualquier operación sobre activos esenciales durante la fase común del concurso debería someterse a la decisión de la Junta General[50], aunque la eficacia de un hipotético acuerdo de esta favorable a la operación que corresponda deba contar siempre con la autorización de la Administración Concursal y en último término con la autorización judicial salvo en los casos donde se aplique una excepción, lo cual relativiza (en caso de intervención) e incluso disuelve (en casos de suspensión) a efectos prácticos la decisión que pueda adoptar la Junta, convirtiendo su decisión en una mera formalidad.

---

50 Así lo entiende la SAP Lugo, Sección 1ª, de 7 de julio de 2020, al menos en los casos de mera intervención de la Administración Concursal. En la doctrina, vid. GALLEGO SÁNCHEZ, E., "Efectos específicos del concursado persona jurídica", en Gallego Sánchez, E. (Dir.), *Derecho concursal y preconcursal*, Tomo II, Tirant lo Blanch, Valencia, 2022, pp. 745-850 (780 y ss.).

Particular relevancia puede tener esta cuestión en el caso de venta de la totalidad de la empresa o de unidades económicas autónomas durante la fase común del concurso, a fin de garantizar la viabilidad de los establecimientos, explotaciones o cualesquiera otras unidades productivas de bienes o de servicios que formen parte de la masa activa, las cuales se podrán hacer sin autorización judicial (cfr. artículos 200 y 206.1,3° TRLC) para agilizar la operación en interés de la conservación de la empresa y del propio concurso (cfr. artículos 214-216 TRLC), pudiendo convertirse en un obstáculo la regla del artículo 160 f) TRLSC. Sin embargo, considero que no se puede desposeer a la Junta General de las facultades de gestión en materia de activos esenciales, salvo que se disponga así expresamente.

Es lógico pensar, en los casos de intervención, que cuando el órgano de administración pretende plantear a la Junta General una operación sobre activos esenciales contará ya con el visto bueno de la Administración Concursal, quien estando de acuerdo de inicio daría asimismo su aprobación a la decisión de la Junta, *ex* artículo 127.3 TRLC. En los casos de suspensión, si el Administrador Concursal plantea la operación a la Junta ya tiene igualmente decidida la ratificación del acuerdo favorable de esta. En todo caso, la decisión de la Junta General favorable a la operación sobre un activo esencial de la sociedad será inexcusable para su validez, debiendo ratificarla la Administración Concursal para que esa decisión resulte eficaz, y aprobarla en último término el Juez del Concurso. En el caso de que los administradores sociales no quisieran plantear la operación (en casos de intervención) o la Junta no se mostrase de acuerdo con la operación (tanto en los casos de intervención como en los de suspensión) mediante un acuerdo desfavorable (o que no llegara a celebrarse por un boicot de los socios), la Administración Concursal plantearía la cuestión directamente a la aprobación del Juez del Concurso, que será quien tome la decisión en último término tomando en consideración los intereses del concurso, pudiendo los administradores sociales (por su propia iniciativa o siguiendo instrucciones de la Junta *ex* artículo 161 TRLSC) plantear un procedimiento incidental para convencer al Juez de la ausencia de necesidad de la operación para los fines del concurso y en aras a la conservación de la empresa. En sentido contrario, si la Administración Concursal se mostrase contraria a una operación sobre uno o varios activos esenciales propuesta por el órgano de administración y autorizada por la Junta General, podrá el órgano de administración plantear al Juez la autorización final de la operación mediante una demanda incidental.

3.2. Operaciones sobre activos esenciales en la fase de convenio

Declara la Ley Concursal que con la eficacia del convenio alcanzado entre deudor y acreedores, tras la sentencia de su aprobación (artículo 393 TRLC), cesan todos los efectos de la declaración del concurso (artículo 394.1 TRLC), cesando también en sus funciones la Administración Concursal (artículo 395 TRLC). Con todo, el concurso continúa en fase de latencia —a modo de concurso yacente— para el caso de incumplimiento del convenio y consiguiente apertura de la liquidación. Es por eso que la propuesta de convenio puede contener medidas prohibitivas o limitativas del ejercicio de las facultades de administración y disposición sobre bienes y derechos de la masa activa por parte del deudor durante el periodo de cumplimiento del mismo (cfr. artículo 321.1 TRLC), lo que podría servir a los acreedores para restringir determinadas operaciones, como pueden ser las que recaigan sobre determinados activos esenciales para la actividad de una concreta sociedad, determinando en caso de incumplimiento la ineficacia de la concreta operación y la posible solicitud de la declaración judicial de incumplimiento del convenio por cualquier acreedor (artículo 402.2 TRLC), lo que supondrá la apertura de la fase de liquidación.

Así pues, aprobado el convenio y desaparecidos los efectos del concurso, los órganos de la sociedad de capital deudora recuperan todas sus competencias, libres ya del control de la Administración Concursal, por lo que —en principio— cualquier operación sobre activos esenciales de la sociedad requerirá el acuerdo favorable de la Junta General para su validez, ajustándose en todo caso al contenido del convenio. Pero es preciso preguntarse antes sobre el papel de la Junta General en la realización de propuestas de convenio por el deudor o en la aceptación de las formuladas por acreedores cuyos créditos superen una quinta parte de la masa pasiva (artículos 315.1 y 359 TRLC), cuando tales propuestas incluyan operaciones para cuya aprobación sea necesario contar con un acuerdo favorable de la Junta General; como pueden ser las modificaciones estructurales (cfr. artículo 317bis TRLC), la conversión de créditos en acciones o participaciones de la sociedad que requiere un aumento de capital (artículos 327 y 328 TRLC) u operaciones sobre activos esenciales de la sociedad, las cuales —estas últimas— pueden tener lugar en particular en las propuestas de convenio con previsiones para la realización de bienes o derechos afectos a créditos con privilegio especial (artículo 323 TRLC), en las propuestas de convenio con asunción (artículo 324 TRLC) o en las propuestas de convenio con cesión o dación en pago (artículo 329 TRLC).

Aunque en rigor no hayan cesado los efectos del concurso de acreedores, al no haberse aprobado aún judicialmente una propuesta de convenio, entiendo que será necesario en todo caso contar con la aprobación de la Junta General cuando el contenido de la propuesta de que se trate incluya operaciones que sean de su competencia, limitándose los administradores (encargados de la negociación con los acreedores) a proponer la operación a la Junta y sin intervención alguna de la Administración Concursal. De modo que las propuestas de convenio negociadas por los administradores de la sociedad deudora no podrían llegar a término sin un acuerdo favorable de la Junta General cuando contengan operaciones cuya aprobación es competencia exclusiva de esta, entre ellas las relativas a activos esenciales de la sociedad *ex* artículos 160 f) y 511bis TRLSC.

Por lo demás, en caso de que el convenio aprobado judicialmente contenga medidas prohibitivas o limitativas del ejercicio por el deudor de las facultades de administración y disposición de los bienes y derechos de la masa activa durante el periodo de cumplimiento del convenio (artículo 312 TRLC), conviene preguntarse si afectarán únicamente a las facultades típicas de gestión por parte del órgano de administración o si afectarán también a las competencias de gestión de la Junta General, incluyendo en particular la competencia de decisión sobre operaciones relativas a activos esenciales de los artículos 160 f) y 511bis TRLSC.

A mi entender, dado que estas normas, junto a la del artículo 161 TRLSC, constituyen un excepción al principio general de distribución de competencias, atribuyendo determinadas competencias de gestión a la Junta General por consideraciones de buen gobierno relacionadas con una mayor implicación y control por parte de los socios y accionistas, entiendo que quedarían también afectadas por las prohibiciones o limitaciones de las competencias de gestión y disposición incluidas, en su caso, en el convenio, sean de carácter cualitativo (relativas a determinados bienes o derechos) o cuantitativo (poniendo un límite máximo a determinadas operaciones). De modo que la autonomía de la voluntad de la sociedad, expresada por el órgano de administración o por la Junta General para adoptar determinadas decisiones de gestión y disposición de bienes y derechos, quedaría limitada por una disposición contractual incluida en el convenio, fruto también de la autonomía de la voluntad, con las consecuencias antes mencionadas asociadas a su incumplimiento.

3.3. Operaciones sobre activos esenciales en fase de liquidación

Abierta la fase de liquidación queda disuelta *ipso iure* la sociedad de capital deudora (en caso de que no lo estuviese ya al tiempo de ser declarado el concurso de acreedores), entrando en fase de liquidación de acuerdo con las reglas de la legislación concursal, y cesando en sus funciones los administradores o liquidadores (artículos 361.2 TRLSC y 413.2 TRLC) para ser sustituidos por la Administración Concursal (repuesta en sus funciones con la apertura de la liquidación o siendo nombrada otra nueva por el Juez, *ex* artículo 412 TRLC).

Nada dice la Ley Concursal sobre el papel de la Junta General durante la fase de liquidación concursal, pero es lógico pensar que si la Administración Concursal sustituye plenamente a los administradores sociales en sus competencias de gestión y representación, también sustituirá a la Junta General en sus competencias de gestión. De modo que cualquier operación de liquidación que recaiga sobre activos que pudieran considerarse esenciales para la sociedad deudora durante una fase de empresa en funcionamiento, no tendría ya que someterse —ni siquiera a efectos formales— a la aprobación de la Junta.

Por lo tanto, ni los administradores sociales ni los socios constituidos en Junta General podrán interferir en las funciones liquidadoras de la Administración Concursal, que ni siquiera requiere contar con autorización judicial para la realización de los bienes y derechos de la sociedad deudora (artículo 415.2 TRLC).

4. *Competencias de la Junta General en operaciones sobre activos esenciales durante las negociaciones preconcursales para acordar un plan de reestructuración*

La posición de los socios en la negociación y aprobación de planes de reestructuración en periodo preconcursal es delicada. Ni se pueden obviar sus legítimos derechos, incluyendo el de asistir, deliberar y votar en la Junta General dentro de las competencias de esta, ni tampoco se pueden situar tales derechos como obstáculos insalvables a la aprobación de planes de reestructuración que se configuran por el legislador europeo y nacional como opción preferente en favor de los intereses de acreedores en situaciones de crisis empresarial o profesional[51].

Con todo, al no estar aún declarada en concurso la sociedad de capital conservará plenamente su estructura orgánica, con las respectivas competencias de cada órgano, siendo aplicables las reglas de la legislación sobre sociedades de capital en lo que afecten a la toma de decisiones en la negociación de un plan de reestructuración con los acreedores, salvo que se indicara otra cosa en la legislación concursal o así se pudiera derivar del sentido último de las normas de esta.

Por lo tanto, la presentación de la comunicación preconcursal mostrando la voluntad de negociar con los acreedores un plan de reestructuración o la existencia de negociaciones al respecto corresponderá al órgano de administración del deudor sociedad de capital,

---

51 Cfr. Considerando nº 57 de la Directiva 2019/1023 del Parlamento Europeo y del Consejo, de 20 de junio de 2019, sobre marcos de reestructuración preventiva. En la doctrina, vid. ENCISO ALONSO-MUÑUMER, Mª., "La posición de los socios en la aprobación y homologación del plan de reestructuración", Anuario de Derecho Concursal, n.º 62, 2024, pp. 83-118.

si bien la competencia para la aprobación del plan de reestructuración corresponderá a la Junta General[52].

Dispone en este sentido el artículo 631.1 TRLC que cuando el plan de reestructuración contenga medidas que requieran el acuerdo de los socios de la sociedad deudora, se estará a lo establecido para el tipo legal que corresponda, con las especialidades previstas para la sociedad de capital en el apartado 2 del mismo precepto, del que se deduce el papel fundamental que el legislador atribuye a los socios reunidos en Junta en la aprobación del plan de reestructuración. En consecuencia, no será extraño que un plan de reestructuración contenga una o varias operaciones que afecten a activos esenciales de la sociedad deudora, por lo que habrá que contar en todo caso con la aprobación de esas operaciones por la Junta General, si bien de la normativa concursal se desprende que la aprobación o rechazo de la operación sobre activos esenciales por parte de la Junta quedará subsumida en el acuerdo por el que se apruebe o rechace el plan en todos sus términos (al no poderse incluir otros asuntos en el orden del día), con el quórum y por la mayoría legal ordinarios (cfr. artículo 631.2, 3º y 4º TRLC). Efectivamente, si el plan de reestructuración incluye una o varias operaciones sobre activos esenciales, considero que no tiene sentido (por ser además contrario a la agilidad esperada del proceso de negociación y aprobación de los planes de reestructuración) que se requiera un acuerdo de la Junta sobre las operaciones relativas a activos esenciales previo o posterior al acuerdo de aprobación del plan de reestructuración, pudiendo considerarse incluido el acuerdo favorable o desfavorable en relación con las operaciones sobre activos esenciales en el acuerdo favorable o desfavorable del plan de reestructuración[53].

No obstante, en determinadas situaciones el legislador prioriza los intereses de los acreedores sobre los de los socios, y por eso dis-

---

[52] En buena lógica, pues se trata de una operación que índice de modo sustancial en la posición jurídica y económica de los socios y/o en la estructura o la actividad de la sociedad, en los términos empleados por la STS 1045/2023, de 27 de junio.

[53] En este sentido, ENCISO ALONSO-MUÑUMER, Mª., "La posición de los socios en la aprobación y homologación del plan de reestructuración", cit..

pone el artículo 640.2 TRLC, para los casos de deudor persona jurídica —en línea con lo advertido en el considerando 57 de la Directiva 2019/1023—, que si el plan contuviera medidas que requieran acuerdo de la junta de socios, el plan de reestructuración se podrá homologar —previa presentación del mismo por los administradores sociales o por cualquier acreedor afectado, *ex* artículo 643.1 TRLC— aunque no haya sido aprobado por los socios de la sociedad si esta se encuentra en situación de insolvencia actual o inminente[54]. Se trata del llamado "efecto arrastre" vinculado a la homologación judicial en situaciones de insolvencia actual o inminente, no en las de mera probabilidad de insolvencia, arrastrando la voluntad de los acreedores a los socios para facilitar la reestructuración de la empresa a fin de evitar o salir de la insolvencia.

---

54 Norma esta que, a mi juicio, refuerza el argumento esgrimido en relación con la aprobación o rechazo de las operaciones sobre activos esenciales al producirse la aprobación o rechazo del plan de reestructuración por la Junta General.

Impugnación de acuerdos sociales contrarios a pactos parasociales[1]

MARÍA JESÚS PEÑAS MOYANO
Catedrática de Derecho Mercantil
Universidad de Valladolid

RESUMEN

La utilización de pactos parasociales es una realidad cada vez más frecuente en el ámbito societario. Por ello, también comienzan a ser frecuentes los casos en los que se adoptan acuerdos sociales en junta general contrarios a lo pactado por los socios, incluso por todos ellos. Esta situación está motivando que se produzca la impugnación de estos acuerdos sociales contrarios a los pactos parasociales y, de momento, son mayoría las resoluciones judiciales que se pronuncian en contra de privar de efectos a los acuerdos adoptados conforme a los estatutos de la sociedad. Se plantea, en consecuencia, qué posibles soluciones pueden aplicarse para lograr que prevalezca la voluntad de los socios expresada en los pactos parasociales, en particular, cuando su impugnación procede de un socio que los ha suscrito y actúa guiado únicamente por su interés particular.

Palabras clave: acuerdos sociales, pactos parasociales, impugnación de acuerdos

ABSTRACT

The use of shareholders' agreements is an increasingly common reality in the corporate scope. For this reason, cases are also beginning to become frequent in which social agreements are adopted at a general meeting contrary to what was agreed upon by the partners, even by all of them. This situation is leading to the challenge of these social agreements contrary to the shareholders' agreements and, at the moment, there are a large majority of judicial resolutions that rule against depriving the agreements adopted in accordance with the company's statutes. Consequently, the question arises as to what possible solutions can be used to ensure that the will of the partners expressed in the shareholders' agreements prevails, in particular,

---

1 Este trabajo se ha realizado en el marco del proyecto de investigación del Ministerio de Ciencia e Innovación: PID2022-137502NB-I00, «Blockchain y Derecho societario (2). Bigdata, Fintech y la protección del usuario de los servicios financieros», (II.PP. R. Palá Laguna y P.-J. Bueso Guillén) y tiene su punto de partida en la contribución realizada para el homenaje al profesor Rojo: "Prestaciones accesorias, pactos parasociales e impugnación de acuerdos contrarios" en *Estudios jurídicos en homenaje al profesor Ángel Rojo*, Tomo II, Derecho de Sociedades, Madrid, Madrid, Civitas, 2024, pp. 661 y ss.

when the challenge comes from a partner who has signed them and acts guided solely by his or her particular interest.

***Keywords**: corporate agreements, shareholders' agreements, challenge to agreements*

Sumario: I. PRELIMINAR. II. SITUACIÓN LEGAL Y JURISPRUDENCIAL EN EL DERECHO ESPAÑOL. III. POSIBLES SOLUCIONES. IV. ALGUNAS REFLEXIONES FINALES. V. BIBLIOGRAFÍA.

I. PRELIMINAR

La posibilidad o, en su caso, la improcedencia, de impugnar los acuerdos sociales adoptados conforme a los estatutos de la sociedad, pero contrarios a pactos parasociales, es un tema recurrente en los últimos tiempos en la doctrina española como consecuencia de varios supuestos conflictivos que han terminado en los tribunales dando origen a las correspondientes resoluciones judiciales que son objeto de debate[2].

---

2 Entre las resoluciones más recientes e interesantes relacionadas con estos temas, a veces de forma de directa, otras de modo colateral, que pueden tenerse en cuenta para comprobar el estado de estas cuestiones, se encuentran la Sentencia del Tribunal Supremo 120/2020, de 20 de febrero (ECLI:ES:TS:2020:507), comentada amplia y profundamente tratada por PAZ-ARES, C., "Violación de pactos, impugnación de acuerdos y principio de no contradicción", *RDM*, núm. 325, pp. 1y ss (versión on line); REDONDO TRIGO, F., "Protocolo familiar, pactos parasociales y sucesión contractual en la Sentencia del Tribunal Supremo de 20 de febrero de 2020," *Revista Crítica de Derecho Inmobiliario*, núm. 779, 2020, pp. 1906 y ss; la Sentencia del Tribunal Supremo 300/2022, de 7 de abril, (ECLI:ES:TS:2022:1386), igualmente comentada por PAZ-ARES, C., op. cit., también por DE LA FUENTE, J., "Pactos parasociales: el Tribunal Supremo confirma su doctrina y aclara algunas cuestiones procesales", (A propósito de la sentencia de la Sala Primera del Tribunal Supremo de 7 de abril de 2022", *Diario La Ley*, núm. 10072, 2022, pp. 1-8 (versión on line), GAY QUINZÁ, I. y JIMÉNEZ MARTÍ, J., "Los pactos de socios y su oponibilidad frente a la sociedad", *Derecho Mercantil 2023*, Tirant lo Blanch, Valencia, 2023, p. 89; Sentencia de la Audiencia Provincial de Madrid, 273/2022, de 11 de abril, (ECLI:ES:APM:2022:13476), Sentencia de la Audiencia Provincial de Barcelona 1590/2022, de 3 de noviembre (ECLI:ES:APB:2022:12009); Senten-

La anulación de acuerdos sociales por el hecho de ser contrarios a pactos parasociales, incluso aunque sean de naturaleza omnilateral[3] y, por tanto, suscritos por el cien por cien del capital social, coincidiendo desde un punto de vista subjetivo los participantes, no es una situación que, al menos de momento, se considere pacífica ni, por supuesto, viable en la mayoría de los supuestos. Lograr el cumpli-

---

cia de la Audiencia Provincial de Cádiz 8/2023, de 18 de diciembre de 2022 (ECLI:ES:APCA:20200:2734), Estas tres últimas resoluciones comentadas por DE LA FUENTE, J., "Pactos parasociales: estado de la cuestión", *Diario La Ley*, núm. 10300, 2023, pp. 1 y ss (versión on line). Más recientemente, las Sentencias del Juzgado de lo Mercantil núm. 12, de Barcelona, 22/2023, de 18 de abril (ECLI: ES:JMB:2023:1267); de la Audiencia Provincial de Valencia 260/2023, de 5 de abril (ECLI: ES:APV:2023:1131); la Sentencia del Tribunal Supremo de 5 de mayo de 2023, 674/2023 (ECLI:ES:TS:2023:1965); SAP MA 2681/2024 - ECLI:ES:APMA:2024:2681; la Sentencia de la Audiencia Provincial de Málaga, 2681/2024, de 3 de julio de 2024, (ECLI:ES:APMA:2024:2681); la Sentencia del Juzgado de lo Mercantil, núm. 5, de Madrid, 278/2024, de 15 de julio de 2024 (ECLI:ES:JMM:2024:278) o la Sentencia de la Audiencia Provincial de Madrid, 15004/2024, de 25 de octubre de 2024 (ECLI:ES:APM:2024:15004), donde si bien es cierto el asunto tratado no se refiere a esta cuestión, sino a un legado de usufructo de acciones con derecho de voto disociado, se basa directamente en esta doctrina jurisprudencial mayoritaria para dictar la resolución correspondiente.

3 Si bien se defiende que los pactos extraestatutarios de esta naturaleza son oponibles a la sociedad y frente a ella se pueden hacer valer. Vid., NOVAL PATO, J., *Los pactos omnilaterales, su oponibilidad a la sociedad: diferencia y similitudes con los estatutos y los pactos parasociales*, Cizur Menor, Civitas Thomson Reuters, 2012, pp. 114, 115 y 138, puesto que no concurre ninguna previsión que imposibilite exigir la anulabilidad de un acuerdo contrario a un pacto omnilateral. Es más, considera que en este caso ni siquiera resulta apropiado la utilización del término parasocial para referirse a estos pactos que se sitúan en una zona intermedia entre lo parasocial y lo propiamente estatutario. Vid., p. 147. Por su parte, PÉREZ MILLÁN, D., "Presupuestos y fundamento jurídico y fundamento jurídico de la impugnación de acuerdos sociales por incumplimiento de pactos parasociales", *RDBB*, núm. 117, 2010, p. 257, considera que en aquellos supuestos en los que todos los socios son parte del pacto, puede afirmarse que la sociedad no es un tercero respecto de sus socios y, en consecuencia, la impugnación del acuerdo social contrario puede fundamentarse en su contravención de los estatutos o bien por lesionar el interés social, siempre y cuando se den las circunstancias sostengan un supuesto u otro.

miento del pacto parasocial a través de la impugnación del acuerdo contrario si bien es cierto que se valora, incluso, caso por caso, no ha obtenido reconocimiento de modo generalizado.

Son varias, en consecuencia, las razones por las que se trae a estas páginas este tema conflictivo. La primera que debe destacarse es la amplia utilización de pactos parasociales en el mundo societario, hasta el punto de considerar que estamos ante un régimen societario paralelo que crea, transforma y condiciona la vida práctica de las sociedades mercantiles. La gran riqueza de contenido de los pactos parasociales, en cuyo marco parece que se encuentra reflejado el Derecho de sociedades real, el que se practica o, al menos, un Derecho de sociedades concurrente al legislado, o con una frontera ciertamente difuminada entre lo estatutario y lo extraestaturario, choca en bastantes ocasiones con el régimen previsto en la norma positiva.

Los pactos parasociales se celebran normalmente para obtener una mayor flexibilidad huyendo de la rigidez de la normativa societaria, permitiendo acuerdos sobre cuestiones diversas que no deben superar los límites de la autonomía de la voluntad o lo dispuesto por normas imperativas que protejan los intereses de terceros[4]. Además de permitir indudables ventajas desde el punto de vista del conteni-

---

[4] Así, PAZ-ARES, C., "La cuestión de la validez de los pactos parasociales", *Homenaje al profesor D. Juan Luis Iglesias Prada,* 2011, p. 1. Igualmente, PÉREZ MILLÁN, D., "Presupuestos y fundamento jurídico..." cit., pp. 244 y 245. "...no son nulos o, en general, ineficaces los pactos parasociales que supongan cualquier desviación respecto del tipo legal. En efecto, no todo aquello que se exige para la conformidad con el tipo supone un límite a la autonomía de la voluntad; a la inversa, no todo lo que se aparta del tipo, y que es ineficaz en el ámbito del mismo, está prohibido." En definitiva, los pactos parasociales pueden apartarse del marco normativo que conforma el Derecho de sociedades, pudiendo los socios pactar internamente sobre los temas que consideren sin el sometimiento a los límites establecidos por el Derecho societario, incluidos sus propios derechos que no sean irrenunciables o inderogables, puesto que estos pactos permiten regular las relaciones entre ellos. De otro modo, no tendría sentido el carácter inoponible a la sociedad de estos pactos, tal y como se recoge en el artículo 29 del TRLSC. Por su parte, el artículo 213-21.2. del Anteproyecto de Ley de Código Mercantil viene a establecer un límite al declarar que son nulos aquellos pactos parasociales por los que uno o varios administradores de la sociedad

do, desde un punto de vista formal también son posibles como consecuencia de su carácter extraestatutario.

En principio, en ese carácter extraestatutario se encuentra también el origen de la falta de obligatoriedad con la puede imponerse un pacto estatutario al margen de los propios socios firmantes. La no incorporación a los estatutos, plenamente justificada por el carácter que se otorga al pacto, genera consecuencias como la falta de publicidad para los terceros ajenos al acuerdo parasocial, salvo que se trate de sociedades cotizadas —artículos 530-535 del Real Decreto Legislativo 1/2010, de 2 de julio, por el que se aprueba el texto refundido de la Ley de Sociedades de Capital (TRLSC)— o que se deseen publicitar voluntariamente los acuerdos internos. Por tanto, únicamente obligan a los socios firmantes, no son oponibles a terceros de buena fe y, salvo que se haya dispuesto otro modo en el propio pacto, solo se puede modificar su contenido por unanimidad de los firmantes.

Siendo cierto que una de las cuestiones más problemáticas en relación con los pactos parasociales es la relativa a su validez y eficacia[5], su valoración ha de hacerse, en principio, dentro de su conformidad a los principios que sustentan el sistema normativo y el Derecho de sociedades en general, lo cual no significa que deban ajustarse escrupulosamente a lo establecido por todo el conjunto normativo pues ello significaría sin duda una importante pérdida de su utilidad.

Así, la utilización de pactos de diverso tipo, bien sean de organización, de relación o de atribución, genera, lógicamente, el problema de las consecuencias de su incumplimiento y ante quien pueden ser oponibles tales pactos. En concreto, su exigibilidad interpartes quedaría reducida a los firmantes, a cuyo ámbito quedaría limitado los efectos del pacto, pero también habría que plantearse su oponibili-

---

se obliguen a seguir las instrucciones de socios o de terceros en el ejercicio de su cargo

5 FELIÚ REY, J., *Los pactos parasociales en las sociedades de capital no cotizadas,* Marcial Pons, Madrid, 2012, pp. 177 y ss; MARTÍNEZ ROSADO, J., *Los pactos parasociales,* Marcial Pons, Madrid, Barcelona, 2017, pp. 93 y ss; PAZ-ARES, C., "La cuestión de la validez de los pactos parasociales…", cit., pp. 1 yss; SERRA CALLEJO, J., "Validez y eficacia de los pactos parasociales", *CEF Legal, Revista práctica de Derecho,* 2021, pp. 5 y ss.

dad frente a futuros socios que no lo suscribieron en su momento y que pasan en un determinado momento a ostentar acciones o participaciones sociales.

En el plano puramente societario han resultado infructuosos en los tribunales los esfuerzos por lograr su oponibilidad frente a la sociedad[6]. La STS 300/2022, de 7 de abril establece que, salvo que la propia sociedad sea firmante del pacto, no puede exigirse su cumplimiento frente a ella. Esta situación se produce incluso cuando se ha argumentado la existencia de un pacto omnilateral o universal suscrito por todos los socios integrantes de la sociedad. Es cierto que se afirma que en este último supuesto es posible impugnar los acuerdos sociales que sean contrarios al pacto parasocial, siendo la vía más apropiada, no la de la infracción de la norma estatutaria, sino la contravención del interés social, ya que el incumplimiento del pacto

---

6 Con excepción de la interesante Sentencia del Juzgado de lo Mercantil núm. 12, de Barcelona. 22/2023, de 18 de abril (ECLI:ES:JMB:2023:1267), ya mencionada en el texto, al abordar el caso de un pacto omnicompresivo que obligaba no sólo a los dos socios, sino también a la sociedad. Así, frente a la defensa de la demandada, basada en que el pacto entre socios no vincula a la sociedad, el juez se manifiesta en estos términos: "Considero acreditado que los dos socios y la propia sociedad al firmar el acuerdo parasocial establecieron cual era la voluntad no sólo de ambos socios, sino de la propia compañía, sobre la búsqueda de soluciones consensuadas para abordar las decisiones de mayor trascendencia. Soy consciente de la existencia de una jurisprudencia del Tribunal Supremo, citada por la demanda, muy restrictiva respecto del alcance de acuerdos parasociales como vía para determinar la nulidad de los acuerdos sociales (por todas STS de 7 de abril de 2022 –ECLI:ES:TS:2022:1386), pero en supuestos como el de autos creo que en una sociedad cerrada, de dos socios, la existencia de un pacto firmado por ambos y asumido por la sociedad me permite tener probado cual era el interés social y el marco de protección del socio mayoritario. Al no haberse explicitado la causa de disolución en la convocatoria, ni haberse informado al socio minoritario de la concurrencia de una causa legal de disolución, la adopción del acuerdo por el que se decide disolver la compañía, cesar a su órgano de administración e imponer un liquidador debería haber respetado el contrato entre socios, que exigía una mayoría cualificada y, por ello, el consenso entre ambos socios… se está vulnerando el interés social en exclusivo beneficio del socio mayoritario… Por tal motivo, deberían anularse los acuerdos impugnados."

parasocial omnilateral por un socio supone la infracción a su deber de fidelidad.

Pero con carácter general, los tribunales han considerado que al mantenerse el pacto entre los socios sin saltar a los estatutos ni, por tanto, someterse a la disciplina societaria ni a sus consecuencias, entre ellas la imposición a los futuros socios del contenido pactado, tal impugnación no puede prosperar. Como se ha señalado, un pacto extraestutario tiene sus ventajas, de carácter formal, fundamentalmente y, por supuesto, la flexibilidad, pero los efectos que se logran son diferentes y no se obtienen los buscados en muchas ocasiones pues su mera eficacia obligatoria impide exigir un cumplimiento forzoso frente a la sociedad.

Una segunda razón para justificar la atención a esta materia, como ya se ha señalado, es la aparición de diversas resoluciones judiciales que se han venido considerado controvertidas e insatisfactorias, en parte, porque se han desmarcado de la línea argumental seguida hace años adoptando una postura menos flexible.

En tercer lugar, se quiere también destacar que la doctrina que ha estudiado los pactos parasociales no mantiene una postura única ante la posibilidad de impugnar los acuerdos sociales contrarios a pactos parasociales, si bien es cierto que es mayoritaria la que se expresa a favor de la viabilidad de esta actuación. Y un último motivo que se alega es la ausencia de soluciones normativas que aporten claridad y seguridad sobre cómo deben abordarse posibles situaciones de conflicto, así como las dificultades para llegar a elaborarlas.

Por tanto, a pesar de esta línea que se traza entre lo social y lo que no lo es, se está ante una delimitación que no ofrece certezas absolutas, más bien al contrario. Así se pone de manifiesto en las cuestiones relativas a la validez y eficacia de los pactos parasociales frente a la sociedad y frente a los socios firmantes y no firmantes, que siguen siendo problemáticas, y ello se aprecia una y otra vez cuando tales cuestiones por conflictivas llegan al ámbito judicial buscando una resolución que no va a ser del agrado de una de las partes reclamantes y generando también las correspondientes adhesiones y discrepancias en la doctrina societaria.

II. SITUACIÓN LEGAL Y JURISPRUDENCIAL EN EL DERECHO ESPAÑOL

Sobre el régimen legal vigente relativo a los pactos parasociales, ha de tenerse en cuenta en primer lugar el contenido del artículo 28 del TRLSC de 2 de julio de 2010, sobre la autonomía de la voluntad: "En la escritura y en los estatutos se podrán incluir, además, todos los pactos y condiciones que los socios fundadores juzguen conveniente establecer, siempre que no se opongan a las leyes ni contradigan los principios configuradores del tipo social elegido." Y a continuación, lo dispuesto por el artículo 29 sobre pactos reservados. "Los pactos que se mantengan reservados entre los socios no serán oponibles a la sociedad."

Resulta particularmente recomendable tener en cuenta el contenido proyectado del artículo 213-21.1 del Anteproyecto de Ley de Código Mercantil refrendada por el dictamen del Consejo de Estado de enero de 2015[7]: "Pactos parasociales. 1. Los pactos celebrados entre todos o algunos socios, o entre uno o varios socios y uno o varios administradores al margen de la escritura social o de los estatutos, estén o no depositados en el Registro Mercantil, no serán oponibles a la sociedad. Los acuerdos sociales adoptados en contra de lo previsto en dichos pactos serán válidos. 2. Son nulos aquellos pactos parasociales por los que uno o varios administradores de la sociedad se obliguen a seguir las instrucciones de socios o de terceros en el ejercicio de su cargo. 3. Quien hubiere incumplido un pacto parasocial deberá indemnizar los daños y perjuicios causados y asumir las demás consecuencias previstas en el pacto. 4. Lo dispuesto en este artículo

---

7 "...la opción elegida por el Anteproyecto —la regla de la inoponibilidad de los pactos parasociales— no contraviene los principios dogmáticos aplicables en este ámbito, incluso en aquellos supuestos en los que los pactos parasociales hayan sido suscrito por todos los socios. El antes referido principio de relatividad de los contratos impone que éstos surtan únicamente efectos entre las partes de donde resulta que, aun cuando los sujetos que han suscrito el contrato de sociedad y el pacto parasocial sean los mismos —que en puridad no lo son, dado que la sociedad resultante del contrato de sociedad es un sujeto distinto de los socios que han convenido el pacto parasocial—, no pueda exigirse en el ámbito societario lo que se ha pactado en la esfera contractual."

será de aplicación a los protocolos familiares, haya o no constancia registral de su existencia o contenido."

Ha de tenerse en cuenta también lo dispuesto en los artículos 204 a 208 sobre impugnación de acuerdos, sobre todo los motivos por los que pueden llevarse a cabo tal impugnación planteados en el artículo 204.1: "Son impugnables los acuerdos sociales que sean contrarios a la Ley, se opongan a los estatutos o al reglamento de la junta de la sociedad o lesionen el interés social en beneficio de uno o varios socios o de terceros."

En el problema que se está revisando, influye de modo determinante que los motivos establecidos para proceder a la impugnación de los acuerdos sociales se consideran tasados por este artículo 204.1 del TRLSC. La lista en apariencia es escasa, considerándose como tales causas únicamente la infracción de la Ley, la vulneración de los estatutos sociales o su adopción en contra del interés social en beneficio de uno o varios socios o de terceros. Respecto a este último supuesto, la lesión del interés social, también se considera que se ha producido cuando el acuerdo se impone de manera abusiva por la mayoría sin resultar necesario un daño al patrimonio social.

En este contexto se está ante situaciones que afectan de algún modo a todos los socios, debiéndose tener en cuenta además que los gastos que se deriven del ejercicio de la acción de impugnación deberán asumirse con el patrimonio social[8].

No se viene admitiendo en los conflictos que se han ido planteando ante los tribunales, y a diferencia de lo que ha sucedido en etapas anteriores[9], una aplicación analógica de otros posibles motivos. Esto

---

8 PÉREZ MILLÁN, D., "Presupuestos y fundamento jurídico…", cit. p. 250.

9 PAZ-ARES, C., op. cit., pp. 2 y ss, hace referencia a la Jurisprudencia que sí había admitido la impugnación de los acuerdos sociales adoptados en violación de pactos parasociales suscritos por todos los socios conforme a la normativa vigente en ese momento, considerando correcta la conclusión y no tanto los argumentos utilizados para llegar hasta ella. Como contrapunto, vid, p. 18 y n. 41, hace referencia al denominado caso *Cornelio*, Sentencia del Tribunal Supremo 659/2016, de 25 de febrero (ECLI:ES:TS:2016:659), en la que se rechaza la impugnación de un acuerdo social contrario al pacto omnilateral basándose, concretamente, en el argumento de la buena fe. El

es, no podrán impugnarse aquellos acuerdos sociales adoptados en contra de lo dispuesto en el pacto parasocial esgrimiendo causas diferentes a las establecidas por el artículo 204.1 del TRLSC. En consecuencia, una posible tutela para los socios que han acordado el pacto parasocial y se rigen por él, lograda a través de la anulación del acuerdo social contrario al pacto, si bien es cierto que es defendida por doctrina relevante[10], se sigue encontrando con resoluciones ju-

---

Tribunal Supremo consideró que el demandante actuó contra sus propios actos al invocar un incumplimiento de la norma societaria que se había producido como consecuencia del cumplimiento de un pacto perfectamente válido. Vid., igualmente, las referencias señaladas en PÉREZ MORIONES, A., "Impugnación de acuerdos sociales y pactos parasociales omnilaterales (reflexión a la luz de los últimos pronunciamientos de nuestros tribunales), *Estudios de Derecho Mercantil. Liber amicorum profesor Dr. Francisco Vicent Chuliá*, Valencia, 2013, pp. 581 y ss. y REDONDO TRIGO, F., "Los pactos parasociales y la relatividad contractual, (unas notas para la reflexión)", *Revista Crítica de Derecho Inmobiliario*, núm. 793, 2022, pp. 2929 y ss, también en relación con la consideración o no de la sociedad como un tercero en relación a la aplicación del artículo 1257.2 del Código Civil, a los efectos de permitir la impugnación de los acuerdos sociales contrarios al pacto parasocial.

10 Vid., PAZ-ARES, C., op. cit., pp. 5 y ss, quien se refiere a la posición del Tribunal Supremo en las resoluciones más recientes como "el insoportable formalismo de la nueva doctrina." Para PAZ-ARES, vid, p. 11, la infracción de los pactos parasociales constituye causa de anulabilidad de los acuerdos impugnados por lesionar el interés social, partiendo de lo dispuesto por el art. 204 de la LSC, reconociendo en todo caso la necesidad de diferenciar el plano societario del plano contractual, en lo que viene denominándose teoría analítica. Así, "cualquier acuerdo que contravenga un pacto suscrito por todos los socios revela una desconsideración de sus intereses —en forma de deslealtad o infidelidad— y, en esa medida, resulta contrario al interés social." En definitiva, cuando el pacto parasocial ha sido firmado por la totalidad de los socios lográndose que los resultados obtenidos en el ámbito social sean equivalentes a los que garantiza el ordenamiento civil contractual, como es el caso de la impugnación de acuerdos sociales, la regla de la oponibilidad no encuentra la base que le sirve de justificación, de manera que queda libre el camino para poder hacer efectivos los pactos parasociales en el ámbito societario. Vid., también al respecto, FERNÁNDEZ DEL POZO, L., "El *enforcement* societario y registral de los pactos parasociales. La oponibilidad de lo pactado en protocolo familiar publicado", *RdS*, núm. 29, 2008, pp. 174 y 175, basándose en la coincidencia del respectivo sustrato subjetivo; ALFARO ÁGUILA-REAL, J., "El fundamento de

diciales que se posicionan a favor del mantenimiento de lo dispuesto en los acuerdos sociales sin que prospere su impugnación por ir en contra de lo contemplado en el pacto parasocial, pues este motivo no se encuentra entre los dispuestos por el artículo 204.1 del TRLSC.

Se trata de un debate que en la doctrina española lleva mucho tiempo abierto, en particular, en lo relativo a los supuestos en los que puede basarse, habiéndose admitido en ocasiones, con fundamento en los principios de la buena fe y abuso de derecho, la posible impugnación de un acuerdo social contrario a un pacto parasocial omnilateral, suscrito por todos los socios[11].

En una línea semejante, se viene esgrimiendo también que el mantenimiento de tales acuerdos sociales lesiona el interés de la so-

---

la impugnabilidad ex art. 204 LSC de los acuerdos sociales que infringen un pacto parasocial omnilateral", Blog Almacén de Derecho, https://almacendederecho.org/el-fundamento-de-la-impugnabilidad-ex-art-204-lsc-los-acuerdos-sociales-que-infringen-un-pacto-parasocial-omnilateral, en este caso, con fundamento en la denominada tesis sintética, según la cual "dado que las partes de ambos contratos (sociedad y parasocial) son las mismas y ambos contratos tienen el mismo contenido (las relaciones de los socios referidas al patrimonio social), pactos parasociales y estatutos sociales deben considerarse, en principio, unitariamente."

11 PÉREZ MILLÁN, D., "Presupuestos y fundamento jurídico...", cit., pp. 249, 257 y 258. El autor se plantea, como lo ha hecho la doctrina en España y en el Derecho comparado, diversas posibilidades al respecto. Así, que se precise que todos los socios hayan suscrito el pacto parasocial, o que todas las partes del pacto en cuestión sean socios, sin intervención de ningún tercero, como puede ser el caso de un administrador no socio. Junto a esta como posibilidad admitida en mayor medida, también se recoge la situación en la que en el pacto no intervienen todos los socios, pero sí el número suficiente para alcanzar una mayoría que permita modificar los estatutos en el caso de que el pacto sea conocido por la totalidad de los socios en el momento de adoptar el acuerdo social. Vid., igualmente, bibliografía citada en n. 31. Por su parte, MORALES BARCELÓ, J., "Pactos parasociales vs estatutos sociales: eficacia jurídica e impugnación de acuerdos sociales por su infracción", *RdS*, núm. 42, 2014, p. 170, entiende que "de lege ferenda... debería ser admisible, por ser contrario a los actos propios, la impugnación de un acuerdo social que sea contrario a un pacto de carácter privado y previo, acordado de forma unánime por todos los socios." Más recientemente, PAZ-ARES, C., op. cit., pp. 3 y ss y bibliografía reflejada en n. 2.

ciedad cuya concreción se refleja precisamente en el pacto parasocial, de manera que los acuerdos que se adopten contraviniendo lo establecido en el pacto, estarían beneficiando a los socios que lo incumplen frente a los que exigen su cumplimiento. Y es que el deber de lealtad de la mayoría queda en ocasiones precisado en el contenido de un pacto parasocial, aunque sea convenido por una minoría expresando las relaciones de confianza mutua entre los socios y con la sociedad. Por ello, acudir a un medio de tutela societaria, como es la impugnación de los acuerdos sociales, no procedería cuando el resultado de su utilización es diferente al que se alcanzaría de utilizar la tutela obligacional. Esta postura contradictoria en realidad debería ser penalizada por su incoherencia y por ir en contra de las decisiones adoptadas en su momento.

La situación sería diferente si los objetivos a alcanzar fueran los mismos. En este sentido, se daría fundamento al ejercicio de una acción de anulabilidad, aunque también es cierto que dependerá de la situación concreta en la que se ha celebrado el pacto y su dependencia respecto de la sociedad en el sentido de que habrá circunstancias que le afecten y repercutan en las relaciones que se derivan del pacto parasocial, de igual modo que lo hacen las normas correspondientes.

Se trata, en todo caso, de supuestos problemáticos en relación con la regla de inoponibilidad relacionados con la doctrina de los actos propios entre los que han de contemplarse también los casos de impugnación de acuerdos sociales que se adoptaron en cumplimiento de lo pactado en acuerdo parasocial y que, sin embargo, son contrarios a lo dispuesto por los estatutos. En tal caso, la pregunta que surge es si el cumplimiento de un pacto parasocial puede dar lugar al ejercicio y éxito de la acción de impugnación de acuerdos sociales contrarios al contenido de alguna cláusula estatutaria, al menos en algún supuesto en particular[12]. Y habrá de tenerse en cuenta

---

12 Se viene considerando que esta pretensión tampoco podría prosperar si es ejercitada por quien fue parte en el pacto parasocial atacado, en aplicación de la teoría de los actos propios. Así en las SSTS 128/2009 de 6 de marzo, 138/2009, de 6 de marzo, 103/2016, de 25 de febrero, 2363/2013 o 300/2022 de 7 de abril ya mencionadas. Por su parte, el contenido del artículo 213-21.1 del Anteproyecto de Ley de Código Mercantil parecía tener

nuevamente que el hecho de encontrarnos ante un pacto de naturaleza omnilateral afectará al fundamento y recorrido de la acción en consonancia con la que pretenda ejercitarse cuando se impugne un acuerdo social ajustado a los estatutos, pero contrario al pacto parasocial

Más reciente es el contenido del artículo 11.2 de la Ley 28/2022, de 21 de diciembre, de fomento del ecosistema de las empresas emergentes: "Los pactos de socios en las empresas emergentes en forma de sociedad limitada serán inscribibles y gozarán de publicidad registral si no contienen cláusulas contrarias a la ley. Igualmente, serán inscribibles las cláusulas estatutarias que incluyan una prestación accesoria de suscribir las disposiciones de los pactos de socios en las empresas emergentes, siempre que el contenido del pacto esté identificado de forma que lo puedan conocer no solo los socios que lo hayan suscrito sino también los futuros socios."

La incorporación de esta norma tiene como fundamento la enorme presencia e importancia de los pactos parasociales en las startups para lograr el cumplimiento de sus fines en la práctica. Se produce de esta manera el reconocimiento de la publicidad registral de los pactos de socios de las empresas emergentes en forma de sociedad limitada siempre que no contenga cláusulas contrarias a la ley. El artículo mencionado se refiere también de una manera expresa, a la posibilidad de que la sociedad inscriba en los estatutos cláusulas esta-

---

claro que esta posibilidad no debía tener éxito. Vid., al respecto, GALLEGO CORCOLES, A, "Impugnación de acuerdos sociales por abuso de mayoría e infracción de pactos parasociales omnilaterales tras la Ley 31/2014, de 3 de diciembre", en AA. VV., *Derecho de sociedades: revisando el Derecho de sociedades de capital* (dir. González Fernandez y Cohen Benchetrit), Tirant lo Blanch, 2018, pp. 1427-1448, pp. 1430 y ss. Igualmente, puede consultarse PALÁ LAGUNA, Mª R., La nulidad por abuso de derecho de los acuerdos sociales adoptados en perjuicio de tercero. Comentario de la Sentencia del Tribunal Supremo [1.ª] de 25 de octubre de 2022, *RDM*, núm. 328, 2023, p. 6 (versión electrónica). Esta última resolución no analiza en profundidad la cuestión, si bien puede deducirse de sus afirmaciones que el incumplimiento del pacto parasocial no es motivo de impugnación de acuerdos sociales, aunque abre otras posibilidades como el ejercicio de la acción de indemnización por daños y perjuicios causados por el incumplimiento de los pactos según el artículo 1101 del Código Civil.

tutarias que incluyan una prestación accesoria consistente en que los socios suscriban las disposiciones de los pactos de socios en las empresas emergentes siempre que su contenido esté suficientemente identificado de forma que lo puedan conocer no solo los socios que los hayan suscrito sino también los futuros socios. Nuevamente, nada se menciona sobre la posible discordancia entre el acuerdo social y el pacto parasocial, sus consecuencias o maneras de abordar esta cuestión por lo que son los tribunales los que se pronuncian al respecto en los márgenes de las normas vigentes señaladas.

Por lo que se refiere al ámbito jurisprudencial, se puede destacar como punto de partida la existencia de una rígida separación entre el Derecho de obligaciones y el Derecho de sociedades.

Destaca, en la corriente seguida mayoritariamente en la actualidad, la sentencia del Tribunal Supremo 120/2020, de 20 de febrero. Dicha resolución resuelve un conflicto en el que se pretendía la declaración de nulidad de determinados negocios jurídicos de transmisión de acciones y participaciones sociales de diversas sociedades pertenecientes a un grupo empresarial, que los impugnantes consideraban contrarios a los pactos de un protocolo familiar, y en el que las limitaciones a su transmisibilidad derivadas de tales pactos no se habían incorporado a los estatutos sociales. La sentencia también se pronuncia sobre otras cuestiones como la duración indefinida de los pactos parasociales y la posibilidad de su denuncia *ad nutum*.

Esta ausencia de adaptación estatutaria determinaba que las previsiones del protocolo familiar tuviesen, en principio, una eficacia interna limitada entre los socios como pacto parasocial, siendo aquellas válidas entre los socios que las suscriban sin más limitaciones que las establecidas en el artículo 1255 del Código Civil, tal y como se estableció, entre otras, en la importante STS de 6 de marzo de 2009, tantas veces invocada. Con carácter previo, también la STS de 103/2016, de 25 de febrero, no estimó la impugnación de un acuerdo social que daba cumplimiento lo previsto en un pacto parasocial omnilateral. En este caso, la conducta del demandante, que inicialmente suscribió el pacto, se considera contraria a la buena fe y vulnera la doctrina de los actos propios.

Este es precisamente el caso que se discute en la STS 120/2020 puesto que los estatutos no constan adaptados al contenido de los compromisos protocolares, a través de las correspondientes reglas limitativas a la libre disponibilidad de las acciones y participaciones sociales.

Tampoco se había procedido a incorporar una cláusula penal para garantizar su cumplimiento con carácter general, salvo el caso concreto de incumplimiento del pacto de exclusividad, ni se optó por la incorporación a la vida societaria a través de los estatutos, estableciendo en ellos una prestación accesoria de carácter gratuito para exigir su cumplimiento.

El TS al pronunciarse sobre la validez y carácter vinculante del protocolo familiar como pacto parasocial en cuanto negocio jurídico válido, viene a reconocer la trascendencia que puede tener en la vida societaria, pero para ello se requieren determinadas actuaciones, en el caso concreto su reflejo en los estatutos a través de la correspondiente modificación estatutaria.

La posterior STS 300/2022, de 7 de abril, por su parte, establece que, salvo que la propia sociedad sea firmante del pacto[13], no puede exigirse su cumplimiento frente a ella. Esta situación no puede tener lugar si se está ante pactos fraccionarios. Se dificulta, por tanto, con este fallo la posibilidad de exigir el cumplimiento de los acuerdos entre los socios. Esta era también la propuesta, más allá de lo establecido por el artículo 29 del TRLSC, plasmada en el artículo 213-21.1 del Anteproyecto de Ley de Código Mercantil.

---

13 Es el caso planteado en la Sentencia de la Audiencia Provincial de Cádiz 8/2023, de 18 de diciembre de 2022 (ECLI:ES:APCA:20200:2734). En esta resolución se han considerado eficaces las causas de exclusión contenidas en un pacto parasocial de naturaleza omnilateral que también había sido suscrito por la sociedad. "...la propia sociedad es parte de los referidos pactos y asume directamente los derechos y obligaciones; de forma que la sociedad se obliga frente a los socios y los socios se obligan directamente frente a la sociedad, es decir, los pactos claramente no están ocultos a la sociedad y forman parte del entramado societario..."

La STS 300/2022, de 7 abril, viene a significar una suerte de recapitulación de la doctrina del alto Tribunal con carácter uniforme[14], así lo sigue manteniendo, de manera que la solución que se propone para otorgar a los acuerdos cierta eficacia societaria, organizativa o corporativa, es que la sociedad también fuera firmante de tales pactos omnilaterales, manifestando además la conveniencia de trasladar a los estatutos el mayor contenido posible de tales pactos, así como la comprobación, en el caso de que se produzca la transmisión de las acciones o participaciones sociales, de que los cambios vayan acompañados de la correspondiente sucesión contractual en los nuevos titulares.

Por tanto, la situación es diferente cuando el pacto omnilateral, o universal, ha sido suscrito por la propia sociedad, en cuyo caso esta vida social paralela se refuerza y podría prevalecer frente a posibles acuerdos sociales contrarios a lo previsto en los pactos cuya impugnación quedaría sustentada en la circunstancia de ser considerados contrarios al interés de la sociedad.

Parece claro que se presentan numerosas dificultades para considerar el éxito de la impugnación de acuerdos sociales contrarios a pactos parasociales, salvo en el supuesto más amplio como es un

---

14 Tras esta sentencia de 2022 y enlazándola con las anteriores en la misma dirección, PAZ-ARES, op. cit., p. 4, hace una recapitulación de los argumentos básicos en los que se basan: el argumento de la inoponibilidad de los pactos parasociales que resultan irrelevantes en el ámbito societario tal y como dispone el artículo 29 de la LSC; el argumento de la taxatividad de la lista de causas de impugnación contempladas en el artículo 204.1 LSC que claramente no menciona la violación de pactos parasociales; el argumento de la especialidad que también denomina de la autorresponsabilidad, que evoca la existencia de remedios contractuales para reparar el daño causado frente a los puramente societarios como la impugnación del acuerdo contrario. Añade un cuarto argumento que no aparece invocado en las resoluciones estudiadas. Se trata del argumento de la indefensión, e implicaría que la admisión de la violación de los pactos parasociales como fundamento de la impugnación supondría dirigir la demanda contra la parte que ha de considerarse como equivocada, lo cual provocaría una indefensión doble, la de la propia sociedad que desconoce las circunstancias del incumplimiento y la de los socios que han aprobado el acuerdo que no podrían defenderse por dicho incumplimiento.

pacto omnilateral suscrito por la propia sociedad, si bien *comienzan a aparecer ya algunas grietas* en recientes resoluciones judiciales a favor de la admisión de la impugnación, como la Sentencia del Juzgado de lo Mercantil núm. 12, de Barcelona, 22/2023, de 18 de abril, cuando se trate de pactos parasociales fraccionarios, suscritos por solo algunos de los socios. En esta modalidad, teóricamente más extendida, no se encuentran casos en los que se haya defendido con éxito la posibilidad de impugnar los acuerdos sociales contrarios a los pactos parasociales celebrados entre algunos socios, a pesar de que se puede cuestionar que el tratamiento no tendría que ser diferente[15].

Este es el supuesto que ha sido fallado por la Sentencia del Juzgado de lo Mercantil núm. 12, de Barcelona, 22/2023, de 18 de abril en el que se determina que se está vulnerando el interés social en beneficio exclusivo del socio mayoritario que ha suscrito en su momento el pacto parasocial, con un contenido diferente al previsto en los estatutos relativo al carácter de las prestaciones accesorias dispuestas en ellos, y que pretendía alegar y defender en su favor, al considerar que la cláusula estatutaria prevalece sobre el pacto parasocial

Así, frente a la defensa de la demandada, basada en que el pacto entre socios no vincula a la sociedad, el juez se manifiesta en estos términos: "Considero acreditado que los dos socios y la propia sociedad al firmar el acuerdo parasocial establecieron cual era la voluntad no sólo de ambos socios, sino de la propia compañía, sobre la búsqueda de soluciones consensuadas para abordar las decisiones de mayor trascendencia. Soy consciente de la existencia de una jurisprudencia del Tribunal Supremo, citada por la demanda, muy restrictiva respecto del alcance de acuerdos parasociales como vía para determinar la nulidad de los acuerdos sociales[16], pero en supuestos como el de autos se considera que, en una sociedad cerrada, de dos socios, la existencia de un pacto firmado por ambos y asumido por la sociedad me permite tener probado cual era el interés social y el marco de protección del socio mayoritario. Al no haberse explicitado la causa de disolución en la convocatoria, ni haberse informado al so-

---

15 Vid., PAZ-ARES, C., op. cit., pp. 33 y ss.

16 Representativa del conjunto de resoluciones judiciales, es la STS 300/2022, de 7 de abril de 2022 (ECLI:ES:TS:2022:1386).

cio minoritario de la concurrencia de una causa legal de disolución, la adopción del acuerdo por el que se decide disolver la compañía, cesar a su órgano de administración e imponer un liquidador debería haber respetado el contrato entre socios, que exigía una mayoría cualificada y, por ello, el consenso entre ambos socios... se está vulnerando el interés social en exclusivo beneficio del socio mayoritario... Por tal motivo, deberían anularse los acuerdos impugnados."

Separándose también de la doctrina dictada por el Tribunal Supremo, a pesar de manifestar que se apoya en ella, la Sentencia de la Audiencia Provincial de Madrid de 11 de abril de 2022, 237/2022, se pronuncia en el sentido de que el pacto parasocial es vinculante para la sociedad al considerar que las prestaciones accesorias tienen carácter retribuido y se ha generado una deuda de naturaleza social[17].

La resolución judicial no se limita a declarar vinculante para la sociedad el pacto omnilateral, sino que considera que debe aplicarse lo pactado aún en contra de lo señalado por los estatutos sociales respecto, en este caso concreto, del carácter de la prestación accesoria, que ha de calificarse como gratuita al no reflejarse ninguna retribución de manera expresa. Al declarar que la deuda tiene carácter social, está dotando de esta naturaleza al acuerdo adoptado entre todos los socios, teniendo en cuenta además que no estaba suscrito por la sociedad. Por tanto, la prestación accesoria debe ser retribuida.

III. POSIBLES SOLUCIONES

Si se realiza una estricta interpretación del régimen jurídico actual, la acogida de la impugnación de acuerdos sociales contrarios a pactos parasociales es complicada.

Es por ello por lo que surge en este ámbito con mayor fuerza la necesidad de encontrar vías para canalizar esas necesidades que

---

17 Fundamento de Derecho vigesimosexto: "Por lo tanto, la conclusión que podemos extraer es que, en las circunstancias concretas del presente supuesto, el pacto parasocial tiene un alcance vinculante frente a la sociedad y por ello, las prestaciones accesorias de los socios emprendedores tienen un carácter retribuido, por lo que nos encontramos ante una deuda social."

surgen en la vida societaria, que permitan un correcto desarrollo sin renunciar a ninguna de las posibilidades que se ofrecen, también por la norma en vigor, y sin que su uso choque con intereses diversos que aboquen a terminar en los tribunales. Se trata de apoyar con una figura estatutaria lo dispuesto en el plano parasocial para que lo pactado discurra de forma conveniente para las partes intervinientes

Por tales circunstancias, se recurre a remedios societarios para lograr el cumplimiento de lo pactado, consecuencia de su gran importancia entre los socios para acomodar las distintas operaciones que realizan entre sí, además de permitir una cierta publicidad de tales pactos, hasta la fecha reservada para las sociedades cotizadas y para los protocolos familiares. Nos estamos refiriendo a la figura de las prestaciones accesorias.

En tal caso, es cierto que se plantea el problema de si es posible que el contenido de una prestación accesoria puede consistir en un genérico cumplimiento del pacto parasocial sin más, lo que parece solo admisible cuando el pacto parasocial goza de un cierto régimen que garantiza su integridad y su publicidad frente a terceros, como ocurre cuando se permite su depósito en el Registro mercantil (Real Decreto 171/2007, de 9 de febrero, artículo 6, en relación a los protocolos familiares y siempre que no afecten a la organización de la sociedad tal y como ha sido configurada en los estatutos), o cuando pueda afirmarse que el pacto parasocial consta de manera indirecta en el registro en tanto se haya inscrito un acuerdo social adoptado en ejecución de protocolo familiar adoptado (artículo 7).

A partir de las consideraciones realizadas, y ante el régimen vigente y la postura de los tribunales, la figura de la prestación accesoria, de carácter social y con reflejo estatutario, puede manejarse con la suficiente flexibilidad para obtener resultados semejantes a los que conduciría la aceptación de una lista de motivos más amplia que posibilitara la impugnación de acuerdos contrarios a pactos parasociales. En particular, si se trata de pactos omnilaterales, pero también, y aquí radica su principal utilidad, cuando no tengan esta naturaleza y afecten únicamente a un grupo de socios que no conforman la mayoría del capital social. Esta situación puede provocar un daño importante a la sociedad en cuanto que puede llegar a paralizarla en los casos en los que el contenido del pacto parasocial tenga una especial relevancia para su desenvolvimiento y se adopten acuerdos contrarios a su contenido que se van a mantener porque su impugnación no prospera.

En definitiva, la posibilidad de que el cumplimiento y observancia del contenido de los pactos parasociales se incorporen a los estatutos por la vía de una prestación accesoria de hacer es viable, pero para su correcta y eficaz utilización de la figura habrán de respetarse los requisitos establecidos en el artículo 86 de la LSC, debiendo expresarse claramente su contenido, que ha de ser concreto, determinado o determinable, sin que se generen dudas respecto a cuál debe ser el comportamiento que como prestación deba ser desplegado por el socio o los socios en relación con la sociedad, habilitándose la vías adecuadas para su conocimiento. Este habrá de ser posible, lícito y determinado o determinable, como se ha indicado, abarcando también a los ámbitos temporal y local, conforme a las reglas generales del Derecho de obligaciones, que en este supuesto concreto se remite a la teoría general del objeto del contrato reflejada en los artículos 1271 a 1273 del Código Civil.

Utilizando esta figura se está trasladando a los estatutos la parte más interesante del pacto parasocial, que es la relativa a su cumplimiento. Y vinculado a este comportamiento, en los estatutos se pueden establecer también las posibles repercusiones en caso de que los socios no cumplan lo predispuesto contraviniendo lo establecido en el pacto, entre las que destacan la exclusión de la sociedad del socio incumplidor o la imposición de una cláusula penal inherente igualmente al incumplimiento.

La mayor operatividad de las prestaciones accesorias se logrará en aquellos ámbitos en los que se consiga una vinculación de los accionistas o de los partícipes con la sociedad que no sea posible a través de la mera asunción o adquisición de acciones o participaciones, sin olvidar que pueden vincularse a la persona del socio o a tales acciones o participaciones y con ellas transmitirse, y, por lo tanto, a través del establecimiento de obligaciones cuya prestación no puede integrar el capital de la sociedad anónima o limitada, fundamentalmente, prestaciones de carácter personal, como la de establecer la obligación de los socios de cumplir lo dispuesto en el correspondiente pacto parasocial.

Ahora bien, esto no significa que en los estatutos de la sociedad deba desvelarse el contenido del pacto parasocial. Cuando nos referimos al comportamiento que constituye el objeto de la prestación accesoria, este se limita a exigir el cumplimiento de lo pactado en el acuerdo parasocial, de manera que se mantiene el carácter confidencial de lo pactado frente a terceros ajenos.

La norma reconoce este supuesto en el artículo 11.2 de la Ley 28/2022, de 21 de diciembre, de fomento del ecosistema de las empresas emergentes solo para las sociedades limitadas de un determinado tamaño. Este reconocimiento ha tenido lugar de forma expresa respecto de la publicidad registral de los pactos de socios de las empresas emergentes en forma de sociedad limitada siempre que no contenga cláusulas contrarias a la ley. La medida prevista se asemeja en cierto modo a lo dispuesto en su momento en el RD sobre 171/2007, de 9 de febrero, por el que se regula la publicidad de los protocolos familiares. El artículo mencionado se refiere también de una manera expresa, y se trata esta de una cuestión verdaderamente interesante a los efectos que nos interesan, a la posibilidad de que la sociedad inscriba en los estatutos cláusulas estatutarias que incluyan una prestación accesoria consistente en que los socios suscriban las disposiciones de los pactos de socios en las empresas emergentes siempre que su contenido esté suficientemente identificado de forma que lo puedan conocer no solo los socios que los hayan suscrito sino también los futuros socios.

El contenido del precepto es sustancialmente coincidente con lo que ha venido a mantener la RDGRN de 26 de junio de 2018 y en resoluciones posteriores, como las RDGSJFP de 11 de octubre y 29 de noviembre de 2024 en las que se reitera la posibilidad de la inscripción de una prestación accesoria consistente en exigir el cumplimiento de los pactos de socios contemplados en un protocolo familiar sin apreciar en estas circunstancias la ausencia del requisito de la determinación o la determinabilidad de su contenido, que se considera cumplido con la remisión al contenido de aquel documento, cuyo conocimiento debe ser accesible para futuros socios que acrediten un interés legítimo en formar parte de la sociedad a través, por ejemplo, de la presentación de la correspondiente oferta de compra. Se admite, igualmente, la posibilidad de que los socios firmantes refuercen la eficacia de los pactos a través de la exigencia de su cumplimiento y en caso de no hacerlo, facilitando la posibilidad de excluir al socio incumplidor.

La impugnación de los acuerdos sociales contrarios a pactos parasociales podría encontrar cobertura en el incumplimiento de la prestación accesoria consistente en suscribir los pactos de los socios, siempre que su contenido pueda ser conocido, también por los futuros socios, al tener acogida entre los supuestos reflejados en el artículo 204.1 del TRLSC, según el cual son impugnables los acuerdos sociales que sean contrarios a la Ley, se opongan a los estatutos o al reglamento de la junta de la sociedad o lesionen el interés social en beneficio de uno o varios socios o de terceros, sin quedar limitada a una reclamación entre los firmantes del pacto sin efectos frente a la sociedad, que de ser llevada a los tribunales es la que se reconocería si te tiene en cuenta la jurisprudencia uniforme que el TS viene reiterando, si bien es cierto que esta última situación es susceptible de una mayor exigencia en la concreción de los requisitos que han de verificarse. Y, como se manifiesta en el precepto citado, la impugnación podrá llevarse a cabo siempre que el acuerdo social contrario no haya sido dejado sin efecto o sustituido de forma correcta por otro, antes de proceder a interponer la correspondiente demanda, observándose todas las disposiciones formales establecidas en el régimen vigente y no se trate de ninguna de los motivos recogidos en el párrafo 3 del artículo 204 del TRLSC.

En tales supuestos, las consecuencias de la impugnación no quedan limitadas a los firmantes del pacto, sino que se extienden a todos los socios, siendo las propias del procedimiento establecido que, observado de forma conveniente, debería culminar haciendo valer lo dispuesto en la disposición estatutaria, sin que resulte preciso argumentar más esta cuestión.

IV. ALGUNAS REFLEXIONES FINALES

El tema, ampliamente trabajado y debatido por la doctrina, relativo a la posibilidad de impugnar acuerdos contrarios a pactos parasociales omnilaterales, que es rechazada por diversas resoluciones judiciales basándose en argumentos tradicionales en los que prevalece la neta separación entre lo social y lo parasocial, sigue estando abierto y probablemente lo va a seguir estando. Como puede comprobarse, son varias las situaciones que aparecen en la práctica generando los correspondientes conflictos, de manera que no se parece procedente ni adecuado dar una solución única para todas ellas. Dependerá de cada supuesto que se plantee en particular, pero también de la visión que de esta materia tenga el propio juzgador al interpretar la norma jurídica[18], puesto que no se cierran las posibilidades al respecto.

Lo cierto es que se sigue dando la razón en el ámbito judicial y en la mayor parte de las ocasiones a la parte que invoca la imposibilidad de que tales acuerdos sociales puedan ser impugnados, declarándose, en consecuencia, su validez cuando se invoca la mera infracción de los pactos parasociales sin concurrir ninguna circunstancia añadida que pudiera fundamentar una respuesta positiva a la impugnación reclamada.

Siendo esta la situación que refleja la práctica, y sin descartar que se pueda producir un cambio en la orientación de la doctrina jurisprudencial señalada, de lo que se trata es de utilizar las vías puestas a disposición por nuestro Ordenamiento jurídico para alcanzar resultados que se acerquen lo más posible y que presten una utilidad asimilable a la perseguida. La versatilidad de las prestaciones accesorias, en particular, cuando se trata de prestaciones de hacer, permite la utilización de esta estructura jurídica para alcanzar fines y objetivos también reflejados en pactos parasociales acordados por parte de los socios o por todos ellos.

Es por ello por lo que la renuncia a la aplicación del Derecho societario que implica formular las disposiciones acerca de la relación entre los socios a través de pactos parasociales, puede anclarse de alguna manera con aquel régimen a través de la previsión de una prestación accesoria relativa, fundamentalmente, al cumplimiento de los pactos y a las consecuencias posibles de su incumplimiento.

---

18 SÁEZ LACAVE, M. I., "Los pactos parasociales de todos los socios en Derecho español. Una materia en manos de los jueces", *In Dret*, núm. 3/2009, pp. 1 y ss.

Estamos pues, ante una cuestión compleja, con una regulación que condiciona al aplicador del Derecho, en particular, en materia de causas de impugnación, que podrá desmarcarse cuando el supuesto que genera el conflicto esté lo suficientemente claro, lo cual se produce en sociedades de pocos socios con una estructura sencilla. Sin embargo, garantizar en sociedades de cierto tamaño y complejidad el cumplimiento de las disposiciones predispuestas en los pactos parasociales, es un objetivo más difícil de llevar a cabo. Esta situación se complica aún más porque la vía de la impugnación de los acuerdos contrarios a tales pactos no garantiza alcanzar el objetivo perseguido, ni tampoco la situación contraria, esto es, el mantenimiento de la validez de los acuerdos sociales adoptados en cumplimiento de lo dispuesto en pactos parasociales, pero contrarios a lo dispuesto en los estatutos.

En estos supuestos es cuando la figura de las prestaciones accesorias puede alcanzar una interesante utilidad dando cumplimiento a una prestación de hacer, logrando la satisfacción del conjunto de los socios y de la propia sociedad. De tal manera que, si dicha obligación del socio se encuentra correctamente diseñada en el marco de lo establecido por su régimen jurídico, la impugnación de los acuerdos sociales que sean contrarios a lo establecido en la correspondiente disposición estatutaria —una prestación accesoria que exige cumplir el pacto parasocial y que dispone las consecuencias de su incumplimiento también en el marco de las disposiciones aplicables—, se llevará a cabo por los cauces establecidos.

De este modo las presstaciones accesorias, que en parte surgieron para hacer frente a los pactos parasociales diferenciándose plenamente de ellos, se convierten en un instrumento puente para su articulación en la sociedad.

V. BIBLIOGRAFÍA

ALFARO ÁGUILA-REAL, J., "El fundamento de la impugnabilidad ex art. 204 LSC de los acuerdos sociales que infringen un pacto parasocial omnilateral", Blog Almacén de Derecho, https://almacendederecho.org/el-fundamento-de-la-impugnabilidad-ex-art-204-lsc-los-acuerdos-sociales-que-infringen-un-pacto-parasocial-omnilateral.

DE LA FUENTE, J., "Pactos parasociales: el Tribunal Supremo confirma su doctrina y aclara algunas cuestiones procesales", (A propósito de la sentencia de la Sala Primera del Tribunal Supremo de 7 de abril de 2022", *Diario La Ley*, núm. 10072, 2022, pp. 1-8 (on line).

DE LA FUENTE, J., "Pactos parasociales: estado de la cuestión", *Diario La Ley*, núm. 10300, 2023, pp. 1-20 (on line).

FELIÚ REY, J., *Los pactos parasociales en las sociedades de capital no cotizadas,* Marcial Pons, Madrid, 2012.

FERNÁNDEZ DEL POZO, L., "El enforcement societario y registral de los pactos parasociales. La oponibilidad de lo pactado en protocolo familiar publicado", *RdS*, núm. 29, 2008, pp. 139-183.

GALLEGO CORCOLES, A, "Impugnación de acuerdos sociales por abuso de mayoría e infracción de pactos parasociales omnilaterales tras la Ley 31/2014, de 3 de diciembre", en AA. VV., *Derecho de sociedades: revisando el Derecho de sociedades de capital* (dir. González Fernandez y Cohen Benchetrit), Tirant lo Blanch, 2018, pp. 1427-1448.

GAY QUINZÁ, I y JIMÉNEZ MARTÍ, J., "Los pactos de socios y su oponibilidad frente a la sociedad", *Derecho Mercantil 2023,* Tirant lo Blanch, Valencia, 2023, pp. 89-101.

MARTÍNEZ ROSADO, J., Los pactos parasociales, Marcial Pons, Madrid, Barcelona, 2017

MORALES BARCELÓ, J., "Pactos parasociales vs estatutos sociales: eficacia jurídica e impugnación de acuerdos sociales por su infracción", *RdS,* núm. 42, 2014, pp. 168-193.

NOVAL PATO, J., *Los pactos omnilaterales, su oponibilidad a la sociedad: diferencia y similitudes con los estatutos y los pactos parasociales,* Cizur Menor, Civitas Thomson Reuters, 2012.

PALÁ LAGUNA, Mª R., La nulidad por abuso de derecho de los acuerdos sociales adoptados en perjuicio de tercero. Comentario de la Sentencia del Tribunal Supremo [1.ª] de 25 de octubre de 2022, *RDM,* núm. 328, 2023, pp. 1-11 (versión electrónica).

PAZ-ARES, C.,"La cuestión de la validez de los pactos parasociales", *Homenaje al profesor D. Juan Luis Iglesias Prada,* núm. extraordinario, 2011, pp. 1-5, https://www.uria.com/documentos/publicaciones/3216/documento/art32.pdf

PAZ-ARES, C., "Violación de pactos, impugnación de acuerdos y principio de no contradicción", *RDM,* núm. 325, 2022, pp. 1-65 (versión on line).

PEÑAS MOYANO, M. J., "Prestaciones accesorias, pactos parasociales e impugnación de acuerdos contrarios" en Estudios jurídicos en homenaje al profesor Ángel Rojo, Tomo II, Derecho de Sociedades, Madrid, Madrid, Civitas, 2024, pp. 661-682.

PÉREZ MILLÁN, D., "Presupuestos y fundamento jurídico de la impugnación de acuerdos sociales por incumplimiento de pactos parasociales", *RDBB*, núm. 117, 2010, pp. 231-258.

PÉREZ MORIONES, A., "Impugnación de acuerdos sociales y pactos parasociales omnilaterales (reflexión a la luz de los últimos pronunciamientos de nuestros tribunales), *Estudios de Derecho Mercantil. Liber amicorum profesor Dr. Francisco Vicent Chuliá*, Valencia, 2013, pp. 581-598.

REDONDO TRIGO, F., "Protocolo familiar, pactos parasociales y sucesión contractual en la Sentencia del Tribunal Supremo de 20 de febrero de 2020," *Revista Crítica de Derecho Inmobiliario*, núm. 779, 2020, pp. 1906-1924.

REDONDO TRIGO, F., "Los pactos parasociales y la relatividad contractual, (unas notas para la reflexión)", *Revista Crítica de Derecho Inmobiliario*, núm. 793, 2022, pp. 2929-2941.

SÁEZ LACAVE, M. I., "Los pactos parasociales de todos los socios en Derecho español. Una materia en manos de los jueces", *In Dret*, núm. 3/2009, pp. 1-31.

SERRA CALLEJO, J., "Validez y eficacia de los pactos parasociales", *CEF Legal, Revista práctica de Derecho*, 2021, pp. 5-42.

Las modificaciones estructurales de sociedades mercantiles

(De la Directiva europea de 2019 al nuevo régimen español de 2023)

JESÚS QUIJANO GONZÁLEZ
Catedrático emérito de Derecho Mercantil
Universidad de Valladolid

RESUMEN

Con ocasión de la trasposición de la Directiva de 27 de noviembre de 2019, sobre transformaciones, fusiones y escisiones transfronterizas intracomunitarias, el Derecho español ha experimentado un profundo cambio en materia de modificaciones estructurales de las sociedades mercantiles. En efecto, el Libro I del Real Decreto-Ley de 28 de junio de 2023 no se ha limitado a cumplir la obligación de incorporar esas figuras a nuestro Derecho, sino que ha procedido a reformar también las modificaciones estructurales internas, que estaban recogidas en la correspondiente Ley de 2009, derogada en consecuencia y sustituida por esta nueva regulación, que ha pretendido armonizar ambos espacios jurídicos, el interno y el transfronterizo. El presente trabajo ofrece una panorámica general y sintética de ese resultado normativo, exponiendo las consecuencias sistemáticas que se manifiestan en una distinción complementaria entre disposiciones comunes y especiales y en una asimilación material de contenidos en los aspectos sustantivos del régimen de las operaciones, principalmente en cuanto a esos aspectos comunes (el proyecto, los informes, la publicación y aprobación, la protección de socios y acreedores, y los efectos), manteniendo luego las peculiaridades de las figuras que integran cada una de las dos categorías.

Palabras clave: Modificaciones estructurales, internas, transfronterizas intracomunitarias; disposiciones comunes; disposiciones especiales.

ABSTRACT

Following the transposition of the Directive of 27 November 2019 on intra-Community cross-border transformations, mergers and divisions, Spanish law has undergone profound changes regarding the structural modifications of commercial companies. Indeed, Book I of the Royal Decree-Law of 28 June 2023 has not limited itself to fulfilling the obligation to incorporate these provisions into our law, but has also reformed the internal structural modifications, which were included in the corresponding 2009 Law, which was consequently repealed and replaced by this new regulation, which seeks to harmonize both legal spaces, domestic and cross-border. This paper offers a general and synthetic overview of this regulatory result, setting out the systematic consequences that are manifested in a complementary distinction between common and special provisions and in a material assimilation of contents in the substantive aspects of the operations regime, mainly in terms of these common aspects (the project, the reports, the publication and approval, the protection of partners and creditors, and the effects), then maintaining the peculiarities of the figures that make up each of the two categories.

Keywords: *Structural, internal, and intra-Community cross-border modifications; common provisions; special provisions.*

I. INTRODUCCIÓN

El desarrollo del proceso de trasposición al Derecho español de la Directiva de 27 de noviembre de 2019 (simplificadamente conocida como "Directiva de operaciones transfronterizas") ha tenido un carácter singular ciertamente notable: comenzó con esa finalidad obligada y preestablecida de incorporar al régimen vigente de las modificaciones estructurales lo que la Directiva tenía de novedoso, exclusivamente referido a las operaciones transfronterizas, y ha terminado con la aprobación y entrada en vigor de un nuevo sistema completo de modificaciones estructurales, que abarca tanto las operaciones transfronterizas, como las meramente nacionales.

En efecto, hubiera bastado con adaptar el régimen de la fusión transfronteriza, única de esas operaciones que ya estaba regulada y se veía modificada en la Directiva de 2019, y con incorporar las nuevas operaciones (la transformación y la escisión transfronteriza), que solo tenían versión nacional, pero no en ese ámbito supranacional comunitario. Sin embargo, por razones que se expondrán en el momento oportuno, lo que ha resultado es un auténtico nuevo Derecho de las Modificaciones Estructurales de Sociedades Mercantiles, en el contexto del Derecho Societario Español, pero con un grado considerable de autonomía, tanto sistemática, como material, quedando en consecuencia derogada la Ley de 2009 que venía rigiendo la materia.

La propia cronología de la trasposición es bastante reveladora: en el mes de junio de 2020, todavía en plena pandemia, el Ministerio de Justicia designó un Grupo de Trabajo de ocho miembros, en el que tuve el honor de participar, con el encargo de preparar la adaptación del Derecho español a la Directiva europea. Integraban el citado Grupo cuatro vocales de la Sección Mercantil de la Comisión General de Codificación y otros cuatro miembros, del ámbito académico, notarial y registral, todos ellos con reconocida experiencia y especialización. Durante dos años el Grupo, en reuniones primero virtuales y luego presenciales, debatió sobre el alcance de la trasposición hasta tener elaborado un Anteproyecto, que fue entregado al Ministerio a finales de 2022. Por el camino, y una vez ultimada la trasposición en sentido estricto, se planteó la otra cuestión, si sería oportuno coordinar todo el conjunto normativo para evitar disfunciones entre el ámbito transfronterizo y el ámbito nacional de las modificaciones estructurales. Así se aceptó y así se hizo: el Anteproyecto final contenía un nuevo régimen en su conjunto.

Finalmente, una circunstancia ajena a la previsible tramitación del texto como Proyecto de Ley en el Parlamento, interrumpió el proceso, dándole una salida distinta: la disolución anticipada de las Cortes Generales en mayo de 2023 y la consiguiente convocatoria de elecciones generales, celebradas el 23 de julio de ese año, hizo imposible la citada tramitación. Lo que hubiera sido el Proyecto de Ley de Modificaciones Estructurales pasó a ser una parte (el Libro Primero) de un Real Decreto-Ley de 28 de junio de 2023, de muy variado contenido (en él se incluían medidas relacionadas con la Guerra de Ucrania, con la reconstrucción de la isla de La Palma, con situaciones de vulnerabilidad, con la trasposición de diversas Directivas comunitarias en materia de conciliación de la vida familiar y la vida profesional de progenitores y cuidadores, de ejecución y cumplimiento del Derecho de la Unión Europea, además de las modificaciones estructurales de las sociedades mercantiles, que nos ocupan) y de urgente aprobación, con el fin de que la Directiva quedara formalmente incorporada antes de la extinción de la legislatura. Tal circunstancia impidió lo que hubiera debido ser un tránsito más sosegado, con presentación de enmiendas, con debate parlamentario y con muy probables correcciones durante ese recorrido. Quedó, pues, aprobado el texto en condiciones idénticas a lo que fue el Proyecto del Gobierno, preparado para su envío al Parlamento; un tanto precipitado y sin la discusión necesaria, que está en vigor y que ha derogado la anterior Ley de Modificaciones Estructurales de las Sociedades Mercantiles de 2009.

Convendrá, pues, efectuar primero un breve recorrido por el contenido de la Directiva de 2019, a fin de poner de manifiesto sintéticamente el marco condicionante de la trasposición al Derecho español, y examinar posteriormente, también en forma resumida, el nuevo régimen de las modificaciones estructurales, con disposiciones comunes y especiales, tanto de las operaciones internas, con mención del precedente de 2009, como de las operaciones transfronterizas intraeuropeas.

II. EL MARCO PREVIO DE LA DIRECTIVA EUROPEA DE 2019

Formando parte del denominado "Paquete de Derecho Sociedades", que la Comisión Europea presentó en 2018 como fruto un tanto tardío del Plan de acción formulado en 2012, *la Directiva 2019/2121, de 27 de noviembre de 2019, por la que se modifica la Directiva 2017/1132 en lo que atañe a las transformaciones, fusiones y escisiones transfronterizas*, constituye, sin duda, un paso especialmente importante en la trayectoria de la armonización del régimen de las operaciones que implican modificaciones estructurales de las sociedades que participan en ellas. En este caso, se actualiza el régimen de las fusiones transfronterizas, que ya habían sido armonizadas por una Directiva de 2005, incorporada luego a la refundición o "versión codificada" de la Directiva de 2017, que ahora se reforma, y, a la vez, se introducen dos nuevas figuras, la denominada transformación transfronteriza, de peculiar significado, y la escisión transfronteriza, que viene a cubrir un hueco largamente percibido.

Siguiendo el orden sistemático de la propia Directiva, aparece en primer lugar la *transformación transfronteriza*, figura que requiere ante todo una clarificación conceptual previa. En el Derecho de Sociedades, la transformación, considerada como una de las modificaciones estructurales, venía siendo entendida como un cambio del tipo social, que no afectaba a la personalidad jurídica de la sociedad transformada; así lo contempla, como es bien notorio, nuestra Ley de Modificaciones Estructurales de las Sociedades Mercantiles, donde se ha recogido esta operación, tradicionalmente conocida en la legislación societaria anterior. Pero no es éste el concepto al que se refiere la transformación transfronteriza de la Directiva, pues por tal entiende, dentro del habitual listado de definiciones, "una operación mediante la cual una sociedad, sin ser disuelta ni liquidada, convierte la forma jurídica en la que está registrada en un Estado miembro de origen en una forma jurídica del Estado miembro de destino, y traslada al menos su domicilio social al Estado miembro de destino, al tiempo que conserva su personalidad jurídica". Tal concepto integra elementos de la transformación (en el sentido de conversión de la forma jurídica, lo que no necesariamente implicará un cambio de tipo social) y elementos del traslado internacional del domicilio (lo que supone cambio formal de un Estado a otro, sin que ello afecte a la personalidad jurídica de la sociedad trasladada), en el sentido en que ambas figuras están contempladas en la Ley española de Modificaciones estructurales de Sociedades Mercantiles, artículos 3 y 93, respectivamente.

Concebida la figura como una manifestación de la libertad de establecimiento en el ámbito de las sociedades o empresas, reconocido por el Tribunal de Justicia de la UE en diversas sentencias (la conocida Sentencia Polbud ha tenido evidente influencia al respecto), lo cierto es que la posibilidad de transformación también tiene excepciones significativas: no se aplica a sociedades cuyo objeto sea la inversión colectiva de capitales obtenidos del público, ni a sociedades en liquidación que hayan comenzado el reparto de activos entre sus socios, ni a sociedades afectadas por los denominados instrumentos de resolución bancaria, previstos en el Directiva 2014/59; y puede no aplicarse, si el Estado miembro así lo dispone, a sociedades sometidas a un procedimiento de insolvencia o a un marco de reestructuración preventiva, a procedimientos de liquidación especiales, o a medidas de prevención de crisis también previstas en la Directiva citada 2014/59.

El resultado jurídico de la transformación se obtiene a partir de un procedimiento en dos fases, que el artículo 86 quáter distingue con claridad: los trámites para obtener el certificado previo están sujetos al Derecho del Estado miembro de origen; una vez recibido dicho certificado, entra en juego el Derecho del Estado miembro de destino. Sentado este principio, la Directiva configura con detalle cada uno de los elementos jurídicos que deben incorporarse a lo largo del procedimiento: un proyecto de transformación transfronteriza, con amplio contenido mínimo; un informe del órgano de administración o de dirección dirigido a los socios y a los trabajadores, con una parte común que explique y justifique la operación y sus efectos, y una parte diferenciada para ambos grupos de interesados, con información relacionada con sus respectivos intereses, si bien se admiten ciertas situaciones en que el informe no es necesario; un informe pericial independiente, específico para los socios, en el que se analice la compensación en efectivo que se les ofrezca, informe al que cabe renunciar por acuerdo de todos los socios; medidas de publicidad suficiente, sea en forma registral, sea en el sitio web de la sociedad, sea en boletín oficial, durante plazos determinados; y, finalmente, aprobación por la junta general, mediante acuerdo adoptado con mayoría cualificada (no inferior a dos tercios, no superior al 90%, aunque con el límite de mayoría que el Derecho nacional requiera para aprobar fusiones transfronterizas) y con limitaciones de impugnación, pues no cabe hacerlo exclusivamente por motivos relacionados con la compensación a los socios. La adopción del acuerdo abre paso a la aplicación de medidas particulares de protección de los tres grupos de interesados antes mencionados: socios (derecho de enajenar sus acciones o participaciones a la propia sociedad, que debe adquirirlas, o indicar adquirente), acreedores (control y adecuación de las garantías que debe ofrecerse), trabajadores (derecho de información y consulta, y reglas de participación), con distinto alcance en cada caso.

Cuestión central del modelo de transformación adoptado por la Directiva es el sistema de control de legalidad o de regularidad que se establece: la sociedad a transformar debe obtener un "certificado previo a la transformación" que acredite el cumplimiento de todas las condiciones exigidas y el cumplimiento de todos los procedimientos y trámites en el Estado de origen, certificado que expedirá la autoridad (tribunal, notario u otra autoridad competente) que haya designado cada Estado miembro, previa solicitud de la sociedad en la que se aportará una amplia información, obligatoria mínima o adicional que se exija.

Finalmente, la Directiva contiene dos reglas de especial importancia. Por un lado, el principio fundamental de identidad de la sociedad, que conserva su misma personalidad antes y después de la transformación, está afirmado de manera especialmente contundente: todo el patrimonio activo y pasivo de la sociedad (contratos, créditos, derechos y obligaciones) es el de la sociedad transformada, al igual que permanecen los socios y los trabajadores. Por otro lado, el mantenimiento de la validez de la transformación, que conduce, asimismo, a establecer que "no podrá declararse la nulidad absoluta de una transformación transfronteriza que haya surtido efecto en cumplimiento de los procedimientos de transformación de la Directiva.

La *fusión transfronteriza*, que ya había sido objeto de armonización por la Directiva de 6 de octubre de 2005, e incorporada luego a la refundición y versión codificada de la Directiva de 2017, resulta ahora modificada con bastante amplitud, si bien con la finalidad principal de equiparar el régimen de esta figura, en sus diversos aspectos, al que se ha configurado para la transformación transfronteriza, dado el carácter común de ambas operaciones. Hay, en primer lugar, algunos cambios en cuanto a las definiciones y ámbito de aplicación, pues se añade un supuesto nuevo de fusión (transmisión total del patrimonio activo y pasivo de una sociedad a otra, siendo una sola persona titular de todo el capital de las sociedades que se fusionan), a la vez que se excluye, o se permite excluir, la aplicación a sociedades en liquidación, en procedimientos de insolvencia, etc.

Algunos matices en el contenido del proyecto de fusión dejan paso a las principales reformas, que afectan a los aspectos básicos del procedimiento de la fusión: a la publicidad del proyecto de fusión transfronteriza; al informe del órgano de administración o de dirección a los socios y trabajadores, con información diferenciada para cada grupo de interesados (el canje y las compensaciones, en un caso; el empleo y las relaciones laborales, en el otro); al informe pericial independiente; y a la aprobación por la junta general de cada sociedad, por acuerdo que no podrá ser impugnado solamente por la relación de canje, la compensación en efectivo, o la información proporcionada al respecto. A partir de ahí se añade la referencia a la protección de los socios (el derecho de enajenar las acciones o participaciones de los discrepantes, como ya se indicó en la transformación), de los acreedores (la obtención de garantías adecuadas para sus créditos nacidos, y aún no vencidos, con anterioridad a la publicación del proyecto de fusión) y de los trabajadores (información y consulta).

Finalmente, el certificado previo a la fusión, con indicación de la información a ofrecer para obtenerlo y de la negativa a proporcionarlo a causa de la finalidad abusiva, fraudulenta o delictiva, su transmisión a través del sistema de interconexión, el control de la legalidad, y el registro final de la operación, han sido acomodados también al régimen previsto en la transformación transfronteriza, añadiendo detalles de diverso alcance en la enumeración de los efectos (transmisión patrimonial, conversión de socios, extinción, en su caso, de sociedades participantes), en los supuestos de simplificación, en la aplicación de las reglas de participación de los trabajadores, en el régimen de los peritos independientes, y en el principio de validez (limitación en la declaración de nulidad absoluta) de la fusión.

La *escisión transfronteriza*, por fin, constituye la otra gran novedad de la Directiva, pues no había una regulación previa, como en el caso de la fusión, sino sólo la correspondiente a la escisión común, en los artículos 135 y siguientes de la Directiva de 2017, procedentes de la Directiva de 1982, refundida en ella. Conforme al criterio tradicional que ya definió la fusión transfronteriza, el régimen armonizado de la escisión se aplicará cuando al menos dos de las sociedades participantes estén sujetas al Derecho de diferentes Estados miembros, y se trate de sociedades de capital constituidas conforme al Derecho de un Estado miembro y con domicilio social, administración central o centro de actividad principal en la Unión, con los mismos supuestos de no aplicación que se mencionan en las demás operaciones previstas en la Directiva. Por su parte, la escisión puede ser total, parcial o por segregación, conforme a los criterios habituales de distinción.

El diseño del procedimiento que debe seguir la escisión reproduce las pautas ya conocidas en cada uno de los pasos principales: elaboración del proyecto de escisión por la sociedad escindida, con amplio detalle de las menciones mínimas; informe del órgano de administración o dirección para socios y trabajadores, con contenido particularizado; informe pericial independiente, salvo acuerdo unánime que lo haga innecesario; publicación del proyecto, por vía registral o en sitio web; aprobación por la junta general, con la conocida limitación en la impugnación del acuerdo. La protección de socios, acreedores y trabajadores, con reglas de participación en este caso; la obtención del certificado previo a la escisión, que corresponde a la sociedad escindida, su transmisión registral, el control de legalidad, respecto de las sociedades beneficiarias, y el registro final de la operación, en ambos Estados miembros de la sociedad escindida y de las sociedades beneficiarias, completan el régimen armonizado, al que se añaden las reglas, equivalentes a las ya conocidas, sobre fecha de comienzo de los efectos, consecuencias de la escisión, distinguiendo si es total, parcia o pro segregación, con una previsión particular para la asignación a las sociedades beneficiarias o a éstas y a la escindida, según los casos, de activos o pasivos no atribuidos expresamente, supuestos de simplificación, régimen de los peritos independientes, en cuanto a deberes y responsabilidad, y, por último, regla de validez que impide declarar la nulidad absoluta de escisiones que ya han producido efectos cumpliendo los procedimientos de trasposición de la Directiva.

III. LA TRASPOSICIÓN DE LA DIRECTIVA AL DERECHO ESPAÑOL: EL REAL DECRETO-LEY DE 28 DE JUNIO DE 2023.

1. *El antecedente de la Ley de Modificaciones Estructurales de las Sociedades Mercantiles de 2009: breve referencia a su contenido*

Las modificaciones estructurales, todavía si una denominación conjunta de la categoría, estaban reguladas hasta 2009, de manera parcial y dispersa, en el seno de la legislación societaria. En efecto, el Texto Refundido de la Ley de Sociedades Anónimas de 1989, y, en menor medida, la Ley de Sociedades Limitadas de 1995, ésta por vía de remisión, contenían la regulación de la transformación, la fusión y la escisión, recogiendo para estas dos figuras las respectivas Directivas de fusión y escisión de 1978 y 1982. Fue con ocasión de la trasposición de la Directiva de fusiones transfronterizas, de 2005, cuando se planteó la conveniencia de coordinar y actualizar esa materia, reagrupándola en un único texto transversal que regulara las modificaciones estructurales con dimensión de categoría, aplicable al conjunto de las sociedades mercantiles, y con efecto derogatorio sobre la citada normativa previa.

Ese fue el origen, y la intención, de la *Ley de Modificaciones Estructurales de las Sociedades Mercantiles (LMESM), de 3 de abril de 2009,* como bien lo pone de manifiesto su propio preámbulo, por un lado, y las dos disposiciones generales con que se iniciaba su texto articulado, por otro. El artículo primero, al definir el ámbito objetivo del texto legal, configuraba la categoría de las modificaciones estructurales, enumerando el conjunto de operaciones que la integran (por este orden, la transformación, la fusión, la escisión, la cesión global de activo y pasivo y el traslado internacional de domicilio); el artículo segundo, delimitaba el ámbito subjetivo, extendiendo la aplicación de la ley a "todas las sociedades que tengan la consideración de mercantiles, bien por la naturaleza de su objeto, bien por la forma de su constitución", dejando al margen a las sociedades cooperativas, que se regirían por su específico régimen legal.

Se abordaba a continuación la disciplina de cada una de las operaciones en particular, en los términos que a continuación se sintetizan.

En el caso de la *transformación,* aquí en la versión tradicional de "adopción por una sociedad de un tipo social distinto, conservando su personalidad jurídica", se enumeraban los supuestos y se permitía que una sociedad en liquidación procediera a transformarse, siempre que no hubiera comenzado la distribución de su patrimonio entre los socios. En la regulación de los aspectos particulares de su régimen jurídico destacaba el detalle con que era contemplado el acuerdo de transformación, que necesariamente debía adoptar la junta general de la sociedad, con particular atención a los socios, tanto en la información previa que se les debe proporcionar, como en los efectos posteriores de adaptación de su participación en la sociedad transformada, de ejercicio del derecho de separación por parte de aquellos que no hubieran votado a favor y de responsabilidad por las deudas sociales anteriores a la transformación cuando el cambio de tipo implicara también un cambio en la forma de responder. La transformación, en fin, debía formalizarse en escritura pública e inscribirse en el Registro Mercantil, pudiendo ser impugnada en el plazo de tres meses tras la inscripción.

En el Título II, dedicado a la *fusión*, se distinguía ahora la fusión en general, que era la que venía regulada previamente, y la fusión transfronteriza intracomunitaria, que era la de nueva incorporación por efecto de la trasposición de la Directiva de 2005.

La *fusión en general*, que en buena medida venía ya armonizada por efecto la Directiva de 1978, seguía ordenada en torno a las dos categorías clásicas (fusión por creación de una sociedad nueva y extinción de las participantes; fusión por absorción de una o más sociedades que se extinguen por una sociedad absorbente ya existente), con la consiguiente exigencia de continuidad en la participación de los socios de las sociedades extinguidas a través del correspondiente tipo de canje aplicable en la nueva sociedad o en la absorbente. El procedimiento de la fusión seguía el itinerario conocido: elaboración de un proyecto común, acompañado de los oportunos informes de administradores y expertos; aprobación del balance de fusión, sustituible por uno aprobado en los seis meses anteriores, e impugnable, sin efecto suspensivo sobre la ejecución de la fusión; adopción del acuerdo de fusión por la junta general de cada una de las sociedades participantes, con estricta información previa, con requisitos excluibles en caso de acuerdo unánime, sin derecho de separación de socios discrepantes, pero con derecho de oposición de acreedores, a fin de obtener garantía sobre sus créditos nacidos antes de la fecha de publicación del proyecto y aún no vencidos en ese momento; finalmente, la formalización en escritura pública y la inscripción en el Registro Mercantil, que venía a enervar la posibilidad de impugnación de la fusión inscrita realizada conforme a las prescripciones legales, dejando a salvo el derecho de socios a terceros a la indemnización de daños y perjuicios causados. Este régimen general admitía importantes excepciones de simplificación en los casos de las fusiones especiales, esto es, cuando se tratara de la absorción de una sociedad íntegramente participada, de una sociedad participada al noventa por ciento, o en otros supuestos asimilados.

La *fusión transfronteriza intracomunitaria*, en la que intervienen, al menos, dos sociedades sometidas a la legislación de Estados miembros diferentes, disponía de algunas reglas específicas de aplicación preferente, con remisión en lo demás al citado régimen de la fusión en general. Una vez que se había producido en la nueva LMESM la coordinación de normas, con un elevado nivel de homogeneización, que ese fue el objetivo de dicha disposición, las reglas propias derivadas de la trasposición estricta de la Directiva para esta figura, quedaron notablemente reducidas. En efecto, algunas especialidades relacionadas con el proyecto, el informe de los administradores, la adopción del acuerdo, aquí con derecho de separación de socios discrepantes, la certificación registral previa, el control de legalidad y la publicidad e inscripción de la fusión, constituían el régimen propio, sin perjuicio de un aspecto más singular, como era el de los derechos de implicación de los trabajadores en la sociedad resultante de la fusión, canalizados a través de la Ley de 18 de octubre de 2006, sobre implicación de los trabajadores en las sociedades anónimas y cooperativas europeas, ampliamente modificada en la Disposición adicional tercera de esta LMESM precisamente para acoger las reglas especiales de participación de los trabajadores en las sociedades resultantes de la fusión transfronteriza intracomunitaria, con domicilio en España, y en los centros de trabajo de estas sociedades.

La *escisión*, también previamente armonizada por la Directiva de 1982, pero sin variante transfronteriza cuando se elaboró la LMESM de 2009, experimentó alguna innovación al distinguirse las tres modalidades que acogió el Título III: la escisión total, con extinción de la sociedad escindida y distribución de su patrimonio entre las sociedades beneficiarias; la escisión parcial, con subsistencia de la sociedad escindida y traspaso a la, o las, beneficiarias de una pare del patrimonio que constituye una unidad económica; la segregación, asimilable a la escisión parcial, pero siendo la sociedad segregada la que toma participación en la sociedad beneficiaria. El régimen de la escisión quedó establecido con un conjunto de reglas propias y una remisión general al de la fusión, entendiendo que las referencias a la sociedad resultante de ésta equivaldrían a las sociedades beneficiarias de la escisión. Las reglas propias alcanzaban al proyecto de escisión y a los informes de administradores y expertos, a la atribución, tanto de elementos del activo y pasivo, especialmente de los no asignados expresamente, como de acciones y participaciones a los socios, y a la polémica responsabilidad por las obligaciones incumplidas, donde se asignaba responsabilidad solidaria al conjunto de las sociedades beneficiarias, hasta el límite del activo atribuido a cada una de ellas, por las obligaciones incumplidas que hubiere asumido cualquiera de esas sociedades, además de responsabilidad por toda la obligación a la sociedad escindida, si subsistiere, sin tener en cuenta la parte del activo que permaneciere en ella.

Finalmente, la LMESM incluyó en la categoría, como ya lo hizo en la enumeración del artículo primero, dos figuras de modificación estructural ciertamente novedosas desde la perspectiva normativa.

En primer lugar, la *cesión global de activo y pasivo*, definida como "la transmisión en bloque de todo el patrimonio de una sociedad a uno o varios socios o terceros, a cambio de una contraprestación que no podría consistir en acciones o participaciones del cesionario". Junto a algunas modalidades particulares (así, la cesión global plural a varios cesionarios, la cesión global por sociedades en liquidación, o la cesión global internacional), unas mínimas reglas, claramente deducidas de la escisión, y más indirectamente de la fusión, constituían el régimen jurídico de esta modificación estructural. Se referían en concreto al proyecto de cesión global, al necesario acuerdo de la junta general de la sociedad cedente, al derecho de oposición de los acreedores, a la escritura e inscripción registral, a la limitada posibilidad de impugnación y a la responsabilidad por las obligaciones incumplidas.

La otra figura novedosa era el *traslado internacional del domicilio*, en aquel momento carente de una regulación comunitaria armonizada sobre movilidad y libertad de establecimiento de personas jurídicas, más allá de los pronunciamientos del TJUE en diversos supuestos. Se distinguía al respecto el traslado al extranjero del domicilio de una sociedad mercantil española inscrita y el traslado a España de una sociedad extranjera, invocando los Tratados y Convenios internacionales vigentes en España, junto con las normas que se incorporaban a la LMESM. La condición era que el traslado, en uno u otro sentido, no afectara al mantenimiento de la personalidad jurídica de la sociedad, sin perjuicio del cumplimiento de las exigencias de la legislación aplicable al tipo social en cada caso. El régimen de la operación incluía el itinerario común de las modificaciones estructurales (elaboración del proyecto, informe de administradores, acuerdo de aprobación por la junta general, con derecho de separación de los socios discrepantes y de oposición de los acreedores, certificación previa de legalidad y formalización e inscripción del traslado en el Registro del nuevo domicilio, con la subsiguiente cancelación de la inscripción anterior.

Esta LMESM de 2009 ha sido el texto vigente hasta su sustitución y derogación por el nuevo régimen incorporado en el Real Decreto-Ley de 23 de junio de 2023, una auténtica disposición ómnibus (así se conocen en España este tipo de normas de contenido variado, complejo y exageradamente amplio) cuyo Libro Primero está referido a las modificaciones estructurales. Como ya se indicó, no hubiera sido necesario afectar a dicho texto; hubiera bastado con trasponer la Directiva de 2019 en cuanto a las operaciones transfronterizas, añadiendo a la LMESM un Título específico, para distinguir esas modificaciones de las internas, con una única modificación referida a la fusión transfronteriza, que hubiera debido cambiar su ubicación actual a ese nuevo Título, con las reformas derivadas de la Directiva. Pero al igual que cuando la trasposición de la Directiva de fusiones transfronterizas dio ocasión para rehacer el Derecho de las Modificaciones Estructurales en su conjunto, con ese resultado de la LMESM de 2009, otra vez ahora la trasposición de la Directiva de operaciones transfronterizas ha dado ocasión para recomponer de nuevo ese Derecho en su conjunto en el texto de 2023, que pasamos a examinar a continuación, también de forma global y sintética.

2. *El nuevo régimen de las modificaciones estructurales en el Real Decreto-Ley de 28 de junio de 2023*

A pesar de que el Libro Primero del Real Decreto-Ley (RD-L) lleva por título "Trasposición de Directiva de la Unión Europea en materia de modificaciones estructurales de sociedades mercantiles" su contenido final tiene una dimensión y un objetivo bastante más amplio. En efecto, el RD-L no solo traspone la Directiva de operaciones transfronterizas, revisa a la vez el régimen de las modificaciones estructurales internas o del Derecho nacional y, como consecuencia, rehace completamente la estructura sistemática de la materia en su conjunto, además de introducir modificaciones significativas en aspectos relevantes de su tratamiento jurídico.

La nueva estructura sistemática que se ha configurado constituye, sin duda, la principal manifestación del cambio producido. Hay ahora cuatro Títulos: el Primero agrupa las disposiciones preliminares y comunes, aplicables al conjunto de las modificaciones estructurales; el Segundo regula las modificaciones estructurales en general, por referencia a las de Derecho interno; el Tercero está dedicado a las modificaciones estructurales transfronterizas intraeuropeas, donde a su vez se combinan disposiciones generales propias y disposiciones especiales para cada operación; y, finalmente, el Cuarto, referido a las modificaciones estructurales transfronterizas extraeuropeas.

Las *Disposiciones preliminares* delimitan el ámbito objetivo (enumeración de las operaciones que se consideran modificación estructural, a saber, la transformación, la fusión, la escisión y la cesión global de activo y pasivo), el ámbito subjetivo (todas las sociedades mercantiles, sea por el objeto o por la forma, con expresa remisión de las cooperativas a su propia legislación) y las limitaciones y exclusiones en la aplicación de la norma (constan ahí, con criterios diversos, los casos de las sociedades en liquidación, las sociedades en concurso o en preconcurso, las sociedades sujetas a mecanismos de resolución, como es el caso de las entidades financieras).

En las *Disposiciones comunes* se detallan los pasos del procedimiento a seguir en todos los casos para acceder a la modificación estructural. Comienza el proceso con la elaboración del proyecto de modificación estructural, en el que deben constar las menciones comunes mínimas que enumera el artículo 4 y al que deben acompañar los informes del órgano de administración, ahora dividido en dos secciones, destinadas respectivamente a informar a los socios y a los trabajadores de los aspectos de la operación que afectan a cada colectivo, y de experto independiente, que puede presentarse organizado en tres partes, relativas a la compensación en efectivo a los socios y el tipo de canje, a la suficiencia del capital aportado en el caso de sociedades anónimas y a la adecuación de las garantías ofrecidas a los acreedores. En todo caso, estos informes pueden ser excepcionalmente prescindibles con ciertas condiciones (generalmente por acuerdo de todos los socios, o en supuestos de simplificación previstos legalmente).

Elaborado el proyecto y los informes, y desarrollada la necesaria publicidad preparatoria de la decisión, la correspondiente operación debe ser aprobada por la junta general de las sociedades participantes, cuya competencia a esto efectos debe entenderse como exclusiva y excluyente. Adoptad y publicado el acuerdo, las posibilidades de impugnación se reducen drásticamente; ni la compensación en efectivo, ni la relación de canje son motivos para impugnar, pero una vez inscrita la modificación ya no podrá declararse la nulidad, sin perjuicio de las acciones de resarcimiento de daños que puedan ejercitar socios o terceros.

Relacionados con la adopción del acuerdo aparecen los instrumentos de protección de socios y acreedores. En el caso de los socios, es el régimen específico de cada modificación estructural el que, en su caso, ofrezca la posibilidad de ejercer un derecho a enajenar sus acciones o participaciones a cambio de una compensación en efectivo, si votaron en contra del acuerdo, y sin que ello paralice la operación. No hay, en absoluto, un derecho de separación general de socios discrepantes, sino este derecho a enajenar y recibir compensación cuando esté expresamente previsto, como ocurre en la transformación interna, en la fusión por absorción de sociedades participadas al 90% y en las operaciones transfronterizas que impliquen sometimiento a ley extranjera. En el caso de los acreedores, el derecho de oposición ha quedado sustituido por un derecho a obtener garantías adecuadas respecto de sus créditos nacidos con anterioridad y no vencidos, lo que no paraliza la operación ni impide la inscripción registral; pero deben demostrar que la satisfacción de sus créditos está en riesgo a causa de la modificación estructural y que no han obtenido garantías adecuadas, teniendo en cuenta que tal adecuación se presume, salvo prueba en contrario, cuando el informe de experto así lo haya constatado o cuando el órgano de administración haya emitido una declaración sobre la situación financiera de la sociedad, en la que conste que no se conoce motivo por el que la sociedad no pueda responder de sus obligaciones al vencimiento, una vez que la operación surta efecto.

Tras las Disposiciones comunes se inicia la regulación, en el Título II, de las *modificaciones estructurales que se pueden considerar de Derecho interno,* que eran las que venían incluidas en la LMESM de 20909, ahora derogada, de manera que el régimen jurídico preexistente se mantiene en buena medida, sin perjuicio de cambios relevantes, que es lo que ahora se trata de destacar, una vez que anteriormente ya se dio notica de dicho régimen como antecedente significativo de la disciplina actual.

En primer lugar, la *transformación por cambio de tipo social,* en la que llama la atención la propia denominación (antes se hablaba simplemente de transformación), pues se trata ahora de diferenciar esta figura de la transformación por cambio de domicilio, procedente de la Directiva. Los aspectos básicos del régimen jurídico siguen siendo la detallada enumeración de los supuestos de posible transformación, el procedimiento que comienza con la elaboración del proyecto y los informes de administradores y expertos (excluible el primero si hay acuerdo unánime en junta universal y necesario el segundo solo si la transformación es en sociedad anónima y hay aportaciones no dinerarias), continúa con la adopción del acuerdo, que puede alcanzar a otras modificaciones societarias adicionales y culmina con la formalización e inscripción.

Como novedad, el proyecto debe ir acompañado de una acreditación de encontrarse la sociedad al corriente de las obligaciones tributarias y de la Seguridad Social, exigencia que luego se reproduce en las demás modificaciones estructurales, constituyendo un requisito no siempre razonable ni coherente (piénsese en sociedades en concurso o preconcurso, a las que se permite acceder a una modificación estructural, que puede ser la solución a su insolvencia o preinsolvencia, y que tendrá dificultad evidente en la citada acreditación). En cuanto a los efectos de la transformación respecto de los socios, se mantienen las reglas tradicionales sobre subsistencia de sus obligaciones, participación en la sociedad transformada y responsabilidad, en su caso, por las deudas sociales, como forma de protección de acreedores, ya que no procede en este supuesto el ofrecimiento de garantía adecuada; igualmente, se mantienen las reglas previstas cuando la sociedad tenga emitidas obligaciones o haya titulares de derechos especiales, y ambos instrumentos no puedan trasladarse a la sociedad transformada. Lo que ha desaparecido es el derecho de separación de los socios que no votaron a favor, sustituido ahora por la nueva regla de protección ya comentada, consistente en el derecho de enajenar su parte a la sociedad a cambio de una compensación adecuada en efectivo, derecho que alcanza solo a los socios que votaron en contra y a los titulares de acciones o participaciones sin voto.

Continúa la *fusión* común ordenada en torno a un concepto integrador de las dos categorías (por creación de una sociedad nueva, por absorción de una o varias sociedades por otra), con las características típicas de la figura (extinción de todas o algunas de las sociedades participantes, según la clase; transmisión en bloque de patrimonios, con sucesión universal, a la nueva sociedad o a la absorbente; continuidad y mantenimiento de la participación de los socios de las sociedades que se extingan en la sociedad resultante, conforme al tipo de canje establecido, excluyendo la autocartera).

El procedimiento se inicia con la elaboración del proyecto común de fusión por todas las sociedades participantes, acompañado también con la certificación tributaria y social yan citada, con el informe de administradores por aplicación de las disposiciones comunes, y con importantes especificaciones en cuanto al informe de expertos, dada la relevancia de su pronunciamiento sobre el tipo de canje y sobre la cobertura patrimonial de la operación. Se añade a todo ello el balance de fusión, sea un balance ad hoc, sea el del ejercicio, aprobado en los seis meses anteriores, de manera que, publicada toda la información requerida en la página web de la sociedad, o depositada en el domicilio social, si no dispusiera de página web, pueda celebrarse la junta general de cada sociedad participante a fin de aprobar el proyecto común, pues cualquier acuerdo de rechazo, o de modificación unilateral por alguna de las sociedades, impediría la culminación del proceso. Con la elevación a escritura del acuerdo adoptado y su inscripción en el Registro Mercantil, entrará en juego la regla común de protección de la operación, que impide anularla, sin perjuicio de las acciones de resarcimiento y, en el caso concreto de la fusión, de la reclamación de un pago en efectivo para compensar un eventual tipo de canje inadecuado, lo que en ningún caso paraliza la fusión ni impide su inscripción registral.

Finalmente, se mantienen los supuestos conocidos de fusión especial (absorción de sociedad íntegramente participada, y supuestos asimilados, y de sociedad participada al noventa por ciento), con las correspondientes simplificaciones en las exigencias de informes, e incluso en la no necesidad de junta general de la sociedad absorbente, como también se mantiene la consideración de operación asimilada a la fusión de aquella en que una sociedad se extingue transmitiendo en bloque su patrimonio a su socio único, esto es, a otra sociedad que posee la totalidad de sus acciones o participaciones.

También la *escisión* conserva la estructura sistemática y el contenido precedente. Así, la distinción de las tres modalidades conocidas (escisión total, escisión parcial y segregación), el régimen jurídico con normas específicas y con remisión supletoria a la fusión, y las reglas sobre las menciones del proyecto, la atribución de elementos del activo y pasivo y de acciones y participaciones a los socios, los informes de administradores y expertos, con la obligación especial de informar a la junta general sobre modificaciones patrimoniales posteriores al proyecto. Las dos reformas más significativas afectan, por un lado, a la protección de acreedores y responsabilidad por las obligaciones incumplidas, ya que, junto a la responsabilidad solidaria de las sociedades beneficiarias, hasta el activo neto atribuido a cada una, por las obligaciones anteriores asumidas por cada una de ellas en la escisión, responde también la escindida subsistente, pero con el límite de los activos netos que permanezcan en ella, al igual que las beneficiarias responden solidariamente de las deudas anteriores a la escisión y no vencidas, que permanezcan en el pasivo de la sociedad escindida; por otro lado, se ha incorporado una regla de simplificación de requisitos, que permite, en ciertos supuestos, prescindir del informe de administradores y de expertos, e incluso del balance de escisión.

Finalmente, la *cesión global de activo y pasivo* permanece como modificación estructural diferenciada, tal como había sido incluida en la LMESM. Junto al concepto y a la mención a la cesión global plural, las reglas sobre el proyecto, el informe de administradores y expertos, la adopción del acuerdo por la junta de la cedente, ya que para las cesionarias basta el acuerdo del órgano de administración, salvo en caso de adquisición de activos esenciales, la formación en escritura y la inscripción registral, y la responsabilidad solidaria, durante cinco años, por las obligaciones incumplidas, en paralelo a lo establecido en la escisión, integran el conjunto de su régimen jurídico. De él han desaparecido las menciones a la cesión global por sociedades en liquidación, a la cesión global internacional y al derecho de oposición de los acreedores, todas ellas sustituidas por disposiciones comunes o por nuevas normas aplicables.

Por obvias razones, como de inmediato se percibirá, de este espacio regulador de las modificaciones estructurales ha desaparecido el traslado internacional del domicilio social, ahora subsumido en las operaciones de transformación transfronteriza que implican precisamente cambio de domicilio.

A partir de aquí, el Título III está dedicado a la materia directamente exigida por la trasposición de la Directiva de 2019, esto es, a las *modificaciones estructurales transfronterizas intraeuropeas*, nuevamente sistematizadas con un criterio particular que distingue el ámbito de aplicación, un conjunto de disposiciones generales para estas operaciones, y las disposiciones especiales para cada una de las figuras que se contemplan.

El Capítulo I, bajo ese rótulo de "*Ámbito de aplicación*", resuelve tres cuestiones principales: qué modificaciones estructurales están incluidas, en virtud del elemento transfronterizo, así como la exclusión de sociedades de inversión colectiva; cuál es la ley aplicable, que lo será la ley personal de las sociedades participantes en la fusión, escisión o cesión global, y la ley personal anterior o posterior de la sociedad que se transforma; y qué régimen es el aplicable a las sociedades españolas, siéndolo el de las modificaciones internas, salvo en lo que haya norma específica para la correspondiente operación transfronteriza.

Las *Disposiciones generales* que siguen a continuación son reglas comunes para las diversas operaciones transfronterizas intracomunitarias, por lo que constituyen una especie de segundo escalón, tras las Disposiciones comunes para todas las modificaciones estructurales, lo que supone que la disciplina jurídica de una operación transfronteriza está integrada por un conglomerado normativo jerarquizado de lo especial a lo general (disposiciones especiales de la modificación estructural en concreto; disposiciones generales o comunes solamente de las modificaciones estructurales transfronterizas intracomunitarias; disposiciones generales o comunes de todas las modificaciones estructurales).

Son, sin duda, estas Disposiciones generales las que contienen las reglas más características de las modificaciones estructurales transfronterizas. En algunos casos, y teniendo en cuenta la existencia de esas Disposiciones comunes, de aplicación general, se limitan a introducir alguna especificación. Así ocurre con las que se refieren al proyecto y al informe del órgano de administración (en ambos casos para precisar los efectos laborales e la operación), a la protección de los socios (se les reconoce el derecho a enajenar sus acciones o participaciones a la sociedad cuando queden sometidos a ley extranjera y hayan votado en contra), a la protección de los acreedores, a los derechos de información, consulta y participación de los trabajadores, y a la publicidad preparatoria y complementaria, con la información a depositar en los registros correspondientes con un mes, al menos, de antelación a la celebración de la junta general.

Mayor nivel de exigencia tienen las disposiciones agrupadas bajo el rótulo "De la impugnación, formalización e inscripción de las modificaciones estructurales". Teniendo en cuenta la dimensión transnacional de estas operaciones, cobra especial importancia el control que deba hacerse de la legalidad del proceso realizado en el Estado de origen, así como la comprobación de ese extremo, que corresponda hacer al Estado de destino, que es donde la operación va a tener efecto. A tal finalidad obedece la previsión de los mecanismos específicos que la Directiva configuró y que han pasado a los Derechos nacionales por efecto de la trasposición, siempre con posibilidad de utilizar vías telemáticas para que la transmisión entre las oficinas registrales de los distintos países quede facilitada con más agilidad y menor coste.

En nuestro caso, esa función la cumple el "certificado previo a la modificación estructural", que corresponde emitir al Registrador Mercantil del domicilio de la sociedad española que va a participar en una operación transfronteriza en la que España sea el Estado de origen, y que se expedirá cuando conste que se han cumplido todas las condiciones exigidas, siguiendo los procedimientos y atendiendo a las formalidades necesarias. El artículo 90 del texto español regula, pues, en detalle la solicitud del certificado, enumera la documentación que debe acompañarla, y facilita su presentación electrónica en el Registro; si se cumplen las condiciones, se expedirá el certificado, y se denegará en otro caso, con posibilidad de subsanación antes de que la denegación sea definitiva, lo que impediría llevar a cabo la operación, sin perjuicio de que esta decisión negativa pueda ser recurrida en vía judicial. Especial interés, no exento de complejidad, tienen los supuestos en que exista fundada sospecha de abuso o fraude (por eludir el ordenamiento comunitario o nacional, por perseguir fines delictivos), ya que entonces el Registrador debe requerir información complementaria a la sociedad y a los organismos que proceda, a fin de valorar las circunstancias antes de decidir si concede o deniega el certificado previo, que en todo caso, y de concederse, habrá de ser transmitido a la autoridad competente del Estado miembro de destino a través del sistema de interconexión de registros. La comprobación inversa consiste en el "control de legalidad de la operación cuando España sea el Estado de destino", que deberá realizar el Registrador Mercantil antes de proceder a la inscripción, comunicando ésta, también por el sistema de interconexión, al Registro del Estado de origen para que tenga constancia de que la operación, iniciada allí y culminada aquí, ha surtido efecto. Obviamente, si España fue el Estado de origen, lo que procederá es cancelar o modificar, en su caso, los asientos registrales de la sociedad española.

Visto el volumen alcanzado por las Disposiciones comunes a todas las modificaciones estructurales y generales para las modificaciones transfronterizas, y siendo además supletoriamente aplicables las reglas particulares de las modificaciones internas equivalentes, era previsible que las *Disposiciones especiales para cada una de las operaciones transfronterizas* quedaran notablemente reducidas, como así ha ocurrido, lo que no obsta para que deban destacarse algunos aspectos relevantes.

Lo es, en primer lugar, la novedosa aparición de la *transformación transfronteriza,* no equivalente a la transformación interna que, como ya se indicó, ha quedado configurada como transformación por cambio de tipo social. Esta otra transformación, que quizá debió tomar otra denominación más acorde con su naturaleza, consiste en la conversión de una sociedad española en sociedad de otro Estado miembro, de destino, o viceversa, sin ser disuelta ni liquidada, conservando su personalidad jurídica y trasladando su domicilio a ese Estado, o a España en el caso inverso. Se da así satisfacción formal a la vieja aspiración de reconocimiento efectivo de la libertad de circulación y establecimiento de las sociedades mercantiles, en tanto personas jurídicas, y en el ámbito europeo, sin que ello afectara a la entidad societaria, y sin perjuicio de la necesaria adaptación al régimen del tipo correspondiente del Estado de destino.

Así caracterizada la nueva figura, las reglas especiales se limitan a establecer la ley aplicable en las distintas fases del proceso, exigir alguna mención propia en el proyecto de transformación, ofrecer a los acreedores, como forma de protección añadida, una prolongación de la jurisdicción del Estado de origen, durante dos años, para demandar ante ella a la sociedad transformada por créditos nacidos antes del comienzo de la operación, y determinar la fecha en que la transformación surtirá el efecto de asunción del patrimonio activo y pasivo por la sociedad transformada, mantenimiento de los socios, salvo que hayan ejercido el derecho de enajenación que se les concede, y atribución de las relaciones laborales preexistentes, todo ello con la adaptación correspondiente al ordenamiento del Estado de destino.

La *fusión transfronteriza*, por su parte, ya venía armonizada por la Directiva de 2005, traspuesta en la LMESM de 2009, por lo que estas disposiciones especiales se limitan ahora a recoger las modificaciones que la Directiva de 2019 introdujo en la figura. Se establecen las condiciones para la fusión, haciendo posible que lo haga el Gobierno por razones de interés público, lo mismo que ocurre con las fusiones internas, pero en este caso cuando, al menos, una de las sociedades que se fusionan esté sujeta a la ley española; sin otras precisiones respecto del proyecto común, más allá de las disposiciones comunes y generales, se declara necesario, salvo acuerdo unánime de los socios, el informe de expertos, que puede ser único para el conjunto de las sociedades participantes; se reitera la regla de protección de los socios en cuanto a la relación de canje (impugnación y reclamación de pago en efectivo), siempre que no tengan, o no hayan ejercitado, el derecho a enajenar sus acciones o participaciones, que se les reconoce en el artículo 12, si votaron en contra o no tienen voto y si van a quedar sometidos a ley extranjera por efecto de la fusión; se extiende la competencia de control de la legalidad del Registrador Mercantil del domicilio de la sociedad resultante española a la sociedad participante también española; y, finalmente, se remite a la fecha de la inscripción registral de la sociedad resultante española la producción de los efectos propios de la fusión (transmisión de la totalidad del patrimonio; incorporación de socios a la resultante, salvo si ejercen el derecho de enajenación; extinción de las sociedades absorbidas o fusionadas).

En el caso de la *escisión* concurre una especial circunstancia: la Directiva solo contemplaba la escisión con creación de nuevas sociedades beneficiarias, que ha quedado recogida en los términos previstos; pero no recogía la posibilidad de una escisión a sociedades beneficiarias preexistentes, que, sin embargo, se ha incorporado también en el RD-L español, como supuesto de la escisión transfronteriza al igual que lo es de la escisión interna.

En la escisión con creación de nuevas sociedades no hay importantes especialidades: se declara ley aplicable, a los efectos de los procedimientos y formalidades a cumplir, la del Estado miembro de la sociedad escindida para la obtención del certificado previo, y la de los Estados miembros de las sociedades beneficiarias para los siguientes trámites hasta culminar la operación; la redacción del proyecto de escisión, la protección de los socios respecto a la relación de canje y el derecho de enajenación, y la protección de los acreedores conforme a la ley personal de la sociedad escindida, mantienen también los criterios habituales. Lo que presenta mayor detalle es la enumeración de los efectos a partir de la inscripción registral de la escisión y, en su caso, de la cancelación de inscripciones previas; y eso ocurre porque es aquí donde el texto legal recoge la distinción principal entre escisión total, parcial y por segregación, a partir de los efectos jurídicos que produce cada una de ellas: la transmisión total o parcial del patrimonio y de las relaciones laborales de la sociedad escindida a las sociedades beneficiarias, la conversión de todos o de algunos de los socios de la escindida en socios de las beneficiarias, la extinción de la escindida en la escisión total y la peculiaridad de la atribución a la propia sociedad segregada de las acciones o participaciones de la, o las, beneficiarias.

La escisión con sociedades existentes, por su parte, recibe en el texto un tratamiento básico en lo especial: se le aplica el régimen de la escisión con sociedades de nueva creación, con algunas particularidades (se ha de elaborar un proyecto común de escisión, que debe ser aprobado por todas las sociedades participantes; se exige informe de administradores y de expertos a la sociedad beneficiaria española, sin simplificación de requisitos en la segregación; también es aplicable la regla de protección de socios y acreedores a los que lo sean de la sociedad beneficiaria española, con remisión a la ley personal de la sociedad escindida de la responsabilidad de las sociedades participantes frente a los acreedores de aquella). Siendo España el Estado de destino, el control de legalidad que realiza el Registrador alcanzará a la aprobación del proyecto común, pudiendo sustituirse el certificado previo por una simple acreditación de legalidad de la operación, cuando en el Estado de la sociedad escindida no se exija tal certificado en este caso.

Por fin, la última innovación del texto español en el ámbito de las operaciones transfronterizas es la inclusión, no prevista en la Directiva, de la *cesión global de activo y pasivo,* de la que se ofrece un concepto, equivalente al general (transmisión patrimonial en bloque de la cedente a la, o a las, cesionarias a cambio de una contraprestación en dinero u otros activos), condicionando su utilización a que la cesión global esté admitida en las respectivas leyes personales de la cedente y la cesionaria, que constituyen la ley aplicable en las correspondientes fases del procedimiento. Las especialidades son, en líneas generales, las propias de este tipo de operación, con clara analogía con la escisión: la elaboración de un proyecto común, la no aplicación de las reglas de protección de socios, la remisión de la protección de los acreedores a la ley personal de la sociedad cedente, la necesidad de certificado previo y control de legalidad si la sociedad cedente es española y el detalle de los efectos traslativos a partir de la fecha de inscripción registral de la operación, sin perjuicio de la extinción de la cedente cuando toda la contraprestación es directamente recibida por los socios.

Cumplido el objetivo de la trasposición de la Directiva en los términos que se han ido exponiendo, con el consiguiente impacto sobre el Derecho de las modificaciones estructurales en su conjunto, sean internas o transfronterizas intraeuropeas, el RD-L español ha considerado oportuno cerrar el régimen con una breve consideración de las *modificaciones estructurales transfronterizas extraeuropeas*, operaciones, en suma, de alcance internacional no comunitario. Quedan ahí incluidas las transformaciones de sociedades cuyo Estado de origen no forma parte del Espacio Económico Europeo en sociedades sujetas al Derecho español, como el supuesto inverso, y las fusiones, escisiones y cesiones globales en que intervengan sociedades de uno u otro carácter, supuestos en los que se aplican a las sociedades españolas participantes las Disposiciones generales de este último Título IV, que a su vez remite a las reglas de las modificaciones intraeuropeas, sin perjuicio de los Tratados y Convenios internacionales vigentes en España. Esas disposiciones generales propias se refieren simplemente a la exigencia y transmisión del certificado previo a las sociedades españolas participantes, con las debidas adaptaciones, y al control registral de legalidad cuando España sea el Estado de destino de la sociedad resultante o beneficiaria de la operación. Similar parquedad tienen las Disposiciones especiales, únicamente referidas a la transformación, para exigir el mantenimiento de la personalidad jurídica de la sociedad española que se traslada a un Estado que no forme parte del Espacio Económico Europeo, y viceversa, siempre que, en este caso, la ley personal de la sociedad lo permita y ésta cumpla las exigencias de la ley española para la constitución del tipo que se pretenda adoptar, a cuyo efecto un informe de experto independiente habrá de acreditar la suficiencia patrimonial para cubrir la cifra de capital requerida por el tipo elegido; porque la otra disposición especial se limita, innecesariamente ya que estaba indicado en una de las disposiciones generales, que la cesión global extraeuropea se rige por las mismas reglas de la cesión global intraeuropea.

Hasta aquí la exposición del resultado de la trasposición de la Directiva de 2019 sobre operaciones transfronterizas y su alcance y peculiaridad en el Derecho español, tanto por la fórmula normativa con que se ha canalizado, como por el impacto regulador que ha tenido sobre el conjunto de las modificaciones estructurales. El Preámbulo que antecede al texto articulado del RD-L puso especialmente empeño, como bien puede apreciarse, en justificar el recurso a ese instrumento jurídico; hubiera sido deseable que una tramitación parlamentaria sosegada y rigurosa hubiera permitido analizar con detenimiento el contenido del eventual Proyecto de Ley, de haber sido factible tal hipótesis. Es probable que del proceso de enmienda, análisis, debate y aprobación hubieran resultado mejoras, matizaciones o aclaraciones que el texto necesita en algunos aspectos. No ha sido así, el RD-L fue convalidado y está en vigor; por el tiempo transcurrido, aun no ha recaído jurisprudencia ni doctrina registral significativa sobre los aspectos que puedan resultar más complejos o conflictivos, ni se han producido aportaciones suficientes al respecto en los ámbitos académicos, de modo que lo que procede en esta fase es aplicarlo con criterios jurídicos racionales, interpretándolo de la forma más coherente y adecuada a los fines de las instituciones que se regulan.

Los acreedores sociales en las operaciones de modificación estructural

LUISA MARÍA ESTEBAN RAMOS
Profesora Contratada Doctora
Universidad de Valladolid

RESUMEN

La situación de los acreedores sociales, cuya sociedad deudora participa en una operación de modificación estructural, se ha visto debilitada con las sucesivas reformas que ha sufrido la normativa española. Con la publicación del Real Decreto Ley 5/2023, de 28 de junio, que constituye la norma vigente, se ha eliminado el principal mecanismo de protección de los acreedores, el derecho de oposición, que ha sido sustituido por un derecho a obtener garantías, cuyo ejercicio no suspende el procedimiento e impone mayores exigencias.

Palabras clave: acreedores sociales, mecanismos de tutela.

ABSTRACT

The situation of social creditors, whose debtor company participates in a structural modification operation, has been weakened with the successive reforms that Spanish regulations have undergone. With the publication of Royal Decree Law 5/2023, of June 28, which constitutes the current rule, the main protection mechanism for creditors, the right of opposition, has been eliminated, which has been replaced by a right to obtain guarantees, the exercise of which does not suspend the procedure and imposes greater demands.

Keywords: *social creditors, protection mechanism.*

I. INTRODUCCIÓN

Hablar de acreedores sociales en el entorno de las operaciones de modificación estructural exige recordar:

- Primero, que los acreedores sociales constituyen un colectivo heterogéneo que incluye desde los denominados acreedores institucionales, hasta acreedores mucho más modestos, titulares de créditos de importe reducido y poco significativo dentro del pasivo de la sociedad deudora. Todos ellos reciben el mismo tratamiento legal, a pesar de encontrarse en una situación muy distinta y de tener una capacidad negociadora diversa frente a la sociedad, de forma que la disposición de la misma a atender sus pretensiones puede ser mayor en unos casos que en otros[1].
- Segundo, que las modificaciones estructurales no afectan de igual manera a los acreedores de las distintas sociedades. Los de las que desaparecen como consecuencia de la operación sufren un cambio de deudor, sin que para ello se haya recabado su consentimiento que, conforme al art. 1205 CC, resulta exigible en las novaciones con sustitución del deudor. Sin embargo, exigir el consentimiento de todos los acreedores para poder llevar a efecto la modificación estructural, haría imposible en la práctica su realización. De ahí que resulte justificada la no aplicación del precepto civil y la adopción de medidas específicas de tutela de los acreedores, para evitar colocarles en

---

1 ESTEBAN RAMOS, LM. *Los acreedores sociales ante los procesos de fusión y escisión de sociedades anónimas: instrumentos de protección,* Thomson Reuters Aranzadi, Pamplona, 2017, 2ª ed, pp. 172-173 y en "Acreedores sociales y fusión de sociedades: pasado, presente y ¿futuro? Especial referencia al Anteproyecto de Ley de Modificaciones Estructurales de Sociedades Mercantiles", *La Ley Mercantil,* 101, abril 2023, *recurso on line.* El legislador nunca ha establecido diferencias en el tratamiento de los acreedores, ni ha aprovechado la reforma para hacerlo; FERNÁNDEZ DE CÓRDOVA CLAROS, L. "El nuevo derecho de oposición de los acreedores a las reestructuraciones empresariales", *Cuadernos de Derecho y Comercio,* 59, 2013, p. 77. En la práctica el derecho de oposición no protege realmente a los pequeños acreedores.

una situación de indefensión frente a ciertas decisiones de su sociedad deudora.

Respecto a los acreedores de las sociedades que permanecen tras la operación, no se pueden utilizar los mismos argumentos para justificar las medidas específicas de tutela, ya que no existe un cambio de deudor. No obstante, soportan importantes cambios en la composición patrimonial de la sociedad deudora, que son suficientes para defender la existencia de dichas medidas específicas de tutela[2].

En cualquier caso, lo que sí tiene lugar en las operaciones de modificación estructural es una transmisión patrimonial en bloque por sucesión universal, que puede dar lugar a la dilución del derecho de crédito en el momento en que se pretenda hacer efectivo. Este es realmente el riesgo que generan estas operaciones y del que se trata de proteger a los acreedores con el establecimiento de un sistema de tutela específico. De hecho, en la única operación en la no hay transmisión en bloque, la transformación, no se aplican las garantías comunes de los acreedores. Lo que no quiere decir que resulten desprotegidos ya que, cuando la transformación implique que los socios dejan de responder personalmente de las deudas sociales, subsistirá, salvo que los acreedores consientan expresamente la transformación, la responsabilidad personal de los socios por las deudas sociales contraídas con anterioridad a la transformación.

En las operaciones transfronterizas se añaden otros riesgos, derivados del cambio de ley y de jurisdicción aplicables, que pueden afectar a algunas de las sociedades participantes y, por extensión, a sus acreedores.

Un sistema adecuado de tutela de los acreedores sociales es aquel que permite lograr un equilibrio entre dos intereses: el de los acreedores, a que la operación no afecte negativamente a la satisfacción de sus derechos de crédito, y el de las sociedades, a no ver frustradas sus expectativas de realizar la modificación estructural proyectada.

---

2 Las opiniones que defienden la necesidad de articular un sistema específico de tutela de los acreedores sociales no es algo nuevo. Encontramos ejemplos lejanos en la doctrina, como es el caso de MOTOS GUIRAO, M. *Fusión de Sociedades Mercantiles*, Madrid, 1953, pp. 297.

II. LA TUTELA DE LOS ACREEDORES SOCIALES EN LAS OPERACIONES DE MODIFICACIÓN ESTRUCTURAL EN LA NORMATIVA ESPAÑOLA ANTERIORMENTE VIGENTE

Antes de abordar el estudio del actual sistema de tutela de los acreedores sociales, recogido en el Real Decreto Ley 5/2023, de 28 de junio, es oportuno hacer una breve referencia a sus precedentes normativos. El análisis de la evolución histórica de la normativa española revela la existencia de una progresiva debilitación de la posición de los acreedores frente a su sociedad deudora. Estos, han pasado de tener el poder de impedir la conclusión de la modificación estructural en tanto no hubieran obtenido garantías que les resultaran satisfactorias, mediante el ejercicio del derecho de oposición y sin necesidad de justificar la existencia de un riesgo[3], al reconocimiento de un derecho a solicitar garantías que, en ningún caso, afecta a la eficacia de la operación y que exige la demostración de la existencia de un perjuicio.

El derecho de oposición ha constituido tradicionalmente el principal mecanismo de tutela de los acreedores sociales. Sus orígenes se remontan al art. 145 de la Ley de Sociedades Anónimas de 1951. De ahí pasó al TRLSA y a la LME de 2009 textos que, aunque con algunas modificaciones, mantenían la esencia del derecho de oposición, permitiendo afirmar que nuestra regulación se encuadraba dentro de los sistemas de tutela a priori[4], donde la protección se hace efec-

---

[3] ESCRIBANO GAMIR, RC. *La protección de los acreedores sociales frente a la reducción del capital social y las modificaciones estructurales de las sociedades anónimas,* Navarra, Aranzadi, 1998, pp. 280-281. Esto supone una infravaloración de los intereses de la sociedad y los del tráfico jurídico.

[4] FUENTES NAHARRO, M. "La protección de los acreedores en las operaciones transfronterizas en la nueva Directiva 2019/2121", *Revista General de Insolvencias y Reestructuraciones*, 2, 2021, *recurso on line.* Recoge las distintas soluciones recogidas en los Estados miembros; FERNÁNDEZ DEL POZO, L. "La protección de acreedores frente a las modificaciones estructurales", dir. PULGAR EZQUERRA; J, *La nueva Ley de modificaciones estructurales"*, La Ley, Madrid, 2024, pp. 195-197. Habla de cuatro grandes modelos en Derecho comparado.

tiva antes de la adopción del acuerdo de modificación estructural, condicionando el mismo.

El cambio más significativo llegó con la Ley 1/2012, de 22 de junio, de simplificación de las obligaciones de información y documentación de fusiones y escisiones de sociedades de capital, que modificó la LME, afectando a la configuración del derecho de oposición[5]. A partir de 2012, es más adecuado hablar de sistema de tutela de los acreedores de carácter mixto. Y ello porque, aunque el art. 44.3 LME seguía reconociendo un derecho de oposición con efectos suspensivos, se añadió un párrafo cuarto, que permitía concluir la operación sin garantizar adecuadamente al acreedor que hubiera ejercitado su derecho de oposición en tiempo y forma[6]. Para salvar la aparente contradicción entre estos dos apartados del art. 44 LME, parecía adecuado entender que el último de ellos estaba reservado para los supuestos en que se planteara la necesidad de adoptar una decisión sobre temas como la legitimación para ejercitar el derecho de oposición o sobre la adecuación de las garantías ofrecidas. Se trataría de evitar que estas comprobaciones pusieran en peligro la eficacia de la operación, que se llevaran a cabo conductas abusivas por parte de los acreedores, quienes tenían siempre la posibilidad de acudir a la vía judicial para solicitar garantías.

Con la Ley 1/2012 se puso fin al silencio del legislador sobre la judicialización de los conflictos que pudieran surgir en torno a la adecuación de las garantías y se produjo un empeoramiento evidente de la situación de los acreedores a quienes, ante la negativa de la sociedad a prestar garantías una vez ejercitado el derecho de oposición, únicamente les quedaba la vía judicial. Es decir, para obtener el mismo resultado, garantías para su derecho de crédito, se incrementaban los requisitos, quedando fuera de su alcance la posibilidad

---

5 Para más información sobre las consecuencias que la reforma de 2012 ha tenido en la caracterización del sistema de tutela de los acreedores sociales vid, ESTEBAN RAMOS, LM. *Los acreedores sociales…*, cit., pp. 296 y ss y en

6 ÁLVAREZ ROYO-VILLANOVA, S. "Una visión práctica tras la reforma de 2012 y la Resolución de la Dirección General de Registros y del Notariado de 9 de mayo de 2014", *Diario La Ley*, 2014, 8411, *recurso on line.* La reforma de 2012 no cambia el sistema, ya que subsiste un verdadero derecho de oposición.

de entorpecer la adopción del acuerdo de modificación estructural. Este cambio que se inició con la modificación de 2012 se consolida, como tendremos ocasión de ver, con la normativa vigente.

III. LA TUTELA DE LOS ACREEDORES EN LAS OPERACIONES DE MODIFICACIÓN ESTRUCTURAL EN EL DERECHO ESPAÑOL VIGENTE

El Real Decreto Ley 5/2023[7] (RDL), que como ya hemos indicado constituye la normativa vigente, transpone a nuestro ordenamiento la Directiva 2019/2121, del Parlamento Europeo y del Consejo, de 27 de noviembre de 2019, por la que se modifica la Directiva 2017/1132 en lo que atañe a las transformaciones, fusiones y escisiones transfronterizas, conocida como Directiva de Movilidad. El RDL no se limita a reformar la normativa anteriormente vigente en la materia, la LME, sino que la deroga en su integridad, estableciendo una nueva y completa regulación de las modificaciones estructurales. No obstante, conserva bastante de la normativa derogada[8].

El régimen de tutela de los acreedores sociales regulado en el RDL, es el previsto en la Directiva para las operaciones transfronterizas. La norma vigente no explica las razones de la extensión del régimen contemplado para las operaciones transfronterizas a las internas, aunque sí lo hacía la Exposición de Motivos del Anteproyecto de Ley de Modificaciones estructurales de las sociedades mercantiles, que aprobó el Gobierno el 14 de febrero de 2023. En concreto, señala que *la opción de política legislativa finalmente adoptada para la transposición ha sido integrar todo el régimen de modificaciones estructurales, internas y transfronterizas, en un marco común tomando como punto de partida la propia Directiva, cuyas soluciones para las operaciones intraeuropeas*

---

7 Convalidado por Resolución de 26 de julio de 2023, de la Diputación Permanente del Congreso de los Diputados

8 CABANAS TREJO, R. "La nueva —y apresurada— legislación sobre modificaciones estructurales de las sociedades mercantiles", *El Notario del siglo XXI*, 111, 2023, *recurso on line.* La nueva normativa conserva algunos párrafos que, en su literalidad, pierden sentido con la nueva ordenación sistemática.

se extienden en la medida de lo posible a las operaciones internas para, manteniendo la mayor simplicidad de estas últimas, evitar asimetrías y diferencias sin justificación de política legislativa, que en su caso pudieran favorecer un riesgo de búsqueda de una jurisdicción de conveniencia (forum shopping) en un ámbito interno y transfronterizo.

La Directiva 2019/2121 cuenta entre sus objetivos con el de tutelar los intereses dignos de protección en el marco de las operaciones transfronterizas[9], e introduce novedosas medidas de protección de los acreedores sociales que tratan de lograr una mínima armonización. En su Considerando 22 afirma que las diferencias entre las normas de protección de los acreedores de los distintos Estados miembros añaden *una significativa complejidad al proceso de operación transfronteriza y genera incertidumbre tanto para las sociedades implicadas como para sus acreedores en relación con el cobro o la liquidación de su crédito.* A pesar de la pretensión de la Directiva, al tratarse de una Directiva de mínimos deja abierta una amplia alternativa a los Estados, lo que de una u otra forma rebaja ese objetivo[10].

---

9 PÉREZ TROYA, A. "La Directiva sobre transformaciones, fusiones y escisiones transfronterizas: una aproximación, con particular referencia a la tutela de los socios", *RDS*, 2020, 58, *recurso on line.* La Directiva pretende combinar dos perspectivas de política jurídica, pero está descompensada en favor de la movilidad de las empresas respecto a la protección de los intereses en juego.

10 FUENTES NAHARRO, M. "La protección de los acreedores en las modificaciones estructurales", Rojo, A; Campuzano, AB; Cortés, LJ y Pérez Troya, A (coor), *Las modificaciones estructurales de las sociedades mercantiles*, Aranzadi, Madrid, 2024, pp. 462-465. Aunque el régimen de protección de los acreedores previsto en la Directiva contiene normas imperativas que deben implementarse por los Estados miembros, la armonización sigue siendo relativa porque los derechos nacionales mantienen margen para ir más allá en sus respectivos sistemas tuitivos. No obstante, la libertad de los derechos nacionales para ir más allá en sus sistemas tuitivos no es ilimitada, ya que deben respetar la libertad de establecimiento reconocida por el derecho primario y la jurisprudencia del Tribunal Superior de Justicia de la Unión Europea.

El art. 99 de la Directiva se refiere a la protección de los acreedores sociales en el ámbito de las fusiones internas[11]. En él, se establece un mínimo que deben respetar los Estados miembros en el diseño de su regulación interna y que podríamos resumir en el reconocimiento a los acreedores de un derecho a obtener garantías adecuadas, siempre que puedan demostrar que la satisfacción de sus derechos está en juego como consecuencia de la operación y que no han obtenido de la sociedad dichas garantías[12]. La protección alcanza a los acreedores titulares de deudas nacidas con anterioridad a la publicación del proyecto de la operación y que no estén vencidas en ese momento.

En el derecho español las operaciones de modificación estructural se regulan en el Libro Primero del RDL, bajo el título de Transposición de la Directiva de la Unión Europea en materia de modificaciones estructurales de sociedades mercantiles, y lo hace, como hemos indicado, yendo más allá de lo exigido por la propia Directiva 2019/2021, ya que no se limita a las operaciones transfronterizas, sino que supone el establecimiento de un nuevo régimen jurídico de las modificaciones estructurales.

No estamos de acuerdo con la forma en la que se ha llevado a cabo la transposición, a pesar de las justificaciones del Preámbulo del RDL[13]. Además, esa no era la forma inicialmente prevista para afrontar la modificación normativa, que incluía la aprobación de una ley que regulara las modificaciones estructurales, como demuestra la existencia del Anteproyecto de Ley de modificaciones estructurales de sociedades mercantiles al que hemos hecho referencia. Hubiera sido más adecuado regular estas operaciones en un texto específico que en una norma que, además de ser Real Decreto-ley, contempla materias muy diferentes, que poco o nada tienen que ver entre sí.

---

11 El art. 146 recoge el mismo sistema para las operaciones de escisión, además de las particularidades propias de la operación.

12 ESTEBAN RAMOS, LM. "Acreedores sociales y fusión de sociedades..., cit.

13 Se justifica la modalidad normativa utilizada en la necesidad de cerrar los procedimientos abiertos por la Comisión Europea por la falta de transposición de ciertas Directivas dentro de plazo, entre las que se encuentra la Directiva (UE) 2019/2021.

El Libro Primero del RDL se divide en distintos títulos. El primero, integrado por dos capítulos, incluye unas disposiciones preliminares y unas disposiciones comunes a todas las modificaciones estructurales. El régimen general[14] es aplicable tanto a las operaciones internas como a las transfronterizas por remisión. Dentro de las disposiciones comunes se incluyen las normas de tutela de los acreedores sociales. El segundo título aborda las particularidades aplicables a las distintas modificaciones estructurales internas, que también alcanzan a la tutela de los acreedores sociales. Los títulos tercero y cuarto regulan las operaciones transfronterizas intra y extraeuropeas.

Por lo que al tema objeto de este trabajo se refiere, los artículos fundamentales son los números 13 a 15 RDL, incluidos en el Capítulo de disposiciones comunes, que no son aplicables, como expresamente señala la norma y ya hemos apuntado, a las transformaciones internas (art. 32 RDL). El art. 25 RDL establece que la transformación por sí sola no libera a los socios del cumplimiento de sus obligaciones frente a la sociedad. Además, en el caso de que el tipo social en que se transforme la sociedad exija el desembolso íntegro del capital social, debe procederse al mismo con carácter previo a la transformación, o a una reducción del capital con finalidad de condonación de dividendos pasivos. Por otra parte, el art. 32.1, establece que si en virtud de la transformación, los socios asumen responsabilidad personal e ilimitada por las deudas sociales, responderán de la misma forma de las deudas anteriores a la transformación. En el apartado 2 se indica que, salvo que los acreedores sociales consientan expresamente la transformación, la responsabilidad de los socios que respondían personalmente de las deudas de la sociedad contraídas antes de la transformación, seguirán respondiendo de la misma manera.

Antes de entrar en el análisis concreto de los mecanismos de protección de acreedores, hay que hacer referencia a dos cuestiones:

---

14 SEQUEIRA MARTÍN, A. "La protección de los acreedores en el nuevo régimen de las modificaciones estructurales", *RDBB*, 171, sep-oct, 2023, *recurso on line*. La existencia de un régimen común aplicable a todas las operaciones es una diferencia entre la nueva regulación y la contenida en la derogada LME.

En primer lugar, aunque es cierto que conforme al RDL es posible que una sociedad española en concurso de acreedores, sometida a un plan de reestructuración o sujeta a un plan de continuación, participe en una operación de modificación estructural, en estos supuestos se sustituye el sistema de protección de acreedores previsto en el RDL por lo establecido en el TRLC (art. 3.2 RDL).

En segundo lugar, merece una mención particular el trato especial que reciben los acreedores públicos por deudas tributarias o de seguridad social[15] ya que, al regular las particularidades de cada una de las operaciones de modificación estructural, se exige incluir en los proyectos, como parte de su contenido mínimo, la acreditación de que la sociedad se encuentra al corriente del cumplimiento de dichas obligaciones. Además, el art. 90.2 RDL, dentro de las disposiciones generales relativas a las operaciones transfronterizas exige, para que la sociedad pueda obtener el certificado previo, que se acompañe a la escritura de elevación a público del acuerdo de modificación estructural, entre otros documentos, un certificado de encontrarse al corriente en el cumplimiento de las obligaciones tributarias y frente a la Seguridad Social.

---

15 FUENTES NAHARRO, M. "La protección de los acreedores en las modificaciones..., cit., p. 470. Critica este trato especial por varias razones: porque se trata de una medida común, pero no se recoge en las Disposiciones comunes, sino en las especiales para cada operación; porque introduce incertezas sobre el significado de "estar al corriente" y sobre el ámbito de las obligaciones tributarias a que se refiere la norma. Entiende injustificada la sobreprotección de estos acreedores y llega a dudar sobre si es compatible con la libertad de establecimiento; ÁLVAREZ ROYO-VILLANOVA, S. "La nueva regulación de las modificaciones estructurales. Novedades del Real Decreto Ley 5/2023 respecto del Anteproyecto", *El Notario del siglo XXI.* 111, 2023, *recurso on line.* La mención que se hace en la norma a los certificados relativos a los créditos públicos dificulta de manera absurda las modificaciones estructurales. Si para la transformación se ha mejorado, al haber entendido que la acreditación de estar al corriente de esas deudas es un anexo que acompaña al proyecto, en las demás modificaciones estructurales forma parte del contenido del mismo.

1. Mecanismos de protección de los acreedores

Hay que destacar el hecho de que en el actual régimen de tutela de los acreedores sociales no existe ninguna referencia al derecho de oposición[16], lo que supone un cambio significativo respecto al sistema anteriormente vigente. Lo que ahora se reconoce a los acreedores es un derecho a obtener garantías. Aunque es cierto que con el ejercicio del derecho de oposición también se buscaba la obtención de garantías, su configuración dista de la del actual derecho. En cualquier caso, lo que sí comparte el actual derecho a obtener garantías con la última versión del derecho de oposición vigente hasta la aprobación del RDL, es que estas herramientas no obstaculizan el desarrollo de la operación.

1.1. Derecho de información de los acreedores

Es preciso destacar la importancia de reconocer un adecuado derecho de información a los acreedores. Derecho que cumple una función instrumental[17] respecto al derecho a obtener garantías, como la cumplía en relación al desaparecido derecho de oposición, y al derecho a formular observaciones relativas al proyecto antes de la junta general. La Exposición de Motivos del RDL reconoce expresamente el derecho de información como mecanismo de tutela de los acreedores sociales, y lo hace afirmando su carácter instrumental.

---

16 SEQUEIRA MARTÍN, A. "La protección de los acreedores..., cit., No era preciso, para transponer la Directiva, suprimir el derecho de oposición. Su eliminación es una opción del legislador español. La opción establecida no deja de ser otra técnica diferente de oposición frente a las garantías que el proyecto ofrece a los acreedores.

17 La doctrina ha venido tradicionalmente destacando la importancia del derecho de información para el adecuado ejercicio del derecho de oposición. Entre otros, VARA DE PAZ, N. "La protección de los acreedores en la fusión y escisión de sociedades", *Derecho Mercantil de la Comunidad Económica Europea, Estudios en homenaje a José Girón Tena,* Madrid, 1991, pp. 1114; más recientemente, SEQUEIRA MARTÍN, A. "El derecho de información de los acreedores como instrumento de su protección en la fusión", *Estudios sobre Derecho de Sociedades. Liber amicorum Profesor Luis Fernández de la Gándara,* Aranzadi, 2016, pág. 624.

Si solo puede solicitar garantías el acreedor que previamente haya notificado su disconformidad a la sociedad, para poder hacerlo debe de disponer de los datos necesarios que le permitan formarse una opinión sobre las garantías ofrecidas. Por otra parte, la formulación de observaciones previas exige tener acceso al proyecto. En definitiva, es fundamental articular las herramientas necesarias para que los acreedores obtengan la información necesaria, que les permitan ejercitar adecuadamente los otros derechos que completan su tutela.

El texto vigente pretende reforzar el derecho de información de los acreedores en el ámbito de las modificaciones estructurales, lo que se manifiesta en diversas exigencias contenidas en la norma. Así, dentro del contenido mínimo del proyecto se debe incluir información sobre las implicaciones que la operación tiene para los acreedores y, en su caso, sobre las garantías, personales o reales que se les ofrezcan (art. 4.1. 4° RDL)[18]. La inclusión de esta mención en el contenido mínimo del proyecto[19] supone un cambio importante respecto a la situación anterior, que no exigía ninguna referencia a la forma en que la operación pudiera afectar a los acreedores sociales[20]. Aunque no se concreta como deben explicarse las implicaciones, está claro que deben de hacerse de forma que los acreedores puedan entender el alcance que la operación puede tener para sus derechos de crédito. Además, la inclusión de esta referencia en el contenido mínimo del proyecto viene a dejar claro el derecho del que disponen los acreedores a conocer su contenido[21].

---

18 FUENTES NAHARRO, M. "La protección de los acreedores en las modificaciones..., cit., pp. 472-473. La Directiva contiene esta exigencia, lo que se asegura que los derechos nacionales deben proporcionar, desde el primer momento, información sobre las garantías que la sociedad ofrece a los acreedores.

19 SEQUEIRA MARTÍN, A. "La protección de los acreedores..., cit., Aunque como es lógico no se hace referencia a los actos previos al proyecto, en la realidad es en ese momento donde se solventa, en gran parte, la posible disconformidad de los acreedores con las garantías que el proyecto les vaya a ofrecer.

20 ESTEBAN RAMOS, LM. "Acreedores sociales y fusión de sociedades..., cit.

21 ESTEBAN RAMOS, LM. *Los acreedores sociales...*, cit., pp. 183 y ss. Donde se defiende que los acreedores son titulares de un derecho de información que va más allá de conocer el contenido del proyecto.

En relación con la publicidad[22] preparatoria del acuerdo, el art. 7 RDL exige que, un mes antes de la celebración de la junta general que vaya a acordar la modificación estructural, se inserte en la página web de las sociedades, o si no la tuviera la sociedad que se depositen en el Registro mercantil de su domicilio social, además del proyecto y del informe del experto independiente, un anuncio que informe del derecho que asiste a los acreedores a presentar a la sociedad observaciones relativas al proyecto (derecho que también corresponde a los socios y a los representantes de los trabajadores y, en caso de ausencia de estos últimos, a los propios trabajadores). Estos documentos, que constituyen un material fundamental para determinar la postura de los acreedores ante las garantías que les ofrezca la sociedad, deben mantenerse en la página web hasta que finalice el plazo que se concede a los acreedores para ejercitar sus derechos.

No puede publicarse el anuncio de convocatoria de la junta hasta que no se publique la inserción o el depósito de la documentación en el BORM. Se reconoce la posibilidad de acceder de forma gratuita a la documentación depositada en el Registro mediante el sistema de interconexión de registros.

Dentro del ámbito del derecho de información hay que aludir a la declaración sobre la situación financiera que, voluntariamente, pueden elaborar los administradores de la sociedad, art. 15 RDL. Este documento debe adjuntarse al proyecto para su publicación y sirve para completar la información a disposición de los acreedores. La Declaración debe reflejar con exactitud la situación financiera actual, en una fecha no anterior a un mes antes de la publicación de la misma. Se exige que en ella se haga constar que, sobre la base de la información a disposición de la sociedad y después de realizadas las averiguaciones que sean razonables, no se conoce ningún motivo por el que la sociedad no pueda responder de sus obligaciones al vencimiento de las mismas, una vez que la operación surta efecto.

---

22 CABANAS TREJO, R. "La nueva..., *cit.,* Cuando habla de difusión, diferencia entre comunicación y la auténtica publicidad. La primera la relaciona con lo previsto en los arts. 5. y 6.1 RDL, que tiene destinatarios específicos pudiendo la sociedad restringir el acceso solo a ellos, y la segunda, la regulada en el art. 7 RD.

En el caso de que la operación sea una escisión, debe hacerse referencia a la capacidad de las sociedades beneficiarias para responder de las obligaciones que se les atribuyan en el proyecto de escisión a su vencimiento[23]. Los administradores deben ser diligentes en la elaboración de este documento ya que, aunque el art. 15 RDL no aluda expresamente al régimen de responsabilidad derivado de su emisión, está claro que esa responsabilidad existe, ya que se incluiría dentro del régimen general de responsabilidad de los administradores[24].

1.2. Derecho a obtener garantías

El derecho a obtener garantías adecuadas[25] constituye, en la normativa vigente, el principal instrumento de protección de los acreedores. Es importante dejar claro que la realización de una operación de modificación estructural no obliga a la sociedad a prestar garantías a favor de los acreedores. A lo único que está obligada, es a informarles en el proyecto de las consecuencias que la operación pudiera ocasionarles y a incluir, en su caso, las garantías que ofrezca. Esto supone que si la sociedad entiende que los acreedores disponen de suficientes garantías, no tendría por qué incluirse ninguna en el proyecto[26].

---

23 MATILLA MAHÍQUES, L./FORTEA GORBE, JL./AZNAR GINER, E. "Modificaciones y novedades enmarcadas en el ámbito de modificaciones estructurales de las sociedades mercantiles", *La nueva regulación de las modificaciones estructurales de sociedades de capital y otras novedades introducidas por el RD-Ley 5/2023, de 28 de junio,* tirant lo blanch, Valencia, 2023, p. 41. Hablan de odiosa remisión inversa de las disposiciones generales a las particulares de la escisión.

24 FUENTES NAHARRO, M. "La protección de los acreedores en las modificaciones ..., cit. p. 506.

25 FERNÁNDEZ DEL POZO, L. "La protección de acreedores..., cit., p. 195. Considera que el derecho a obtener garantías es un derecho renunciable tanto con carácter preventivo, como en cualquier otro momento, después de la publicación de la información preparatoria.

26 FUENTES NAHARRO, M. "La protección de los acreedores en las modificaciones ..., cit. pp. 473. De no ofrecer garantías, lo correcto es que la sociedad justifique por qué no lo hace.

El derecho a obtener garantías no tiene efectos obstativos. Su ejercicio no impide que la operación pueda concluir. Esto, como ya hemos mencionado, ocurría en la normativa anteriormente vigente desde 2012. Ahora el RDL es muy claro al respecto, al señalar su art. 13.3 que el ejercicio del derecho no paraliza la operación de modificación estructural, ni impide su inscripción en el Registro Mercantil. Por otra parte, se trata de un derecho judicial, ya que a quien el acreedor puede solicitar las garantías es al Juez de lo Mercantil, que es quien tiene potestad para decidir sobre la necesidad de su prestación o la adecuación de las propuestas por la sociedad. El Registrador mercantil se limita a intentar acercar las posiciones del acreedor y de la sociedad.

Están legitimados para solicitar las garantías los mismos acreedores que lo estaban para ejercitar el anterior derecho de oposición, es decir, aquellos que sean titulares de créditos anteriores a la publicación del proyecto y que no estén vencidos en ese momento[27]. La legitimación también incluye a los obligacionistas, salvo que la modificación estructural hubiera sido aprobada por la asamblea de obligacionistas.

La fecha de publicación del proyecto es fundamental, al marcar el momento en que se da a conocer la potencial modificación, por lo que solo los acreedores anteriores podrían argumentar que sus expectativas de cobro se pueden ver dañadas por una operación cuya realización desconocían en el momento del nacimiento de la obligación.

La exigencia del no vencimiento también es lógica ya que, de estar vencidos, lo procedente no sería solicitar garantías del cumplimiento del crédito de que son titulares, sino acudir a la vía pertinente para reclamar su satisfacción.

El texto vigente resuelve los problemas que para los acreedores suscitaba la adopción del acuerdo en junta universal. El art. 9 RDL permite que el acuerdo de modificación estructural se adopte sin

---

[27] ESCRIBANO GAMIR, RC. *La protección de los acreedores...*, cit, pp. 358-359. Quien pone en cuestión el hecho de que se unifiquen el requisito de la anterioridad del crédito y el de su vencimiento.

publicar los documentos exigidos por la ley y sin anuncio de la posibilidad de formular observaciones al proyecto, ni informe de los administradores, cuando se haga en junta universal y por unanimidad de los socios. El art. 13.2 RDL solventa la falta de información previa, ampliando el ámbito de legitimación a los acreedores cuyos créditos hubieran nacido antes de la fecha de publicación del acuerdo o de la fecha de comunicación individual, ya que es a partir de ese momento cuando tienen conocimiento de los mismos al tener que incorporarse a la escritura de modificación estructural[28], tal y como establece el art. 9.1 RDL. Además, el art. 10 RDL exige que, adoptado el acuerdo de modificación estructural se publique en el BORM y en la página web de la sociedad, o si esta falta, en uno de los diarios de mayor difusión en las provincias del domicilio de las sociedades. En el anuncio se hace constar el derecho de los acreedores a obtener el texto íntegro del acuerdo y del balance. En definitiva, la protección de los acreedores no resulta mermada si el acuerdo se adopta en junta universal, ya que el límite de la legitimación se sigue situando en el momento en que la operación transciende a terceros, lo que permite que el derecho de información pueda seguir cumpliendo su función instrumental respecto al derecho a obtener garantías.

A lo que sí afectaría de manera negativa la adopción del acuerdo en junta universal, sería al derecho a presentar observaciones al proyecto[29], ya que estas tienen utilidad antes del acuerdo.

---

28 Esta solución ya se proponía por la doctrina, MARTÍ MOYA, V. "Sobre la modificabilidad del proyecto y el acuerdo unánime de fusión en la Ley de Modificaciones Estructurales. El artículo 42 LME", *RDS,* 37, 2011, p. 93; ESTEBAN RAMOS, LM. *Los acreedores sociales…*, cit., pp.237-238.

29 FUENTES NAHARRO, M. "La protección de los acreedores en las modificaciones …, cit., pp. 477 y ss. La exclusión del derecho a presentar observaciones y la previsión supletoria del art. 10 RDL para restaurar el derecho de información, es dudosamente compatible con la Directiva de Movilidad y con el sistema de protección de los acreedores de los artículos 13 a 15 RDL. Respecto a esto segundo, propone modificar la normativa y que los acreedores sean tratados de la misma forma que los trabajadores, exigiendo que el derecho de información que para ellos deriva de la documentación que compone la publicación preparatoria se vea también satisfecho.

El ejercicio del derecho a obtener garantías debe de estar justificado, por lo que se limita a los supuestos en los que resulta estrictamente necesario, como lo demuestra la exigencia de que los acreedores prueben, conforme al art. 14 RDL, los dos extremos siguientes: que la satisfacción de sus derechos está en riesgo debido a la modificación estructural y que no han obtenido garantías adecuadas por parte de la sociedad.

El acreedor no puede buscar con el ejercicio del derecho a obtener garantías la mejora de su posición jurídica, lo que era posible con el desaparecido derecho de oposición, donde no había que probar la existencia de ningún riesgo o perjuicio para los derechos de crédito del acreedor oponente como consecuencia de la realización de la operación de modificación estructural. Esto permitía la comisión de abusos por parte de los acreedores y la paralización de la operación sin ninguna causa que lo justificara.

La carga probatoria de esas circunstancias recae sobre los acreedores. Carga que resulta especialmente gravosa para los acreedores con menos recursos económicos y que no disponen del asesoramiento necesario. En definitiva, las características del acreedor son determinantes del ejercicio o no del derecho a obtener garantías y, por ende, de que este derecho cumpla en la práctica la finalidad para la cual ha sido creado.

Respecto a la prueba del riesgo[30] el RDL, a diferencia de lo que establece la Directiva para las operaciones transfronterizas, no exige que la demostración se realice de forma creíble. Esto, que podría interpretarse como un guiño a los acreedores, realmente no lo es ya que, se diga o no que la demostración debe hacerse en esos términos, lo cierto es que los argumentos que presenten los acreedores deben ser conformes con el significado de esa expresión, porque una interpretación diferente carecería de sentido.

---

30 FUENTES NAHARRO, M. "La protección de los acreedores en las modificaciones..., cit., p 474. La exigencia de incluir en el proyecto las implicaciones de la operación para los acreedores, puede facilitarles la carga de la prueba.

En relación a la segunda exigencia, el legislador incluye una presunción *iuris tantum* en favor de la adecuación o necesidad de las garantías ofrecidas por la sociedad. Se presume, salvo prueba en contrario, que las garantías son adecuadas o necesarias[31] cuando el informe del experto independiente haya constatado esa adecuación, o cuando la sociedad haya emitido una declaración sobre su situación financiera[32] en la que se señale que no existe motivo para entender que después de la operación la sociedad no pueda responder de sus obligaciones al vencimiento de estas.

El informe del experto se realiza por un tercero ajeno a la sociedad, lo que implica mayor garantía para los acreedores. Sin embargo, la declaración sobre la situación financiera es un documento elaborado por un órgano social[33] al que se le da, a estos efectos, el mismo valor que al realizado por el experto. Su regulación es una novedad en nuestro ordenamiento, y supone la introducción de una especie de *test de solvencia futura*. Aunque no se dice cómo debe realizarse el pronóstico, parece claro que no debe basarse en simples conjeturas sino en técnicas adecuadas para prevenir la futura solvencia[34]. En cualquier caso, el hecho de que proceda de un órgano de la sociedad significa una menor garantía para los acreedores[35].

---

31 FUENTES NAHARRO, M. "La protección de los acreedores en las modificaciones ..., cit., p. 504. Apunta a un error en la expresión necesarias y que el legislador ha querido decir innecesarias.

32 PULGAR EZQUERRA, J. "Transformaciones transfronterizas y Directiva (UE 2019/2121): prevención del fraude y protección de socios y acreedores", *Diario La Ley*, 2020, 9572, *recurso on line*. Habla de mecanismo optativo de protección de los acreedores.

33 FERNÁNDEZ DEL POZO, L. "La protección de acreedores..., cit., p. 222. Habla de la declaración de solvencia como de una fianza solidaria que ofrecen los administradores y como toda garantía prometida unilateralmente, está sujeta a revisión por el experto independiente.

34 FERNÁNDEZ DEL POZO, L. "La protección de acreedores..., cit., p. 231. El diagnóstico que se hace en la declaración no es una simple conjetura, sino que debe estar amparado por una correcta utilización de modelos probabilísticos de diagnóstico/previsión de la insolvencia futura recomendados por la *lex artis*.

35 SEQUEIRA MARTÍN, A. "La protección de los acreedores..., cit., Habla de presunción excesiva en tanto que la declaración procede de la parte interesada.

Estos documentos facilitan a la sociedad deudora, a los acreedores y, en su caso, al órgano judicial la valoración de las garantías que se ofertan por la sociedad, pero también incrementan las dificultades del acreedor para acceder a las garantías, ya que resulta difícil destruir la presunción que se construye en base a su contenido.

La declaración sobre la situación financiera es compatible con el informe del experto, de hecho, si los acreedores no están de acuerdo con su contenido, pueden solicitar el nombramiento del experto.

La no existencia del informe sobre la adecuación de las garantías puede deberse, bien a que no sea necesaria su intervención y no se hubiera designado experto, o a que el informe no incluyera esa tercera parte, que es potestativa, donde se recoge la valoración de las garantías ofrecidas, en su caso, a los acreedores.

En lo que a los costes derivados de la realización del informe se refiere, se aprecia que los criterios establecidos para su atribución tratan de impedir un ejercicio abusivo del derecho de los acreedores a solicitar el nombramiento de un experto. Corresponde a los acreedores asumir el coste en los supuestos en que la sociedad haya hecho una declaración sobre la situación financiera, cuando el informe del experto considere que las garantías son adecuadas o si se desestima la reclamación judicial del acreedor.

El plazo de que disponen los acreedores para ejercitar el derecho a obtener garantías es diferente para las operaciones internas y para las transfronterizas, un mes y tres respectivamente. En ambos casos, el plazo se cuenta desde la fecha de publicación del proyecto de la operación. Esto supone una diferencia con la LME, donde el plazo comenzaba a contar desde la fecha de publicación del acuerdo. No sé si resulta del todo adecuada la solución del RDL, ya que podría ocurrir que se iniciara un procedimiento judicial y, finalmente no se llegara a aprobar la modificación. El plazo no se vería afectado por el hecho de que, para ejercitar el derecho, el acreedor ha tenido previamente que haber notificado a la sociedad su disconformidad con las garantías ofrecidas por la sociedad, o con el no ofrecimiento de garantías. Y ello, porque no tiene que esperar a la respuesta de la sociedad sobre su disconformidad[36].

El procedimiento a seguir por los acreedores para reclamar garantías a la sociedad difiere en función de que se haya emitido o no el informe del experto independiente y de cuál sea su contenido. Esto significa que el legislador reconoce especial importancia al informe dentro del actual sistema de tutela de los acreedores, de cuya existencia y contenido depende que se produzca o no el acceso directo a la vía judicial.

El procedimiento establecido para el ejercicio del derecho a solicitar garantías tiene una naturaleza híbrida, con una fase registral y otra judicial, sin que la primera resulte necesaria en todos los casos.

La nueva regulación pretende una desjudicialización del sistema al establecer una primera fase ante el Registrador mercantil, que permite evitar la vía judicial si se logra un acercamiento entre el acreedor y la sociedad, de forma que aquél se de por satisfecho con las garantías que la sociedad le hubiera podido ofrecer, o con la mejora de las recogidas en el proyecto. El Registrador no tiene facultades decisorias, y es en la vía judicial donde se decide, ante el desacuerdo entre el acreedor y la sociedad, si las garantías resultan o no adecuadas. Por ello, si realmente se pretendía una total desjudicialización, hubiera estado bien haber dado un paso más, otorgando al Registrador facultades decisorias.

Si los acreedores no están de acuerdo con las garantías ofrecidas por la sociedad, o con la falta de garantías, deben notificar a la sociedad su disconformidad, notificación para la que no se prevé forma específica, por lo que debiera ser suficiente con que se pudiera tener constancia de ella. Realizada la notificación, la manera de proceder para obtener las garantías es la siguiente:

- Si se hubiera emitido un informe por un experto independiente, y en él se considerase que las garantías ofrecidas por la sociedad son adecuadas, el acreedor puede acudir directamen-

---

36 FUENTES NAHARRO, M. "La protección de los acreedores en las modificaciones ..., cit., p 490.

te al Juzgado de lo Mercantil para realizar su solicitud. Esto implica que la existencia de una opinión de un experto independiente favorable a la adecuación de las garantías impide que la sociedad pueda replantearse su oferta para evitar la vía judicial.

- Si el informe considera que las garantías son inadecuadas, el acreedor deberá acudir previamente al Registrador Mercantil del domicilio social para se inicie un procedimiento de mejora de las garantías. El Registrador da traslado a la sociedad para que esta pueda ampliarlas u ofrecer otras nuevas. Si aun así el acreedor sigue insatisfecho, podrá acudir a la vía judicial solicitando garantías a la sociedad en el plazo de 10 días. Nada parece impedir que, llegados a este momento y suspendiendo los plazos de caducidad para acceder a la vía judicial, pueda intentarse evitar ésta acudiendo a una mediación o resolver el asunto por medio de arbitraje, siempre que las partes estén de acuerdo en ello.
- Cuando no existiera un informe previo, el acreedor debe solicitar al Registrador Mercantil el nombramiento del experto para que elabore un informe sobre la adecuación de las garantías. El nombramiento se debe hacer en el plazo de cinco días, dentro de los tres meses desde la publicación del proyecto. Nombrado el experto y emitido su informe en el plazo de 20 días, en función de cuál sea su contenido, quedaría abierta la vía judicial o se daría opción a la sociedad para que modificase las garantías ofertadas.

A la vista de esta tercera posibilidad, hay quien plantea la duda de si en este supuesto la solicitud de nombramiento de experto constituye o no un requisito para el ejercicio del derecho a solicitar garantías[37]. A la vista de la letra de la ley, lo más adecuado parece ser entender la necesidad del mismo, ya que si no existe informe no sería posible acudir a la vía judicial solicitando garantías adecuadas[38].

---

37 FUENTES NAHARRO, M. "La protección de los acreedores en las modificaciones ..., cit., pp 497-500. Donde expone los argumentos para justificar que no puede considerarse como requisito de procedibilidad.

38 ESTEBAN RAMOS, LM. "Acreedores sociales y fusión de sociedades..., cit.

El Anteproyecto de LME establecía reglas para guiar la labor del órgano judicial a la hora valorar la adecuación de las garantías. En concreto, señalaba que el juez tendría en cuenta *si el crédito del acreedor frente a la sociedad tiene un valor al menos equivalente y una calidad crediticia proporcional a la que tenía antes de la operación,* indicación que estaba en consonancia con el contenido del Considerando 23 de la Directiva, y que ha desaparecido del texto vigente. No parece adecuada esta supresión, en la medida en que lo que hacía era determinar los supuestos en los que realmente está en riesgo la satisfacción del crédito y, por tanto, justificada la concesión de las garantías.

La eficacia de cualquier garantía queda supeditada a que la modificación estructural surta efecto. Esto pone de manifiesto algo que ya sabemos, y es que el derecho a solicitar garantías adecuadas actúa como un mecanismo de tutela a posteriori.

Las garantías ofrecidas por la sociedad pueden ser, a falta de prescripción en contra, de cualquier tipo.

Respecto a los efectos derivados del ejercicio del derecho a solicitar garantías, este no obstaculiza el desarrollo la operación, ni impide su inscripción en el Registro Mercantil.

2. *Particular referencia a las observaciones relativas al proyecto que pueden realizar, entre otros, los acreedores sociales*

Dentro de las medidas de protección de los acreedores, creemos oportuno dedicar un apartado específico a la posibilidad de presentar observaciones relativas al proyecto que se reconoce, entre otros, a los acreedores sociales.

De conformidad con la Directiva[39], el art. 7.1.2º del RDL establece la necesidad de publicar un anuncio mediante el cual se informe a socios, acreedores y representantes de los trabajadores, de la posibilidad de formular observaciones relativas al proyecto. La publicación debe hacerse hasta cinco días laborables antes de la fecha de la junta general. Este anuncio se insertará por los administradores de las so-

---

[39] Artículos 86 *octies* 1 b) y 86 *nonies*. 1, 126.1 y 160 *nonies* de la Directiva.

ciedades participantes, un mes antes de la fecha de celebración de la junta general, en la página web de la sociedad, o se depositará en el Registro Mercantil del domicilio social en ausencia de página web.

Para poder hacer las observaciones se fundamental que se de publicidad al proyecto. En el caso de los acreedores, resulta de particular relevancia las menciones del mismo relativas a las implicaciones de la operación para ellos y a las garantías ofrecidas.

¿Cuál es la utilidad de estas observaciones[40]?

En primer lugar, se podría entender que en base a estas observaciones la junta podría replantearse las garantías ofrecidas en el proyecto y modificar las mismas. Al respecto, hay que tener en cuenta que el art. 8.2 RDL señala que la junta general debe tomar nota de las opiniones presentadas, entre otros, por los acreedores, para a la vista de todo ello acordar la aprobación o no del proyecto. Por otra parte, en el apartado séptimo del mismo artículo, se admite la posibilidad de modificación del proyecto, para lo que debe concurrir la mayoría exigida para la adopción del acuerdo. Si admitimos que se modifiquen las garantías a partir de las observaciones realizadas, esto supondría una modificación del proyecto. Posibilidad de modificación que no está del todo clara ya que, si conforme al art. 8, incluido en las disposiciones generales, esto es posible, si acudimos a la regulación específica de las operaciones no ocurre lo mismo. Así, en los arts. 47, para la fusión (aplicable a la escisión en virtud del art. 63) y 77, para la cesión global de activo y pasivo, se exige que el acuerdo se ajuste estrictamente al proyecto, por lo que cualquier modificación unilateral del proyecto equivale a su rechazo.

Esta contradicción creo que debe ser interpretada en el sentido de entender que no es posible la modificación[41], ya que la otra so-

---

40 ESTEBAN RAMOS, LM. “Acreedores sociales y fusión de sociedades…, cit.

41 MARÍN DE LA BÁRCENA, F. “La Directiva 2019/2121, sobre transformaciones, fusiones y escisiones transfronterizas. La protección de los acreedores”, *AG*, febrero, 2020, *recurso on line*. Para quien cabe esa modificación en base a la Resolución de la DGRN de 3 de octubre de 2015, y siempre que concurra el acuerdo de las juntas generales de todas las sociedades intervinientes. Sin embargo, en el ámbito del Anteproyecto no tendría cabida; SEQUEIRA MARTÍN, A. “La protección de los acreedores…, cit., Se deja

lución iría en contra de los intereses de los titulares del derecho de información, entre los que se encuentran los acreedores.

Si esto es así, la transcendencia de estas observaciones no iría más allá de constituir una herramienta que ofrece a la junta general elementos de juicio necesarios para adoptar su decisión en relación con la modificación estructural, decisión que únicamente puede consistir en aprobar o rechazar el proyecto, lo que parece más acorde con el art. 8.2 RDL que dice, como ya hemos visto, que a la vista de las observaciones la junta general acordará la aprobación o no del proyecto.

Poniendo en relación estas observaciones con el derecho a obtener garantías, aquéllas pueden ser tenidas en cuenta por la sociedad a la hora de decidir mejorar garantías en los supuestos en los que el informe del experto independiente las considera inadecuadas, que es el único supuesto en que la sociedad puede alterar las propuestas antes de acudir a la vía judicial.

Hay quien entiende que la presentación se observaciones es el momento adecuado para que los acreedores planteen la disconformidad con las garantías que haya podido ofrecer la sociedad, pero sin que ello implique que su presentación constituya un requisito necesario para que pueda prosperar el derecho a obtener garantías[42].

III. LA PROTECCIÓN DE LOS ACREEDORES EN LAS OPERACIONES TRANSFRONTERIZAS

La transcendencia que en la actualidad tienen las operaciones transfronterizas queda fuera de toda duda[43]. De ahí la importancia

---

abierta la puerta a posibles modificaciones del proyecto, entre las que se encuentra la relativa a las garantías ofrecidas.

42 FUENTES NAHARRO, M. "La protección de los acreedores en las modificaciones ..., cit. pp. 475-476.

43 ARENAS GARCÍA, R. "Las modificaciones societarias transfronterizas: de la marginalidad a la centralidad", *La Ley Unión Europea*, 113, 2023, *recurso on line*. Hace unas décadas las modificaciones estructurales transfronterizas eran una rareza y carecían de regulación adecuada. Estas operaciones constituyen una manifestación de la libertad de establecimiento.

de facilitar su realización, mediante el establecimiento de una adecuada regulación que tenga en cuenta todos los intereses implicados. Si la existencia de un sistema específico de tutela de los acreedores sociales está justificada en las operaciones internas, lo está aún más en las transfronterizas, dado que pueden conllevar, como ya hemos apuntado en otro momento, un cambio de *lex societatis*[44] y de jurisdicción para alguna de las sociedades participantes. Cambio que resultaría particularmente perjudicial para los acreedores cuando la legislación aplicable a la sociedad que resulte deudora tras la operación contenga un sistema de tutela con menores garantías. Situación que puede producirse ya que, incluso en el ámbito comunitario, existen diferencias entre los derechos de los Estados miembros. De hecho, el art. 126 ter de la Directiva remite a los Estados miembros la regulación del sistema de protección de los acreedores, respecto de los créditos que hayan nacido antes de la publicación del proyecto y aún no hayan vencido. Establece los requisitos que han de tenerse en cuenta a la hora de establecer los mecanismos de tutela, pero son los Estados los que deciden el sistema concreto, que puede resultar más o menos protector de los intereses de los acreedores[45]. Por lo que al cambio de jurisdicción se refiere, implica que los acreedores se verían, en su caso, obligados a demandar a su sociedad deudora ante los órganos judiciales de un Estado diferente, con las complicaciones que ello conlleva.

La regulación de las operaciones transfronterizas intraeuropeas se recoge en el Título III del Libro Primero del RDL. En él se contienen una serie de disposiciones generales, entre las que se encuentra la protección de los acreedores, y luego disposiciones específicas para cada una de las operaciones en particular. Conforme al art. 83 RDL, las sociedades españolas que participan en una operación transfron-

---

44 ESTEBAN RAMOS, LM. "La fusión transfronteriza en el ámbito del Derecho Comunitario", *Cuadernos de Derecho Transnacional,* Vol. 15, 2, 2023, pp. 379. Este cambio de legislación supone que, por ejemplo, en las operaciones de fusión se tenga en cuenta a la hora de decidir cuál será la sociedad resultante, la legislación que le resulte aplicable.

45 MARÍN DE LA BÁRCENA, F. "La Directiva 2019/2121…, cit., Lo que establece la Directiva en materia de protección de acreedores, resulta más gravoso para ellos y más favorable a la movilidad.

teriza deben cumplir los requisitos previstos para las modificaciones estructurales internas.

Dentro de las disposiciones generales se enmarca el art. 87 RDL, bajo el título Protección de los acreedores, que alude al certificado previo a emitir por el Registrador Mercantil para señalar que, si al tiempo de su emisión algún acreedor de una sociedad española participante en una operación transfronteriza ha manifestado su disconformidad con las garantías y, en su caso, ha presentado demanda judicial, se debe dejar constancia de ello en el certificado previo[46]. Con esta mención, se pone en conocimiento de la sociedad resultante la posibilidad de que esta deba hacer frente, en su caso, al otorgamiento de garantías adecuadas a esos acreedores.

En las operaciones transfronterizas, el Registrador mercantil lleva a cabo un control previo de legalidad, comprobando el cumplimiento de todas las condiciones, procedimientos y formalidades correspondientes de acuerdo con la ley aplicable a la sociedad. Entre estas, debe comprobar si se han respetado o no los derechos de los acreedores, de ahí, que se exija dejar constancia en el Certificado previo que debe emitir, de si algún acreedor se ha mostrado disconforme con las garantías ofrecidas y, en su caso, si ha presentado demanda judicial.

El art. 99 RDL, para las transformaciones transfronterizas señala que, sin perjuicio de otros foros de competencia judicial internacional, durante los dos años siguientes a la eficacia de la transformación, los acreedores con créditos anteriores a la publicación del proyecto podrán demandar a la sociedad ante los tribunales del domicilio social que ésta tenía en el Estado de origen. Prevaleciendo sobre esta regla los acuerdos de elección de foro y los convenios arbitrales. No se contempla una norma semejante en los casos de fusión o escisión, pero podría plantearse la posible aplicación analógica de la misma.

---

46 FUENTES NAHARRO, M. "La protección de los acreedores en las modificaciones..., cit., pp. 468-469. La exigencia de dejar constancia en el certificado previo de la demanda de solicitud de garantías adecuadas, no venía exigida por la transposición, sino que es iniciativa del legislador español.

En relación a las modificaciones estructurales extraeuropeas, el art. 122 RDL señala que a las sociedades españolas que participen en estas operaciones, les serán de aplicación las normas previstas para las modificaciones estructurales intraeuropeas.

IV. OTROS MECANISMOS DE TUTELA

Como ya hemos indicado, en el ámbito de la transformación interna, y dado que la situación que se produce no es la misma que en el resto de operaciones al no existir una transmisión en bloque de los patrimonios sociales, el art. 32.3 RDL establece que no son aplicables las disposiciones comunes sobre protección de acreedores. No obstante, se establecen normas específicas de tutela. Así, los acreedores no solo están protegidos a través del derecho de información, sino por otros mecanismos a los que ya se ha hecho referencia, y que suponen la eliminación de cualquier riesgo para los acreedores derivado de la transformación.

En la escisión, a los mecanismos recogidos en las disposiciones generales se añade el de la responsabilidad de las sociedades beneficiarias y de la sociedad escindida por las deudas de esta. Esta responsabilidad ya se contemplaba en la LME, pero se han incluido cambios importantes.

- En primer lugar, se indica cuál es el círculo de acreedores protegidos. El art. 70 RDL habla de deudas nacidas antes de la publicación del proyecto de escisión y aun no vencidas en ese momento, mientras que el art. 80 LME hablaba de obligaciones asumidas por la sociedad beneficiaria. Con ello, se resuelven las dudas sobre qué ocurre con las deudas que nacieron antes del proyecto y que no habían sido satisfechas.
- En segundo lugar, se limita la responsabilidad de la sociedad parcialmente escindida al activo neto que permanece en la misma. Esto supone una mejora importante respecto de la situación anterior, donde al no contemplarse esta limitación, la sociedad parcialmente escindida era responsable de la totali-

dad de la deuda[47]. Cuestión que había sido criticada por la doctrina.

- Se establece, con acierto, un plazo de prescripción de la responsabilidad solidaria de cinco años, lo que se traduce en seguridad jurídica.
- Por último, si conforme a la normativa anterior pudiera existir alguna duda sobre la compatibilidad de este mecanismo con el derecho a obtener garantías, ahora se reconoce expresamente la compatibilidad.

En el supuesto de la cesión global de activo y pasivo, el artículo 91 RDL regula la responsabilidad solidaria por las obligaciones incumplidas en términos semejantes a la escisión. Además, se alude a la responsabilidad de los socios, si estos han recibido contraprestación por la cesión y de la propia sociedad no extinguida, en este caso, la responsabilidad se extiende a la totalidad de la deuda.

La responsabilidad de cesionarios y socios prescribe a los cinco años, límite que ya estaba presente en la LME.

V. BIBLIOGRAFÍA

ÁLVAREZ ROYO-VILLANOVA, S. "Una visión práctica tras la reforma de 2012 y la Resolución de la Dirección General de Registros y del Notariado de 9 de mayo de 2014", *Diario La Ley*, 2014, 8411, *recurso on line.*

- "La nueva regulación de las modificaciones estructurales. Novedades del Real Decreto Ley 5/2023 respecto del Anteproyecto", *El Notario del siglo XXI.* 111, 2023, *recurso on line.*

---

47 ÁLVAREZ ROYO-VILLANOVA, S. "La nueva regulación..., cit., No parece de acuerdo con esa limitación, ya que implica que, en lugar de responder la sociedad parcialmente escindida con todo su patrimonio presente y futuro, lo hace con el mismo límite que las sociedades beneficiarias. Además, dice que no está justificado ya que la escisión es una operación especialmente peligrosa ya que permite distribuir activos y pasivos perjudicando a los acreedores. Entiende que con esta modificación se reduce la responsabilidad en perjuicio de los acreedores.

ARENAS GARCÍA, R. "Las modificaciones societarias transfronterizas: de la marginalidad a la centralidad", *La Ley Unión Europea,* 113, 2023, *recurso on line.*

CABANAS TREJO, R. "La nueva —y apresurada— legislación sobre modificaciones estructurales de las sociedades mercantiles", *El Notario del siglo XXI,* 111, 2023, *recurso on line.*

ESCRIBANO GAMIR, RC. *La protección de los acreedores sociales frente a la reducción del capital social y las modificaciones estructurales de las sociedades anónimas,* Navarra, Aranzadi, 1998.

ESTEBAN RAMOS, LM. *Los acreedores sociales ante los procesos de fusión y escisión de sociedades anónimas: instrumentos de protección,* Thomson Reuters Aranzadi, Pamplona, 2017, 2ª ed.

– "Acreedores sociales y fusión de sociedades: pasado, presente y ¿futuro? Especial referencia al Anteproyecto de Ley de Modificaciones Estructurales de Sociedades Mercantiles", *La Ley Mercantil,* 101, abril 2023, *recurso on line.*

FERNÁNDEZ DE CÓRDOVA CLAROS, L. "El nuevo derecho de oposición de los acreedores a las reestructuraciones empresariales", *Cuadernos de Derecho y Comercio,* 59, 2013, pp. 71-84.

FERNÁNDEZ DEL POZO, L. "La protección de acreedores frente a las modificaciones estructurales", dir. PULGAR EZQUERRA; J, *La nueva Ley de modificaciones estructurales",* La Ley, Madrid, 2024, pp. 181-273.

FUENTES NAHARRO, M. "La protección de los acreedores en las operaciones transfronterizas en la nueva Directiva 2019/2121", *Revista General de Insolvencias y Reestructuraciones,* 2, 2021, *recurso on line.*

– "La protección de los acreedores en las modificaciones estructurales", Rojo, A; Campuzano, AB; Cortés, LJ y Pérez Troya, A (coor), *Las modificaciones estructurales de las sociedades mercantiles,* Aranzadi, Madrid, 2024, pp. 3031-2088.

MARÍN DE LA BÁRCENA, F. "La Directiva 2019/2121, sobre transformaciones, fusiones y escisiones transfronterizas. La protección de los acreedores", *AG,* febrero, 2020, *recurso on line.*

MATILLA MAHÍQUES, L/FORTEA GORBE, JL/AZNAR GINER, E. "Modificaciones y novedades enmarcadas en el ámbito de modificaciones estructurales de las sociedades mercantiles", *La nueva regulación de las modificaciones estructurales de sociedades de capital y otras novedades introducidas por el RD-Ley 5/2023, de 28 de junio,* tirant lo blanch, Valencia, 2023

MOTOS GUIRAO, M. *Fusión de Sociedades Mercantiles,* Madrid, 1953.

PÉREZ TROYA, A. "La Directiva sobre transformaciones, fusiones y escisiones transfronterizas: una aproximación, con particular referencia a la tutela de los socios", *RDS*, 2020, 58, *recurso on line.*

PULGAR EZQUERRA, J. "Transformaciones transfronterizas y Directiva (UE 2019/2121): prevención del fraude y protección de socios y acreedores", *Diario La Ley*, 2020, 9572, *recurso on line.*

SEQUEIRA MARTÍN, A. "El derecho de información de los acreedores como instrumento de su protección en la fusión", *Estudios sobre Derecho de Sociedades. Liber amicorum Profesor Luis Fernández de la Gándara,* Aranzadi, 2016, pp. 623-674.

– "La protección de los acreedores en el nuevo régimen de las modificaciones estructurales", *RDBB,* 171, sep-oct, 2023, *recurso on line.*

VARA DE PAZ, N. "La protección de los acreedores en la fusión y escisión de sociedades", *Derecho Mercantil de la Comunidad Económica Europea, Estudios en homenaje a José Girón Tena,* Madrid, 1991, pp. 1099-1026.

Comunidades de energía y derecho de sociedades

MARIA ELISABETE GOMES RAMOS[1]
Professora Associada com Agregação
Faculdade de Economia da Universidade de Coimbra

RESUMEN

Transponiendo las Directivas (UE) 2019/944 y (UE) 2018/2001, el Decreto-Ley 15/2022, de 14 de enero, regula las comunidades de energías renovables y las comunidades energéticas de ciudadanos. Ambas pueden tener naturaleza societaria, pero sus estatutos deben estipular la adhesión abierta y voluntaria, priorizando los beneficios ambientales, económicos y sociales de los miembros y de los territorios donde operan las comunidades y, en el caso de las comunidades de energías renovables, el control de la persona jurídica por parte de sus miembros. El régimen jurídico, fuertemente inspirado en el derecho cooperativo, plantea algunas dificultades en su aplicación a las comunidades energéticas societarias. El artículo aborda el *gap* que existe en el marco jurídico portugués entre el régimen jurídico de las sociedades y el régimen de las comunidades energéticas societarias. Para frenar los abusos del *citizen washing* que han distanciado las comunidades energéticas de sus fines identitarios, el artículo se ampara en la «no absolutización» de la personalidad jurídica de las comunidades energéticas societarias.

Palabras clave: sociedades, comunidades de energia, *benefit corporation*.

ABSTRACT

Transposing Directives (EU) 2019/944 and (EU) 2018/2001, Decree-Law 15/2022 of 14 January regulates renewable energy communities and citizens' energy communities. Both can be company-based, but their statutes must stipulate open and voluntary membership, prioritising the environmental, economic and social benefits of members and the territories in which the communities operate and, in the case of renewable energy communities, control of the legal entity by its members. The legal regime, strongly inspired by co-operative law, poses some difficulties in its application to corporate energy communities. The article addresses

---

[1] Univ Coimbra, CeBER, Faculty of Economics, Av Dias da Silva 165, 3004-512 Coimbra. Email: mgramos@fe.uc.pt. ORCID iD: 0000-0001-5376-4897. Este texto se utilizó como soporte para la ponencia presentada en el I Congresso Hispano-Luso de Derecho de Sociedades y Crisis Empresariales. Homenage al Prof. Dr. Jorge Manuel Coutinho de Abreu. Dirección: Prof. Dr. Fernando Carbajo Cascón; Prof. Dr. Alfredo Ávila de la Torre. Coordinación: Prof. Dr. Martín González-Orús Charro. Salamanca, 18 e 19 de abril de 2024.

the regulatory gap that exists in the Portuguese legal framework between the legal regime for companies and the regime for corporate energy communities. In order to tackle the abuses of citizen washing, which have misled energy communities from their identity purposes, the article argues for the 'non-absolutisation' of the legal personality of corporate energy communities.

Keywords: *companies, energy communities, benefit corporation.*

Sumario: I. PROFESSOR DOUTOR J. M. COUTINHO DE ABREU. II. ¿QUIÉNES SON LAS COMUNIDADES ENERGÉTICAS? III. ¿LAS COMUNIDADES ENERGÉTICAS SON SOCIEDADES? IV. DISTANCIAS ENTRE EL DERECHO DE SOCIEDADES Y LAS COMUNIDADES ENERGÉTICAS. 1. El desfase organizativo. 2. Citizen washing y la "no absolutización" de la personalidad jurídica de las sociedades. V. CONCLUSIONES. VI. BIBLIOGRAFÍA.

I. PROFESSOR DOUTOR J. M. COUTINHO DE ABREU

Solicito permiso para decir unas palabras iniciales en portugués y luego continuar mi ponencia en español.

Permitam-me que comece por saudar o Senhor Doutor Coutinho de Abreu, justo merecedor desta homenagem, e a sua Família.

Felicito os Senhores Professores Doutores Fernando Carbajo Cascón, Alfredo Ávila de la Torre e Martín González-Orús Charro pela realização deste I Congresso Hispano-Luso de Derecho de Sociedades y crisis empresariales.

Cumprimento muito cordialmente o Senhor Prof. Doutor Paulo de Tarso Domingues, que preside a esta Mesa, e os Senhores Professores Doutores Jesús Quijano González e Benjamín Peñas Moyano. Cumprimento todas e todos os participantes neste Congresso.

Porquê o tema das comunidades de energia societárias neste congresso dedicado à Homenagem ao Senhor Doutor Coutinho de Abreu?

Escolho duas razões. As obras do Senhor Doutor Coutinho de Abreu são essenciais para a compreensão das insuficiências do regime jurídico das comunidades de energia de feição societária. Destaco, em particular, os estudos sobre a noção de sociedade, os sentidos do signo "lucro", a caraterização dos tipos legais societários, os limites da liberdade estatutária ou o "sentido-função" da personalidade jurídica[2].

Menos conhecido, talvez, é o facto de, no século passado, o Senhor Doutor Coutinho de Abreu ter sido o fundador de uma comunidade a que generosamente chamou jovens juristas interessados no direito das sociedades. Com esta iniciativa, o Senhor Doutor Coutinho de Abreu proporcionou oportunidades a estes juristas e provocou uma virtuosa revolução na forma como é investigado o direito das sociedades na Universidade de Coimbra.

Formou-se, assim, uma comunidade de renovados diálogos que produziu resultados significativos. Inspirados pelo Doutor Coutinho de Abreu, cada um e cada uma de nós foi mais longe e, em conjunto, conseguimos, entre outras realizações, a publicação do notável *Código das Sociedades Comerciais em Comentário*[3].

São razões mais do que suficientes para afirmar que o Senhor Doutor Coutinho de Abreu é o obreiro de uma comunidade de energia renovável. Bem-haja Senhor Doutor Coutinho de Abreu por ter criado um coletivo em cujos membros (outrora jovens) acreditou e com quem generosamente partilhou conhecimento, saber e oportunidades.

Mi ponencia intenta responder a dos preguntas:

- La primera: El ordenamiento jurídico portugués presenta un tipo societario adaptado a las características jurídicas de las comunidades energéticas de índole societária?
- La segunda: ¿Por qué necesitamos urgentemente una visión sustancialista de la personalidad jurídica de las comunidades energéticas?

---

2 Véase ABREU, J. M. Coutinho de, *Curso de direito comercial*. Vol. II. *Das sociedades*, 8.ª ed., Almedina, Coimbra, 2024, *passim*.

3 *Código das Sociedades em Comentário*, coord. de J. M. Coutinho de Abreu, Almedina, Coimbra, vol. I - vol. VII.

II. ¿QUIÉNES SON LAS COMUNIDADES ENERGÉTICAS?

Las llamadas comunidades energéticas incluyen las *comunidades de energías renovables* y las *comunidades de energía ciudadana*. Ambas son iniciativas lideradas por los ciudadanos (el *prosumidor*) que contribuyen a la transición energética aumentando la eficiencia dentro de las comunidades[4].

En Portugal, las comunidades de energía están integradas en el sistema eléctrico nacional, aprobado por el Decreto-Ley 15/2022, de 14 de enero[5]. El régimen jurídico aplicable a estas personas jurídicas resulta de la transposición de la Directiva sobre energías renovables (2018/2001) y de la Directiva para el mercado interior de la electricidad (2019/944). Ambas forman parte del marco legislativo "Energía limpia para todos los europeos", que tiene por objeto adaptar las políticas energéticas de la UE a los compromisos adquiridos en el marco del Acuerdo de París.

La Directiva relativa al fomento del uso de energía procedente de fuentes renovables (2018/2001/UE)[6] caracteriza la comunidad

---

4 Véase FAJARDO GARCÍA, Gemma/FRANTZESKAKI, M., "Las comunidades energéticas en Grecia", *Revesco*, nº 137, 2021, pp. 1-15, p. 3; DOUVITSA, I., "The new law on energy communities in Greece", *Cooperativismo e Economía Social*, nº 40 (2017-2018), pp. 31-58, p. 31, ss.; BIRESSELIOGLU, M. E./LIMONCUOGLU, S. A./DEMIR, M. H./REICHL, J./BURGSTALLER, K./SCIULLO, A./FERRERO, E., "Legal Provisions and Market Conditions for Energy Communities in Austria, Germany, Greece, Italy, Spain, and Turkey: A Comparative Assessment", *Sustainability*, nº 13, 2021, pp. 1-25, p. 15. Na doutrina espanhola, v. GONZÁLEZ PONS, Elisabet/GRAU LÓPEZ, Cristina R., "Las cooperativas de consumo eléctricas y las comunidades energéticas", Confederación Española de Cooperativas de Consumidores y Usuarios-Hispacoop, 2021; GONZÁLEZ PONS, Elisabet, "Las comunidades energéticas en Europa: Un nuevo impulso para las cooperativas?", *Cooperativismo e Economía Social*, n.º 45 (2022-2023), p. 55-75.

5 Con varias modificaciones, la última de las cuales fue introducida por el Decreto-Ley n.º 99/2024, de 3 de dezembro.

6 Directiva (UE) 2018/2001 del Parlamento Europeo y del Consejo de 11 de diciembre de 2018 relativa al fomento del uso de energía procedente de fuentes renovables (versión refundida). Sobre los documentos e inicia-

de energías renovables (CER) como "una entidad jurídica: a) que, con arreglo al Derecho nacional aplicable, se base en la participación abierta y voluntaria, sea autónoma y esté efectivamente controlada por socios o miembros que están situados en las proximidades de los proyectos de energías renovables que sean propiedad de dicha entidad jurídica y que esta haya desarrollado; b) cuyos socios o miembros sean personas físicas, pymes o autoridades locales, incluidos los municipios; c) cuya finalidad primordial sea proporcionar beneficios medioambientales, económicos o sociales a sus socios o miembros o a las zonas locales donde opera, en lugar de ganancias financieras[7]" (art. 2.º, 16))[8].

La Directiva sobre normas comunes para el mercado interior de la electricidad (2019/944/UE)[9] caracteriza la "comunidad ciudadana de energía" (CCE) como "una entidad jurídica que: *a*) se basa en la participación voluntaria y abierta, y cuyo control efectivo lo ejercen socios o miembros que sean personas físicas, autoridades locales, incluidos los municipios, o pequeñas empresas, *b*) cuyo objetivo principal consiste en ofrecer beneficios medioambientales, económicos o sociales a sus miembros o socios o a la localidad en la que desarrolla su actividad, más que generar una rentabilidad financiera, y *c*) participa en la generación, incluida la procedente de fuentes renovables, la distribución, el suministro, el consumo, la agregación,

---

tivas que precedieron a esta directiva, véase SOKOØOWSKI, Maciej M., "European law on the energy communities: a long way to a direct legal framework", *European Energy and Environmental Law Review*, April 2018, pp. 60-70, pp. 60, ss.

7 Sobre las finalidades financieras y no financieras de las comunidades energéticas, véase BECKER, Sören/KUNZE, Conrad/VANCEA, Mihaela, "Community energy and social entrepreneurship: Addressing purpose, organisation and embeddedness of renewable energy projects", *Journal of Cleaner Production* 147 (2017), pp. 25-36, p. 28.

8 Para conocer las razones y motivos que llevan a las personas a unirse a las comunidades de energías renovables, véase SOEIRO, Susana/DIAS, Marta Ferreira, "Renewable energy community and the European energy market: main motivations", Heliyon 6 (2020) e04511.

9 Directiva (UE) 2019/944 del Parlamento Europeo y del Consejo de 5 de junio de 2019 sobre normas comunes para el mercado interior de la electricidad y por la que se modifica la Directiva 2012/27/UE (versión refundida).

el almacenamiento de energía, la prestación de servicios de eficiencia energética o, la prestación de servicios de recarga para vehículos eléctricos o de otros servicios energéticos a sus miembros o socios" (art. 2.°, 11))[10].

Las Directivas armonizan las características de las comunidades de energía.

a) Las comunidades de energía son personas jurídicas de adhesión abierta y voluntaria por parte de sus miembros, socios o accionistas.

b) Los miembros o accionistas de las comunidades de energía pueden ser personas físicas o jurídicas, de naturaleza pública o privada, incluidas pequeñas y medianas empresas, o autoridades locales.

c) Su objetivo principal es proporcionar a sus miembros o a las localidades en las que operan beneficios medioambientales, económicos y sociales en lugar de beneficios financieros.

d) Las comunidades de energías renovables son personas jurídicas autónomas.

e) El control de las Comunidades Energéticas de Ciudadanos debe ser ejercido por personas físicas, pequeñas empresas o autoridades locales (art. 2.11. de la Directiva 2019/944).

f) Los socios o miembros que controlen las comunidades de energias renovables deben estar situados en las proximidades de los proyectos de energías renovables.

g) El objeto de las Comunidades Energéticas de Ciudadanos es más amplio que el de las comunidades de energia renovables, limitándose estas últimas a las energías renovables.

Las comunidades de energía están en el centro del "cambio de paradigma" [11]del sistema eléctrico portugués, que está evolucionan-

---

10 Para un resumen de las características que comparten y las diferencias que las diferencian, véase GONZÁLEZ PONS, Elisabet/GRAU LÓPEZ, Cristina R., *Las cooperativas de consumo eléctricas y las comunidades energéticas*, cit., p. 17.

11 Preámbulo del Decreto-Ley n° 15/2022, de 14 de enero.

do de un sistema basado en la producción centralizada a un modelo descentralizado que garantiza "la participación activa de los consumidores en los mercados"[12]. La doctrina documenta las diversas ventajas que las comunidades energéticas, una alternativa «democrática» para gestionar sus necesidades energéticas, aportan a sus miembros y a las partes interesadas[13].

De hecho, los modelos descentralizados de producción y gobernanza facultan al prosumidor como participante activo en las decisiones energéticas democráticas. Pero eso no es todo. Otros impactos positivos son la reducción de la pobreza energética, el acceso a la energía a menor coste, la rentabilidad generada por los excedentes, la creación de oportunidades de negocio para las empresas locales, la lucha contra la desertización rural y la resiliencia de los territorios[14]. Además, las comunidades energéticas (especialmente las orientadas a las energías renovables) pueden crear las condiciones culturales para una mayor aceptación y penetración social de las energías no fósiles.

También existen riesgos de que las comunidades energéticas sean captadas por las grandes empresas energéticas[15], concretamente a

---

12 Preámbulo del Decreto-Ley nº 15/2022, de 14 de enero.

13 Para la identificación y categorización de los diversos beneficios asociados a las comunidades energéticas en el Reino Unido, Alemania y EE.UU., véase BRUMMER, Vasco, "Community energy – benefits and barriers: A comparative literature review of Community Energy in the UK, Germany and the USA, the benefits it provides for society and the barriers it faces", *Renewable and Sustainable Energy Reviews,* 94 (2018), pp. 187-196, p. 190, ss.

14 MUÑOZ BENITO, Rocío, "Modelos de buenas prácticas en la creación de comunidades energéticas de andalucía como modelo social para un desarrollo sostenible", *CIRIEC-España, Revista Jurídica de Economía Social y Cooperativa* nº 42/2023, pp. 391-406, p. 397.

15 El considerando 71 de la Directiva 2018/2001 explica que "para evitar abusos y garantizar una amplia participación, las comunidades de energías renovables deben poder conservar su autonomía respecto de los miembros individuales y de otros actores habituales en el mercado que participen en la comunidad como miembros o socios, o que cooperan de otras formas, como por ejemplo mediante la inversión". Sobre la autonomía, véase FAJARDO GARCÍA, Gemma, "El autoconsumo de energía renovable, las comunidades energéticas y las cooperativas", cit., p. 48.

través de «vehículos» que cumplan formalmente los criterios y las PYME.

Las directivas han optado por no armonizar la estructura organizativa de las comunidades energéticas, lo que significa que se trata de una cuestión que deberá decidir cada Estado miembro y resolver de acuerdo con la legislación nacional[16]. Las comunidades energéticas constituyen, por tanto, un «sector pluralista»[17] que comprende diferentes formas organizativas, como cooperativas, asociaciones de derecho privado u otras formas jurídicas.

III. ¿LAS COMUNIDADES ENERGÉTICAS SON SOCIEDADES?

La doctrina ya ha identificado algunos obstáculos[18] que pueden bloquear la creación de comunidades energéticas o poner en peligro su funcionamiento[19]. Barreras financieras debidas a los elevados costes de instalación de los equipos, que apartan a las personas vulnerables de estas iniciativas; barreras técnicas debidas a la falta de competencias técnicas necesarias para dirigir el proyecto; barreras administrativas debidas a la complejidad de los trámites burocráticos necesarios para crear la comunidad y obtener las licencias administrativas[20].

---

16 Cfr. Considerando 71 da Directiva (UE) 2018/2001 del Parlamento Europeo y del Consejo.

17 SEYFANG, G./HIELSCHER, S./HARGREAVES, T./MARTISKAINEN, M./SMITH, A., "A grassroots sustainable energy niche?: reflections on community energy in the UK", *Environmental Innovation and Societal Transitions*, n.º 13, 2014, pp. 21-44, p. 13.

18 WEBER, L., "Some reflections on barriers to the efficient use of energy", *Energy Policy*, 25(10), 1997, pp. 833-835.

19 BRUMMER, Vasco, "Community energy – benefits and barriers: A comparative literature review of Community Energy in the UK, Germany and the USA, the benefits it provides for society and the barriers it faces", *Renewable and Sustainable Energy Reviews*, Volume 94, October 2018, pp. 187-196, p. 190, ss.

20 HANKE, F./GUYET, R., "The struggle of energy communities to enhance energy justice: insights from 113 German cases", *Energy, Sustainability and So-*

De primordial importancia es la estructura organizativa de las comunidades de energía, que debe acomodarse a las especificidades de estas organizaciones[21]/[22]. Las Directivas consagran la libertad de forma jurídica que pueden adoptar las comunidades de energía[23]. En la legislación portuguesa, tanto la CER como la CCE son «personas jurídicas», tal y como se recoge en los artículos 189, 1, y 191, 1, respectivamente, del Decreto-Ley 15/2022, de 14 de enero. Al contrario de lo que ocurre en otras legislaciones de la Unión Europea[24],

---

ciety, 13, pp. 1-16; BONFERT, Bernd, "'We like sharing energy but currently there's no advantage': Transformative opportunities and challenges of local energy communities in Europe", *Energy Research & Social Science* 107, 2024, 103351, pp. 2-9.

21 BRUMMER, Vasco, "Community energy – benefits and barriers: A comparative literature review of Community Energy in the UK, Germany and the USA, the benefits it provides for society and the barriers it faces", *cit.*, p. 194, 195.

22 ROGERS, JC/SIMMONS, EA/CONVERY, I/WEATHERALL, A., "Public perceptions of opportunities for community-based renewable energy projects", *Energy Policy*, 36(11), 2008, pp. 4217-4226.

23 Véase, en este sentido, el considerando 71 de la Directiva UE 2018/2001 y el considerando 44 de la Directiva UE 2019/944. Véase FAJARDO GARCÍA, Gemma, "El autoconsumo de energía renovable, las comunidades energéticas y las cooperativas", *Notícias de la Economía Pública, Social y Cooperativa*, n.° 66, 2021, pp. 34-61, p. 49.

24 En algunos Estados miembros se ha optado exclusivamente por las cooperativas (caso de Grecia). Sobre esta experiencia, véase FAJARDO GARCÍA, Gemma/FRANTZESKAKI, M., "Las comunidades energéticas en Grecia", cit., p. 3, ss. Sobre la experiencia italiana, v. BARROCO, Felipe/CAPPELLARO, Francesca/PALUMBO, Carmen (Curatori), "Le Comunità Energetiche in Italia. Una guida per orientare i cittadini nel nuevo mercato dell'energia", *Green Energy community*, 2020, p. 23; GRIGNANI, A./GOZZELLINO, M./SCIULLO, A./PADOVAN, D., "Community Cooperative: A New Legal Form for Enhancing Social Capital for the Development of Renewable Energy Communities in Italy", *Energies*, n° 14, 2021, p. 12-15; CUSA, E., "Sviluppo sostenibile, cittadinanza attiva e comunità energetiche", *Orizzonti del Diritto Commerciale*, 1/2020, pp. 42-56. Sobre la experiencia francesa, véase SERBI, C./VERNAY, A. L., "Community renewable energy in France: The state of development and the way forward", *Energy Policy*, 143, 2020, pp. 4-13. En España, el Real Decreto-Ley 5/2023 de 28 de junio regula las comunidades energéticas. Siguiendo la opción político-legislativa de la Unión Europea, la legislación española no se pronuncia

la ley portuguesa no identifica la persona jurídica que puede cumplir las características específicas de la CER y de la CCEA en términos de propiedad y control, gobernanza y finalidad. El legislador portugués tampoco ha creado una persona jurídica dedicada a los requisitos legales específicos de las comunidades de energía.

Esto deja a los emprendedores de comunidades energéticas con la tarea de identificar la estructura organizativa que mejor se adapte a su proyecto energético (renovable o no) y, al menos en teoría, poder elegir entre una sociedad, una cooperativa o una asociación.

Un tanto paradójicamente, la identificación de la estructura organizativa que cumpla con los requisitos de elegibilidad de una persona jurídica como comunidad de energía puede ser una de las principales barreras regulatorias para la difusión de las comunidades de energía en Portugal. Esto se debe a que, por un lado, el régimen jurídico de las cooperativas, sociedades y asociaciones no fue «diseñado» para dar cabida a las especificidades de las comunidades de energía y, por otro lado, la adaptación de los estatutos sociales para cumplir con los requisitos de elegibilidad de las comunidades de energía está condicionada por las normas legales obligatorias que dan forma a cada una de las personas jurídicas que existen en el ordenamiento jurídico portugués.

Las comunidades energéticas son *personas jurídicas* que se distinguen por los principios de adhesión libre y voluntaria, control por parte de los miembros, autonomía, interés por la comunidad, satis-

---

sobre la forma jurídica de las comunidades energéticas. En el sentido de que la forma cooperativa "es la forma asociativa idónea para articular las comunidades energéticas", véase GONZÁLEZ PONS, Elisabet, "El Derecho de sociedades ante la transición ecológica. Primeras reflexiones de la Sociedad Cooperativa como comunidad energética", *Revista Aranzadi de Derecho Patrimonial* 59 (septiembre-diciembre 2022); GONZÁLEZ PONS, Elisabet, "Las comunidades energéticas en europa¿Un nuevo impulso para las cooperativas?, *Cooperativismo e economía social*, 2024, 45, pp. 55-75. Véase también VAÑO VAÑO, Maria José; MEIRA, Deolinda, "Evidencias del principio de intercooperación en el sector energético. Comunidades energéticas bajo la forma jurídica de cooperativas de interés público", *Cooperativismo e Economía Social*, n.º 46, 2023-2024, pp. 217-244.

facción de las necesidades y aspiraciones económicas y sociales de los miembros.

La adhesión libre y voluntaria, el control por parte de los miembros, el interés por la comunidad, la satisfacción de las necesidades y aspiraciones económicas y sociales de los miembros son elementos de la identidad cooperativa que se reflejan tanto en la definición de cooperativa (art. 2 del Código Cooperativo) [25] como en los principios cooperativos (art. 3 del Código Cooperativo) [26]. La naturaleza de las sociedades es muy diferente: tienen como objetivo maximizar los beneficios de los socios, son instrumentos de los intereses de los socios, tienen como objetivo realizar actividades económicas y pueden ser estructuras cerradas que impiden o dificultan la salida de socios y la entrada de nuevos socios. Las sociedades de responsabilidad limitada y las sociedades anónimas no son estructuras democráticas, sino plutocráticas en las que, por regla general, el poder de voto está vinculado al importe de la inversión. Es más, el régimen de las sociedades de responsabilidad limitada y las sociedades anónimas no garantiza el control de los socios. Las asociaciones son entidades sin ánimo de lucro —no distribuyen beneficios a los miembros—, pueden poseer empresas en la medida en que sean necesarias o convenientes para la realización de sus objetivos estatutarios, están controladas por los miembros. Por lo tanto, el régimen jurídico de las asociaciones impide totalmente el reparto por parte de los miembros de los beneficios que puedan resultar, por ejemplo, de la comercialización de los excedentes de energía.

La forma jurídica de las comunidades energéticas *es una decisión político-legislativa* nacional. En lo que respecta a Portugal, teóricamente las comunidades de energía pueden adoptar la forma de sociedad. Así se recoge expresamente en los artículos 189, 1 y 191 del régimen

---

25 Cfr Abreu, J. M. Coutinho de, "Artigo 2.º - Noção", *Código Cooperativo anotado*, Almedina, Coimbra, 2018, pp. 22-26, pp. 22, ss.

26 Cfr. NAMORADO, Rui, "Artigo 3.º - Princípios cooperativos", Deolinda Meira/Maria Elisabete Ramos (coordenação), *Código Cooperativo anotado*, Almedina, Coimbra, 2018, pp. 27-36, pp. 27, ss. CARAMIZARU, A./UIHLEIN, A., *Energy communities: an overview of energy and social innovation*, EUR 30083 EN, Publications Office of the European Union, Luxembourg, 2020, p. 15, dicen que "The majority of citizen-led initiatives are cooperatives".

del sistema eléctrico nacional, que se refieren a los "socios" o "accionistas" de las comunidades de energía. Sin embargo, la experiencia portuguesa de comunidades de energía ha optado hasta ahora por asociaciones.

Cabe preguntarse: ¿Existen en Portugal sociedades adaptadas a la identidad específica de las comunidades energéticas en términos de propiedad y control, gobernanza y *purpose*?

IV. DISTANCIAS ENTRE EL DERECHO DE SOCIEDADES Y LAS COMUNIDADES ENERGÉTICAS

1. El desfase organizativo

En el marco jurídico portugues existe un *gap* entre el régimen jurídico de las sociedades y el regímen de las comunidades energética societárias. Las sociedades son instrumentos al servicio de los intereses de sus socios. Las comunidades energéticas son diseñadas para producir beneficios para los socios y los no socios, poniendo en segundo plano los "beneficios financieros" (subjetivos).

A diferencia de otros ordenamientos jurídicos europeos, Portugal no ha adoptado la *benefit corporation*[27]/[28]. En 2010, el Estado de *Maryland* adoptó una legislación específica sobre la benefit corporation, pero fue el *Model Benefit Corporation Legislation* (*MBCL*) (MBCL, por sus siglas en inglés), redactado por William Clark y otros e integrado

---

27 Véase PETER, Henry/Vargas Vasserot, Carlos/Alcalde Silva, Jaime (Editors), *The International Handbook of Social Enterprise Law Benefit Corporations and Other Purpose-Driven Companies*, Springer, 2022.

28 RAMOS, Maria Elisabete, "Comunidades de energia societárias - regime de "dupla missão" sem sociedade de "dupla missão"", *Direito das Sociedades em Revista*, ano 16, vol. 31 (2024), pp. 255-265; RAMOS, Maria Elisabete, "Sociedades benefício – futuro ou fronteira da economia social? – a propósito do art. 4.º, *h*), da Lei de Bases da Economia Social", *Revista ES – Economia Social*, maio de 2023, n.º 20, p. 1-22.

en un proyecto del B Lab[29], el que influiría en diversas legislaciones de EE.UU.. A partir de su experiencia estadounidense, la *benefit corporation* se extendió internacionalmente.

En EE.UU., a pesar de la diversidad de leyes corporativas estatales, podemos decir que, en general, la *benefit corporation* es una organización con ánimo de lucro que produce beneficios comunes y actúa de forma responsable y sostenible en beneficio público. Según los autores de la *MBCL*, la razón de ser de esta figura radica en la necesidad de superar el paradigma jurisprudencial tradicional de creación de valor para el accionista. Es necesario contextualizar esta justificación en el marco de la jurisprudencia de los tribunales de *Delaware*, que han construido una pauta consolidada en el sentido de que los administradores deben maximizar el valor para el accionista.

La legislación portuguesa no contempla las sociedades de doble finalidad (de las que la "società benefit" italiana es un ejemplo europeo), ni un régimen general para las sociedades de capital variable, ni empresas sociales orientadas a fines de interés general[30]. Por tanto, a los socios portugueses les queda la alternativa de crear estatutos a medida (taylor made) que traten de cumplir los criterios legalmente definidos para las comunidades de energía.

Pero, ¿hasta qué punto son libres los estatutos? ¿Es lícito crear una sociedad sujeta a los principios de adhesión voluntaria y libre, control de los socios, gestión democrática, prevalencia de los beneficios medioambientales, económicos y sociales para los socios y las localidades, e interés comunitario?[31]

---

29 V. RAMOS, Maria Elisabete, "Empreendedorismo sustentável e sociedades benefício", *Direito das Sociedades em Revista,* ano 15, vol. 29, abril, 2023, pp. 121-159, p. 137, ss.

30 RAMOS, Maria Elisabete, "Empreendedorismo sustentável e sociedades benefício", cit., pp. 137, ss.

31 Véase RAMOS, Maria Elisabete, "Comunidades de energia sob forma societária. Algumas interrogações", María José Vañó Vañó, Deolinda Meira, Teresa Trigo (Directoras), *Powercoop. Comunidades energéticas de autoconsumo: análisis organizacional desde una perspectiva jurídica, de gestión y tecnológica,* Valencia: CIRIEC-España, Centro Internacional de Investigación e Información sobre la Economía Pública, Social y Cooperativa/© Instituto Uni-

No cabe duda de que la "elasticidad" de los tipos societarios (en palabras de Pais de Vasconcelos) permite diseñar estatutos *taylor made*. Dicho esto, los estatutos no pueden crear sociedades atípicas, sociedades sin ánimo de lucro, sociedades de doble misión y sociedades de capital variable.

2. Citizen washing *y la "no absolutización" de la personalidad jurídica de las sociedades*

La experiencia de las comunidades energéticas pone de evidencia otro *gap*: la distancia entre la ley y la aplicación de la ley.

Las experiencias alemana y griega de comunidades energéticas demuestran que éstas pueden ser capturadas por las grandes empresas energéticas. Desde el punto de vista corporativo, esta forma de *citizen wahsing* puede significar el abuso de la personalidad colectiva de las comunidades energéticas. De hecho, un análisis no formalista de la entidad comunidad energética revela que no se trata de una auténtica iniciativa ciudadana (prosumidor), sino de un vehículo creado por los grandes actores para obtener ayudas públicas

En Alemania, por ejemplo, la Ley de energías renovables estableció una definición y normas especiales para las "sociedades de ciudadanos" que participan en las licitaciones de energía eólica terrestre. En las tres primeras rondas de licitaciones, el noventa y siete por ciento de las ofertas seleccionadas procedían de empresas energéticas ciudadanas elegibles.

Sin embargo, tras evaluar detalladamente los proyectos individuales, se demostró que casi todos estos proyectos habían sido creados por grandes operadores del mercado y sólo ocho proyectos podían considerarse verdaderos proyectos de energía ciudadana[32].

---

versitario de Economía Social, Cooperativismo y Emprendimiento (IUDESCOOP), 2024, pp. 57-70.

32 Véase ROBERTS, Joshua, "What Are Energy Communities Under the EU's Clean Energy Package?", F. H. J. M. Coenen, T. Hoppe (eds.), *Renewable Energy Communities and the Low Carbon Energy Transition in Europe*, Springer, 2021, pp. 23-48, p. 45; PAPPA, S./VANSTINTJAN, D., *REScoop.eu. Response*

Además, debido a los abusos de las grandes empresas, el Gobierno griego retiró muchas de exenciones en los requisitos de concesión de licencias para las comunidades energéticas que había incluido en su legislación de 2016.

La personalidad colectiva de las sociedades implica varias consecuencias jurídicas. En primer lugar, la sociedad comercial o civil en forma comercial es el centro autónomo de derechos y deberes. Jurídicamente, los derechos y obligaciones están encabezados por la sociedad; son propiedad de esta y no de los socios.

El doctor Coutinho de Abreu nos enseña que la persona jurídica no debe ser absolutizada[33]. La experiencia alemana y griega demuestra la importancia de esta enseñanza aplicada a las comunidades energéticas societarias. La visión sustancialista de la persona jurídica y la interpretación teleológica, preconizadas por el Dr. Coutinho de Abreu, son instrumentos jurídicos que permiten desenmascarar los abusos de la persona jurídica de las comunidades de energía.

V. CONCLUSIONES

Inspiradas en el modelo cooperativo, el régimen jurídico de las comunidades energéticas exige que aseguren la adhesión abierta y voluntaria de sus miembros, socios o accionistas, y que cumplan el objetivo principal de proporcionar a los miembros o a las localidades donde opera beneficios medioambientales, económicos y sociales, subordinando los beneficios financieros. Además, las CER-sociedades son controladas por sus miembros.

El régimen jurídico de las comunidades de energía, resultante de la transposición de las directivas de la Unión Europea, está en contradicción con el régimen jurídico-social portugués, que pone a las sociedades al servicio de sus miembros, con el fin de satisfacer

---

to the Consultation on the EEAG and GBER Revision, 2020; REScoop.eu *Development of Energy Communities in Greece: Challenges and Recommendations.* Full Report Available in Greek, (2021).

33 Abreu, J. M. Coutinho de, *Curso de direito comercial,* cit., p. 171, ss.

sus intereses egoístas. Portugal no reconoce las empresas de «doble misión» (un ejemplo de las cuales es la *società benefit* italiana), la iniciativa privada se ve impedida estatutariamente de crear sociedades atípicas. El principio de tipicidad de las sociedades mercantiles no impide la redacción de cláusulas atípicas en los estatutos que puedan acortar las distancias entre el Derecho de sociedades y el régimen de las comunidades de energía

Las prácticas de *citizen washing* distorsionan los propósitos de las comunidades energéticas. La visión sustancialista de la persona jurídica y la interpretación teleológica, preconizadas por el Dr. Coutinho de Abreu, son instrumentos jurídicos que permiten desenmascarar los abusos de las comunidades de energía.

VI. BIBLIOGRAFÍA

ABREU, J. M. Coutinho de, "Artigo 2.º - Noção", *Código Cooperativo anotado*, Almedina, Coimbra, 2018, pp. 22-26.

ABREU, J. M. Coutinho de, *Curso de direito comercial*. Vol. II. *Das sociedades*, 8.ª ed., Almedina, Coimbra, 2024.

BARROCO, Felipe/CAPPELLARO, Francesca/PALUMBO, Carmen (*Curatori*), "Le Comunità Energetiche in Italia. Una guida per orientare i cittadini nel nuevo mercato dell'energia". *Green Energy community*, 2020.

BECKER, Sören/KUNZE, Conrad/VANCEA, Mihaela, "Community energy and social entrepreneurship: Addressing purpose, organisation and embeddedness of renewable energy projects", *Journal of Cleaner Production* 147 (2017), pp. 25-36.

BIRESSELIOGLU, M. E./LIMONCUOGLU, S. A./DEMIR, M. H./REICHL, J./BURGSTALLER, K./SCIULLO, A./FERRERO, E., "Legal Provisions and Market Conditions for Energy Communities in Austria, Germany, Greece, Italy, Spain, and Turkey: A Comparative Assessment", *Sustainability*, nº 13, 2021, pp. 1-25.

BONFERT, Bernd, "'We like sharing energy but currently there's no advantage': Transformative opportunities and challenges of local energy communities in Europe", *Energy Research & Social Science* 107, 2024, 103351, pp. 2-9.

BRUMMER, Vasco, "Community energy – benefits and barriers: A comparative literature review of Community Energy in the UK, Germany and the

USA, the benefits it provides for society and the barriers it faces", *Renewable and Sustainable Energy Reviews,* 94 (2018), pp. 187-196.

CARAMIZARU, A./UIHLEIN, A., *Energy communities: an overview of energy and social innovation,* EUR 30083 EN, Publications Office of the European Union, Luxembourg, 2020.

CLARK, Jr., William H./Drinker Biddle & Reath LLP/VRANKA, V./Canonchet Group LLC, *White Paper The need and rationale for the benefit corporation: why it is the legal form that best addresses the needs of social entrepreneurs, investors, and, ultimately, the public,* 2013.

CUSA, E., "Sviluppo sostenibile, cittadinanza attiva e comunità energetiche", *Orizzonti del Diritto Commerciale,* 1/2020, pp. 42-56.

DOUVITSA, I., "The new law on energy communities in Greece", *Cooperativismo e Economía Social,* nº 40 (2017-2018), pp. 31-58.

FAJARDO GARCÍA, Gemma/FRANTZESKAKI, M., "Las comunidades energéticas en Grecia", *Revesco,* nº 137, 2021, pp. 1-15.

FAJARDO GARCÍA, Gemma, "El autoconsumo de energía renovable, las comunidades energéticas y las cooperativas", *Notícias de la Economía Pública, Social y Cooperativa,* n.º 66, 2021, pp. 34-61.

GONZÁLEZ PONS, Elisabet/GRAU LÓPEZ, Cristina R., "Las cooperativas de consumo eléctricas y las comunidades energéticas", Confederación Española de Cooperativas de Consumidores y Usuarios-Hispacoop, 2021.

GONZÁLEZ PONS, Elisabet, "El Derecho de sociedades ante la transición ecológica. Primeras reflexiones de la Sociedad Cooperativa como comunidad energética", *Revista Aranzadi de Derecho Patrimonial* 59 (septiembre-diciembre 2022).

GONZÁLEZ PONS, Elisabet, "Las comunidades energéticas en Europa: Un nuevo impulso para las cooperativas?", *Cooperativismo e Economía Social,* n.º 45 (2022-2023), p. 55-75.

VAÑO VAÑO, Maria José; MEIRA, Deolinda, "Evidencias del principio de intercooperación en el sector energético. Comunidades energéticas bajo la forma jurídica de cooperativas de interés público", *Cooperativismo e Economía Social,* n.º 46, 2023-2024, pp. 217-244.

GRIGNANI, A./GOZZELLINO, M./SCIULLO, A./PADOVAN, D., "Community Cooperative: A New Legal Form for Enhancing Social Capital for the Development of Renewable Energy Communities in Italy", *Energies,* nº 14, 2021, p. 12-15.

HANKE, F./GUYET, R., "The struggle of energy communities to enhance energy justice: insights from 113 German cases", *Energy, Sustainability and Society,* 13, pp. 1-16.

Model Benefit Corporation Legislation, disponible en https://growthoriented-sustainableentrepreneurship.files.wordpress.com/2016/07/gv-white-paper-need-and-rationale-for-benefit-corporations.pdf

MUÑOZ BENITO, Rocío, "Modelos de buenas prácticas en la creación de comunidades energéticas de Andalucía como modelo social para un desarrollo sostenible", *CIRIEC-España, Revista Jurídica de Economía Social y Cooperativa* nº 42/2023, pp. 391-406.

NAMORADO, Rui, "Artigo 3.º - Princípios cooperativos", Deolinda Meira/ Maria Elisabete Ramos (coordenação), *Código Cooperativo anotado*, Almedina, Coimbra, 2018, pp. 27-36.

PAPPA, S./VANSTINTJAN, D., *REScoop.eu. Response to the Consultation on the EEAG and GBER Revision*, 2020.

PETER, Henry/VARGAS VASSEROT, Carlos/Alcalde Silva, Jaime (Editors), *The International Handbook of Social Enterprise Law Benefit Corporations and Other Purpose-Driven Companies*, Springer, 2022.

RAMOS, Maria Elisabete, "Comunidades de energia sob forma societária. Algumas interrogações", María José Vañó Vañó, Deolinda Meira, Teresa Trigo (Directoras), *Powercoop. Comunidades energéticas de autoconsumo: análisis organizacional desde una perspectiva jurídica, de gestión y tecnológica*, Valencia: CIRIEC-España, Centro Internacional de Investigación e Información sobre la Economía Pública, Social y Cooperativa/© Instituto Universitario de Economía Social, Cooperativismo y Emprendimiento (IUDESCOOP), 2024, pp. 57-70.

RAMOS, Maria Elisabete, "Comunidades de energia societárias - regime de "dupla missão" sem sociedade de "dupla missão"", *Direito das Sociedades em Revista*, ano 16, vol. 31 (2024), pp. 255-265.

RAMOS, Maria Elisabete, "Empreendedorismo sustentável e sociedades benefício", *Direito das Sociedades em Revista*, ano 15, vol. 29, abril, 2023, pp. 121-159.

RAMOS, Maria Elisabete, "Sociedades benefício – futuro ou fronteira da economia social? – a propósito do art. 4.º, *h*), da Lei de Bases da Economia Social", *Revista ES – Economia Social*, maio de 2023, n.º 20, p. 1-22

REScoop.eu *Development of Energy Communities in Greece: Challenges and Recommendations.* Full Report Available in Greek, (2021).

ROBERTS, Joshua, "What Are Energy Communities Under the EU's Clean Energy Package?", F. H. J. M. Coenen, T. Hoppe (eds.), *Renewable Energy Communities and the Low Carbon Energy Transition in Europe*, Springer, 2021, pp. 23-48.

ROGERS, JC/SIMMONS, EA/CONVERY, I/WEATHERALL, A., "Public perceptions of opportunities for community-based renewable energy projects", *Energy Policy*, 36(11), 2008, pp. 4217-4226.

SERBI, C./VERNAY, A. L., "Community renewable energy in France: The state of development and the way forward", *Energy Policy*, 143, 2020, pp. 4-13.

SEYFANG, G./HIELSCHER, S./HARGREAVES, T./MARTISKAINEN, M./ SMITH, A., "A grassroots sustainable energy niche?: reflections on community energy in the UK", *Environmental Innovation and Societal Transitions*, n.º 13, 2014, pp. 21-44.

SOEIRO, Susana/DIAS, Marta Ferreira, "Renewable energy community and the European energy market: main motivations", Heliyon 6 (2020) e04511.

SOKOØOWSKI, Maciej M., "European law on the energy communities: a long way to a direct legal framework ", *European Energy and Environmental Law Review*, April 2018, pp. 60-70.

Las acciones con voto adicional doble por lealtad como instrumento para el fomento de la implicación a largo plazo de los accionistas en las sociedades cotizadas: la experiencia española

BENJAMÍN PEÑAS MOYANO
Profesor Titular de Derecho Mercantil
Universidad de Valladolid

RESUMEN

Tras cuatro años de la entrada en vigor de la Ley 5/2012, de 12 de abril, que dio entrada en el Derecho español de sociedades cotizadas a la controvertida figura de las acciones de voto doble por lealtad como principal medio para fomentar la implicación a largo plazo de los accionistas en tales entidades, el número de ellas que las ha previsto es ciertamente escaso (solo cuatro sociedades). Ello podría hacer pensar que las acciones de lealtad están fracasando, dada su poca utilización, y de hecho la prensa económica así lo señala, en línea con los detractores de la figura. Sin embargo, nosotros pensamos que ese análisis es injusto, pues el legislador y los defensores de las acciones de lealtad nunca pensaron en ellas como un instrumento de masivo uso, a lo que nosotros añadimos que, dadas sus particularidades tan específicas, aún precisan de tiempo para su consolidación en la práctica de las sociedades cotizadas.

Palabras clave: *acciones de lealtad, sociedades cotizadas, doble voto.*

ABSTRACT

Four years after the entry into force of Law 5/2012, of April 12, which introduced into Spanish listed company Law the controversial figure of double voting loyalty shares as the main way to encourage the long-term involvement of shareholders in such entities, the number of companies that have provided for them is certainly small (only four companies). This could lead one to think that loyalty shares are failing, given their low use, and in fact the economic press points this out, in line with the detractors of the figure. However, we think that this analysis is unfair, since the legislator and the defenders of loyalty shares never thought of them as an instrument for mass use, to which we add that, given their very specific characteristics, they still need time to become consolidated in listed companies practice.

Keywords: *loyalty shares, listed companies, double vote.*

Sumario: I. INTRODUCCIÓN. II. II. BREVES NOTAS DE DERECHO COMPARADO. III. LA UNIÓN EUROPEA Y EL FOMENTO DE LA IMPLICACIÓN A LARGO PLAZO DE LOS ACCIONISTAS. IV. IV. DEBATE DOCTRINAL SOBRE LA INCORPORACIÓN DE LAS ACCIONES DE LEALTAD CON VOTO DOBLE AL DERECHO ESPAÑOL. V. LA INCORPORACIÓN AL ORDENAMIENTO JURÍDICO ESPAÑOL DE LAS ACCIONES DE VOTO DOBLE POR LEALTAD POR LA LEY 5/2021, DE 12 DE ABRIL Y OBJETIVOS PERSEGUIDOS CON ELLA. VI. SOBRE LAS SOCIEDADES QUE PUEDEN CREAR ACCIONES DE LEALTAD CON VOTO DOBLE (LAS SOCIEDADES COTIZADAS), SU NATURALEZA (NO SON UNA CLASE DE ACCIONES) Y UNA BREVE REFERENCIA A SU REGULACIÓN JURÍDICA EN ESPAÑA. VII. LAS ACCIONES DE LEALTAD EN LA PRÁCTICA SOCIETARIA ESPAÑOLA Y REFLEXIONES FINALES. VIII. BIBLIOGRAFÍA.

I. INTRODUCCIÓN

En general, podemos decir que las acciones de lealtad son acciones con derechos ligados al tiempo de su tenencia por sus titulares, que atribuirían derechos de voto reforzados, o bien derechos económicos adicionales, o incluso de derechos de otro tipo[1], si se han mantenido en manos del actual titular durante un periodo mínimo de tiempo preestablecido, constituyendo por ello un mecanismo enmarcado en la política de fidelización del accionista. Con ellas se persigue entonces que accionistas con vocación de permanencia en la entidad refuercen su posición accionarial, para, con el beneficio que otorgan, hacer aumentar el interés de los accionistas en conservar su inversión y en participar activamente en la toma de decisiones por la entidad emisora, lo que en buena lógica debería a su vez redundar en la buena gestión de la entidad. En suma, con las acciones de lealtad se busca fundamentalmente incrementar la estabilidad del accio-

---

1 Así, en los Estados Unidos de América el premio a la permanencia del accionista de las sociedades cotizadas se ha vinculado no sólo con la recompensa del voto adicional o el dividendo mejorado o prerrogativas fiscales sobre las ganancias, sino también con la posibilidad otorgada a los accionistas leales de presentar propuestas a la junta general o incluso de nombrar administradores (así, VILLACORTA HERNÁNDEZ, M.A. (2022), “Regulación de las acciones de lealtad en la Ley 5/2021. Motivaciones, ventajas, desventajas y utilidades futuras”, en *Revista Práctica de Derecho*, nº 254, 2022, p. 51, nota 14, quien cita varias reglas en tal sentido de *la Securities Exchange Commission* —SEC—).

nariado mediante el premio a la lealtad del accionista, en un contexto, el de la sociedad anónima cotizada, en el que la regla es el modo dinámico en que las acciones son transmitidas resultando al mismo tiempo la lealtad de la permanencia habitualmente preterida[2].

La incorporación de las acciones de lealtad al Derecho español de sociedades cotizadas realizada con la Ley 5/2021, de 12 de abril, ha sido la principal y más directa actuación de nuestro legislador para tratar de lograr el fomento de la implicación a largo plazo de los accionistas en tales entidades[3], e incidir así en la mejora de su gobierno corporativo. Sin resultar exigidas por la normativa de la Unión Europea, las acciones de lealtad han llegado a nuestro Derecho con el conocimiento de lo que con dichas acciones había ya ocurrido en países de nuestro entorno, como Francia o Italia. De hecho, como dice el Preámbulo de la Ley 5/2021, de 12 de abril, que las ha introducido en nuestro Derecho, "*el régimen que se propone es similar al régimen con el que ya cuentan desde hace años países como Francia e Italia*". Un detallado régimen jurídico dispuesto por el legislador español para las acciones de lealtad con el que se pretende incentivar su creación, protegiendo al mismo tiempo a los accionistas minoritarios, de los que se espera su fidelidad.

Sin embargo, la realidad de la práctica nos ha mostrado hasta ahora, tras cuatro años desde la entrada en vigor de su disciplina jurídica, su escasa utilización[4]. A pesar de ese loable objetivo per-

---

2 Así, DRAGO, D., "Loyalty shares: um meio de controlo ou o acentuar de conflitos no seio societário?", en www.revistadedireitocomercial.com, 2017-10-19, p. 432.

3 Las acciones de lealtad son una de las figuras más controvertidas del mundo empresarial, por lo que han resultado ser una de las incorporaciones más "vistosas" de la reforma del Texto Refundido de la Ley de Sociedades de Capital operada por la Ley 5/2021, en gráficas palabras de GARCÍA DE ENTERRÍA, J., "Las acciones ¿de lealtad?", en https://www.economistjurist.es/premium/la-firma/las-acciones-de-lealtad/, publicado el 07/11/2021.

4 Confirmando la tendencia que ya expusimos en un anterior trabajo, PEÑAS MOYANO, B., "Régimen jurídico de las acciones de lealtad y actual virtualidad práctica de su incorporación al Derecho Societario Español", en Revista de Derecho del Mercado de Valores, nº 31, 2022, escrito al año y medio de la entrada en vigor de la Ley 5/2021, de 12 de abril.

seguido por nuestro legislador al incorporarlas, su introducción en el Derecho español ha dado lugar a fuertes críticas, fundamentadas tanto en el escaso éxito de que han gozado en otros ordenamientos de nuestro entorno que ya contaban con ellas, así como en la paradoja de que con su utilización pueda con relativa facilidad llegarse a resultados contrarios a los que justifican su creación. No olvidemos, además, que las acciones de lealtad incrementan el reducido catálogo de excepciones a la vigencia de la importante regla de nuestro Derecho de sociedades que impone el respeto a la proporcionalidad entre la participación en el capital social y el poder de voto (regla de una acción-un voto).

En este trabajo, tras exponer algunas breves notas de Derecho comparado, una sucinta referencia a la cuestión del fomento de la implicación a largo plazo de los accionistas en la Unión Europea y a su acogida por la Ley 5/2021, de 12 de abril, que implementa la figura de las acciones con voto doble por lealtad en España, sin olvidarnos del debate previo que se generó en la doctrina científica y en las instituciones durante la tramitación de dicha norma (aunque sin detenernos con detalle en su régimen jurídico[5]), expondremos finalmente nuestra interpretación al respecto de si su hasta ahora escasa utilización por la praxis de las sociedades cotizadas españolas puede ser considerada un fracaso, o la cuestión es, sin embargo, más matizada, hasta el punto de poderse concluir que no puede decirse que sean un fracaso cuando realmente estaban concebidas por el legislador para ser un instrumento de fidelización del accionista de uso no masivo, sino puramente excepcional.

II. BREVES NOTAS DE DERECHO COMPARADO[6]

El régimen que se ha propuesto por el legislador español es similar a los que desde hace años rigen en Francia e Italia, reconoce el

---

5 Lo que ya hicimos en el mencionado trabajo anterior; así, vid., PEÑAS MOYANO, B., op.cit.

6 Sobre las acciones de lealtad en el Derecho comparado pueden consultarse, por ejemplo, trabajos como ARROYO VENDRELL, T., "Las acciones con voto adicional doble por lealtad o acciones de lealtad", en *Implicación a*

Preámbulo de la Ley 5/2021, si bien se han regulado recientemente también en Bélgica (en 2019), en el marco de una amplia reforma de su Derecho de sociedades, en términos semejantes y con idénticas finalidades. Además, existen las acciones de lealtad en Países Bajos, pero en este caso su reconocimiento es jurisprudencial, siempre que, establecidas por una disposición estatutaria, su incorporación tenga un fin justificado y constituyan un medio adecuado y proporcionado (no abusivo, por tanto) para la consecución de ese fin; sólo así los tribunales holandeses procederán a validar su inclusión en los estatutos sociales[7].

En los Estados Unidos el enfoque contractualista que ha presidido tradicionalmente su Derecho de *corporations* ha permitido la creación de acciones con voto múltiple con relativa facilidad. Es cierto, no obstante, que los inversores institucionales demandan la vigencia de la regla de la proporcionalidad entre la participación en el capital

---

largo plazo de los accionistas en sociedades cotizadas. Comentarios a la Ley 5/2021, Tirant lo Blanch, Valencia, 2022, pp. 157-188; GUTIÉRREZ URTIAGA, M. y SAEZ LACAVE, M., "Las acciones con derechos de voto adicionales por lealtad «acciones de lealtad» desde el análisis económico del Derecho", en *Tendencias actuales del análisis económico del Derecho*, ICE, nº 915, 2020, pp. 93-108; BLANCO PÉREZ, J. L. (2022), "El voto doble por lealtad en una sociedad cotizada", en *Revista Práctica de Derecho*, nº 253, 2022, pp. 5-42 o en VILLACORTA HERNÁNDEZ, M. A., "Regulación de las acciones de lealtad en la Ley 5/2021. Motivaciones, ventajas, desventajas y utilidades futuras", en *Revista Práctica de Derecho*, nº 254, 2022, pp. 43-82, así como las obras de la literatura de aquellos países, y otros, que se citan en nota en tales trabajos.

7 En Portugal no se cuenta con un régimen jurídico expreso de acciones de lealtad que premie la fidelidad de los accionistas con un voto plural, pero según la doctrina científica no habría impedimento para que una sociedad, por efecto de la *lex privata* en la que se asienta el contrato social, pudiese premiar la fidelidad de la generalidad de los accionistas, es cierto que no mediante la atribución de voto plural (artículo 384.5 Código das Sociedades Comerciais), pero sí por medio de un dividendo privilegiado (artículos 22.1 CSC); vid., DRAGO, D., op. cit., pp. 434 y ss. Incluso en dicha doctrina científica ha habido un intenso debate sobre si se puede premiar la fidelidad de sólo una parte de los accionistas, lo que daría lugar a una clase de acciones, lo que no es compartido de modo unánime, cosa que me resulta lógica, por motivos obvios que serán tratados más tarde.

social y el poder de voto en los mercados de capitales[8]. Por otro lado, en los Estados Unidos el premio a la permanencia del accionista de las sociedades cotizadas también se ha considerado, si bien se ha relacionado (ya lo hemos apuntado) no sólo con la recompensa del voto adicional o el dividendo mejorado, sino también con la posibilidad otorgada a los accionistas leales de presentar propuestas a la junta general o incluso de nombrar administradores. En cualquier caso, las *loyalty shares* son aceptadas por el NASDAQ (*National Association of Securities Dealers Automated Quotation*) y el NYSE (*New York Stock Exchange*).

Francia fue el ordenamiento jurídico creador de la figura, y el que ha inspirado al resto de las jurisdicciones que la han acogido. En tal Derecho las acciones de lealtad fueron generadas jurídicamente ya hace casi un siglo, concretamente en 1933, mediante la *Loi du 13 novembre, réglementant le droit de voto dans les assemblées d´actionnaires des sociétés par actions* (JORF, número 266, de 15 de noviembre), que además dispuso, dadas las fuertes críticas que suscitaban, la prohibición de las acciones de voto plural que, permitidas por la legislación francesa desde hacía décadas, habían sido muy habituales en la praxis de los negocios. Dicha norma estableció que los estatutos sociales de las cotizadas pudieran otorgar un voto doble a los accionistas leales por haber conservado durante un periodo mínimo de al menos dos años su inversión, constituyendo entonces la única excepción permitida a la regla de la proporcionalidad entre el poder de voto y la participación en el capital social[9]. Sin embargo, con la *Loi Florange* de 29 de marzo de 2014, que entró en vigor el 4 de abril de 2016, el sistema de creación de las acciones de lealtad cambió drásticamente, puesto que, desde entonces, a diferencia de Italia, Bélgica, Países Bajos o

---

8 Véase al respecto la nota número 4 de VILLACORTA HERNÁNDEZ, M. A., "Regulación…", op. cit., p. 48.

9 Con la *Loi Monroy*, Ley de 13 de julio de 1978, de orientación el ahorro a la financiación de las empresas, se introdujeron con carácter general en el Derecho francés las *actions a dividende prioritaire sans droit de vote*. En la actualidad el *Code de Commerce* permite que las sociedades no cotizadas puedan poseer acciones sin voto hasta el 50 por ciento del capital social, siendo el límite hasta el 25 por ciento en el caso de las cotizadas. Las acciones de voto plural no se permiten.

España, que imponen para su generación un previo acuerdo social y su constancia estatutaria (sistema de cláusula *opt-in*), en Francia por el contrario se considera que todas las acciones son en principio de lealtad, permitiéndose su eliminación por disposición estatutaria (sistema de cláusula *opt-out*). El Derecho francés es el único que introduce las acciones de lealtad por defecto, en un cambio de sistema que ha sido muy criticado por la doctrina científica gala, entre otras razones porque de este modo se aumenta el poder de los socios de control para influir en la decisión sobre qué régimen disponer (si con acciones de lealtad o sin ellas)[10], pero que no es de extrañar en un país en el que el Gobierno de la Nación es tradicionalmente un inversor activo en su tejido empresarial y a través de las acciones de lealtad establecidas por defecto se facilita la toma de control por parte del poder público sin necesidad de poseer la mayoría del capital de la entidad[11].

En Italia, con el objetivo de animar a que las empresas acudiesen al mercado bursátil y de hacer más competitiva la legislación italiana, se aprobó el *Decreto-Legge* nº 91/2014, de 24 de junio de 2014, conocido como *Decreto Competitività*, más tarde convertido en Ley, que dispuso una disciplina para la emisión de acciones de lealtad en las sociedades cotizadas, siendo ellas la principal novedad de la reforma[12]. Así, en el artículo 127 quinquies del *Testo Unico della Finanza* se estableció la posibilidad de crear acciones que concedan a su titular un voto adicional de hasta un máximo de dos votos si se conservan

---

10 Al respecto de tales críticas puede consultarse la bibliografía francesa dispuesta en la nota 44 por ARROYO VENDRELL, T., op. cit., p. 169. Y para consultar sobre las posibles consecuencias de la implantación de un sistema como el francés, véase GUTIÉRREZ URTIAGA, M. y SAEZ LACAVE, M., pp. 96 y ss.

11 Lo recuerda DRAGO, D., op. cit., p. 433.

12 GARCÍA DE ENTERRÍA, J., op. cit., recuerda como hecho interesante que en Italia se decidió regular la figura de las acciones de lealtad después de que FIAT se mudara a Holanda, con el fin de poder preservar el control de la familia Agnelli mediante un sistema de voto reforzado. En la actualidad, desde que en 2015 el voto adicional fue adoptado por una primera compañía, en Italia ya existen más de 60 sociedades que lo han incorporado, aunque lo habitual es que haya sido el accionista de control el que fuerce su creación, dice el mismo autor.

durante un término mínimo de dos años, siempre que se introduzcan por disposición estatutaria, como ha dispuesto también el Derecho español, el belga o el holandés[13]. Como vemos el voto plural en las sociedades cotizadas italianas puede no llegar a ser doble, y en las no cotizadas llegar a ser triple.

Francia e Italia, jurisdicciones que han sido tomadas como modelo para la regulación de las acciones de lealtad en España, además de la concesión del voto adicional para los accionistas leales han establecido también una recompensa de naturaleza económica: el dividendo mejorado.

Así el artículo L 232-14 del Code de Commerce crea el *dividendo majoré* o *prime de fidelitè* en el año 1994, cuando el legislador, para evitar dudas sobre su validez dado que la práctica de los negocios ya había incorporado la figura, la disciplinó, estableciendo su operatividad no sólo para las sociedades cotizadas, y siendo necesaria, a diferencia de las acciones de lealtad, la correspondiente previsión estatutaria (*opt-in*) adoptada con mayorías reforzadas. La normativa establece que podrá otorgarse un dividendo adicional a aquellas acciones de las que sea titular un mismo socio durante al menos dos años, dispone a tal fin límites cuantitativos del 10 por ciento de los dividendos ordinarios y que en las cotizadas los accionistas podrán poseer un número de acciones con dividendo mejorado que no supere el 0´5 por ciento del capital social.

En Italia se introdujo la figura del *dividendo maggiorato* en 2010, en el artículo 127 quater del *Testo Unico della Finanza*, también mediante previsión estatutaria (*opt-in*) aprobada con mayoría reforzada,

---

13 No obstante, a diferencia de nuestro ordenamiento jurídico, el Derecho italiano permite que las sociedades no cotizadas puedan emitir acciones de voto plural en un porcentaje no superior al cincuenta por ciento del capital social, dotadas de un voto superior a la unidad y hasta un máximo de tres (artículo 2351 del *Codice Civile*), para que puedan actuar bien para cualquier asunto de competencia de la asamblea o limitado el voto múltiple a determinados asuntos, o bien sometido al cumplimiento de determinadas condiciones. Y por supuesto, se reconocen las acciones sin derecho de voto, con un dividendo mayor que el atribuido a las ordinarias, surgidas ya en el año 1974 con el nombre de *azioni di risparmio* con la finalidad de combatir el absentismo de los accionistas.

para acciones de las que su titular conserve su tenencia en este caso al menos un año, aunque sólo para las sociedades cotizadas. Con clara influencia de la legislación francesa, también se prevén límites cuantitativos del 10 por ciento de los dividendos ordinarios y que los accionistas podrán poseer un número de acciones con dividendo mejorado que no supere el 0´5 por ciento del capital social. El apartado segundo del artículo 127 quater establece además que los accionistas de control no pueden disponer de este privilegio.

Vemos pues como las regulaciones francesa e italiana en esto son muy similares, y que la española se ha alejado de ellas en dicho punto relativo a otras herramientas adicionales de recompensa a la lealtad de los accionistas. Y resulta muy interesante destacar, como hemos visto, que la posibilidad de disfrutar del dividendo mejorado se limita en aquellos países a los accionistas no significativos, lo que debería de animar a que los accionistas externos conservasen sus acciones a medio y largo plazo; así ha ocurrido por ejemplo con la compañía francesa Air Liquide que, contando tal entidad con el dividendo mejorado, mantuvo entre los años 2004 y 2014 en torno al cuarenta por ciento de su capital social en manos de accionistas minoritarios. Sin embargo, en Francia la utilización del dividendo mejorado ha tenido escaso uso, limitándose su existencia a unas pocas sociedades cotizadas, eso sí, muy relevantes (L´Oreal, GDF Suez, Air Liquide y algunas pocas más)[14].

III. LA UNIÓN EUROPEA Y EL FOMENTO DE LA IMPLICACIÓN A LARGO PLAZO DE LOS ACCIONISTAS

Sorprende en principio que la Directiva (UE) 2017/828 del Parlamento Europeo y del Consejo de 17 de mayo de 2017, por la que se modifica la Directiva 2007/36/CE en lo que respecta al fomento de la implicación a largo plazo de los accionistas en las sociedades

---

14 Según VILLACORTA HERNÁNDEZ, M. A., "Regulación...", op. cit., p. 55, nota 26.

cotizadas (publicada en el DOUE 132, 20.5.2017), y para cuya transposición al Derecho español se promulgó la Ley 5/2021, de 12 de abril, no haya contemplado las acciones de lealtad ni obligado a los Estados miembros a preverlas.

Dicha Directiva fue aprobada tras varios años de negociaciones entre las instituciones europeas, y traía causa en el Plan de Acción de la Comisión Europea de 2012, «Derecho de sociedades europeo y gobierno corporativo —un marco jurídico moderno para una mayor participación de los accionistas y la viabilidad de las empresas—»[15], que afirmaba que *«un compromiso de los accionistas eficaz y sostenible es una de las piedras angulares del modelo de gobierno corporativo de las sociedades cotizadas»*.

Ya antes de dicho Plan de Acción la Comisión Europea había creado un Grupo de Reflexión para realizar un informe sobre el futuro del Derecho de sociedades en Europa[16]; en este sentido, para fomentar un mayor compromiso a largo plazo por parte de los accionistas, el Grupo recomendaba la generación de normativa europea que garantizara a las sociedades la posibilidad de incorporar en sus estatutos medios de trato preferente para los accionistas a largo plazo, tales como las acciones de lealtad. E incluso en posteriores documentos, como el *Libro Verde sobre la financiación a largo plazo de la economía europea*[17], se reflexionaba al respecto de la posible incorporación de las acciones de lealtad a la normativa de la Unión.

La Directiva establece en sus considerandos que *«la crisis financiera ha puesto de manifiesto que, en muchos casos, los accionistas han apoyado una asunción excesiva de riesgos a corto plazo por parte de los gestores. Además, existen pruebas claras de que el nivel actual de «seguimiento» de las sociedades en las que se invierte y de implicación de los inversores institucionales*

---

15 Comunicación de la Comisión al Parlamento Europeo, al Consejo, al Comité Económico y Social Europeo y al Comité de las Regiones, *Plan de Acción: Derecho de sociedades europeo y gobierno corporativo —un marco jurídico moderno para una mayor participación de los accionistas y viabilidad de las empresas—* (Estrasburgo, 12 de diciembre de 2012 COM (2012)740 final).

16 *REFLECTION GROUP ON THE FUTURE OF EU COMPANY LAW, Report of the Reflection Group on the Future of EU Company Law*, de abril de 2011.

17 Bruselas, 25 de marzo de 2013, COM (2013) 150 final.

y los gestores de activos a menudo es inadecuado y se centra demasiado en una rentabilidad a corto plazo, lo que puede dar lugar a una gestión y a un rendimiento empresarial que disten de ser óptimos. (...) Una mayor implicación de los accionistas en el gobierno corporativo constituye uno de los instrumentos que pueden contribuir a mejorar el rendimiento financiero y no financiero de esas sociedades, también por lo que se refiere a factores medioambientales, sociales y de gestión, en particular como los que se mencionan en los Principios de Inversión Responsable que las Naciones Unidas sostienen[18]*. Además, una mayor implicación por parte de todos los interesados, en particular los trabajadores, en el gobierno corporativo constituye un factor importante a la hora de garantizar un enfoque más a largo plazo por parte de las sociedades cotizadas, que debe ser fomentado y tenido en cuenta»*.

En suma, las instituciones europeas entienden el cortoplacismo como una amenaza para el gobierno corporativo de las sociedades, y la idea de reconocer determinadas ventajas (ya sea en forma de voto doble, mejora de dividendos, participaciones de fidelidad, ventajas fiscales o atribución de participaciones adicionales) a los titulares de acciones en premio por su lealtad forma parte del debate comunitario. Pero a pesar de tales afirmaciones en sus "considerandos"[19], que

---

18 La Organización de Naciones Unidas, a través de los «Principios para la Inversión Responsable», afirma que un sistema económicamente eficiente y financieramente sostenible a escala global, recompensará a largo plazo la inversión responsable y beneficiará al medio ambiente y a la sociedad en su conjunto.

19 Y de que en determinados momentos de la tramitación de la Propuesta de Directiva (que, por cierto, tampoco de inicio, y sorpresivamente, contemplaba las acciones de lealtad, en contraste claro con la posición que, hasta dicha Propuesta de Directiva, se había venido observando a nivel europeo) se barajó la introducción de un artículo 3 sexies bis del siguiente tenor, que desapareció en 2015 en diversas enmiendas a la Propuesta de Directiva por falta de consenso:
Los Estados miembros establecerán un mecanismo para fomentar la participación a largo plazo y alentar la implicación a largo plazo de los accionistas. Los Estados miembros determinarán el periodo de tiempo necesario para ser considerado accionista a largo plazo, que no será inferior a dos años.
El mecanismo mencionado en el párrafo primero incluirá una o varias de las siguientes ventajas para los accionistas a largo plazo:
– derechos de voto adicionales,
– incentivos fiscales,

entienden esencial la implicación a largo plazo de los accionistas en la entidad, la Directiva finalmente no acogió el mecanismo concreto de las acciones de lealtad para el fomento del compromiso a largo plazo de los accionistas en el Derecho de sociedades europeo, reconociendo no obstante a cada Estado miembro autonomía en cuanto a su posible introducción, y a su régimen jurídico, caso de incorporarlas[20]. Por lo tanto, aunque la Unión Europea está decididamente con la implicación a largo plazo de los accionistas y con el fomento de medidas que aumenten el compromiso de los inversores en las sociedades, deja libertad a los Estados miembros para implementar, más allá de las impuestas de modo imperativo, otras como las acciones de lealtad con voto plural o los dividendos mejorados, ya existentes en algunos de ellos, como Francia o Italia.

IV. DEBATE DOCTRINAL SOBRE LA INCORPORACIÓN DE LAS ACCIONES DE LEALTAD CON VOTO DOBLE AL DERECHO ESPAÑOL

La Ley 5/2021, de 12 de abril[21], yendo más allá de las obligaciones de transposición impuestas por la Directiva 2017/828, ha intro-

---

– *dividendos por fidelidad,*
– *participaciones por fidelidad.*

20 En tal sentido, el considerando 55 de la Directiva dice:
La presente Directiva no impide que los Estados miembros adopten o mantengan en vigor disposiciones más rigurosas en el ámbito regulado por la presente Directiva para facilitar aún más el ejercicio de los derechos de los accionistas, fomentar su implicación y proteger los intereses de los accionistas minoritarios, así como para alcanzar otros fines tales como la seguridad y solidez de las entidades de crédito y financieras. Ahora bien, dichas disposiciones no deben obstaculizar la aplicación efectiva de la presente Directiva y la consecución de sus objetivos y deben en todo caso cumplir las normas establecidas en los Tratados.

21 La Ley 5/2021, de 12 de abril, por la que se modifica el texto refundido de la Ley de Sociedades de Capital, aprobado por el Real Decreto Legislativo 1/2010, de 2 de julio, y otras normas financieras, en lo que respecta al fomento de la implicación a largo plazo de los accionistas en las sociedades cotizadas, fue publicada en el BOE número 88, de 13 de abril de 2021, y entró en vigor a los 20 días de dicha publicación. Como vemos, tanto en

ducido por vez primera en nuestro Derecho societario las denominadas «acciones de lealtad con voto adicional», un mecanismo del que nuestro legislador defiende que puede ser útil como medio para incentivar a los accionistas a mantener su inversión en la sociedad en el largo plazo y reducir presiones cortoplacistas sobre la gestión de las empresas cotizadas. La Directiva tendría que haber sido traspuesta con anterioridad al 10 de junio de 2019, y obviamente no lo fue, incumplimiento del Estado español de casi dos años que ha hecho que alguna comentarista haya hablado de "*una reforma largamente esperada*"[22].

Durante la tramitación parlamentaria de la normativa finalmente adoptada de las acciones de lealtad, y también después, fueron muchos los trabajos doctrinales y varios los informes de diferentes sujetos y entidades (CNMV, Banco de España, etc[23].) que se ocuparon de dar una opinión fundada al respecto de la bondad, o carencia de la misma, de la incorporación en nuestro Derecho de la figura, sobre la base de las experiencias previas en Francia e Italia y de la exposición ordenada de sus pretendidas ventajas e inconvenientes.

A grandes rasgos, la doctrina científica señalaba tres grandes grupos de aspectos positivos que derivarían de la introducción de las acciones de lealtad. Así, un primer grupo de ventajas de las acciones de lealtad serían las de servir de instrumento útil para potenciar la estabilidad del accionariado, lo que permitiría afrontar proyectos de inversión a medio y largo plazo, evitar el tan dañino cortoplacismo y

---

el título de la Directiva como en el de la Ley 5/2021 aparece la misma expresión que publicita el objetivo último que ambas normas persiguen: el «fomento de la implicación a largo plazo de los accionistas en las sociedades cotizadas».

22 Literalmente, FERNÁNDEZ TORRES, I., "El voto adicional doble por lealtad: una reforma controvertida", en *El Notario del Siglo XXI*, Revista 97, 2021.

23 La Comisión Nacional del Mercado de Valores (CNMV) siempre se mostró a favor de la introducción en nuestro Derecho de las acciones de lealtad; contrariamente, el Banco de España vio más inconvenientes que ventajas en la aplicación a la banca de tales acciones, pues era de la opinión de que, dadas sus posibles implicaciones en el contexto de recapitalización, dichas acciones podrían dificultar la entrada de nuevos accionistas si ello fuera necesario.

mejorar en el buen gobierno de la entidad por el lógico compromiso de los administradores con el interés social a través de una gestión responsable bajo el punto de mira del accionariado estable. Más en concreto, el premio del doble voto debería incrementar las posibilidades de control de los socios minoritarios, al incentivar su permanencia y participación en la toma de decisiones de la sociedad, así como su vigilancia sobre los administradores, lo que habría de redundar en un mejor gobierno de la misma[24]. Pero, además, el instrumento puede servir también para reforzar la posición de los accionistas de control, y ello sin coste alguno, lo que resulta especialmente interesante en el caso de sociedades de titularidad pública y en sociedades familiares, así como en los supuestos de salida a bolsa de nuevas entidades, pues las acciones de lealtad permitirían a los fundadores conservar el poder de decisión, de lo que resulta otra ventaja conectada íntimamente a lo ahora dicho, que es la de favorecer la salida a bolsa de sociedades con buenas perspectivas de crecimiento. Pero es que, a mayor abundamiento, el compromiso de permanencia y participación en la entidad de los socios leales fomentaría sin duda otras ventajas conexas, tales como la estabilidad bursátil, la correcta formación de precios y la reducción de la volatilidad en los mercados de valores.

Otro segundo grupo de ventajas consecuencia de contar con acciones de lealtad es que con las ellas se incrementaría el catálogo de los instrumentos de inversión, y así el de las fuentes de financiación, lo que podría incentivar la entrada de nuevos recursos financieros en las empresas cotizadas, que resultarían más atractivas a la inversión en un entorno muy competitivo de jurisdicciones. Las acciones de lealtad contribuirían pues a la modernización de los mercados bursátiles, ya que ayudarían a que los mercados que las admitan tengan un alto grado de interés para los inversores y, en consecuencia, a

---

24 Así, ya antes de la promulgación de la reforma se presentaba como uno de los grandes objetivos de la futura nueva legislación sobre las acciones de lealtad dificultar la toma de control de las grandes compañías cotizadas europeas por fondos internacionales oponiéndoles bloques de acciones minoritarios titulares de tales acciones. Aunque por los detractores de la figura de las acciones de lealtad eso también ha sido visto como un impedimento a la inversión extranjera.

disuadir de la huida a otros mercados de capitales de otros países de potentes empresarios[25].

Un tercer grupo de ventajas de las acciones de lealtad serían de naturaleza puramente jurídica, pues, en primer lugar, y a diferencia de las clases de acciones, aquellas se ofrecen a "todos" los accionistas que cumplan con los requisitos para obtener el beneficio que confieren al accionista leal, por lo que todos los accionistas pueden llegar a verse beneficiados con el premio del voto doble adicional; y, en segundo lugar, que del conjunto de instrumentos que pueden ser utilizados para "*abaratar el control que los accionistas significativos ejercen en muchas empresas cotizadas*"[26], tales como los pactos parasociales de control, las participaciones cruzadas, las estructuras piramidales, etc., sin duda las acciones de lealtad son los más transparentes.

En el lado contrario, son varias las razones que buscaron justificar la no adopción de la figura por nuestro Derecho. Argumentos tales como que realmente en España no hay una situación real de cortoplacismo, o no la hay en demasía, que ampare la adopción de un mecanismo que produce asimetrías entre el capital y el voto, pues en nuestro país la realidad muestra que la mayoría de las sociedades cotizadas se caracterizan por tener accionistas significativos o de control y, de otro lado, por una escasa actitud proactiva por parte de los inversores institucionales y minoritarios. Pero es que se dijo incluso que aunque existiese realmente esa situación de cortoplacismo, tampoco las acciones de lealtad asegurarían una solución a tal problema, pues no hay evidencia empírica que así lo pruebe, como demuestra el hecho de que en otros ordenamientos jurídicos (en los que incluso se han instaurado otras figuras de recompensa de la fidelidad del socio añadidas al voto adicional, como son los dividendos mejorados) el problema del cortoplacismo y del escaso compromiso de los accionistas externos no ha desaparecido. En realidad las acciones de lealtad, se argumentaba también, carecerían de verdadera efectividad en la finalidad fundamental que persiguen de involucrar en la

---

25 Recordemos otra vez el caso de Fiat en Italia, que con su cambio de sede a Holanda forzó la introducción de las acciones de lealtad en aquel país.

26 Reproducimos la expresión de GUTIÉRREZ URTIAGA, M. y SAEZ LACAVE, M., op. cit., p. 94.

estabilidad de la sociedad a los accionistas titulares de paquetes minoritarios, pues la probada «apatía o pasividad racional» del accionista con participación escasa en la entidad[27], conduce a que tales socios no participen activamente en la toma de decisiones de la cotizada, dado que realmente son inversores. Si además se tiene en cuenta que las acciones de lealtad se abren a todos los socios que cumplan con los requisitos de permanencia establecidos, a todos, también pues a los mayoritarios, significativos, o de control, se entiende bien que las acciones de lealtad interesen poco o nada a los accionistas minoritarios, pues en realidad nunca, o prácticamente nunca, los minoritarios llegarán a ver incrementado su poder.

Lo cierto es que, de interesar a alguien las acciones de lealtad (y puede que incluso ni siquiera a ellos si realmente no las necesitan, por el alto grado de poder que ya tendrían) es a los accionistas de control. Efectivamente, las acciones de voto doble pueden servir para incrementar el poder de voto del socio mayoritario o de control. Se llegaría así a la paradoja de que con las acciones de lealtad en realidad lo que se puede producir son situaciones muy distintas al objetivo principal que preside la filosofía de base de la figura (que era, recordemos, la de posibilitar el incremento de socios minoritarios con mayor control gracias al voto doble adicional, incentivando su activismo en la entidad), pues la experiencia práctica ha demostrado que en la praxis de otros países que han contado con ellas desde hace años, "*las acciones de lealtad tienden a usarse, no por las sociedades de capital disperso que necesiten incentivar a sus accionistas, sino más bien por las sociedades con un socio de control que por medio del voto doble busca*

---

27 Como se ha recordado, la «apatía o pasividad racional» "se produce cuando el coste que tiene para el accionista conseguir o analizar la información societaria para *emitir su voto de forma fundamentada es superior a los beneficios que de ello se extraen, tanto más cuando su capacidad de influencia en la sociedad es muy reducida*", recuerda VILLACORTA HERNÁNDEZ, M.A., "Regulación...", op. cit., p. 70, quien también señala, siguiendo a GURREA MARTÍNEZ, A., "Un análisis crítico sobre la posibilidad de permitir las acciones de lealtad en las sociedades cotizadas españolas", en *Blog, Derecho Civil y Mercantil, Mercantil, Sociedades,* publicado el 13 de junio de 2019, que las tres razones que provocan esa apatía en los accionistas minoritarios son: su participación escasa, el que estén diversificados y los elevados costes para coordinarse con otros accionistas, todo lo cual dificulta que sus decisiones sean influyentes.

reforzar la posición e influencia de la que ya disfruta"[28]; en definitiva, las acciones de lealtad al final servirían "*como mecanismo para abaratar el control que los accionistas significativos ejercen en muchas empresas cotizadas de propiedad concentrada. En este sentido son funcionalmente equivalentes a las acciones con múltiples derechos de voto, y muy similares a otros mecanismos que cumplen el mismo propósito*"[29]. Y por ello, las acciones de lealtad en realidad producirían el efecto de aumentar el control de los accionistas que ya lo poseen en la concreta entidad cotizada, incrementando su poder de decisión, con el riesgo de comportamientos abusivos que ello puede traer aparejado[30], y desincentivándose así la participación activa en esas sociedades de los accionistas minoritarios e institucionales, o incluso perdiendo por completo el interés en invertir en ellas[31]. En suma, las acciones de lealtad, argumentaban sus opositores, no serían un instrumento que logre fomentar el buen gobierno corporativo, sino que vendrían a reforzar posición de los accionistas de control, castigando por ello en muchas ocasiones al pequeño accionista.

---

28 Literalmente, GARCÍA DE ENTERRÍA, J., op. cit.

29 Literalmente, GUTIÉRREZ URTIAGA, M. y SAEZ LACAVE, M. op. cit., p. 94.

30 Así, GARCÍA-CRUCES GONZÁLEZ, J.A., *Derecho de sociedades mercantiles*, Valencia, Tirant lo Blanch, Valencia, 2021, p. 548, nota 137.
Además, se ha destacado por la doctrina española que la demostración de la abusividad del acuerdo social de adopción de las acciones de lealtad vía artículo 204.1 LSC no resultará nunca nada fácil, teniendo en cuenta que dicho acuerdo social se adopta por mayorías muy reforzadas, que todos los accionistas pueden optar al voto doble adicional cumplidos los requisitos exigidos y que la finalidad de combatir el cortoplacismo e incentivar la estabilidad del socio en la entidad es sin duda una "necesitad razonable" que se presenta siempre como muy atractiva para el buen funcionamiento de la sociedad (así, vid. PALA LAGUNA, R., "Recurso a las acciones de lealtad por motivos espurios y abuso de derecho: reflexiones a propósito del caso Mediaset", Gómez-Acebo & Pombo, *https://www.ga-p.com/wp-content/uploads/2020/12/Recurso_acciones_de_lealtad.pdf*).

31 Todas estas críticas a las acciones de lealtad proyectadas ya fueron apuntadas por GURREA MARTÍNEZ, A., op. cit., y le hicieron escribir que "*el legislador no debería permitir las acciones de lealtad en las sociedades cotizadas españolas, al no resultar necesarias ni eficaces para el cumplimiento de los fines que pretende el Gobierno, y, además, generar diversos perjuicios para el atractivo de las empresas y el mercado de valores en España*".

V. LA INCORPORACIÓN AL ORDENAMIENTO JURÍDICO ESPAÑOL DE LAS ACCIONES DE VOTO DOBLE POR LEALTAD POR LA LEY 5/2021, DE 12 DE ABRIL Y OBJETIVOS PERSEGUIDOS CON ELLA

En ese intenso debate de opiniones, unas a favor y otras en contra de las acciones con voto doble por lealtad, el legislador español se colocó entre los que consideraron que pueden resultar un instrumento útil para fomentar la implicación a largo plazo de los accionistas en las sociedades cotizadas, aumentar el atractivo de nuestros mercados de capitales e incentivar la salida a bolsa de nuevas entidades societarias, pues las incorporó a nuestro ordenamiento jurídico con la Ley 5/2021.

Así, el número 20 del artículo tercero de esa Ley 5/2021 añade al Título XIV, Capítulo VI, Sección 3.ª del Real Decreto Legislativo 1/2010, de 2 de julio, por el que se aprueba el Texto Refundido de la Ley de Sociedades de Capital (TRLSC), una nueva Subsección 4.ª, con el título de «Acciones con voto por lealtad», con un contenido regulador de la nueva institución que abarca nueve nuevos artículos en total, desde el 527 ter al 527 undecies.

En su Preámbulo constan párrafos del siguiente tenor:

> "La crisis financiera surgida en 2008 se produjo, entre otros factores, por tener una visión cortoplacista de la economía, pues el modelo de crecimiento económico anterior a ese año se aposentaba en la necesidad de generar beneficios en el corto plazo, dando así lugar a tipo de negocio arriesgado y excesivamente endeudado. Según numerosos estudios, las políticas de inversión cortoplacistas no sólo afectan a la sostenibilidad y rentabilidad de las empresas individualmente consideradas, sino que también pueden generar riesgos relevantes para la estabilidad de los mercados de capitales y la economía."

> "En el concreto ámbito de las sociedades cotizadas las estrategias de inversión cortoplacistas tienden a afectar negativamente al potencial desarrollo sostenible de las mismas. (...) Diversos estudios demuestran que las sociedades cotizadas que buscan maximizar sus resultados en el corto plazo suelen invertir menos en I+D+i. Esta menor inversión tiene a su vez repercusión en el desarrollo futuro de la compañía al lastrar su capacidad de adaptación al mercado, competitividad, posición en los mercados internacionales, etc."

> "Otro potencial efecto adverso de las estrategias de inversión cortoplacistas es que influyen en que la sociedad cotizada se centre esencialmente en el rendimiento financiero en beneficio exclusivo de sus accionistas. Los demás objetivos no financieros de la sociedad cotizada y los intereses de otros grupos de interés, y muy especialmente de sus trabajadores, pasan así a un segundo plano de la estrategia corporativa. Por el contrario, las estrategias de inversión a largo plazo integran de forma natural otros objetivos no financieros, como el bienestar de los trabajadores y la protección del medio ambiente, garantizando la sostenibilidad de las empresas en el largo plazo. Y es que aquellas empresas viables en la sociedad y en el medio ambiente, son también más sostenibles económicamente en el medio y largo plazo."

La coherencia entre el título dispuesto por el legislador para la Ley 5/2021 (recordemos, «fomento de la implicación a largo plazo de los accionistas en las sociedades cotizadas») y la introducción de la figura de las acciones de lealtad como acciones con voto adicional doble para su titular por la fidelidad mostrada hacia la entidad con su permanencia en la misma durante el periodo de tiempo exigido, es pues clara y evidente, teniendo en cuenta que "*la principal incorporación con efecto directo para la implicación de los accionistas a largo plazo reside en el reconocimiento por primera vez en nuestro ordenamiento de las acciones con voto doble por lealtad*"[32].

Así pues, la Ley 5/2021 ha introducido en el ordenamiento jurídico español las acciones de lealtad. Su Preámbulo dice que "*las sociedades cotizadas que contemplen las acciones de lealtad en sus estatutos sociales otorgan derechos de voto adicionales a las acciones que haya mantenido su titular ininterrumpidamente durante un periodo de tiempo mínimo de dos años, constituyendo pues estas acciones un mecanismo que puede ser utilizado para incentivar a los accionistas a mantener su inversión en la sociedad en el largo plazo y reducir presiones cortoplacistas sobre la gestión de las empresas" (...) "su aplicación requerirá en todo caso una decisión expresa de la compañía introduciendo la figura en los estatutos sociales, adoptada con determinados requisitos de quorum y mayoría de votos especialmente exigentes con la finalidad de proteger al accionista minoritario. En cuanto a su supresión, ésta se podrá acordar con un quorum y mayorías menos exigentes que para su incorporación.*"

---

[32] Literalmente, ARROYO VENDRELL, T., op. cit., p. 163.

La trascendencia de la figura de las acciones con voto doble adicional por lealtad resulta evidente, pues la regla de proporcionalidad entre participación en el capital social y derecho de voto ha sido tradicionalmente considerada como un principio configurador de las sociedades anónimas, en las que por ello no será válida la creación de acciones que, de forma directa o indirecta alteren la proporción entre valor nominal y derecho de voto, dicen expresamente los artículos 96.2 y 188.2 LSC[33]. Esta regla de la proporcionalidad admitía únicamente dos excepciones, las acciones sin voto, como clase de acciones que compensa la falta de derecho de voto con un privilegio económico y que en la práctica han sido muy poco utilizadas (artículos 98 a 103 LSC), y las limitaciones estatutarias del número máximo de votos que puede emitir un mismo accionista, las sociedades pertenecientes a un mismo grupo o quienes actúen de una forma concertada con los anteriores (artículos 188.3 y 527 LSC)[34]. Con las acciones de lealtad ese reducido número de excepciones se ha incrementado con una tercera, como expresamente dice el artículo 527 ter LSC al iniciar su letra[35]. Nada hay pues que objetar a la validez de su inclusión en el Derecho español de sociedades anónimas; el legislador habría hecho uso de la facultad que le asiste de normar la institución anónima con el objeto de lograr determinadas finalidades consideradas loables[36], y lo habría hecho incrementando con un nuevo supuesto

---

33 Por el contrario, en la sociedad de responsabilidad limitada la regla de proporcionalidad entre participación en el capital social y derecho de voto tiene carácter dispositivo, y los estatutos en consecuencia tienen libertad para servirse de otros criterios de atribución de los derechos de voto (voto plural, voto por cabezas, etc.). Así lo permite el artículo 96.2 LSC.

34 Estas limitaciones son también conocidas como «cláusulas de blindaje», y con ellas la vigencia del principio de proporcionalidad entre el capital social y el poder de voto se da únicamente hasta el límite máximo establecido de votos a emitir. Esta figura siempre ha estado cuestionada, hasta el punto de que, en su Recomendación 1ª, el Código de Buen Gobierno de las sociedades cotizadas las desaconseja. "*En la práctica las siguen empleando unas pocas sociedades cotizadas con el fin —por lo general vergonzante e inconfesado— de dificultar la formación de paquetes significativos y de limitar la capacidad de influencia de quienes los adquieran*", escribe GARCÍA DE ENTERRÍA, J., op. cit.

35 "*Como excepción a lo previsto en los artículos 96.2 y 188.2 (…)*"

36 Con las acciones sin voto se ha pretendido dar una solución compensatoria al habitual fenómeno del absentismo del socio en determinados tipos de so-

el muy escaso catálogo de excepciones a la regla de proporcionalidad entre participación en el capital social y derecho de voto, que continúa sin duda plenamente operativa como lo era antes, sin haber sido desnaturalizada, solo que matizada con una excepción legal más, perfectamente identificada, lo que, bien es verdad, sí indica una tendencia visible en un determinado sentido. Por supuesto, lo que se podrá discutir, a priori, es si el legislador ha valorado con profundo conocimiento de causa la justificación de su inclusión, así como si su régimen jurídico está bien trabado y concebido; y, a posteriori, ya con cierta perspectiva temporal, si su introducción consigue el logro de los fines para los que ha sido incorporada, o, por el contrario, no.

Son varios los motivos declarados por el propio legislador que han sido esgrimidos para justificar la incorporación al ordenamiento jurídico español de las acciones voto doble por lealtad, razones, por otro lado, compartidas por los legisladores nacionales que han incorporado las acciones de lealtad a sus respectivos ordenamientos jurídicos. En primer lugar, sin duda el fomento de la implicación a largo plazo de los accionistas en las sociedades cotizadas es el más importante, además expresamente reconocido por el legislador en el título de la ley que ha introducido las acciones de lealtad en nuestro Derecho: fomentar «la implicación a largo plazo de los accionistas en las sociedades cotizadas», y así combatir el cortoplacismo del que adolecen los mercados de valores para otorgarles estabilidad, incentivando a los accionistas para mantener su inversión en el largo plazo con la atribución de un voto doble a sus acciones. En teoría, al aumentar el poder de voto de los socios más fieles y estables, se facilitaría que la sociedad cotizada fuese gestionada con una perspectiva no cortoplacista, sino a largo plazo, lo que redundaría positivamente en la eficiencia del gobierno corporativo, en las políticas de I+D+i, en la protección del medio ambiente y en la situación de los trabajadores.

---

ciedades de accionariado difuso, con las limitaciones estatutarias del número máximo de votos que puede emitir un mismo accionista se pretende dificultar la formación de paquetes de acciones significativos que otorguen a un socio un excesivo poder en la entidad y con las acciones con voto doble por lealtad, como ya hemos dicho muchas veces, favorecer la estabilidad accionarial evitando intereses cortoplacistas que en nada ayudan a la buena gestión de la sociedad cotizada.

Las acciones de lealtad constituirían pues un mecanismo para recompensar la permanencia de los accionistas en las sociedades anónimas cotizadas que estatutariamente las hayan previsto, y así luchar contra uno de los problemas que emergieron durante la crisis económica: la gestión basada en el corto plazo.

Pero no es el único motivo el mencionado, pues recordemos que la incorporación de las acciones de lealtad al Derecho societario español no deriva de una imposición comunitaria, no es consecuencia directa de la transposición de una Directiva que es de mínimos, sino una medida introducida *motu proprio* por el legislador patrio, quien en el Preámbulo de la Ley 5/2021, de 12 de abril señala que "*con su introducción, nuestro régimen societario y, en definitiva, nuestro mercado bursátil, ofrecerán las mismas opciones que permiten otras legislaciones europeas, reforzando así su atractivo*". En definitiva, en la introducción de las acciones de lealtad hay también una "necesidad de competir con jurisdicciones de nuestro entorno, ofrecer una mayor flexibilidad societaria y el deseo de hacer el mercado de valores más «atractivo»"[37]. Por lo tanto, como un ejemplo más de la competencia normativa habitual en Europa, España ha incorporado una institución ya vigente otros países de la Unión Europea, con el claro objetivo de ampliar el ámbito de posibilidades de inversión en nuestro mercado de valores, haciéndolo más deseable, evitar así el riesgo de que algunas sociedades españolas puedan verse tentadas a trasladar su domicilio social a otras jurisdicciones de regulación más laxa en cuestiones de voto[38], y a su vez atraer a otras compañías foráneas a nuestros mercados.

---

37 Literalmente, BLANCO PÉREZ, J.L., op. cit., p.8.

38 Recordemos como en Italia se decidió regular la figura de las acciones de lealtad después de que FIAT se mudara a Holanda con el fin de poder preservar el control de la familia Agnelli mediante un sistema de voto reforzado. O la proyectada fusión de Mediaset Italia y Mediaset España, que se concretaba a través de la creación de una sociedad holandesa denominada Media for Europe (MFE) en la que se reconocían acciones de lealtad, particular blindaje que beneficiaba notablemente al principal accionista de la compañía.

En tercer lugar, con la nueva figura se pretende también facilitar los procesos de salida a Bolsa, que se han retraído últimamente en la mayoría de los países, por la vía de permitir que los socios fundadores puedan servirse de las acciones de lealtad para proteger su posición de control de la compañía[39]. Circunstancia ésta que llevó a la Comisión Nacional del Mercado de Valores (CNMV), ya lo dijimos, a promover activamente la introducción de la figura de las acciones de voto doble adicional en nuestro ordenamiento. Este objetivo se entiende sobre todo en relación a las empresas familiares, normalmente muy cuidadosas en el control de las mismas, por lo que no ha sido habitual su salto al mercado de valores ante el riesgo de que la familia pueda perder el poder de decisión al cotizar en Bolsa, algo que la existencia de acciones de lealtad podría evitar. De hecho, el Texto Refundido de la Ley de Sociedades de Capital (TRLSC) ha incluido un régimen «especial» de atribución de voto doble por lealtad en sociedades que soliciten la admisión a negociación en un mercado regulado que permite que los accionistas con dos años de antigüedad que se inscriban en el correspondiente libro registro puedan beneficiarse del voto doble por lealtad desde la fecha de admisión a cotización de las acciones, sin necesidad por tanto de cumplir el plazo de espera de dos años desde la inscripción, siempre claro está que la entidad haya dispuesto la previsión estatutaria de creación de tales acciones de voto doble y generado el correspondiente libro registro (véase el artículo 527 octies LSC). Ello, como decíamos, para facilitar el acceso a los mercados bursátiles de nuevas sociedades, en las que los socios fundadores puedan asegurarse cierto poder mediante la atribución del voto doble[40].

---

39 En tal sentido, GUTIÉRREZ URTIAGA, M. y SAEZ LACAVE, M., op. cit., p. 94, nota 6, citan a Reddy, quien señala que la falta de acciones de voto doble no facilita a las *starts-up* inglesas salir a bolsa en el mercado londinense (London Stock Exchange —LSE—), por lo que estas empresas acaban siendo compradas por inversores o competidores extranjeros.

40 FERNÁNDEZ TORRES, I., op. cit., quien considera tal régimen «especial» un acierto.

VI. SOBRE LAS SOCIEDADES QUE PUEDEN CREAR ACCIONES DE LEALTAD CON VOTO DOBLE (LAS SOCIEDADES COTIZADAS), SU NATURALEZA (NO SON UNA CLASE DE ACCIONES) Y UNA BREVE REFERENCIA A SU REGULACIÓN JURÍDICA EN ESPAÑA

Por lo que respecta específicamente al Derecho de sociedades español, según lo dispuesto en el Artículo 527 ter, apartado 1° del Texto Refundido de la Ley de Sociedades de Capital (TRLSC), los estatutos de las sociedades anónimas cotizadas podrán modificar la proporción entre el valor nominal de la acción y el derecho de voto para conferir un voto doble a cada acción de la que haya sido titular un mismo accionista durante dos años consecutivos ininterrumpidos desde la fecha de inscripción en el libro registro especial contemplado en el artículo 527 septies del TRLSC[41]. Ese mismo artículo 527 ter, establece, para que no haya lugar a dudas que, a estos efectos, por voto doble se entiende el doble de los votos que correspondan a cada una de las acciones en función de su valor nominal.

Por lo tanto, las acciones de lealtad atribuyen un derecho adicional de voto doble a cada acción en función de su valor nominal, pero sólo en las sociedades cotizadas que hayan decidido incorporarlas estatutariamente (es, recordemos, el tipo de disposición estatutaria conocida como cláusula «*opt-in*»), y siempre que su accionista titular las haya mantenido durante un periodo mínimo de dos años contados desde la inscripción en el correspondiente libro registro dispuesto al efecto, lo que para el legislador es la prueba de la lealtad del accionista en el mantenimiento de su inversión en la entidad, y

41 Ya anticipamos en la Introducción que, en general, se puede decir que las acciones de lealtad son acciones con derechos ligados al tiempo de su tenencia por sus titulares, que atribuirían derechos de voto reforzados, o derechos económicos adicionales, o incluso de derechos de otro tipo, si se han mantenido en manos del actual titular durante un periodo mínimo de tiempo preestablecido, constituyendo por ello un mecanismo enmarcado en la política de fidelización del accionista.

la razón por la que se le premia[42]. En el Derecho comparado y en las discusiones en el seno de la Unión Europea la tenencia durante un periodo más o menos largo de la titularidad de las acciones ha sido la base sobre la que se ha aposentado la figura de las acciones de lealtad y de otras posibles herramientas adicionales concebidas para premiar la fidelidad.

La recompensa que se ha considerado por el legislador español consiste pues en el voto doble de las acciones de lealtad, no habiéndose contemplado en la normativa, a diferencia de otros ordenamientos de nuestro entorno, ni otras posibilidades de atribuir un voto adicional distinto[43], ni otros posibles premios adicionales, como el dividendo mejorado[44]. En definitiva, en nuestro Derecho las acciones de lealtad sólo pueden ser utilizadas por las sociedades cotizadas en mercados regulados, en concreto por aquellas que hayan incluido esa posibilidad en sus estatutos sociales, y su recompensa al accionista fiel se limita a un derecho de voto adicional que ha de ser un voto doble, ni más ni menos.

Consideramos, no obstante, que nada impediría que se dispusiese en los estatutos sociales por la concreta entidad, incluso no cotizada, la posibilidad de un dividendo mejorado para los accionistas leales, que tendría cabida en el juego operativo del principio de autonomía de la voluntad, siempre con pleno respeto a la ley imperativa y a los principios configuradores del tipo social (artículo 28 del TRLSC)[45]. Principio de autonomía de la voluntad que estimamos, también per-

---

42 Con tono crítico se ha dicho que "*ello significa que las lealtades pasadas no ocupan ni preocupan al legislador, sino que la atención se centra, única y exclusivamente, en las futuras*"; así, FERNÁNDEZ TORRES, I., op. cit.

43 Como por ejemplo se dispone en el artículo 127 quinquies del *Testo Unico della Finanza* italiano que reza, en su apartado primero, que "*Gli statuti possono disporre che sia attribuito voto maggiorato, fino a un massimo di due voti, per ciascuna azione appartenuta al medesimo soggetto per un periodo continuativo non inferiore a ventiquattro mesi a decorrere dalla data di iscrizione nell'elenco previsto dal comma 2*".

44 Como vimos que se prevé en las regulaciones francesa e italiana de las acciones de lealtad.

45 En tal sentido, ARROYO VENDRELL, T., op. cit., pp. 171 y 172 o GUTIÉRREZ URTIAGA, M. y SAEZ LACAVE, M., op. cit., p. 95.

mitiría, por ejemplo, el que en los estatutos sociales de la concreta sociedad cotizada se estableciesen acciones de lealtad admitidas sólo para la adopción de determinados acuerdos[46], o que, dada la particular concepción del voto en las sociedades de responsabilidad limitada, se admitan en estas sociedades las participaciones de lealtad, como un mecanismo de control válido en favor de los socios fundadores en el ámbito de una *start-up* o en el caso de determinados grupos familiares en sede de la empresa familiar[47].

No estimamos posible, sin embargo, el que se pueda establecer en los estatutos sociales una cláusula que disponga una solución de voto mejorado como la establecida en Italia por el artículo 127 quinquies del *Testo Unico della Finanza*, es decir, hasta un máximo de dos votos por acción, pues si bien es verdad que ello no superaría el límite de los dos votos, hay que tener presente que todo el sistema dispuesto por la norma española, y la justificación de sus objetivos a lograr, gira en torno a ese específico premio del voto "doble" adicional, repitiéndose en todo momento esa expresión (voto doble), que indica de modo muy claro en qué ha de consistir la medida del voto adicional que premia la lealtad del accionista: *Previsión estatutaria de acciones con voto adicional doble por lealtad*, se intitula el artículo 527 ter. Por supuesto, con mayor razón, resulta imposible la posibilidad de establecer una cláusula estatutaria que establezca un voto adicional superior al doble prescrito legalmente, por razones evidentes vinculadas a la concepción jurídica de la figura de las acciones de lealtad como una excepción al principio de proporcionalidad entre la participación en el capital social y el derecho de voto[48].

Sobre la naturaleza de las acciones de lealtad es preciso recordar previamente que la clase de acciones, como conjunto de ellas que atribuyen a sus titulares iguales derechos, diversos, en lo cualitativo

---

46 Así, FERNÁNDEZ TORRES, I., op. cit. o ARROYO VENDRELL, T., op. cit., p. 174.

47 Expresamente, en «Las acciones de lealtad: un mecanismo para privilegiar al accionista», https://www.businessinsider.es/acciones-lealtad-mecanismo-privilegiar-accionista-500303, publicado el 27/09/2019.

48 En relación a esto, resulta interesante el trabajo de PALA LAGUNA, R., op. cit.

y/o en lo cuantitativo, de los atribuidos por otras clases, es un concepto objetivo, en el sentido de que la diversidad de derechos que da lugar a una clase de acciones "*trae causa de la acción entendida como valor mobiliario representativo del capital, y no cuando se produce en función de la persona titular de la misma*"[49]. Las acciones sin voto sí constituyen una clase especial de acciones, en el sentido del artículo 94 del TRLSC. Por el contrario, tanto las acciones de lealtad como la limitación al número máximo de votos a emitir por un mismo accionista tienen un carácter puramente subjetivo, en el sentido de que se aplican al accionista subjetivamente considerado, sin incorporarse al contenido de derechos propio de las acciones y por ello sin dar lugar a una clase especial. De hecho, mientras que los derechos atribuidos por las acciones de una clase especial se incorporan a éstas y se transmiten con ellas, en cuanto a las acciones de lealtad el artículo 527 decies, regulador de las transmisiones de las acciones por el accionista con voto doble, dispone en su apartado 1 que "*el voto doble por lealtad se extinguirá como consecuencia de la cesión o transmisión, directa e indirecta, por el accionista del número de acciones, o parte de ellas, al que está asociado el voto doble, incluso a título gratuito, y desde la fecha de la cesión o transmisión*". Así pues, las acciones de lealtad no son, porque además no pueden ontológicamente serlo, una clase especial de acciones, al ligar el voto doble que confieren a determinados comportamientos (de lealtad) de su titular[50], lo que además se avala en, y trae consigo, que la concesión del voto doble se otorgue a todos los socios leales, sin excepción.

El propio artículo 527 ter, apartado 4, del TRLSC, dispone con un afán clarificador innecesario, pero que tiene el efecto positivo de evitar toda posible duda interpretativa, que "*Las acciones con voto doble*

---

49 Así, CAMPUZANO LAGUILLO, A.B., *Las clases de acciones en la sociedad anónima*, Civitas, Madrid, 2000, p. 182.

50 Así, GUTIÉRREZ URTIAGA, M. y SAEZ LACAVE, M., op. cit., p. 93 o, en el mismo sentido, BLANCO PÉREZ, J.L., op. cit., p.10, dice que "*las acciones de lealtad (...) no son una suerte de acciones privilegiadas, sino un instrumento que se enmarca dentro de lo que podríamos denominar políticas de fidelización, que se traducen en la atribución por la sociedad de ciertas ventajas en la posición jurídica del accionista beneficiario (dividendos adicionales, incentivos fiscales o derechos de voto adicionales)*".

por lealtad no constituirán una clase separada de acciones en el sentido del artículo 94". Como es lógico, ello tiene consecuencias importantes, pues no resultará de aplicación la normativa de protección de los titulares de clases de acciones que el TRLSC dispone, consistente en que los acuerdos que afecten a la clase precisan de su aprobación en junta especial integrada por los titulares de acciones de la clase en cuestión[51].

Por las mismas razones de naturaleza subjetiva tampoco se estaría ante una clase de acciones en sentido técnico en el caso de que se decidiese por una concreta entidad otorgar un dividendo mejorado a los accionistas considerados leales por cumplir con las condiciones prueba de su fidelidad, lo que ya apuntamos que consideramos posible[52].

En cuanto a su régimen jurídico, no nos detendremos con detalle al exceder de las pretensiones de este trabajo, limitándonos a dar unas breves nociones del mismo. El legislador español, al decidir introducir las acciones de lealtad, lo ha hecho dotándolas de una disciplina jurídica que ha tenido en cuenta dos cosas: primero, que constituyen una excepción al muy importante principio de proporcionalidad entre capital social y poder de voto; y, segundo, las "sombras" que la figura controvertida de las acciones de lealtad puede llevar consigo aparejadas. Un reto nada fácil (nunca lo es), pues se ha pretendido lograr que las acciones de lealtad sean realmente utili-

---

51 Una previsión idéntica realiza el legislador italiano en el artículo 127 quinquies.5 del Testo Unico della Finanza: "*Le azioni cui si applica il beneficio previsto dal comma 1 non costituiscono una categoria speciale di azioni ai sensi dell'articolo 2348 del codice civile*".

52 En tal sentido, ARROYO VENDRELL, T., op. cit., p. 172. En contra, GUTIÉRREZ URTIAGA, M. y SAEZ LACAVE, M., op. cit., p. 95, para quienes el establecimiento de un dividendo mejorado a los socios leales mediante la correspondiente previsión estatutaria, cosa que admiten, necesariamente exigiría la creación de una clase de acciones privilegiadas. En el Derecho italiano, por dar un ejemplo de normativa que ha considerado expresamente la cuestión, el artículo 127 quater, apartado cuatro, del *Testo Unico della Finanza*, dedicado a la *maggiorazione* del dividendo, dice expresamente que "*Le azioni a cui si applicano i benefici indicati nel comma 1 non costituiscono una categoria speciale di azioni ai sensi dell'articolo 2348 del codice civile*".

zadas en la práctica de las sociedades cotizadas en orden a conseguir los fines loables que han motivado su introducción, pero disciplinadas por un régimen jurídico con marcados límites y cortapisas, con el fin de evitar o minimizar al máximo los evidentes aspectos negativos que la figura puede llegar a acarrear[53].

Efectivamente, se permiten las acciones con voto doble por lealtad, pero el régimen dispuesto para ellas es pretendidamente riguroso. Se precisa primero del acuerdo social que modifique los estatutos para introducirlas en ellos (sistema *opt-in*), acuerdo adoptado por una mayoría reforzada; sin embargo, el quórum de asistencia no se ha elevado legalmente, y aunque pueda hacerse estatutariamente, ello ha sido criticado. Como mínimo el tiempo de titularidad de las acciones para premiar al accionista ha de ser de al menos dos años, y aunque no ha faltado quien lo considera escaso, lo cierto es que es lo habitual en el Derecho comparado, y siempre es susceptible de ser aumentado por los estatutos sociales; más reseñable es el no haber establecido un plazo máximo que evite la desnaturalización de la figura. En cuanto al premio o recompensa al accionista fiel el legislador lo ha concretado en el voto doble adicional, a diferencia de otras jurisdicciones, que admiten también como instrumento de fidelización el dividendo mejorado[54]; es pacífico no obstante que la autonomía de la voluntad podría crearlo. Algo genuino del Derecho español es que a los cinco años de la creación de las acciones de

---

53 Para una lectura detallada sobre el régimen jurídico dispuesto por la legislación española para las acciones de lealtad, vid. PEÑAS MOYANO, B., op. cit. Un reciente trabajo que trata con detalle el régimen jurídico de las acciones con voto doble por lealtad es VILLACORTA HERNÁNDEZ, M.A., "Mejoras legislativas de las acciones de lealtad", en *Revista Práctica de Derecho*, ns. 283-284, 2024, pp. 5-46.

54 Precisamente algún autor ha calificado la figura de las acciones de lealtad como una medida inútil, dada la «apatía racional» de los minoritarios, y considera que el establecimiento de un "dividendo mejorado" como instrumento de fidelización habría sido mejor solución (así, GARCÍA-CRUCES GONZÁLEZ, J.A., ob. cit., p. 548, nota 137). Otros, por su parte, contrarios radicalmente a la introducción de las acciones de lealtad para las cotizadas españolas, consideran que el disponer "incentivos fiscales" a la permanencia del accionista en la entidad sería algo mucho más atinado que el premio del voto doble adicional (así, GURREA MARTÍNEZ, A., op. cit.).

lealtad debe someterse a votación su renovación, con esas mismas mayorías reforzadas, pero en este caso el voto doble ya podría ser utilizado. Y en todo momento las acciones de lealtad pueden ser eliminadas, y si ya han transcurrido diez años desde su generación en la toma del acuerdo no podrá ejercitarse el voto doble. Además, se permite la convivencia simultánea de dos de las excepciones al principio de proporcionalidad: las acciones de lealtad y la limitación del número máximo de votos que puede emitir un mismo accionista, instituciones que actúan en sentidos contrarios, pero cuya convivencia en este caso se resuelve a favor de la limitación, al objeto de evitar la formación de muy potentes grupos de control, si bien sólo si así se ha dispuesto en los estatutos[55]. Se regula la transmisión de las acciones de lealtad disponiéndose que la misma supone la pérdida del voto doble, salvo las excepciones clásicas ya conocidas también en otras jurisdicciones. Se crea un libro registro especial en el que han de inscribirse las acciones que se pretenden conservar con el objeto de lograr el premio del voto doble adicional, libro que ha sido criticado en su existencia, dado que, por economía de medios y simplificación de estructuras, el libro registro de las anotaciones en cuenta podría haber cumplido con las funciones atribuidas al libro registro especial. Y, en sede de la Ley 6/2023, de 17 de marzo, de los Mercados de Valores y de los Servicios de Inversión, al objeto de coordinar la regulación de las acciones de lealtad con la de las ofertas públicas de adquisición obligatorias, se ha establecido en su artículo 111.3 que si como consecuencia exclusivamente de la variación en el número total de derechos de voto de la sociedad derivada de la existencia de acciones con voto de lealtad cualquier accionista llegara a

---

55 Antes de la aprobación de la Ley 5/2021 que las introdujo en Derecho español, algún autor consideró que, de llegar a ser una realidad, sería razonable disponer en la regulación de las acciones de lealtad la obligación de limitar de forma simultánea a su creación el número máximo de votos que un mismo accionista puede emitir, para evitar de esta forma el dominio de los grupos de control (así, GARCÍA VALDECASAS, J.A., "Sobre las futuras acciones de lealtad en la legislación española: críticas a su posible introducción", Notarios y Registradores, en https://www.notariosyregistradores.com/web/secciones/oficina-mercantil/estudios-o-m/acciones-de-lealtad-critica-a-su-posible-introduccion-en-espana/, publicado el 16/09/2019.)

alcanzar, directa o indirectamente, un número de derechos de voto igual o superior al 30 por ciento, dicho accionista no podrá ejercer los derechos políticos que excedan de dicho porcentaje sin formular una oferta pública de adquisición dirigida a la totalidad del capital social, lo que claramente supone un freno legal a la creación de acciones de lealtad y, de crearse éstas y darse esa situación descrita, un ejemplo claro de posible renuncia del socio en cuestión al voto doble excedente, pues de este modo se puede evitar la obligatoriedad de formular la OPA.

Un régimen jurídico pretendidamente riguroso, en sintonía con otros del entorno internacional en el que el legislador español se ha inspirado, que en teoría no debería poner fácil la creación de acciones de lealtad, pues estaría pensado para que sólo las cotizadas con una idea muy clara y un amplio consenso al respecto de la creación de las mismas pudieran sacar adelante dicha iniciativa; pero una creación de acciones de lealtad que, aún con esas limitaciones y frenos, se incentiva por el legislador, pues las ha incorporado al catálogo de posibilidades de participación del socio en las sociedades cotizadas, al considerarlas un instrumento útil para el fomento de su implicación a largo plazo en dichas entidades. Un régimen que puede ser aún más estricto si los estatutos así lo disponen, pero no al contrario, pues el principio que ha de presidir la exégesis de la disciplina de las acciones de lealtad es el de la proporcionalidad entre la participación en el capital social y el derecho de voto, principio configurador del Derecho de sociedades que cuenta con únicamente tres excepciones cuyo ámbito de aplicación ha de ser interpretado siempre restrictivamente.

VII. LAS ACCIONES DE LEALTAD EN LA PRÁCTICA SOCIETARIA ESPAÑOLA Y REFLEXIONES FINALES

En un trabajo previo de mi autoría, publicado un año y medio después de la entrada en vigor en España de la figura de las acciones de lealtad con voto doble (trabajo de finales del 2022[56]), al final del mismo me preguntaba sobre la utilización que hasta entonces se había dado de la figura en la praxis societaria de las cotizadas. Hasta ese momento, refería yo entonces, sólo una cotizada, Grenergy, empresa de renovables, la había incorporado a sus estatutos, a través de un acuerdo social adoptado el 29 de junio de 2021, en primera convocatoria. Como decíamos también, "*una incorporación que tenía toda la seguridad para producirse, ya que el principal accionista y fundador de la compañía (...), poseía prácticamente un 60 por ciento del capital social*". Ello nos permitía concluir que la figura de las acciones de lealtad con voto doble, como antes ya había sucedido con las acciones sin voto, no había sido utilizada en la práctica española y, en consecuencia, que no estuviese contribuyendo, como se había deseado por el legislador con su introducción, ni al fomento de la implicación a largo plazo de los accionistas en las sociedades cotizadas ni a que solicitasen su admisión a cotización en bolsa nuevas empresas, argumentos que habían justificado su reconocimiento en el Derecho español.

Sobre las posibles razones que podían explicarlo me aventuraba a escribir entonces que no creía que residiesen en una mala concepción del régimen jurídico dispuesto por el legislador, que no me parece en general ni incoherente ni mal elaborado (aunque todo es susceptible de mejora, y debería serlo en algunos de sus puntos), ni tampoco tan excesivamente riguroso como para impedir la iniciativa por completo, sino que "*en mi opinión la razón principal de su no utilización es anterior a la virtualidad de la disciplina que se ha dispuesto para la institución, y tiene que ver con la concreta situación del mercado español de sociedades cotizadas, en las que conviven habitualmente accionistas significativos o de control, que cuentan con grandes paquetes accionariales, con accionistas minoritarios e institucionales racionalmente apáticos. Dada esa particular configuración del mercado español de cotizadas, muchos accionistas de control, por sí solos o con pactos, podrían fácilmente crear en la entidad en la que participan acciones de lealtad, pero la cuestión es que no parecen*

---

56 PEÑAS MOYANO, B., "Régimen jurídico de las acciones de lealtad y actual virtualidad práctica de su incorporación al Derecho Societario Español", en Revista de Derecho del Mercado de Valores, nº 31, 2022.

necesitarlas para seguir disfrutando de su poder, que además pueden afianzar con medios menos transparentes que las acciones de lealtad, y probablemente sean conscientes de que siendo ese el estado de cosas, con la creación de acciones de lealtad se podría llegar incluso a disuadir de invertir a potenciales socios externos, ante un poder de voto tan grande logrado con el añadido del doble voto. Si a ello añadimos particulares aspectos del régimen jurídico dispuesto para las acciones de lealtad, singularmente el relativo a su convivencia con la normativa de la OPA, bastante disuasorio por las situaciones a las que puede dar lugar, se explica, al menos en parte, lo ocurrido".

Eso ocurría un año y medio después de la entrada en vigor de la Ley 5/2021, de 12 de abril. Nos volvemos a preguntar ahora, tras casi cuatro años de esa promulgación, si las cosas han cambiado, o siguen sin embargo igual o muy parecidas. Pues bien, la prensa económica periódicamente ha ido dado cuenta de noticias relativas a la utilización en la praxis de las acciones de lealtad con voto doble por determinadas sociedades anónimas cotizadas, y nos ha informado de que ese número se ha revelado hasta este momento también muy escaso, porque a día de hoy, que sepamos, únicamente cuatro cotizadas españolas han implementado la figura, de acuerdo a los registros de la Comisión Nacional del Mercado de Valores: solo Audax, Artificial Intelligence Structures, Grenergy Renovable y Oryzon Genomics han inscrito sus programas de acciones de lealtad. Además de la ya mencionada Grenergy, controlada por David Ruiz de Andrés (con un 53% de su capital social), Audax Renovables, controlada al 75% por José Elías Navarro, Airtificial, con Lalo Azcona (23,8 % del capital) y Leopoldo Sánchez (21,8 %) (en total, sumando los dos, 45,6%), y Oryzon Genomics, empresa biofarmacéutica que, a diferencia de las anteriores, tiene el poder de sus accionistas muy distribuido (Carlos Buesa, consejero delegado y fundador de Oyrzon, cuenta con el 5,58% de los títulos; la family office Arriendos Venferca, propiedad de la familia Ventura de los Laboratorios Ordesa tiene un 5,12%, etc.). En suma, como ocurría antes, el número de sociedades cotizadas que ha previsto la utilización de las acciones de lealtad con voto doble sigue sin despegar, lo que ha hecho afirmar a la prensa económica que la figura "*está pasando sin pena ni gloria por el Ibex. Ni siquiera las familias Del Pino (Ferrovial) y Entrecanales (Acciona) han hecho uso de ellas*"[57].

No obstante lo expuesto, y asumiendo la rotundidad de los datos objetivos expuestos, creo que viendo la evolución de las cosas en estos cuatro años que ya han transcurrido desde la implementación de la figura en el Derecho español de sociedades cotizadas, no se debe caer en la fácil tentación de afirmar que la escasez de su utilización haya de ser considerada un claro fracaso, sino que más bien se trata de un instrumento que necesita de tiempo para su consolidación por los operadores legitimados para su uso, dadas sus muy particulares características, tan revolucionarias. Así, la trascendencia de la figura de las acciones con voto doble adicional por lealtad resulta evidente, pues la regla de proporcionalidad entre participación en el capital social y derecho de voto ha sido tradicionalmente considerada como un principio configurador de las sociedades anónimas, en las que por ello no será válida la creación de acciones que, de forma directa o indirecta alteren la proporción entre valor nominal y derecho de voto, salvo las excepciones expresamente previstas, como es el caso de las acciones sin voto, la limitación del número de votos que puede emitir un mismo accionista y las acciones con voto doble por lealtad que ahora tratamos, únicos supuestos permitidos en nuestro Derecho. Y también nos parece interesante traer aquí la consecuencia que se podría derivar para las sociedades cotizadas que introduzcan acciones de lealtad con voto doble, si se diese el caso de que la figura fuese muy utilizada en la operativa de la entidad y por un número amplio de sus socios. Esa consecuencia sería que el número de votos de cada accionista en cuestión sería algo dinámico y cambiante en el tiempo, cuando el voto normalmente es fijo y cambia solo con las operaciones de aumento o de reducción de capital que impliquen emisión o amortización de acciones. Efectivamente, dependiendo de los accionistas que soliciten el voto doble, de que lo hagan por todas o una parte de sus acciones, y de que aquellos que lo disfruten renuncien total o parcialmente al mismo o lo pierdan por la transmisión de

---

57 Así, "Las acciones de lealtad pasan sin pena ni gloria por el Ibex: ni los Del Pino ni los Entrecanales las usan", publicado en Economía Digital el 21 de octubre de 2023.

sus acciones, en una cotizada en la que las acciones de lealtad fuesen ampliamente utilizadas el poder de voto de los accionistas, tanto leales como sin esa condición, sería algo sometido a permanente cambio, y ello no sólo en función de su actuar personal, sino también en función del actuar de los otros[58]. En lógica coherencia con lo apuntado, la complejidad descrita será indudablemente bastante menor si la figura de las acciones de lealtad no es utilizada ampliamente en la entidad cotizada de referencia de que se trate.

Pues bien, creo honestamente que hay razones que permiten que me exprese así, es decir, sin caer en el pesimismo frustrante al respecto del escaso éxito o incluso fracaso de las acciones de voto doble por lealtad. La primera razón, que aun siendo escaso el número de sociedades cotizadas que a día de hoy prevé la figura, sin embargo, dicho número ha aumentado, poco, pero lo ha hecho. La segunda, que parece que ciertas cosas están comenzando a cambiar en cuanto a las finalidades perseguidas por alguna de las sociedades cotizadas que están haciendo uso de la figura. El ejemplo de Oryzon Genomics es claro, pues la distribución de su capital social es radicalmente diverso al de las otras tres compañías, con socios que aisladamente ya contaban previamente a la creación de las acciones de lealtad con la rotunda mayoría del capital social (caso de Grenergy o Audax), o con amplias participaciones (caso de Airtificial), mientras que Oryzon, con poder muy distribuido entre sus accionistas, ha dado entrada a las acciones de lealtad con doble voto porque esa concreta distribución de su capital social *"puede llegar a ser una invitación a inversiones especulativas que no se comprometan con la empresa en el largo plazo. El objetivo de la medida, pues, es incrementar el peso de la decisión de los inversores que tienen intención de apostar por el futuro de la biotech"* ante un posible salto futuro al Nasdaq estadounidense[59]. En suma, se observa que en el caso de Oryzon las acciones de voto doble no están pensadas para incrementar el ya amplio poder de voto del socio mayoritario

---

58 Esto ha sido destacado por GARCÍA DE ENTERRÍA, J., op. cit., quien habla entonces de un voto "*variable y elástico*", y de que esto no es algo baladí, pues puede tener consecuencias importantes en la operativa de las cotizadas.

59 Dice la propia compañía en "Oryzon Genomics traza su hoja de ruta para ahuyentar fondos bajistas y entrar en el Nasdaq", publicado en PlantaDoce el 24 de junio de 2024.

o de control, sino que su objetivo es posibilitar el incremento de socios minoritarios con mayor control gracias al voto doble adicional, incentivando su activismo en la entidad, sobre todo ante su eventual salida a Bolsa, objetivo que por cierto es el principal que preside la filosofía de base de la figura de las acciones de lealtad con voto doble. Y la tercera, que ya mencionábamos en el trabajo anterior antes referido[60], que la CNMV, institución que como apuntamos ya antes se mostró siempre a favor de la introducción en nuestro Derecho de la figura de las acciones de lealtad con voto doble por considerarla positiva "*para que las empresas españolas tuvieran los mismos instrumentos que en otros países y favorecer la toma de decisiones para eventuales salidas a Bolsa*"[61], ya antes de su aprobación al mismo tiempo se manifestaba claramente proclive a que las sociedades cotizadas españolas fuesen prudentes en su utilización, desaconsejando su uso masivo, al considerarlas algo excepcional, y abogando en tal sentido para que una vez introducidas en nuestro Derecho, en la mayoría de las cotizadas se mantuviese la vigencia de la regla de la proporcionalidad entre la participación en el capital social y el poder de voto. Y posteriormente a su aprobación, y transcurrido un tiempo ya desde la misma, la CNMV manifiesta otra vez sobre la figura de las acciones de lealtad con voto doble que "*tampoco estaba previsto que la adoptaran muchas empresas*"[62].

---

60 PEÑAS MOYANO, B., op. cit.

61 Palabras textuales de la CNMV en "Las acciones de lealtad pasan sin pena ni gloria por el Ibex: ni los Del Pino ni los Entrecanales las usan", publicado en Economía Digital el 21 de octubre de 2023, donde también se reproducen palabras del que fue presidente de la CNMV durante las discusiones sobre si permitir o no en el Derecho español de sociedades cotizadas las acciones de lealtad con voto doble, don Sebastián Albella, quien antes de la aprobación de la Ley 5/2021, de 12 de abril, ya decía que la figura de las acciones de lealtad con voto doble seguramente sería una "excepción".

62 De nuevo, en "Las acciones de lealtad pasan sin pena ni gloria por el Ibex: ni los Del Pino ni los Entrecanales las usan", publicado en Economía Digital el 21 de octubre de 2023.

VIII. BIBLIOGRAFÍA

ARROYO VENDRELL, T., "Las acciones con voto adicional doble por lealtad o acciones de lealtad", en *Implicación a largo plazo de los accionistas en sociedades cotizadas. Comentarios a la Ley 5/2021*, Tirant lo Blanch, Valencia, 20222, pp. 157-188.

BLANCO PÉREZ, J.L., "El voto doble por lealtad en una sociedad cotizada", en *Revista Práctica de Derecho*, nº 253, 2022, pp. 5-42.

CAMPUZANO LAGUILLO, A.B., Las clases de acciones en la sociedad anónima, Madrid, Civitas, Madrid, 2000.

-DRAGO, D., "Loyalty shares: um meio de controlo ou o acentuar de conflitos no seio societário?", en *www.revistadedireitocomercial.com*, 2017-10-19, pp. 432-455.

FERNÁNDEZ TORRES, I., "El voto adicional doble por lealtad: una reforma controvertida", en *El Notario del Siglo XXI*, Revista 97, 2021.

GARCÍA DE ENTERRÍA, J., "Las acciones ¿de lealtad?", en *https://www.economistjurist.es/premium/la-firma/las-acciones-de-lealtad/*, publicado el 07/11/2021.

GARCÍA VALDECASAS, J.A., "Sobre las futuras acciones de lealtad en la legislación española: críticas a su posible introducción", Notarios y Registradores, en *https://www.notariosyregistradores.com/web/secciones/oficina-mercantil/estudios-o-m/acciones-de-lealtad-critica-a-su-posible-introduccion-en-espana/*, publicado el 16/09/2019.

GARCÍA-CRUCES GONZÁLEZ, J.A., *Derecho de sociedades mercantiles*, Valencia, Tirant lo Blanch, Valencia, 2021.

GURREA MARTÍNEZ, A., "Un análisis crítico sobre la posibilidad de permitir las acciones de lealtad en las sociedades cotizadas españolas", en *Blog, Derecho Civil y Mercantil, Mercantil, Sociedades*, publicado el 13 de junio de 2019.

GUTIÉRREZ URTIAGA, M. y SAEZ LACAVE, M., "Las acciones con derechos de voto adicionales por lealtad «acciones de lealtad» desde el análisis económico del Derecho", en *Tendencias actuales del análisis económico del Derecho*, ICE, nº 915, 2020, pp. 93-108.

PALA LAGUNA, R., "Recurso a las acciones de lealtad por motivos espurios y abuso de derecho: reflexiones a propósito del caso Mediaset", Gómez-Acebo & Pombo, https://www.ga-p.com/wp-content/uploads/2020/12/Recurso_acciones_de_lealtad.pdf

PEÑAS MOYANO, B., "Régimen jurídico de las acciones de lealtad y actual virtualidad práctica de su incorporación al Derecho Societario Español", en *Revista de Derecho del Mercado de Valores*, nº 31, 2022.

VILLACORTA HERNÁNDEZ, M.A., "Regulación de las acciones de lealtad en la Ley 5/2021. Motivaciones, ventajas, desventajas y utilidades futuras", en *Revista Práctica de Derecho,* nº 254, 2022, pp. 43-82.

VILLACORTA HERNÁNDEZ, M.A., "Mejoras legislativas de las acciones de lealtad", en *Revista Práctica de Derecho,* ns. 283-284, 2024, pp. 5-46.

Os deveres gerais dos administradores na dinâmica dos interesses[*]

RICARDO COSTA
Juiz Conselheiro do Supremo Tribunal de Justiça (Portugal)
Professor Convidado da Faculdade de Direito da Universidade de Coimbra

Sumário: I. A RELAÇÃO DE ADMINISTRAÇÃO E OS DEVERES LEGAIS GERAIS PREVISTOS NO ARTIGO 64º DO CÓDIGO DAS SOCIEDADES COMERCIAIS (CSC): CUIDADO E LEALDADE. II. O PADRÃO DA «DILIGÊNCIA DE UM GESTOR CRITERIOSO E ORDENADO». III. A ADMINISTRAÇÃO DELIMITADA PELO «INTERESSE DA SOCIEDADE»: A HIERARQUIZAÇÃO DO "INTERESSE SOCIAL" («INTERESSES DE LONGO PRAZO DOS SÓCIOS») E DOS «INTERESSES DOS OUTROS SUJEITOS RELEVANTES PARA A SUSTENTABILIDADE DA SOCIEDADE» («TRABALHADORES, CLIENTES E CREDORES»); CONSEQUÊNCIAS DO DESVIO: DESLEALDADE E DESCUIDO (NOMEADAMENTE, IRRAZOABILIDADE); HIERARQUIZAÇÃO DIVERSA (EXEMPLIFICAÇÃO NA INSOLVÊNCIA *PROVÁVEL*). IV. A EXCLUSÃO DA RESPONSABILIDADE NO ART. 72º, 2, DO CSC (*BUSINESS JUDGMENT RULE*): O INTERESSE DA RACIONALIDADE E A RACIONALIDADE CUIDADOSA; O TESTE DA "RECUPERAÇÃO" NA INSOLVÊNCIA *PROVÁVEL*; A RACIONALIDADE COMO *INSTITUCIONALIZAÇÃO JURÍDICA* DA CONSIDERAÇÃO DA "RESPONSABILIDADE SOCIAL DAS EMPRESAS" E DE FACTORES "ESG".

Palavras-chave: relação de administração; deveres legais gerais (cuidado e lealdade); interesse da sociedade; *business judgment rule*; interesse da racionalidade; insolvência; responsabilidade social e factores "ESG".

Keywords: *directorship relation; general legal duties (care and loyalty); interest of the company;* business judgment rule; *interest of rationality; insolvency; corporate social responsability and "ESG" factors.*

---

[*] O texto que agora se publica pretende ser apenas uma revisitação do meu pensamento interpretativo que vem sendo veiculado em vários livros-monografia, artigos e anotações ao longo dos últimos anos. Justifica-se que seja este o tema escolhido num contexto de *Homenagem ao Doutor Jorge Coutinho de Abreu* —professor, orientador, colega, conselheiro, amigo—, pois foi a sua obra —pioneira a vários títulos e absolutamente referencial na doutrina portuguesa sobre a matéria da administração das sociedades comerciais— que sempre mais me inspirou para a análise dogmática e a concretização

NORMAS DO CSC

Artigo 64.º

Deveres fundamentais

1. Os gerentes ou administradores da sociedade devem observar:

a) Deveres de cuidado, revelando a disponibilidade, a competência técnica e o conhecimento da actividade da sociedade adequados às suas funções e empregando nesse âmbito a diligência de um gestor criterioso e ordenado;

b) Deveres de lealdade, no interesse da sociedade, atendendo aos interesses de longo prazo dos sócios e ponderando os interesses dos outros sujeitos relevantes para a sustentabilidade da sociedade, tais como os seus trabalhadores, clientes e credores.

(...)

---

prática das disciplinas pertinentes do Código das Sociedades Comerciais (em especial, os arts. 64º e 72º).

Sem exaustão, menciono para o efeito a bibliografia mais significativa a este propósito de J. M. COUTINHO de ABREU: "Interés social y deber de lealtad de los sócios", *RdS* n.º 19, 2002, pp. 39-56, "Deveres de cuidado e de lealdade dos administradores e interesse social", *Reformas do Código das Sociedades, Colóquios* n.º 3 – IDET, Almedina, Coimbra, 2007, pp. 17-47, *Responsabilidade civil dos administradores de sociedades,* 2.ª ed., Almedina, Coimbra, 2010, em esp. pp. 9-48, "*Corporate governance* em Portugal", *Miscelâneas* n.º 6 – IDET, Almedina, Coimbra, 2010, pp. 7-47, "Responsabilidade civil de gerentes e administradores em Portugal", *Questões de direito societário em Portugal e no Brasil,* coord.: Fábio Ulhoa Coelho/Maria de Fátima Ribeiro, Almedina, Coimbra, 2012, pp. 131-157, "Direito das Sociedades e Direito da Insolvência: interações", *IV Congresso de Direito da Insolvência,* coord.: Catarina Serra, Almedina, Coimbra, 2017, pp. 181-192, "Administradores e (novo?) dever geral de prevenção da insolvência", *V Congresso de Direito da Insolvência,* coord.: Catarina Serra, Almedina, Coimbra, 2019, pp. 229-235, *Curso de direito comercial,* Volume II, *Das sociedades,* 8.ª ed., Almedina, Coimbra, 2024, pp. 289-312.

Quanto ao meu sentimento e gratidão no contexto desta Homenagem, remeto para RICARDO COSTA, "Órgãos de empresas públicas: entre o interesse público e o direito societário", *Diálogos com Coutinho de Abreu. Estudos oferecidos no aniversário do Professor,* org.: Alexandre de Soveral Martins/Paulo de Tarso Domingues/Carolina Cunha/Maria Elisabete Ramos/Ricardo Costa/Rui Pereira Dias, Almedina, Coimbra, 2020, pp. 872-873, que tive o cuidado de ler —com a esperada emoção que não consegui esconder!— na conferência proferida em Salamanca.

Artigo 72.º
Responsabilidade de membros da administração para com a sociedade
1. Os gerentes ou administradores respondem para com a sociedade pelos danos a esta causados por actos ou omissões praticados com preterição dos deveres legais ou contratuais, salvo se provarem que procederam sem culpa.
2. A responsabilidade é excluída se alguma das pessoas referidas no número anterior provar que atuou em termos informados, livre de qualquer interesse pessoal e segundo critérios de racionalidade empresarial.
(...)

I. A RELAÇÃO DE ADMINISTRAÇÃO E OS DEVERES LEGAIS GERAIS PREVISTOS NO ARTIGO 64º DO CÓDIGO DAS SOCIEDADES COMERCIAIS (CSC): CUIDADO E LEALDADE

1. O ingresso na *relação de administração* com uma sociedade comercial traduz-se numa *posição ou situação jurídica*, própria de uma relação *complexa*, atributiva de um estatuto plasmado num *centro autónomo* e *distintivo* (em relação aos outros órgãos da sociedade) de poderes, obrigações, vínculos e sujeições (legais, estatutários, convencionais, deliberados), que irradiam do *poder-dever geral* de administrar e representar a sociedade[1].

A *qualidade de administrador de direito* é adquirida se se verificar o preenchimento de um dos modos *típicos* de designação previstos (ou permitidos) pela lei, que conferem a natureza *jurídico-formal* ao *título*. Em especial, os modos *paradigmáticos*: na designação endógena, a nomeação pelos sócios no contrato ou negócio unilateral de sociedade no momento da constituição da sociedade, em cláusula autónoma ou

---

[1] RICARDO COSTA, *Os administradores de facto das sociedades comerciais*, Almedina, Coimbra, 2024, 2.ª reimp. (1.ª ed.: 2014), p. 31, nt. 121, p. 75, "Aceitação da designação como administrador e a recente modificação dos artigos 252.º e 391.º do CSC", *Homenagem ao Prof. Doutor Manuel Carlos Lopes Porto, Boletim de Ciências Económicas*, Org.: Matilde Lavouras/João Nogueira de Almeida/Victor Calvete/Teresa Almeida, Volume LXVI, Tomo I, FDUC, Coimbra, 2023, pp. 1059-1060.

disposição complementar constante dos estatutos sociais, ou em momento posterior através de alteração do pacto social, e a nomeação ou eleição posterior à constituição da sociedade através de decisão ou deliberação do sócio ou dos sócios —arts. 252º, 2, 391º, 1, 393º, 3, *d)* (em substituição), do CSC, para as sociedades por quotas (SQ) e anónimas (SA)[2].

A *aceitação da designação* afigura-se como *condição de eficácia* (ainda que *imperfeita* no plano externo) da aquisição da qualidade de administrador por quem pode ser validamente administrador-gerente e da constituição da relação orgânica de administração: assim decorre do regime dos arts. 252º, 3, e 391º, 2, do CSC, resultante da redacção conferida pelo DL 109-D/2021, de 29 de Dezembro, em articulação com o princípio normativo geral retirado do art. 391º, 6, do CSC, disciplina da sociedade anónima aplicável analogicamente aos restantes tipos sociais[3].

A relação de administração é relação *orgânica* —liga o administrador à sociedade— através de um *nexo de organicidade* correspondente a um elenco de funções e competências do órgão de administração enquanto tal e, nessa medida, enquanto titular de órgão a que dizem respeito tais funções e competências, veículo de expressão de vontade e de realização dos actos imputados à sociedade —e relação *funcional*— predisposta ao *exercício de tais funções e por causa do exercício das funções* genéricas de gestão e/ou representação da sociedade[4].

---

[2] Para essa constituição da relação e elenco dos demais modos de designação, RICARDO COSTA, *Os administradores de facto...* cit., nt. 28, pp. 46-47 (com acréscimo óbvio, nas sociedades anónimas, do art. 425º, 1 e *b)*, e 4, do CSC, para os administradores do conselho de administração «executivo»), "Aceitação da designação...", *loc. cit.*, p. 1061 e nt. 5, e, mais desenvolvidamente para as sociedades por quotas e anónimas, "Artigo 252º", *Código das Sociedades Comerciais em Comentário,* coord.: J. M. Coutinho de Abreu, Volume IV (Artigos 246º a 270º-G), 3.ª ed., Almedina, Coimbra, 2025, pp. 86-87, "Artigo 391º", pp. 230 e ss, "Artigo 393º", pp. 278 e ss, *Código das Sociedades Comerciais em comentário,* coord.: J. M. Coutinho de Abreu, Volume VI (Artigos 373º a 480º), 2.ª ed., Almedina, Coimbra, 2019.

[3] Para tudo e com desenvolvimento, RICARDO COSTA, "Aceitação da designação...", *loc. cit.*, pp. 1063 e ss, 1078 e ss, "Artigo 252º", *ob. cit.*, pp. 88-91.

[4] RICARDO COSTA, *Os administradores de facto...* cit., pp. 960-962 (entre outros locais).

Enquanto relação complexa, a relação de administração apresenta um feixe de *situações de natureza activa e passiva*, seja na vertente de *administração gestionária* (realização do objecto social-actividade), seja na vertente de administração *técnica ou organizativa* (organização e funcionamento da sociedade, seja quanto ao órgão de administração, seja no relacionamento entre órgãos sociais)[5].

Vejamos em tonalidade esquemática:

- Direito de representação e vinculação, interna e externa (arts. 192°, 1, 252°, 1, 405°, 2, 431°, 2, CSC); direito de nomeação de mandatários ou procuradores (arts. 252°, 7, 391°, 8, CSC); direito à remuneração fixada pelos sócios ou comissão própria (arts. 255°, 399°, CSC); direito de participação nas reuniões da gerência ou do conselho de administração, comum ou executivo; direito de contribuição para a constituição de quóruns e formação das deliberações do órgão de administração; direito de convocação de assembleias de sócios (SQ: art. 248°, 3, CSC) ou direito de requerer (organicamente, enquanto conselho de administração ou conselho de administração executivo) a convocação de assembleias de sócios (SA: arts. 375°, 1, 406°, *c)*, 431°, 3, CSC) — enquanto tal diferente do dever de convocação ou de requerimento da convocação de assembleias gerais (arts. 35°, 1 (perda de metade do capital social), 376°, 2 (assembleia geral anual ordinária), CSC); direito à delegação interna de poderes no órgão (arts. 261°, 2, 407°, CSC); direito ao exercício da reintegração do órgão para suprimento de faltas definitivas ou temporárias, nas modalidades pertinentes de substituição a cargo da gerência/administração (art. 393° CSC); direito à renúncia sem motivação, com ou sem indemnização, e a eventual indemnização por "justa causa" imputável à sociedade (SQ com regime diverso da SA); direito de não ser extinto o título pela destituição sem "justa causa" ou, em alternativa, a receber indemnização pelos prejuízos sofridos pela falta de causa para a destituição, de acordo com o limite

---

[5] Para a distinção, RICARDO COSTA, *Os administradores de facto...* cit., pp. 737 e ss, e, especificamente para a sociedade por quotas, "Artigo 252°", *ob. cit.*, pp. 83-84.

máximo previsto legalmente; direito de arguição da invalidade de deliberações do conselho de administração ou conselho de administração executivo ou da gerência (arts. 412°, 1, 433°, 1, CSC); etc.;

- Deveres *legais gerais, cuidado e lealdade* (art. 64°, 1, *a)* e *b)*, CSC); deveres *legais específicos*, vinculados e sem discricionaridade na execução[6]; deveres *específicos não legais*: (i) "contratuais" (art. 72°, 1, CSC) – previstos nos *estatutos da sociedade* (estatutários); (ii) previstos nos *contratos de gestão* ("administração ou de gerência"), se os houver; (iii) previstos no *"regulamento interno" da administração*, se o houver; (iv) *dever (legal ou estatutário) de cumprimento ou execução das deliberações de outros órgãos* (nomeadamente dos sócios, com natureza prescritiva), em especial nos termos dos arts. 259°, 405°, 1-373°, 2 e 3, e 442°, 1 e 2, do CSC, também (ou sobretudo) para efeitos de *consentimento* para a respectiva actuação gestória[7-8].

2. No elenco obrigacional, surge implicitamente na pirâmide inerente ao *exercício correto* da administração o dever *típico* e *principal* de administrar e representar a sociedade – correspectivo passivo dos *poderes típicos, e normativizados, da função de administrador*, previstos nos arts. 192°, 1, 252°, 1, 405°, 431°, 1 e 2, do CSC.

Este dever genérico, porém, apenas encontra densidade, pela sua indeterminação e amplitude, com a identificação de deveres *gerais de conduta, indeterminados e fiduciários*, que, ainda que *sem conteúdo específico*, concretizam o dever típico nas *escolhas de gestão* e asseguram a sua realização no *modo de empreender a gestão*. São dois estes deveres *fundamentais*, elencados desde a redacção introduzida pelo art. 4°, 1,

---

6 RICARDO COSTA, "Artigo 64°", *Código das Sociedades Comerciais em Comentário*, coord.: J. M. Coutinho de Abreu, Volume I (Artigos 1° a 84), 2.ª ed., Almedina, Coimbra, 2017, pp. 768-770.

7 Sobre este ponto, v., para um quadro mais global da interacção orgânica em matérias de gestão, RICARDO COSTA, "A administração da sociedade PME e o sócio gestor", *O sócio gestor*, Almedina, Coimbra, 2017 (reimp.: 2018), pp. 22-29.

8 Sobre estes deveres não legais, RICARDO COSTA, "Artigo 64°", *ob. cit.*, p. 771.

do DL 76-A/2006, de 29 de Março, nas alíneas *a)* e *b)* do art. 64º, 1: o *dever de cuidado* (ou *diligência em sentido estrito*) e o *dever de lealdade*. Produto dos direitos anglo-saxónicos (*duty of care, duty of loyalty*), representam *padrões abstractos de comportamento* que conformam caso a caso, como *normação da conduta devida*, a actuação dos administradores e gerentes *no exercício das suas funções*. Da sua concretização resultarão (sub)deveres mais circunscritos, que recortam *o espaço de (i)licitude da conduta dos administradores*.

Os deveres *legais gerais* vinculam como *sujeitos passivos* os administradores e gerentes (administrador ou gerente único, gerência, conselho de administração, conselho de administração executivo) designados de acordo com *as formas previstas na lei*: o administrador *de direito ou formal*. Mas também aos administradores *de facto (directos* e *indirectos)*, caracterizados pela *falta*, pela *irregularidade* ou pela *cessação de efeitos da investidura formal como titulares do órgão de administração e representação*, se encontram vinculados, *desde que se possam qualificar jussocietariamente como tal (pelo preenchimento de requisitos de legitimação ou por força do reconhecimento da lei)*[9], *na medida da compatibilidade das manifestações em causa dos deveres de cuidado e de lealdade* apostas para o *correcto exercício da actividade gestionária da sociedade*[10].

3. O dever geral de cuidado: art. 64º, 1, *a)*[11]

O dever de cuidado consiste na obrigação de os administradores cumprirem com diligência *as obrigações derivadas do seu ofício-função*, assim como *as prescrições e imposições (legais, negociais e delituais) que incidem sobre a actividade social*, de acordo com o máximo interesse da sociedade e com o comportamento que se espera de uma pessoa medianamente prudente em circunstâncias e situações similares. Tal obrigação implica que uma *mediação adequada e equilibrada* entre as

---

9 V. RICARDO COSTA, *Os administradores de facto*... cit., pp. 643 e ss, 983 e ss, e, em síntese para as espécies de administrador de facto, "Artigo 80º", *Código das Sociedades Comerciais em Comentário*, coord.: J. M. Coutinho de Abreu, Volume I (Artigos 1º a 84), 2.ª ed., Almedina, Coimbra, 2017, pp. 986 e ss.

10 RICARDO COSTA, *Os administradores de facto*... cit., pp. 899-901, 907-908, 910-912, 928-929.

11 Seguiremos RICARDO COSTA, *Os administradores de facto*... cit., pp. 913-915, "Artigo 64º", *ob. cit.*, pp. 772 e ss.

condutas relativas à *organização, decisão e controlo societários* e as variáveis de tempo, esforço e conhecimento demandadas pela natureza das funções, pelas competências específicas e pelas circunstâncias do processo de tomada de decisão.

Como genérico que é, este dever necessita de ser explicitado. Para o cumprimento do dever de cuidado, a lei manda atender à «disponibilidade» (sem exclusividade), à «competência técnica» e ao «conhecimento da atividade» *adequados às suas funções.* Em rigor, essas não são as verdadeiras manifestações autonomizáveis do dever de cuidado. Ou, se assim se admitem, são imperfeitas e insuficientes. Nem podem ser, por outro lado, verdadeiros deveres (ou subdeveres) próprios do estatuto do administrador. Melhor será entendermos que a lei avança algumas das *circunstâncias exigíveis* —verdadeiramente *qualidades— ao modo como as verdadeiras manifestações do dever de cuidado devem ser realizadas, contribuindo (também subjectivamente) para a avaliação das decisões dos administradores.* A *qualificação* destas *qualidades* previstas na lei residem no facto de serem *essenciais na densificação do padrão do "gestor criterioso e ordenado"* —veja-se que o art. 64°, 1, *a),* localiza tal padrão *no âmbito dessas qualidades legalmente reivindicadas.*

Na concretização do dever de cuidado, interessa, todavia e para além delas, outras *circunstâncias,* que *assistirão a análise em concreto do comportamento do administrador:* o tipo, objecto e dimensão da sociedade, o sector económico da actividade social, a natureza e a importância(-amplitude) da decisão e/ou negócio e o seu enquadramento na gestão corrente ou na gestão extraordinária, o tempo disponível para obter a informação e para tomar a decisão, os custos de obtenção da informação, a confiança dos administradores naqueles que examinaram o assunto e o apresentaram no órgão-conselho, o estado da actividade da empresa social naquele momento, o número de decisões que foi necessário tomar naquele período, os tipos de comportamento normalmente adoptados naquele tipo de situações, a experiência do administrador, as funções do administrador (executivas ou não, delegadas ou não) e a sua especialidade técnica, etc.

As principais *manifestações* (ou *subdeveres*) do dever de cuidado consistem:

(i) no dever de controlar, fiscalizar e inspeccionar a organização e a condução da actividade da sociedade, as suas políticas, práticas, etc., seja no plano interno, seja no plano externo; (ii) no dever de se informar e de realizar uma investigação sobre a atendibilidade das informações que são adquiridas e que podem ser causa de danos, seja por via dos normais sistemas de vigilância, seja por vias ocasionais (produzindo informação ou solicitando-a por sua iniciativa), assim como efectuar avaliações sequenciais dessa obtenção e análise; (iii) no dever de reagir às anomalias e irregularidades apreendidas e conhecidas —estes três subdeveres podem muitas vezes conjugar-se e absorvem-se em hipóteses concretas enquanto subdever (global e uno) de *controlar e vigiar a evolução económico-financeira da sociedade e o desempenho dos gestores* (não só administradores), *em geral* sobre a actuação dos restantes administradores, trabalhadores e colaboradores com funções de gestão, *em especial* na relação entre administradores delegantes/não executivos e administradores delegados/executivos (v. os arts. 407°, 6, *a)*, e 8, 2.ª parte, do CSC);

(iv) no dever de se comportar razoavelmente no *iter* de formação de uma decisão, obtendo a informação suficiente para o habilitar a tomar uma boa decisão (*obtenção razoável de informação no processo de tomada de decisão*);

(v) no dever de *tomar decisões substancialmente razoáveis*, dentro de um catálogo mais ou menos discricionário de alternativas possíveis e adequadas.

4. O dever geral de lealdade: art. 64°, 1, *b)*[12]

O cumprimento do dever de lealdade exige que os administradores, no exercício das suas funções, devem considerar e intentar em exclusivo o interesse da sociedade, com a correspectiva obrigação de omitirem comportamentos que visem a realização de outros interesses, próprios e/ou alheios. Conduta desleal é aquela que promove ou potencia, de forma directa ou indirecta, situações de benefício, vantagem ou proveito próprio dos administradores (ou de terceiros, por si influenciados, ou de familiares), em prejuízo ou sem consideração

---

12 Seguiremos RICARDO COSTA, *Os administradores de facto...* cit., pp. 921-924, "Artigo 64°", *ob. cit.*, pp. 787 e ss.

pelo conjunto dos interesses diversos atinentes à sociedade, neles englobando-se desde logo os interesses comuns de sócios enquanto tais, e também os de trabalhadores e demais *stakeholders* relacionados com a sociedade.

Reconduzir o dever de lealdade dos administradores e gerentes ao princípio geral da boa fé (em referência ao princípio determinado pelo art. 762°, 2, do Código Civil), mesmo que fundante, não será a via mais completa, *vista a extensão do dever e as manifestações em que se precipita.* Antes se pode configurar a relação fiduciária —e *a confiança intersubjetiva especial que lhe subjaz*— que se estabelece entre a sociedade e o administrador (*gestor de património e negócios alheios*) como o fundamento adequado: gera o imperativo de prosseguir o fim (lucrativo) que os sócios perseguem quando constituem a sociedade, enquanto instrumento que esta é para a consecução desse fim e a correspondente satisfação do interesse social.

Algumas das suas manifestações encontram correspondência na lei e traduzem *deveres específicos* (*vinculados e sem discricionariedade na execução*): pelo menos, (i) não realizar certos negócios com a sociedade (arts. 397°, 1, 428°, CSC) ou, afora estes, sem consentimento da sociedade (arts. 397°, 2 e 5, 428°, CSC); (ii) não exercer actividade concorrente com a da sociedade, desde que não haja autorização da sociedade (arts. 254°, 1, 398°, 3, 428°, CSC); (iii) não votar nas deliberações do órgão de administração sobre assuntos em que tenha, por conta própria ou de terceiro, interesse em conflito com o da sociedade (art. 410°, 6, CSC); (iv) não celebrar negócios «ruinosos» em seu proveito ou no de pessoas com eles especialmente relacionadas (arts. 186°, 2, *b)*, 2.ª parte, 49°, Código da Insolvência e da Recuperação de Empresas, DL 53/2004, de 18 de Março (CIRE)); (v) não dispor dos bens sociais em proveito pessoal ou de terceiros (art. 186°, 2, *d)*, CIRE); (vi) não exercer, a coberto da personalidade jurídica da sociedade, uma actividade em proveito pessoal ou de terceiros e em prejuízo da sociedade, *maxime* da sua empresa (art. 186°, 2, *e)*, CIRE); (vii) não fazer do crédito ou dos bens da sociedade uso contrário ao interesse social, em proveito pessoal ou de terceiros, designadamente para favorecer outra sociedade na qual tenham interesse directo ou indirecto (art. 186°, 2, *f)*, CIRE); (viii) não prosseguir uma exploração deficitária da sociedade, no seu interesse pessoal ou de terceiro, com conhecimento ou cognoscibilidade da grande probabilidade de conduzirem a sociedade a uma situação de insolvência (art. 186°, 2, *g)*, CIRE); (ix) não "abusar" de informação "não pública" e privilegiada da sociedade (arts. 449° e 450°, 378°, do Código dos Valores Mobiliários (CVM)); (x) ser neutral perante ofertas públicas de aquisição (arts. 181°, 2, *d)*, e 182°, 1, do CVM); (xi) manter sigilo, nas instituições financeiras, sobre «factos ou elementos respeitantes à vida da instituição ou às relações desta com os seus clientes cujo conhecimento lhes advenha exclusivamente do exercício das suas funções ou da prestação dos seus serviços» (arts. 78° e 79° do Regime Geral das Instituições de Crédito e Sociedades Financeiras, DL 298/92, de 31 de Dezembro).

Mas outras manifestações são delineadas por mor da lealdade exigida aos administradores: (xii) não usufruir vantagens de terceiros ligadas à celebração de negócios da sociedade com esses terceiros (as conhecidas "luvas", "comissões" ou "gratificações"), (xiii) não aproveitar e/ou desviar as oportunidades negociais da sociedade para seu proveito ou de outras pessoas, especialmente a si ligadas, salvo consentimento válido da sociedade, (xiv) não utilizar ou abusar de meios ou informações próprios da sociedade para daí retirar proveitos, sem contrapartida para a sociedade (com tradução particular nos comportamentos tipificados com força de presunção legal no art. 186°, 2, do CIRE), (xv) guardar sigilo das informações e documentos reservados da sociedade, e (xvi) abster-se de emitir comentários e opiniões prejudiciais à reputação da sociedade e/ou dos seus sócios e representantes (orgânicos e/ou voluntários).

II. O PADRÃO DA «DILIGÊNCIA DE UM GESTOR CRITERIOSO E ORDENADO»

1. A al. *a)* do art. 64°, 1, do CSC dispõe o *critério de actuação* diligente que serve de bitola do cumprimento da *gestão cuidadosa*. Esse é a «diligência de um gestor criterioso e ordenado».[13]

[13] Seguiremos RICARDO COSTA, *Os administradores de facto...* cit., pp. 916-921, "Artigo 64°", *ob. cit.*, pp. 776-780, 793-795.

É à luz deste parâmetro de *esforço* e *procedimento* que, *imediatamente*, as *manifestações* do dever de cuidado —mormente, o dever de tomar decisões razoáveis— se realizam, com o fito de verificar se um administrador foi *cuidadoso em concreto na gestão social*. Portanto, uma diligência em sentido *normativo*, como *grau de esforço exigível* para sindicação do dever, cruzada com *qualidades subjectivas* e as *circunstâncias concretas* que norteiam o administrador.

Na anterior formulação do art. 64°, o critério do "gestor criterioso e ordenado" surgia, parece, como uma bitola *objectiva* de esforço e diligência sobre *como fazer* na execução (ou omissão) de tarefas concretas de administração. Assim continuará para a medida de *exigência* no cumprimento do dever geral de cuidado imposto ao administrador e, se for o caso, de uma corresponde *ilicitude* por incumprimento do dever.

Simultaneamente, fornecia o padrão geral para ajuizar da *culpa* (*em abstracto*: arts. 487°, 2, e 799°, 2, do Código Civil) relativa ao comportamento do administrador, imputando censura ou reprovação à possibilidade de poder ter actuado de maneira diferente, de acordo com as circunstâncias concretas e em função desse critério mais exigente do "gestor criterioso e ordenado". Mais exigente porque, em vez do critério comum civilístico da diligência de "um bom pai de família", homem normal e medianamente cuidadoso e prudente, temos no art. 64°, 1, *a)*, quanto à imputação *subjectiva* do acto ao agente, uma bitola que nos remete para *qualidades inerentes ao cargo de gestão social*.

Esta *duplicidade* deve continuar a ser aceite com o actual preceito.

Seja para a ilicitude, seja para o juízo de culpa, o administrador *qualificado* apontado pela lei pressupõe uma certa profissionalização e especialização próprias da classe dos gestores, uma competência assente em habilitações técnicas e profissionais (ainda que a lei não exija qualquer capacidade técnica ou académica particular ou experiência profissional para o exercício do cargo, excepto para certas categorias de sociedades).

Para esses juízos de conformidade com o padrão de diligência *acrescido ou reforçado* do "gestor criterioso e ordenado" devem ser consideradas as *qualidades legais* e as *circunstâncias* que são mobilizáveis para *determinar e densificar em concreto* o cumprimento de cada uma das manifestações do dever de cuidado —a começar pelos critérios expressamente fornecidos pelo CSC; a saber, a disponibilidade, a competência técnica e o conhecimento da actividade social adequados às funções (mais relevantes para o pressuposto da culpa). Neste sentido, o "gestor criterioso e ordenado" será, em primeira linha, o administrador *qualificado e medianamente* disponível, competente tecnicamente (o que acentua a ideia de profissionalização) e conhecedor da actividade (v. o art. 423º-B, 4, 1.ª parte, do CSC, para os "administradores-auditores" da comissão de auditoria de sociedades anónimas com estrutura monística (art. 278º, 1, *c)*, CSC) cotadas em «mercado regulamentado»-"bolsa"), *mediado* pelas *circunstâncias* em que uma certa decisão foi tomada. Isto é, a avaliação *objectiva* e *subjectiva* do acto (ou omissão) do administrador é feita de acordo com *a diligência exigível a um "gestor criterioso e ordenado" colocado nas circunstâncias concretas em que actuou e confrontado com as qualidades que revelou de acordo com o exigível* —a administração *lícita e não culposa* é aquela que *um administrador "criterioso e ordenado", colocado na posição concreta do administrador real, realizaria.*

2. O padrão do "gestor criterioso e ordenado" é de convocar para a avaliação do cumprimento do dever de lealdade, mas, enquanto *medida de execução,* tem *menor espaço e relevo* no cumprimento do dever que o art. 64º, 1, *b)*, nos fornece —se quisermos, melhor, tem *um outro recheio* no que respeita ao dever de lealdade.

Em primeiro lugar, nas suas manifestações *legais,* em rigor não estamos necessitados do "gestor criterioso e ordenado"; estamos perante deveres *vinculados na execução* e não cláusulas gerais demandantes de concretização.

Em segundo lugar, o dever de lealdade, nas suas manifestações *não legais,* pode implicar escolhas (desde logo, agir ou não agir num cenário de *conflito de interesses*) ou ponderações de interesses (verificar a medida de interesses fora da esfera dos sócios), ainda que de alcance *relativo,* que podem ainda ser *balizadas* pelo "tipo" de administrador concebido pela lei: por exemplo, perante uma "oportunidade de negócio" o "administrador-tipo" deve informar-se sobre a existência de interesse objectivo e efectivo da sociedade nela ou se a sociedade já está envolvida em negociações para a conclusão do negócio respectivo; ou conhecer necessariamente que a maquinaria que utiliza gratuitamente numa obra própria pertence à sociedade. Nestas hipóteses, a convocação das *qualidades* inerentes ao "gestor criterioso e ordenado" e das *circunstâncias* em que ele deve ser examinado em concreto (por exemplo, a dimensão da sociedade, ser administrador executivo ou não executivo, ser administrador em exclusividade ou não, etc.) fazem (o seu) sentido.

De todo o modo, não podemos deixar de empreender a seguinte *precisão(-limitação)*: o dever de lealdade não admite escolhas do administrador em caso de *conflito radical* entre o "interesse da sociedade" e o interesse próprio e/ou de terceiros —nesta dicotomia, é um dever absoluto. Não se pode falar verdadeiramente de autonomia e discricionariedade *própria* do administrador, que sempre serão *assaz relativas (ou até inexistentes)* ou, em alternativa, remetidas tão-só para a *escolha* da decisão entre os interesses oponíveis (sociais *vs.* extras-sociais). No limite, como regra nesta dinâmica de interesses, poderá haver tão-só (no âmbito do "interesse da sociedade") a *ponderação* em medida inferior de interesse(s) *dos sujeitos relevantes para a sociedade.* O que deixa pouco (ou nenhum) lugar para a diligência *qualificada* do *tipo legal de administrador*, particularmente nas manifestações *omissivas ou proibidoras* do dever de lealdade (por exemplo, quando se analisa a percepção de "comissões negociais" indevidas).

Seja como for, a sua transposição para o campo da lealdade envolve, *no mínimo e como diferencial*, que o administrador "criterioso e ordenado" da sociedade é aquele que *a gere para o fim correspondente à maximização (e prevalência) do interesse social e à concordância possível com os interesses dos "stakeholders"* (particularmente, credores, trabalhadores, clientes e outros *especialmente interessados na e pela afectação recíproca com o agir e desenvolvimento da sociedade* —a lista não é taxativa—) sob pena de termos uma *gestão desleal.*

III. A ADMINISTRAÇÃO DELIMITADA PELO «INTERESSE DA SOCIEDADE»: A HIERARQUIZAÇÃO DO "INTERESSE SOCIAL" («INTERESSES DE LONGO PRAZO DOS SÓCIOS») E DOS «INTERESSES DOS OUTROS SUJEITOS RELEVANTES PARA A SUSTENTABILIDADE DA SOCIEDADE» («TRABALHADORES, CLIENTES E CREDORES»); CONSEQUÊNCIAS DO DESVIO: DESLEALDADE E DESCUIDO (NOMEADAMENTE, IRRAZOABILIDADE); HIERARQUIZAÇÃO DIVERSA (EXEMPLIFICAÇÃO NA INSOLVÊNCIA *PROVÁVEL*)

1. A lei manda que o dever de lealdade se balize pelo *interesse da sociedade*, que não se confunde —melhor, não se identifica na íntegra— com o *interesse social* de maximização do lucro enquanto fim a que o sócio ou os sócios se propõe(m) com a constituição da sociedade e a realização da sua actividade-objecto —revela uma *natureza mista*, mais extenso e mais complexo, para além do interesse social *correspondente à esfera dos sócios*.

A lei manda *atender* aos «interesses de longo prazo dos sócios» —como *reflexo do interesse social voluntário-negocial*— e *ponderar* «os interesses de outros sujeitos relevantes para a sustentabilidade da sociedade, tais como os seus trabalhadores, clientes e credores» —como reflexo de interesses *institucionais* dos terceiros-*stakeholders* relacionados com a sociedade.

O «interesse da sociedade» previsto no art. 64°, 1, do CSC inscreve-se na *conjugação dos interesses do sócio ou dos sócios enquanto tais (comuns a todos eles, não extrassociais nem de ordem conjuntural) com os de outros sujeitos ligados à sociedade*, numa dinâmica de *interacção superadora do estrito "interesse social"*.

Essa dinâmica implica *hierarquização* destes interesses quando o administrador-"gestor criterioso e ordenado" avalia o «interesse da sociedade»:

(i) em *plano principal ou prevalecente*, os *interesses dos sócios*, que não se esgotem no curto prazo e numa perspectiva de investimento isento de pura especulação e desinteresse pelo projecto empresarial da sociedade;

(ii) em *plano secundário*, os *interesses dos restantes sujeitos relevantes.*

Como *regra*, a sobrevalorização destes últimos (em detrimento dessa ponderação *secundária*), ilícita (por ser indevida) e danosa (causadora de prejuízos), pode permitir a limitação (ou até mesmo a) exclusão da responsabilidade (*no âmbito da culpa*) dos administradores perante a sociedade.

2. Sem prejuízo da omissão legal, o cuidado geral e suas manifestações não podem deixar de se balizar pelo *interesse social* e pelos «interesses dos outros sujeitos relevantes para a sustentabilidade da sociedade», delineados como tal na al. *b)* do art. 64°, 1.

O "interesse da sociedade", integrado juspositivamente na *órbita do dever geral de lealdade*, integra de igual modo o compromisso *essencial da actuação fiduciária* do administrador *no campo dos deveres de cuidado*, com —maior relevo, portanto— níveis de ponderação e graduação mais relevantes em face da *discricionariedade típica* da gestão cuidadosa.

Uma vez viciada a ponderação hierárquica exigida, a *gestão será descuidada e, na manifestão que mais importa, irrazoável.*[14]

3. Há que ponderar, no entanto, *cenários com especialidade e mobilização de uma diferente ponderação* e consequências ao nível do confronto da conduta com o "interesse da sociedade".

Um deles é —como exemplo mais marcante— o da gestão em situação de insolvência *provável* (crise empresarial assente, no quadro legal português, em "situação económica difícil" ou "insolvência iminente") —a que tenho dedicado atenção particular, nomeadamente quando surgido no domínio dos procedimentos de *carácter "recupe-*

---

14 Seguimos RICARDO COSTA, *Os administradores de facto...* cit., pp. 925-926, "Artigo 64°", *ob. cit.*, pp. 791-792 e 780.

rador" ("processo especial de revitalização" (PER), arts. 17º-A-17º-J, CIRE; regime extrajudicial de "recuperação de empresas" (RERE), Lei 8/2018, de 2 de Março).[15]

Olhando (acima de tudo) para o dever legal geral de *cuidado* na tomada de *decisões substancialmente razoáveis* (subdever crítico, direccionado à activação da autonomia e discricionariedade de julgamento dos administradores *dentro de um catálogo de alternativas possíveis e adequadas* e de acordo com a bitola do «gestor criterioso e ordenado»), a razoabilidade *cautelar nas escolhas de gestão,* tendente à adopção de medidas que evitem a insolvência definitiva-efectiva e permitam a continuidade empresarial, e com *tutela plural,* recomendada pela conjugação das alíneas *a)* e *b)* do art. 19º da Directiva (EU) 2019/1023, do Parlamento Europeu e do Conselho, de 20 de Junho[16], implica:

- a *redução da discricionariedade* no âmbito das opções de gestão, uma vez que surge pujante a vinculação a medidas tomadas com o fito de contribuir para a subsistência e evitar a insolvência definitiva, seja na (re)planificação da actividade e do projecto empresariais, seja no saneamento financeiro da sociedade;
- a *conjugação em igual plano e paridade* (e não em plano hierarquicamente desigual, como manda o art. 64º, 1, *b),* CSC) dos

---

15 Seguiremos RICARDO COSTA, "Gestão das sociedades em contexto de 'crise de empresa'", *Estudos dispersos,* Almedina, Coimbra, 2022, pp. 35 e ss (originariamente in *V Congresso Direito das Sociedades em Revista,* Almedina, Coimbra, 2018, pp. 171 e ss, na sequência de "Insolvência 'provável' e deveres dos administradores de sociedades na reestruturação empresarial: o art. 18.º da Proposta de Directiva", pp. 79 e ss, *As PME perante o (novo) Direito da Insolvência,* coord.: Alexandre de Soveral Martins, Instituto Jurídico da FDUC/IDET, Coimbra, 2018, pp. 79 e ss), em especial no segmento das pp. 41-44 e 47-51.

16 «Os Estados-Membros asseguram que, caso exista uma probabilidade de insolvência, os administradores tenham em devida conta, pelo menos, os seguintes aspetos: a) Os interesses dos credores, dos detentores de participações e das outras partes interessadas; b) A necessidade de tomar medidas para evitar a insolvência; (...).»

interesses dos sócios ("interesse social") e dos *interesses dos «sujeitos relevantes para a sustentabilidade da sociedade»*. Pelo menos assim deverá ser *em regra.*

De todo o modo, não é de excluir que se deva optar por, nomeadamente em certas circunstâncias (por exemplo, medidas de financiamento com oneração de património social), fazer *prevalecer os interesses dos credores* em relação aos demais interesses atendíveis, uma vez que o período de crise pré-insolvencial obriga os administradores à inibição/omissão de actos que, alegadamente em homenagem a interesses (perversos ou especulativos ou oportunistas) de prossecução, sem ponderação devida, de (eventual) lucro (dos sócios, portanto) e/ou de prolongamento indefensável da actividade empresarial (dos administradores), se traduzem numa, excessiva e inadmissível, translação do risco empresarial para a esfera dos credores. Ou de outros *stakeholders* diversos dos credores, como será, em particular, o interesse dos trabalhadores na manutenção dos seus postos de trabalho.

A mesma adequação interpretativa se aplica à convocação do dever legal geral de lealdade, justamente aquele para o qual esse equilíbrio hierarquizado está prescrito na lei. Isto é, quando se impõe que, em caso de conflito de interesses, os administradores considerem e intentem em exclusivo o «interesse da sociedade», com a correspectiva obrigação de omitirem comportamentos que visem a realização de outros interesses, próprios e/ou de terceiros, nesse "interesse da sociedade" devem ser privilegiados na *conduta pré-insolvencial* (ainda que *ilícita* por essa via na *lealdade devida*) os interesses dos credores (em paridade ou em superioridade); como tal, fundamento de limitação ou exclusão de culpa.

IV. A EXCLUSÃO DA RESPONSABILIDADE NO ART. 72º, 2, DO CSC (*BUSINESS JUDGMENT RULE*): O INTERESSE DA RACIONALIDADE E A RACIONALIDADE CUIDADOSA; O TESTE DA "RECUPERAÇÃO" NA INSOLVÊNCIA *PROVÁVEL*; A RACIONALIDADE COMO *INSTITUCIONALIZAÇÃO JURÍDICA* DA CONSIDERAÇÃO DA "RESPONSABILIDADE SOCIAL DAS EMPRESAS" E DE FACTORES "ESG"

1. O *conteúdo responsabilizador* do dever geral de cuidado é determinado em razão da *causa de exclusão de responsabilidade dos administradores perante a sociedade* que o art. 72º, 2, do CSC prevê, na forma mitigada com que o direito português recolheu em 2006 (novamente o art. 4º, 1, DL 76-A/2006) o alcance da chamada *business judgment rule* (*BJR*).[17]

No art. 72º, 1, do CSC impõe-se que «os gerentes ou administradores respondem para com a sociedade pelos danos a esta causados por actos ou omissões praticados com preterição dos deveres legais ou contratuais, salvo se provarem que procederam sem culpa». O n.º 2, ao positivar a *BJR*, refere-se a essa responsabilidade, excluindo-a se, quanto ao acto ou omissão do administrador, se «provar que atuou em termos informados, livre de qualquer interesse pessoal e segundo

---

17 Seguiremos, em diferentes momentos, RICARDO COSTA, "Responsabilidade dos administradores e *business judgment rule*", *Reformas do Código das Sociedades, Colóquios* n.º 3 – IDET, Almedina, Coimbra, 2007, pp. 51 e ss; "Artigo 64º", *ob. cit.*, pp. 781-787, 795-796; "A *business judgment rule* na responsabilidade societária: entre a razoabilidade e a racionalidade", *Estudos dispersos*, Almedina, Coimbra, 2020, pp. 7 e ss (originariamente in *Governação das sociedades, responsabilidade civil e proteção dos administradores*, coord.: Maria João Antunes/Alexandre de Soveral Martins, Instituto Jurídico da FDUC/IDET, Coimbra, 2018, pp. 95 e ss); "'Responsabilidade social' na (ir)racionalidade das decisões dos administradores de sociedades", *Direito das Empresas – Reflexões e Decisões*, coord.: Ricardo Costa, Almedina, Coimbra, 2022, pp. 123, e *Liber Amicorum* Pedro Pais de Vasconcelos, org.: Pedro Leitão Pais de Vasconcelos, Volume II, Almedina, Coimbra, 2023, pp. 181 e ss (originariamente in *Liber Amicorum – https://www.revistadedireitocomercial.com/index-liber-amicorum-pedro-pais-de-vasconcelos#liber-amicorum-pedro-pais-de-vasconcelos*).

critérios de racionalidade empresarial», cabendo-lhe alegar e provar os factos extintivos do direito indemnizatório invocado.

Não entra no âmbito de aplicação do art. 72º, 2, do CSC sindicar *se o administrador cumpre ou não cumpre com o dever geral de lealdade,* nas suas manifestações legais (vinculadas) ou não legais.

Também sai fora da tutela conferida pelo art. 72º, 2, o cumprimento dos deveres *específicos,* legais, estatutários, contratuais, regulamentares e deliberativos.

O art. 72º, 2, na relação com a ilicitude pressuposta no n.º 1, deve apenas aplicar-se na tarefa de sindicação do *dever geral de cuidado,* previsto pelo art. 64º, 1, *a),* do CSC. Assim é uma vez que o art. 72º, 2, deve aplicar-se sempre, *mas só,* quando haja uma margem considerável de *discricionariedade e autonomia na actuação do administrador* no pressuposto de realização do *interesse da sociedade.*

Como?

A *BJR* perdoa aos administradores um mau resultado, um erro cometido no exercício *minimamente* cuidadoso dos seus poderes discricionários, ainda que se trate de erros consideráveis de gestão e evitáveis por outros administradores, mas justificados por *escolhas imprudentes* ou por *deficiências de juízo* (valorações incorrectas, equívocos técnicos, etc.). Postula que não há um dever de não cometer erros ou de tomar sempre as decisões mais convenientes e ajustadas *quando há liberdade de escolha;* só neste contexto poderá não surgir responsabilidade dos membros integrantes do órgão, ainda que se tenha causado dano à sociedade; só aqui se oferece à administração um porto seguro de abrigo (*safe harbour*). Deve entender-se que, se assim for, os administradores respeitaram as suas obrigações legais e a sua conduta, no que respeita ao mérito das suas escolhas, é, *em parte (na da razoabilidade enquanto garante de adequação e conveniência)*, insusceptível de sindicação pelo juiz.

2. No âmbito desta *restrição teleológica* do art. 72º, 2, *relativa aos deveres cuja «preterição» se refere no art. 72º, 1,* far-se-á *o controlo do cumprimento do dever geral de cuidado* nas suas seguintes *manifestações:* (i) dever de tomar decisões *substancialmente razoáveis e adequadas;* (ii) dever de obtenção *razoável* de *informação* no processo de tomada de decisão;

(iii) dever de *controlo* e *vigilância da evolução económico-financeira da sociedade e do desempenho dos gestores (não só administradores)*, sempre que ele implique *a decisão* de adoptar procedimentos de controlo da actividade de gestão social e a escolha desses procedimentos dependa da obtenção de *informação* relevante.

E como se controlam estas manifestações à luz do art. 72°, 2?

Em rigor, a única manifestação do dever de cuidado que é fiscalizada é *a primeira*, o dever (principal) de tomar decisões materialmente razoáveis (também chamada nas decisões implicadas pela *terceira manifestação*). Todavia, com a *nuance* de o mérito da decisão não ser julgado pelo critério societário comum (mais qualificado) mas por um critério mais limitado, *mesmo para as decisões irrazoáveis (se a decisão não for considerada irracional)*.

A segunda manifestação é *verdadeiramente* um *requisito procedimental* para se concluir que o dever de tomar decisões razoáveis foi perseguido pelo administrador (mesmo que essa razoabilidade não chegue a ser obtida). Continua a ser uma manifestação do dever de cuidado considerada no âmbito de aplicação da norma, mas não para saber da sua violação *autónoma*, antes para saber do seu cumprimento enquanto *pressuposto de aplicação da (nova) regra de exclusão de responsabilidade*, assente na *dispensa da razoabilidade como critério do mérito da decisão*. Assim se atingirá o pressuposto legal de o administrador actuar «em termos informados».

Deste modo, a regra da *business judgment* conduz a uma não imputação de responsabilidade pelos danos causados à sociedade por actos e omissões verificados no exercício do cargo desde que, no exercício da sua função, o administrador respeite o conteúdo *mínimo* e *suficiente* do dever geral de cuidado — obrigação de tomar uma decisão *informada* e *não irracional*. Ainda que aquele dever seja mais rico, só o seu conteúdo *essencial*, traduzido nas *manifestações-condições* vistas, será fiscalizado, *por esta via*, no governo da sociedade, seja quanto ao dever de obtenção *razoável* de *informação* no processo de tomada de decisão, seja quanto ao dever de tomar decisões *razoáveis e adequadas*.

Só não podem ser *irracionais*, isto é, incompreensíveis, absurdas, sem explicação coerente ou fundamento plausível.

Numa outra perspectiva, terá o administrador a possibilidade de demonstrar que cumpriu a obrigação *de meios* para com a sociedade e que *o resultado (consequência final da sua ação) —a cujo êxito não está obrigado—* não lhe trará responsabilidade. Por isso, a observância desse requisito *informativo* (manifestação do dever de cuidado) é (o mais) decisivo para toda a actuação administrativa, na medida em que, *sem ele cumprido no processo de tomada de decisão, nunca se poderá beneficiar da discussão da racionalidade da decisão em detrimento da sua razoabilidade.* E *aumenta-se a probabilidade de se sucumbir ao (chamado) risco de ou pela administração.*

Em síntese.

Não é possível afastar a responsabilidade decorrente da violação dos deveres *não integrados no âmbito de aplicação* do art. 72°, 2, por *invocação das circunstâncias previstas no art. 72°, 2* —nomeadamente para as decisões *vinculadas* respeitantes ao dever de lealdade e ao cumprimento da lei e dos estatutos sociais—, *que se nortearão pelo regime comum de apreciação da responsabilidade pela administração não discricionária.* Portanto, o art. 72°, 2, estabelece um *regime especial da responsabilidade pela administração discricionária,* que delimita o *perímetro relevante* do dever geral de cuidado *no momento de avaliar supervenientemente a conduta do administrador* (sem aplicação, em princípio, na relação com os regimes de responsabilidade dos arts. 78° e 79° do CSC).

Este é um pormenor decisivo: essa delimitação só se verifica se o administrador se fizer prevalecer da regra de exclusão prevista no art. 72°, 2. De modo que *este preceito não veio eliminar —isentando o administrador— o cumprimento dos subdeveres de cuidado pertinentes,* em nome da prevalência de um alegado dever de adoptar decisões racionais.

Como se faz então a ponderação —acima de tudo— do *interesse da racionalidade gestória* para chegar a esta conclusão?

3. Se a vemos como pauta de *revisão judicial de conduta* da administração (sempre para efeitos da sua *avaliação posterior*), a norma do art. 72°, 2, pode ser visualizada sob dois prismas.

Em termos positivos, incute uma pauta *mínima* de boa (porque *ainda* cuidada) administração, pois a actuação do administrador deve ser bem informada, independente e racional. Cabe à sociedade produzir prova (pelo menos) indiciária sobre os factos violadores do dever de cuidado, nas vertentes relevantes, e do dano susceptível de responsabilizar os administradores. Cabe aos administradores efectuar a demonstração negativa de que não actuaram mal informados, de que a decisão é independente e não irracional.

Se o conseguirem, a actuação torna-se insindicável *quanto à sua razoabilidade* (manifestação do dever de cuidado) e o tribunal tem que conformar-se com a não responsabilidade *por esta via*. A conduta administrativa é sindicada de um modo mais favorável à isenção de responsabilidade: diminui-se a *apreciação substancial* das decisões, bastando-se a lei com o controlo do *processo de tomada de decisão*. Sabendo-se que há dois elementos —*o processo* e *a decisão*— que distinguem a actuação dos administradores de sociedades da actuação de outros actores na vida das sociedades, se os administradores conseguirem demonstrar que observaram o *procedimento global demandado pela lei* — de informação (procedimento *em sentido estrito*), de ausência de conflito de interesses, de não irracionalidade—, a confirmação destes aspectos afasta a sua responsabilidade. Se o não conseguirem fazer, serão julgados sem indulgência à luz do cumprimento *normativamente exigível* (mais exigente) dos deveres de cuidado.

Em termos negativos, estabelece-se, em princípio, a qualificação de uma *má administração*, assente num critério mais permissivo para efeitos de responsabilidade, sempre que o administrador, na discussão judicial da *razoabilidade* das suas decisões, não tiver actuado bem informado, sem interesses conflituantes e sem base racional. Se assim for, as manifestações do dever de cuidado, *relevantes* para o art. 72°, 2, foram desrespeitadas e, se for culposa a decisão (como deverá ser), o administrador será responsabilizado. Em princípio, disse: nada obsta a que uma decisão mal ou deficientemente informada, em que há interesse pessoal do administrador, seja razoável e/ou não produtora de qualquer dano ou, até, geradora de proveitos inesperados. *Irracional e razoável* é que não pode ser, a lei parte do pressuposto inverso: *irrazoável e racional*, a fim de não responsabilizar.

4. Aqui chegados, a questão é: os pressupostos de actuação da *business judgment*, tal como recolhidos na lei portuguesa como causa de exclusão da responsabilidade, *justificam a ilicitude* ou *excluem a culpa*?

Pois bem.

Quando não se cumpre um dever imposto por lei ou se leva a cabo um comportamento proibido por lei, isso constitui um facto *ilícito*. A *ilicitude* considera a conduta *em termos objectivos*, como infracção de deveres jurídicos que exibem contrariedade por parte do infractor em relação aos valores tutelados pela ordem jurídica. Violar o dever de cuidado, na sua manifestação de tomar decisões substancialmente razoáveis —neste sentido, um dever objectivo de conduta—, é facto que reveste um carácter de *ilicitude*. Simplesmente, as acções ou omissões violadoras de deveres jurídicos podem ser redimidas por algumas *causas justificativas* do facto, que afastam (justificam) a ilicitude do mesmo (*cumprimento de outro dever*, exercício regular de um direito, ou causas especialmente reguladas pela lei).

Sustento que, na *pauta suficiente* de *comportamento exigido* ao administrador pelo art. 72º, 2, se encontra um *dever jurídico mínimo* do administrador, que surge como *sucedâneo* do dever de tomar decisões razoáveis *para o efeito de ser julgada a sua responsabilidade pela inobservância da obrigação administrativa*: o dever de actuação *procedimentalmente* correcta e razoável em termos informativos *e* de tomar decisões *não irracionais*.

Não se trata de configurar uma obrigação alternativa ao dever principal. Nem de vislumbrar um dever conflituante. Esse dever *ambivalente* corresponde, de acordo com a lei, ao conteúdo funcional *mínimo* do dever *de cuidado, exclusivamente considerado no momento de avaliar a conduta do administrador*.

Esta ambivalência pode ser ainda melhor concretizada.

Visto na sua globalidade exegética, o art. 72º, 2, privilegia o facto de não desencorajar os administradores a tomar decisões audazes e empreendedoras, *mas não descura a exigência de se observar um dever procedimental de conduta na formulação dessas decisões* (requisito *interno*). Se o fizer, mesmo perante uma decisão não razoável, porque, em particular, demasiado arriscada, o administrador, em princípio, não será condenado, pois a decisão, ao tempo da sua assunção, não podia considerar-se irracional. Estão assim protegidas as *escolhas* de gestão *informadas*, desde que não haja abuso no processo de decisão, mesmo que haja perdas devidas a imprudência, a erros de julgamento, etc.

Assim, o *cuidado devido* no contexto da escolha da decisão é um cuidado *procedimental, a razoabilidade é pedida quanto à obtenção de informação*; por outro lado (requisito *externo*), a razoabilidade decai no conteúdo da decisão em favor da racionalidade (*rectius*, não irracionalidade). Enquanto isso, ser a decisão «livre de qualquer interesse pessoal», atinente ao exame do dever de lealdade, constitui um requisito *prévio* – se houver conflito, se o administrador não esteve «livre de qualquer interesse pessoal», desde logo o administrador não poderá beneficiar da consequência do art. 72°, 2. Com ele, a eliminação ou a prevenção do conflito de interesses assegura o respeito pelo interesse da sociedade, que deve ser visto como *condição de cumprimento do dever de gestão.*

Isto quer dizer que *a ilicitude decorrente do incumprimento do dever legal de conduta* —dever de cuidado, de prestação mais exigente— previsto pelo art. 64°, 1, *a)*, pode ser afastada pelo *cumprimento desse dever (legal) mínimo de conduta*, individualizado e imposto pelo art. 72°, 2.

Esta causa justificativa não legitima a prática do dano, constitui antes a expressão de uma *faculdade de conduta* correspondente às precauções exigidas pela norma jussocietária de exclusão de responsabilidade. Para este efeito, estas precauções surgem como uma espécie de cordão legal —que, para o caso, parece dever ser valorado em patamar axiológio-normativo *igual* ao dever que lhe é sucedâneo, pelo menos no momento da avaliação judicial do comportamento do administrador— para o fim de delimitar o *mínimo de cuidado* e reconhecer que o administrador fez aquilo que a ordem jurídica pode *racionalmente* exigir dele no *âmbito do arbítrio gestório.*

Desta forma, decaindo a responsabilidade pelo requisito da ilicitude, decai *de forma sequencial* a culpa do agente. A sindicação da requisito da culpa não pode ser indiferente aos critérios previstos no art. 72°, 2, uma vez que eles *devem também servir para excluir a responsabilidade como elementos constitutivos de actuação não culposa.*

De facto, pode dizer-se que o administrador lesante, embora pudesse ter agido de outro modo, não lhe era exigível, em face das circunstâncias específicas —aquele *concreto* processo de tomada de decisão—, outro comportamento *para efeitos da sua desresponsabilização*, pois é a própria lei que lhe permite agir do modo que exclui a ilicitude e, assim, o juízo de censura que a culpa exprime. O que significa que, no momento de aferir da responsabilidade, o *modo como foi desempenhada a gestão,* mesmo que escapando àquilo que é exigível à diligência média *de quem administra* —isto é, a razoabilidade—, não é susceptível de um juízo de censura, *uma vez que, de entre as opções legítimas porque ainda bem informadas e racionais, a sua opção é lícita à luz do ordenamento jussocietário e não merece a reprovação do direito.*

Provando-se as três condições (nomeadas cumulativamente) no art. 72°, 2, o administrador logra ilidir a presunção de culpa firmada no n.° 1 do mesmo art. 72°.

Assim, os pressupostos do art. 72°, 2, *têm a função de actuar ao mesmo tempo sobre a ilicitude do facto e a culpa do agente.*

5. O art. 72°, 2, é uma norma de *exclusão de responsabilidade,* desde que se demonstrem os (aqueles) pressupostos necessários retirados da *BJR*: ausência de conflito de interesses em relação à decisão/deliberação do órgão e/ou ao negócio/acto celebrado; actuação em termos informados; decisão tomada «segundo critérios de racionalidade empresarial». Se se demonstrar o incumprimento de *qualquer um* destes pressupostos, tal não determina por si só a responsabilidade (automática) dos administradores. Significa, isso sim, que se rompe a *imunidade atribuída pelos pressupostos de exclusão* e a responsabilidade pelas consequências danosas das operações, decisões e escolhas dos administradores das sociedades volta a ser vista em consequência do mérito imposto pelo *standard* que é regra para o «gestor criterioso e ordenado». E o juiz volta a estar investido de autoridade para entrar na *análise de fundo* da decisão empresarial que causou o dano.

Resulta também do exposto anteriormente que o art. 72°, 2, não altera a manifestação mais importante do dever geral de cuidado. O dever de tomar decisões razoáveis pela sua adequação, conveniência e oportunidade mantém-se. O que muda com o art. 72°, 2, é que, no momento posterior da apreciação judicial do cumprimento desse dever, o julgador bastar-se-á com a observância de certos parâmetros no processo de tomada da decisão avaliada, de tal modo que esses parâmetros (o referido *conteúdo mínimo do dever de cuidado*) "justificarão" e, de modo contínuo, "desculparão" uma eventual irrazoabilidade

(= inadequação, deficiência, etc.) Tanto assim é que, na hipótese de prova negativa de algum dos parâmetros excludentes, previstos no n.º 2 do art. 72º, o julgador voltará ao *âmbito natural de exigibilidade* da função administrativa, onde o dever de gestão *razoável* permanece imutável.

Dos três que compõem o ramalhete do preceito, o *teste da irracionalidade* —como verificação do terceiro requisito— constitui o âmago aplicativo do art. 72º, 2. Com este, passa a ser legítimo construir *dois círculos de actuação dos administradores*: o das decisões *razoáveis* (*círculo da razoabilidade*: mais restrito) e o das decisões *racionais*, mesmo que irrazoáveis (*círculo da racionalidade*: mais amplo). A irracionalidade surge se a decisão se torna tão incompreensível e incoerente que *não pode deixar de se colocar fora da fronteira permitida à autonomia dos administradores* para responder a uma dada situação. Logo, a decisão tomada tem que se inserir ainda nesse segundo círculo de escolhas, que constituem ainda alternativas disponíveis para aquela matéria por serem *objectivamente* racionais: é na diferença entre o que está fora da razoabilidade mas ainda dentro da racionalidade que se confere o conhecido *safe harbour* que evita que o administrador incorra em responsabilidade; fora desse segundo círculo, *a invocação de um direito a actuar dentro de uma margem de discricionariedade é abusivo e reprovado em última instância pelo direito.*

Por isso, sob pena de claudicarmos no objectivo legal de permitir que a administração se liberte da responsabilidade, ao administrador basta demonstrar que a sua actuação *não foi irracional, não foi incompreensível, não teve explicação coerente* (mais uma *restrição teleológica* ao âmbito de aplicação do art. 72º, 2).

Logo, o essencial é demonstrar esse interesse de *racionalidade cuidadosa* do administrador: *económica na relação meios-resultado*; *empresarial-societária*, baseada na sua influência para a sociedade em vez de atender a considerações extrassociais; *objectiva*, ainda que temperada pela convicção subjectiva (*boa fé*) de que a decisão é correcta, acertada e se conforma com o interesse da sociedade.

6. Também aqui o contexto de crise pré-insolvencial tem impacto.[18]

Chegados à fiscalização do dever de cuidado quando convocado o art. 72º, 2 —*em cumulação ou em alternativa* ao percurso de limitação ou exclusão de culpa nos termos gerais de mobilização do "interesse da sociedade" pelo "gestor criterioso e ordenado" (v. *supra*, III.)—, percebe-se que o *círculo da racionalidade fique mais apertado*, uma vez que a coerência, a explicação e o fundamento estão guiados pela lógica de escolhas orientadas pela conservação e saneamento da empresa e pelo impedimento preventivo da insolvência. A «racionalidade económica» e «empresarial» admitida pela lei no *círculo de licitude mínima* da administração gestionária está, na *moldura temporal da crise empresarial*, ancorada num equilíbrio (delicado e sensível) entre a inibição para o *"overinvestment"*, assente em operações e negócios com álea e risco excessivos e cujos resultados negativos agravarão a situação da sociedade (mediatamente, dos credores), e a inibição para o *"underinvestment"*, assente no desinteresse e aniquilamento da sociedade e cuja impossibilidade de obtenção de resultados positivos de gestão alavancará a agonia e a astenia da sociedade. É verosímil que na ponderação deste equilíbrio —fundamentalmente centrado na decisão sobre o grau de risco *em abstracto* e o fito de continuidade *em concreto*— se encontrem mais decisões possíveis como sendo qualificáveis como irracionais (desde logo por serem de grave imprudência e se colocarem ao serviço de um retardamento da insolvência efectiva).

Por outras palavras, é defensável que, para aplicação do art. 72º, 2, o teste da (ir)racionalidade seja ocupado pelo *teste da recuperação* —dirigido à *comprovação da idoneidade* das medidas escolhidas para permitir a reestruturação empresarial— e esse diminua o espectro de exclusão que o art. 72º, 2, oferece.

Nestes casos, ainda o dever de cuidado mínimo será cumprido, mas nos termos de uma racionalidade *de conservação e saneamento da empresa*, legitimada e habilitada por uma interpretação do art. 72º,

---

18 Seguiremos RICARDO COSTA, "Gestão das sociedades...", *loc. cit.*, pp. 54-55.

2, do CSC em conformidade com o art. 19º, *b)*, da Directiva (EU) 2019/1023.

7. Num outro contexto, o art. 72º, 2, do CSC pode e deve oferecer uma solução para a assunção pela administração das sociedades comerciais de *objectivos, recomendações e práticas de carácter económico, social, laboral, ecológico-ambiental e ético, indicados* (muitas vezes através de "códigos de conduta") *pela chamada "responsabilidade social das empresas"* (numa perspectiva de conduta em linha com os factores-parâmetros triangulares de "ESG" —*Environmental, Social and Governance*— para o desenvolvimento sustentável, transparente e criador de "valor", e inibitório de "efeitos negativos reais e potenciais" na linha da Directiva (EU) 2024/1760, do Parlamento Europeu e do Conselho, de 13 de Junho).

À partida, o *dever de cuidado* legalmente exigido —enquanto obrigação reguladora de esforço, conhecimento, disponibilidade, competência e circunstâncias em concreto— fiscaliza a discricionariedade gestória, em particular no *dever de tomar decisões razoáveis e adequadas.* Neste sentido, estas decisões podem (e até devem) abranger no seu conteúdo (e não só no seu procedimento, relativo ao cosmos da informação envolvente) *uma filosofia de actuação socialmente responsável e sustentável,* desde que seja de ponderar *secundária ou acessoriamente os interesses dos "stakeholders" relevantes em face do seu balanceamento com o "interesse social"* (mais restrito).

Podem — no espaço da discricionariedade e da razoabilidade substancial imanente quanto a dimensões de tutela social-corporativa que não são primariamente impostas pela lei. Sem prejuízo de, olhando para a integralidade do problema em algumas das *manifestações de "responsabilidade social" com efeito reputacional* (concretizada em actos e negócios gratuitos), o poder jurídico dos administradores estar condicionado pela regra da capacidade jurídica das sociedades (limitada pela especialidade de fim lucrativo no art. 6º do CSC) e pela aptidão de as suas excepções o abraçarem (em especial as liberalidades "usuais" e as doações comprometidas com o lucro).

E até *devem,* se entendermos que essa atendibilidade de interesses, para um certo grupo de casos, se funda num verdadeiro *dever de correcção em prol do interesse da sociedade,* que se desentranha ainda do dever de cuidado (adquirindo *natureza obrigacional*), em ordem a evitar (ou prevenir) situações-limite de "recomposição" ou (em contraponto) "falência" empresarial com prejuízo manifesto para esses sujeitos interessados (por exemplo, os trabalhadores ou os fornecedores, directos ou indirectos na contratação: interesses *internos* ou *externos*), mesmo que solução diversa comportasse uma melhor satisfação do interesse dos sócios enquanto tais.

De todo o modo, a *sobrevalorização desses interesses, fora dessa ponderação secundária ou acessória*, é —como vimos *ex abundantia*— dentro do catálogo inicial de alternativas possíveis, *irrazoável* e, portanto, *ilícita*; por outro lado, se for mobilizada no campo da actuação vinculada, *indevida*.

No entanto, poderemos ir mais longe.

Como?

Vimos que, no que toca ao «interesse da sociedade» que baliza a acção dos administradores, a lei portuguesa permite atender a «interesses dos outros sujeitos relevantes para a sustentabilidade da sociedade». A lei exemplifica com os trabalhadores, credores e clientes. Mas não se esgota neles o *elenco de titulares desses interesses*. É nesses outros titulares que devem situar-se outros beneficiários das iniciativas de "responsabilidade social", nomeadamente *externa ou endógena*, desde que em *ligação com a sustentação a prazo da empresa social*. Uma vez identificados —a comunidade local, a associação de defesa de protecção ou defesa de interesses (empregadores, trabalhadores, consumidores, ambientalistas, por exemplo), a organização não-governamental, o Estado (central ou autárquico), a entidade reguladora e de supervisão, a universidade, os clientes e trabalhadores futuros potenciais, juntamente com os elencados pela lei—, são eles que *comprovam a idoneidade das medidas, iniciativas e providências escolhidas* (digamos assim) *em função do* (chamado) *"stakeholder value"*.

Privilegiar a situação dos trabalhadores quanto a higiene e segurança e à boa organização do trabalho, considerar a posição de parceiros empresariais, diminuir o prejuízo ambiental da exploração, interagir com os anseios de educação e saúde das populações e das comunidades onde se inserem as empresas exploradas, cumprir as recomendações da supervisão em códigos de *soft law*, investir em apoios e investigação em universidades e centros de formação são *fundamentos para as decisões e justificam procedimentos para uma adequada informação no processo interno de tomada de decisão.* Caucionam uma mobilização da discricionariedade gestória em consideração de outros referentes, como seja a conservação e a promoção do valor social da empresa e o papel sobre a rentabilidade da sociedade e competitividade empresarial numa lógica de continuidade a prazo. E nestes pode vislumbrar-se uma espécie de *cláusula de "responsabilidade social"* ancorada no "interesse da sociedade" e mobilizada na actuação dos administradores (em pauta de equilíbrio e de sustentabilidade), enquanto cláusula a que subjaz uma *coligação de interesses plurais,* a tomar em conta na liberdade decisória referida à discricionariedade da administração diligente (*não vinculada ao dever de correcção*) e, portanto, com repercussão no juízo sobre a infracção dos deveres de administração.

Para tal efeito, compreendo e enfatizo que a regra da *BJR* serve como *mecanismo de ampliação da discricionariedade empresarial.* E desde logo se percebe que, *afastando-se a decisão da razoabilidade*-regra para o dever de cuidado imposto aos administradores, o *círculo da racionalidade fique mais ampliado se os ditames da "responsabilidade social" nela virem uma porta de entrada:* é verosímil que se encontrem mais decisões possíveis como sendo qualificáveis como *não irracionais* (desde que bem informadas) *tendo em conta a influência recíproca desses fundamentos sobre a actividade da sociedade.* De tal sorte que essa racionalidade admitida pela lei constituirá uma tradução normativa de *institucionalização jurídica* da "responsabilidade social" e dos factores "ESG", contribuindo ademais para a sua *auto-regulação no campo da gestão.*

De que forma?

Será de compreender como *racional* (*recte*: não irracional) que, em determinadas circunstâncias justificadas, se aceite a *conjugação em igual plano e paridade* (e não em plano hierarquicamente desigual, como em primeira linha manda o art. 64º, 1, *b)*) dos *interesses dos sócios* (interesse social) e dos *interesses dos «sujeitos relevantes para a sustentabilidade da sociedade»*. E até, em outras circunstâncias igualmente (e bem) justificadas, se opte por fazer inclinar com privilégio na balança *estes últimos interesses,* nomeadamente porque qualquer outra decisão *seria mais onerosa para o interesse de sustentação da empresa* (ainda como *meio para atingir o fim do benefício dos sócios) e incompatível com a inadmissibilidade de uma translação intolerável do risco empresarial para a esfera extrassocial.*

É óbvio que, em ambas as circunstâncias, *se acentua o dever procedimental de conduta informativa dos administradores* (enquanto subdever de cuidado dos administradores, decisivo na aplicação do art. 72º, 2) no diagnóstico *ex ante* das prognoses sobre a decisão a tomar: em geral, informação sobre o impacto das decisões sobre os grupos de *stakeholders* e informação sobre o reflexo das decisões na exploração empresarial a prazo e no interesse dos sócios, como informação adequada a justificar a decisão *contranatura* na ponderação de interesses.

A valorização (em igual medida ou em patamar superior) desses interesses de "responsabilidade social" poderá (e deverá) ainda ser vista no âmbito da *base racional* das decisões, *suportadas no compromisso que vai para além dos mínimos de conduta relativos a regras legais, negociais, regulamentares e delituais que obrigam a sociedade,* que confere *identidade à "responsabilidade social"* (por isso chamado de "sobrecumprimento normativo", isto é, para além dos parâmetros normativos vigentes ou no espaço das lacunas ou vazios legais). Se assim for, teremos ainda uma decisão não irracional que *justifica uma ilicitude* decorrente da *irrazoabilidade primária da decisão no domínio do dever geral de cuidado* e, consequentemente, logra ilidir a presunção de culpa firmada no art. 72º, 1.

Sobra, porém, o problema de termos uma conduta desleal pela *ilegitimidade da ponderação de interesses alheios a esse interesse* ou a *ilegitimidade da inversão do peso dos interesses distintos dos sócios.*

À primeira vista, uma sobrevalorização desses interesses —em relação ao interesse dos sócios— não deverá ser admitida e será ilícita por desleal. Compreende-se: se o dever de lealdade é pressuposto de conduta para a actuação da *BJR* («livre de interesse pessoal», diz a nossa lei), não poderemos por via da *BJR* defraudar o "interesse da sociedade" que baliza o dever de lealdade como obrigação absoluta dos administradores. Se assim fosse, poderíamos mesmo entender que o primeiro requisito colocado pelo art. 72º, 2, falece. Mesmo que assim não fosse de entender, sempre seria de sustentar que o art. 72º, 2, excluiria a responsabilidade pela violação do dever de cuidado mas não escaparia o administrador a responder pelo prejuízo causado pela violação do dever de lealdade.

Todavia, entendo que poderemos empreender um juízo de *lealdade menos exigente na hierarquização de interesses ao administrador "criterioso e ordenado" sempre que haja uma racionalidade legítima no campo da gestão integrada pela "responsabilidade social"*. O risco que se evita é desvirtuarmos a *BJR*, em circunstâncias justificadas de prossecução do "interesse da sociedade", *no que respeita à tutela de todos os interesses em presença (desde que não violadores da inibição de promover interesses alheios sem conexão com a sociedade, pois isso seria dar uma "carta branca" para afastar responsabilidade)*. Logo, *não poderemos ver essas decisões como violadoras da lealdade*, uma vez que ainda instrumental à prossecução *global* do "interesse da sociedade" a que se deve obediência. Deveremos ver essas decisões como respeitadoras de um *dever de lealdade mínimo.*

Em resumo.

Decisão aprovada no teste da racionalidade em sede de "responsabilidade social" será decisão leal para com o "interesse da sociedade" e leal será para ser aprovada como adjuvante no teste da (ir)racionalidade em sede de cuidado.

Quando muito, assumindo-se a decisão como violadora da lealdade, poderemos ver uma decisão ilícita, mas sem culpa imputável ao administrador (ilidindo-se a presunção do art. 72°, 1, *in fine*), tendo em conta justamente o *reflexo da fundamentação racional na exclusão de culpa para não responsabilizar pela deslealdade.*[19]

---

[19] Seguimos RICARDO COSTA, "'Responsabilidade social'…", *Direito das Empresas – Reflexões e Decisões* cit., pp. 127 e ss.

Limitaciones causadas por los pactos parasociales omnilaterales al principio mayoritario y al derecho de impugnación

Mª DEL MAR BUSTILLO SAIZ
Titular de Derecho Mercantil
Universidad de Valladolid

RESUMEN

Son frecuentes las sociedades de capital cerradas que hacen uso de la autonomía extraestatutaria manifestada a través de pactos parasociales, con el fin de adaptar el régimen de la sociedad a las necesidades reales de los socios. Estos pactos, cuando son de organización e involucran a todos los socios (omnilaterales), dan como resultado sociedades de capital estructuradas de forma personalista y sujetas a una regulación doble y contradictoria: la convencional por un lado y la estatutaria o legal por otro, que plantea conflictos entre los socios cuando el pacto se incumple, sea a través del ejercicio del derecho de voto, sea a través del ejercicio del derecho de impugnación del acuerdo que ejecuta el pacto parasocial. El trabajo analiza este importante problema práctico y dogmático.

Palabras clave: pacto parasocial omnilateral, sociedades de capital cerradas.

ABSTRACT

Closed corporations frequently make use of extra-statutory autonomy, expressed through shareholders' agreements, in order to adapt the company's regime to the real needs of the shareholders. These agreements, when they are organizational and involve all shareholders (omnilateral), result in corporations structured in a personalistic manner and subject to dual and contradictory regulation: conventional regulation on the one hand, and statutory or legal regulation on the other. This gives rise to conflicts among shareholders when the agreement is breached, either through the exercise of voting rights or through the exercise of the right to challenge the majority agreement implementing the shareholders' agreement. This paper analyzes this important practical and dogmatic problem.

Keywords: *omnilateral shareholders' agreement, closed capital companies.*

omnilateral extraestatutario y su conexa utilidad para los socios. III. IMPUGNABILIDAD DE ACUERDOS SOCIALES CONTRARIOS A LOS PACTOS PARASOCIALES. 1. Inoponibilidad del pacto frente a la sociedad y obligada canalización de su incumplimiento entre las causas legalmente previstas para la impugnación de acuerdos. 2. El incumplimiento del pacto parasocial cómo causa "autónoma" y de funcionamiento automático de impugnación de acuerdos sociales. 2.1 Por lesionar el interés social. 2.2. Por materializar una infracción estatutaria o a ella equiparada. 2.3. Por infracción de la buena fe objetiva. IV. IMPUGNABILIDAD DE ACUERDOS SOCIALES CONTRARIOS A LOS ESTATUTOS SOCIALES Y CONFORMES A LOS PACTOS PARASOCIALES. LA DOCTRINA DE LOS ACTOS PROPIOS. V. CONSIDERACIÓN FINAL. VI. BIBLIOGRAFÍA.

I. INTRODUCCIÓN

La sentencia del Tribunal Supremo (TS) español de 7/4/2022, aunque no sea ya muy reciente, ofrece una ocasión para profundizar en el tema objeto de esta comunicación, ya que el TS se preocupa por resumir la doctrina que ha ido sentando al efecto, no completamente uniforme en su trayectoria, pero con una línea clara, en general, en cuanto al fondo de su posición y de su fundamento:

(i) el art. 29 de la LSC —Texto refundido de la Ley de Sociedades de Capital— sienta la eficacia de los pactos parasociales entre los socios que los suscriben, pero no frente a terceros, teniendo la consideración de tal tercero la sociedad, a pesar de su instrumentalidad respecto de los fines de los socios y de la coincidencia subjetiva de todos ellos en el pacto omnilateral y en la sociedad, lo que determina la inoponibilidad de dicho pacto respecto de la sociedad. La misma opción contempló el art. 213-21.1 del Anteproyecto de Código Mercantil de 2014, estableciendo en particular que "Los acuerdos sociales adoptados en contra de lo previsto en los pactos serán válidos". Y lo mismo hace el art. 17.1 del *Código das Sociedades Comerciais* portugués[1].

1 COUTINHO DE ABREU, J.M., *Curso de Direito Comercial Das Sociedades*, V. II, 8ª edic. EDIÇÕES ALMEDINA, Coimbra, 2024, p. 161.

(ii) Además, no existen razones para el TS que justifiquen en estos casos excepción alguna a la eficacia relativa del pacto parasocial omnilateral, salvo que el pacto contenga estipulaciones a favor de terceros (el contrato es *res inter alios acta* y, en consecuencia, ni les beneficia, ni les perjudica, salvada esta excepción prevista en el art. 1257.2 CC —Código Civil—), lo que suele suceder con los pactos de atribución, dirigidos a procurar ventajas particulares a la sociedad (como suministrarle préstamos, reintegrar el patrimonio social en caso de pérdidas, no hacerle la competencia...), en cuyo caso la sociedad podrá exigir su cumplimiento conforme al art. 1257.2 CC incluso si no fue parte del convenio parasocial[2], mientras que, en rigor, sólo o muy principalmente los pactos de organización que determinan la organización y el funcionamiento de los órganos sociales o la toma de sus decisiones (tienen por objeto lograr, mantener y ejercitar el control de la sociedad), tienen relevancia respecto de la impugnación de acuerdos sociales en sentido estricto, es decir, en su contenido definitorio de la relación entre mayoría y minoría. En efecto, así es, bien cuando se infringen por el acuerdo social —cuestionando las vías en que dicho incumplimiento del pacto por los socios mayoritarios puede fundamentar la impugnación del acuerdo social que lo viola—, bien cuando el acuerdo social actúa el contenido del pacto parasocial, determinando ello la invalidez del acuerdo que, por respetar el pacto, vulnera normas estatutarias o incurre en otras causas de impugnación, circunstancia que de nuevo pretenden aprovechar algunos socios a costa de incumplir el pacto parasocial, impugnando el acuerdo.

---

2 Vid., por ej., la SAP de Zaragoza de 6/10/2023 (Roj: 1871/2023 Secc. 5 Nº de Recurso: 722/2022). Sin perjuicio de que se identifiquen además estos pactos con el contenido ordinario de prestaciones accesorias (PÉREZ MILLÁN, D., "Pactos parasociales y prestaciones accesorias", en MARTÍNEZ MUÑOZ, Miguel y HERNÁNDEZ GONZÁLEZ-BARREDA, Pablo Andrés (Coord.), *Estudios de Derecho Mercantil y Derecho Tributario*, Thomson Reuters ARANZADI, *Navarra, 2019, pp. 106 y ss.*

El TS advierte que, en uno y otro caso, sólo la infracción de la exigencia de buena fe (o sus vertientes de la interdicción del abuso de derecho, levantamiento del velo o la doctrina de los actos propios) en el ejercicio de los derechos por parte del socio incumplidor del pacto, sea la mayoría con su poder de decisión —y después de oposición a la demanda de impugnación representada por la sociedad— o sea la minoría que ejerce su derecho de impugnación, ofrece un cauce para que, excepcional y por tanto restrictivamente, la relevancia social del pacto, inoponible frente a la sociedad, pueda materializarse en función de las circunstancias[3], sin que ello resulte contradictorio, al tratarse de respuestas diferentes para supuestos distintos.

No obstante, acaso sea difícilmente comprensible que la vulneración de la buena fe o la contradicción con los propios actos no resulte automáticamente *in re ipsa* siempre en supuestos de acuerdos parasociales respaldados por todos los socios, sin que aparentemente puedan justificarse en abstracto soluciones diferentes frente al incumplimiento del pacto parasocial por los socios. Es decir, parece que probado el acuerdo omnilateral, cualquier socio que pretenda actuar en contra de lo previamente asumido incumpliendo sus compromisos, estaría contradiciendo sus propios actos, lo que debería provocar la admisión, sin más y como excepción, de la oponibilidad del pacto parasocial frente a la sociedad, especialmente a la vista de su materialización en sociedades cerradas, de estructura personalista y de estrechos vínculos contractuales entre los socios en tanto que

---

3 STS de 7/4/2022 (Roj: 1386/20, Nº de recurso 1726/2019). Existe otra STS posterior de 5/5/2023 (Roj: 1965/2023 Nº de recurso 3728/2019) con idéntica doctrina, pero ante un supuesto de inaplicación en la práctica de pactos parasociales entre los afectados, relativos a la administración y gestión de empresas familiares, a quienes les es oponible el hecho propio de la inaplicación del pacto, vedándoseles la posibilidad de reclamar su cumplimiento. La misma posición respecto del derecho portugués sostiene COUTINHO DE ABREU, J.M., *Curso de Direito...*, cit., p. 163. Sobre los grupos de pactos MARTÍNEZ ROSADO, J., *Los pactos parasociales*, Marcial Pons, Madrid, 2017, pp. 48 y ss; también AAP de León 31/7/2023 (Roj: 649/2023 Secc. 1 Nº de Recurso: 66/2023).

tales socios[4], conformando auténticas sociedades internas dentro de la sociedad[5].

El trabajo repasa las soluciones jurisprudenciales más recientes y aporta algunos argumentos que justifican y apoyan, a la luz de los conflictos concretos planteados, la doctrina jurisprudencial, hoy severamente criticada por ser contraria a la posición muy mayoritaria sostenida por la doctrina mercantilista y también a algunas de las soluciones avanzadas que ofrece el Derecho comparado. Y es que se trata en todo caso de una cuestión, esta de la oponibilidad del pacto parasocial, de estricto derecho positivo y de su interpretación, sin que existan principios u obstáculos de tipo corporativo u organizativo que precluyan al legislador reconocer la plena eficacia societaria a estos pactos de carácter obligatorio[6], de enorme trascendencia práctica, siendo los pactos parasociales un acompañamiento cada vez

---

4 Para esta caracterización SÁEZ LACAVE, M.I., "Los pactos parasociales de todos los socios en Derecho español. Una materia en manos de los jueces", *In Dret*, núm. 3, 2009, pp. 4-5; ALONSO ESPINOSA, F.J., "El pacto parasocial omnilateral como pacto social", *LA LEY Mercantil*, núm. 102, 2023, pp. 2-3. En la jurisprudencia ilustra los intereses en juego con todo su alcance la SJM de Palma de Mallorca de 29/12/2024, aunque se trata de un pacto parasocial y de inversión elevado a norma estatutaria, donde se reconoce la prevalencia del derecho de preferencia del socio minoritario frente a un aumento de capital por compensación de créditos, en el marco de un acuerdo de refinanciación homologado, regido por el entonces vigente art. 624.2 del TRLC, que permitió soslayar la mayoría reforzada exigida para adoptar el acuerdo por el pacto de accionistas y estatutario, y diluir la posición del accionista minoritario (Roj: SJM IB 292/2024 Secc. 2 Nº de Recurso: 58/2023).

5 MARTÍNEZ ROSADO, J., *Los pactos...*, cit., pp. 22-23 y 28 y ss; PERDICES HUETOS, A., "Lecciones: validez, eficacia y oponibilidad de los pactos parasociales, en una cáscara de nuez", *Almacén del Derecho*, 25/2/2016.

6 Para el derecho comparado PORTALE, G.B., "Patti parasociali con «efficacia corporativa» nelle societa di capital", *Rivista delle Società*, núm. 1, 2015, pp. 1 y ss; MARTÍNEZ ROSADO, J., *Los pactos...*, cit., pp. 56 y ss y 159 y ss; PERDICES HUETOS, A., "Lecciones...", cit.,; TORRECILLAS LÓPEZ, S., "Régimen jurídico de los pactos parasociales tras los recientes pronunciamientos del Tribulan Supremo de España. Comparativa con otras legislaciones (como Argentina, Italia, Brasil y México, etc.)", en GONZÁLEZ FERNÁNDEZ María Belén (Dir.), *Sobre el contrato de sociedad*, T. II, Tirant lo Blanch, Valencia, 2024, pp. 754 y ss.

más útil y por ello necesario como complemento y adaptación de las reglas de la sociedad a su sustrato personal y a su especial actividad, sobre todo en el ámbito de las sociedades familiares, pymes y microempresas, muy especialmente si se trata de startups, consolidada como está la financiación de estas últimas sociedades a través de socios inversores (minoritarios) que por medio de los pactos hacen visibles las condiciones a las que subordinan su financiación o entrada en el capital de la sociedad[7]. Su relevancia práctica la corrobora la abundante jurisprudencia que generan y la ya también abundante respuesta doctrinal que han merecido esas resoluciones.

II. EL PROBLEMA: LA CONTRADICCIÓN ENTRE LA REGULACIÓN CONVENCIONAL (VÁLIDA) Y LA ESTATUTARIA O LEGAL

1. Noción de pacto parasocial

El tema que se aborda requiere partir de una noción de pacto parasocial, siendo útil la que aporta la propia jurisprudencia, identificando con esta figura convenios celebrados por todos o algunos de los socios de una sociedad mercantil con el objeto de "regular, con la fuerza del vínculo obligatorio entre ellos, aspectos de la relación jurídica societaria sin utilizar los cauces específicamente previstos en la ley y los estatutos", por lo que estos pactos no se integran en el ordenamiento de la persona jurídica[8]; este último es el sentido que debe atribuirse al término "reservado" —ciertamente poco preciso y afor-

---

7 DE ULLOA LAPETRA, D., "El pacto de socios y las startups", en CAZORLA GONZÁLEZ-SERRANO, Luis (dir.), *Acuerdos y Pactos Parasociales: Una Visión práctica de su Contenido,* Thomson Reuters ARANZADI, Navarra, 2018, p. 266; MARTÍNEZ MARTÍNEZ, M.T., "Especialidades societarias de las empresas emergentes", en ALMUDÍ CID, Jose Manuel y otros (dir.), *El Derecho ante realidades disruptivas: empresas emergentes, soiedades pantalla y criptoactivos,* Thomson Reuters ARANZADI, Navarra, 2022, p. 38.

8 Vid., las referencias a las SSTS definitorias del pacto parasocial en la SAP de Barcelona de 21/12/2022 (Roj: 14644/2022 Secc. 15 Nº de Recurso: 3688/2022);SJPII de Cuenca de 22/12/2022 (Roj: 636/2022 Secc. 2 Nº de Recurso: 21/2021); STS de 20/2/2020 Resolución:120/2020 (Vlex).

tunado— que maneja el art. 29 de la LSC (marcándose el contraste entre la eficacia *erga omnes* del acto constitutivo de una sociedad de capital y del carácter obligatorio del pacto parasocial)[9].

De ahí que queden al margen de esta problemática los pactos que se integran en el ordenamiento de la persona jurídica, bien porque se inscriban, integrando previsiblemente el contenido de las reglas estatutarias —como muestran frecuentemente los supuestos judicializados[10] o el art. 7 RD 171/2007 de 9 de febrero por el que se regula la publicidad de los protocolos familiares—, o de la escritura[11],

---

9 MARTÍNEZ ROSADO, J., *Los pactos...*, cit., pp. 66 y 166-167; GALACHO ABOLAFIO, A.F., "Derechos de socios procedentes de pactos parasociales y su oponibilidad frente a la sociedad de capital", en GONZÁLEZ FERNÁNDEZ María Belén y COHEN BENCHETRIC, Amanda (dir.), *Derecho de sociedades. Los derechos del socio,* Tirant lo Blanch, Valencia, 2020, p. 83. Como muestra ALONSO ESPINOSA, F.J., ("El pacto...", cit., p. 9) son pactos sociales porque a través de ellos se disciplina el contenido o el régimen de ejercicio de los derechos del socio en la sociedad, si bien lo hacen bajo un ordenamiento distinto al legal y al estatutario.

10 Por ej., STS de 6/3/2009 (Roj: 941/2009 Nº de Recurso: 700/2004); STS de 5/3/2009 (Roj: 1488/2009 Nº de Recurso: 1946/2002); STS de 6/3/2009 (Roj: 940/2009 Nº de Recurso: 368/2004); STS de 17/11/2020 (Roj: 3794/2020 Nº de Recurso: 5135/2017); SAP de Palma de Mallorca de 17/03/2022 (Roj: SAP IB 673/2022 Secc. 5 Nº de Recurso: 966/2021); SJM de Palma de Mallorca de 29/12/2024 (Roj: SJM IB 292/2024 Secc. 2 Nº de Recurso: 58/2023). Y vid., en cuanto a la posible matización del alcance de estas reglas estatutarias con origen en un pacto parasocial, la SJM Barcelona de 16/12/2022 (Roj: 13492/2022 Secc. 6 Nº de Recurso: 690/2021) para facilitar la reestructuración de la sociedad con dificultades económicas, que requiere mayoría del 89% para modificar los estatutos y en la que el capital se aumentó con apoyo del 76% aproximadamente, impugnado por ser contrario al pacto parasocial y desestimada la pretensión a la vista de la situación muy endeudada de la sociedad, considerándose justificado el acuerdo tanto por la mayoría que lo apoya como por ser materialmente necesario para afrontar las dificultades económicas de sociedad.

11 Las RRDGRN de 5/6/2015 y de 24/3/2010 han admitido que estos pactos se puedan incluir en la escritura de constitución (no en estatutos), fundamentándolo en la existencia de una esfera individual del socio diferenciada de la corporativa de manera que en el ámbito de la primera, puede llegar a establecer vínculos obligacionales con otros socios sobre cuestiones atinentes a la compañía, sin modificar el régimen estrictamente societario y al

siempre y cuando no contengan cláusulas contrarias a la ley o, si se prefiere y más restrictivamente, dentro de los límites de la legislación societaria (art. 28 LSC)[12], bien porque su suscripción, contenido y cumplimiento constituya el objeto de una prestación accesoria, alcanzando por cualesquiera de estas vías eficacia frente a la sociedad y frente a los socios futuros (oponibilidad), asegurándose su cumplimiento en consecuencia con instrumentos societarios y cuyo testigo recoge hoy el art. 11.2 de la ley de Startups[13].

La noción de pacto parasocial expuesta, abre inmediatamente la puerta para subrayar tanto la relatividad del vínculo de estos pactos, que afecta únicamente a quienes los han suscrito (arts. 1257.1 y 1091

---

margen de él (la referencia en NIETO CAROL, U., "Algunas consideraciones respecto al protocolo familiar como pacto parasocial", en GONZÁLEZ FERNÁNDEZ María Belén (dir.), *Sobre el contrato de sociedad*, T. II, Tirant lo Blanch, Valencia, 2024, p. 658; VALPUESTA GASTAMIZA, E., *Comentarios a la Ley de Sociedades de Capital*, Bosch, 4ª ed., Madrid, 2022, p. 128; también en la RDGSJYFP de 11/10/2024, BOE 15/11/2024).

12 Vid., la cuidadosa ejemplificación de supuestos sobre cómo resolver el conflicto en esta perspectiva entre el ámbito parasocial y el societario en DE ULLOA LAPETRA, D., "El pacto…", cit., pp. 267 y ss, analizando hasta cuando gozan de protección societaria y a partir de cuando pueden vetarse por traspasar esos límites a su validez.

13 Ley 28/2022, de 21 de diciembre, de fomento del ecosistema de las empresas emergentes, acogiendo al parecer el criterio de la RDGRN de 26/6/2018, que permitió la determinación extraestatutaria de la prestación accesoria. Al respecto vid., FELIU REY, J., "Comentario a la RDGRN de 26 de junio de 2018", *Revista de Derecho de Sociedades*, núm. 54, 2018 (edición digital); MARTÍNEZ MARTÍNEZ, M.T., "Especialidades…", cit., p. 38; PEÑAS MOYANO, M.J., (2023) "Empresas familiares y prestaciones accesorias", en PEÑAS MOYANO, María Jesús (Corrd.), *Estudios de Derecho de sociedades y de Derecho concursal, Libro homenaje al profesor J. QUIJANO GONZÁLEZ*, Valladolid, 2023, pp. 633 y ss; PEÑAS MOYANO, M.J., "Prestaciones accesorias, pactos parasociales e impugnación de acuerdos contrarios", en CASTELLANO, María José y CAMPUZANO, Ana Belén (Coord.), *ESTUDIOS JURÍDICOS EN HOMENAJE AL PROFESOR ÁNGEL ROJO*, T. II, *DERECHO DE SOCIEDADES*, Aranzadi, Madrid, 2024, pp. 661 y ss; PÉREZ MILLÁN, D., "Pactos parasociales…", cit., pp. 116 y ss; MARTÍNEZ ROSADO, J., *Los pactos…*, cit., pp. 146 y ss. Esta problemática es objeto de las recientes RRDGSJYFP de 11/10/2024 (BOE 15/11/2024) y de 29/11/2024 (BOE 25/12/2024), acogiendo ambas el criterio sentado en la RDGRN de 26/6/2018.

CC), de forma que si la sociedad es parte a través de sus administradores queda vinculada[14], pero donde en rigor no nos encontramos

---

14 Por ej., STS de 3/11/2014, supuesto en que el socio único y administrador suscribe el pacto con el futuro socio (Roj: 4443/2014 Nº de Recurso: 490/2013) y se impugnan acuerdos sociales relativos a la aprobación de las cuentas anuales de una S.L. por "Ausencia de reflejo de imagen fiel del patrimonio, al omitirse obligaciones contables consecuencia de la operación de permuta convenida en el pacto parasocial... por la que, mediante ampliación de capital social, los recurrentes suscribirían participaciones con la aportación del solar de su propiedad y finalizada la construcción de viviendas, 4,8 de ellas se entregarían a los socios que aportaron el solar y la sociedad acordaría la reducción del capital social en la cantidad necesaria equivalente... no cabe hablar de pactos reservados... sino de pactos manifiestamente conocidos por dicha sociedad... permuta bien pudo convenirse con la sociedad y por cuestiones tributarias... dejarla al margen. No tener en cuenta criterios contables por la circunstancia de que la sociedad no fue parte del contrato parasocial, siendo así que su administrador y único socio... fue el que lo suscribió juntamente con el aportante, es grave en relación a terceros..., acuerdo es nulo"; SJM de Barcelona de 23/6/2022 (Roj: 6308/2022 Secc. 12); SAP de Palma de Mallorca de 26/9/2023 (Roj: SAP IB 2448/2023 Secc. 5 Nº de Recurso: 848/2022). Una situación equiparada se produce cuando la junta de socios ratifica el contenido de un pacto parasocial que acordó por unanimidad de los socios la disolución de la sociedad y las bases de reparto del patrimonio a fin de satisfacer el pago de la cuota de liquidación a los socios (SAP de Orense de 23/5/2024 (Roj: 515/2024 Secc. 1 Nº de Recurso: 238/2024). Y para la eficacia de un pacto parasocial entre la sociedad, todos sus socios y un tercero acreedor vid., SAP de Córdoba de 6/5/2022 (Roj: 398/2022 Secc 1 Nº de Recurso: 611/2021) "Se acuerda por unanimidad de los Socios distribuir pérdidas en el balance final de liquidación entre todos los socios... A tal fin comparecerán ante Notario a primer requerimiento del Sr. Liquidador para hacer reconocimiento de esta deuda... cuyo reparto final queda asignado y aceptado por unanimidad... Un contrato de asunción de deuda celebrado entre la sociedad acreedora, la deudora originaria y don Fulgencio, que es consecuencia del pacto parasocial".

Y para supuestos de prestación de servicios por parte de los administradores contemplados en pactos parasociales vid., por ej., SAP de Madrid de 27/5/2022, en relación con un contrato de prestación de servicios por el administrador de una SL que debía ser dispensado por la sociedad; no basta fundamentar la dispensa en el pacto parasocial, se requiere acuerdo de la junta, pero parece que debido sobre todo a la falta de concreción en el pacto de socios de condiciones esenciales del contrato que debía valorar en el campo de lo parasocial sino en el ámbito negocial de la sociedad[15], como, aunque este aspecto no está exento de debate, los límites de su validez (distintos e independientes del problema de su

---

la junta. Pero se trata de una sociedad con solo tres socios, uno de ellos el administrador, y en la hipótesis de convalidación por la junta hubiera sido preciso respetar los mismos requisitos que para la concesión de la dispensa. Existiendo situación de conflicto de interés por el establecimiento de relación contractual entre el administrador social y la sociedad, siguiendo la regla legal, se excluye el derecho de voto de D. Evelio (42,5 % del capital), con el solo voto a favor de Ezequiel (15 %) y el contrario del demandante (42,5 %), el acuerdo favorable no podía resultar válidamente aprobado (Roj: 8070/2022 Secc. 28 Nº de Recurso: 748/2020). Y en el supuesto que aborda la SJM de Madrid de 20/7/2023 la administradora única demandada autorizó un pago a su favor en pago de servicios de asesoramiento prestados a la sociedad. De acuerdo con el pacto de socios dicho pago debió ser autorizado por la junta y se reconoce plena eficacia al pacto parasocial incumplido por la demandada "que le obligaba a pedir autorización a la junta para percibir determinadas cantidades de la sociedad en retribución de servicios prestados a la misma, lo que supone la causación de un daño a la misma interviniendo dolo o culpa, lo que determina la responsabilidad del art. 236 TRLSC...". A la vista del fundamento de la acción social de responsabilidad, como acción resarcitoria del daño causado interviniendo culpa o negligencia, el incumplimiento del pacto parasocial es revelador tanto de existencia daño, pues el mismo impedía que la sociedad hubiese tenido que abonar la cantidad cobrada a la misma sin autorización de la junta, como del dolo o culpa grave, pues la demandada era parte de dicho acuerdo acreditado por la firma (Roj: 5165/2023 Secc. 3 Nº de Recurso: 574/2020).

15 MARTÍNEZ ROSADO, J., *Los pactos...*, cit., p. 34; MARÍN DE LA BÁRCENA, F., "Pactos parasociales omnilaterales (Comentario a la Sentencia del Tribunal Supremo, Sala Primera, de 7 de abril del 2022)", (ga-p.com https://ga-p.com › area › mercantil), pp. 3-4; según ALFARO AGUILA-REAL, J., ("Oponibilidad a la sociedad de pactos parasociales omnilaterales: la funesta manía de largarse un montón de páginas de resumen doctrinal que no forma parte de la ratio decidendi de la sentencia", https://derechomercantilespana.blogspot.com ›, 21/4/2022), la sociedad, aunque firme, no es parte, no tiene un interés independiente del de los socios; y NOVAL PATO, J., "La jurisprudencia del Tribunal Supremo en materia de pactos omnilaterales. Comentario a la sentencia 300/2022, de 7 de abril" *Revista de Derecho de Sociedades,* núm. 66, 2022 (edición electrónica), punto 3.2 B. hace ver que la firma del pacto por parte de la sociedad no altera su naturaleza, no se convierte en cláusula estatutaria.

perpetuidad, que debe rechazarse conforme a las reglas generales aplicables a este tipo de vínculos indefinidos[16]).

2. *Los límites generales a la validez del pacto omnilateral extraestatutario y su conexa utilidad para los socios*

En estas notas se comparte la postura del TS, considerando que estos acuerdos son válidos siempre que no superen los límites impuestos a la autonomía de la voluntad previstos en el art. 1255 del CC (SSTS 128/2009, de 6 de marzo, y 138/2009, de 6 de marzo), ya que su característica principal es que no se integran en el ordenamiento interno de la sociedad, sino que permanecen en el ámbito de las relaciones obligatorias de quienes los suscriben. Por dicho motivo, no están constreñidos por los límites que a los acuerdos sociales y a los estatutos imponen las reglas societarias, la validez de los pactos únicamente debe analizarse desde la perspectiva del Derecho de obligaciones, no desde las normas societarias o los principios configuradores de los tipos societarios (SAP de Madrid de 17/12/2021) "de ahí gran parte de su utilidad" (STS 616/2012, de 23 de octubre).

En efecto, su contenido puede eludir y chocar con lo preceptuado en la ley o en los estatutos, sin perjuicio de que en dicho caso el pacto no pueda ser incorporado en el negocio constitutivo; la práctica no es dudosa y muestra que a través de los pactos parasociales los minoritarios sortean las dificultades que les supone la regla mayoritaria que gobierna la adopción de los acuerdos sociales en las sociedades de capital, incluida la composición del órgano de administración, otorgando a cada socio los mismos derechos —un derecho de veto o

---

Sin perjuicio de algunas resoluciones en sentido contrario, en relación con las causas de exclusión: vid., SAP de Cádiz de 18/12/2022 (Roj: 2734/2022 Secc. 5 Nº de Recurso: 321/2019) "La incorporación laboral a la sociedad del Sr. Ángel sólo está contemplada en el pacto de socios... igual que no puede impugnarse un acuerdo social por ser contrario al pacto parasocial... no cabe fundar exclusión de un socio en un incumplimiento del pacto parasocial...".

16 Ampliamente SAP de Valencia de 28/7/2023 (Roj: 3032/2023 Secc. 6 Nº de Recurso: 733/2022).

el sometimiento voluntario a la regla de la unanimidad al menos en relación con los asuntos relevantes en cada caso— dada la eficacia exclusivamente *inter partes* del pacto, pretendiendo reducir *la tiranía* de la mayoría y los conflictos entre socios en relación con control de la sociedad[17], siempre y cuando la voluntad de los socios no contradiga la ley, la moral o el orden público que con carácter general puede afectar a su eficacia con carácter obligacional[18].

Y en este contexto, naturalmente, estos pactos también están constreñidos por aquellas reglas societarias cuya imperatividad se justifique por la tutela de intereses distintos de los socios e incluso de los propios socios, cuando por razones de orden público societario no sean disponibles, materializándose generalmente esta última situación en las cláusulas que garantizan en abstracto derechos a todos los socios —también los futuros—, por tal razón no podrían acceder a los estatutos (art. 28 LSC y arts. 114.2 y 175.2 RRM), ya que la escritura y los estatutos no pueden ser contrarios a ley y a los principios configuradores, límite este último que pudiendo afirmarse en abstracto, no afectará de hecho nunca al pacto parasocial como tal, destinado a quedar al margen del ordenamiento societario y con eficacia relativa entre los suscriptores del mismo.

Se trata de supuestos donde el gobierno de la mayoría no tiene un vínculo a la hora de observar la regla, distinto al que vincula a la unanimidad de los socios desde el punto de vista de la indisponibilidad del interés protegido y en los que, en general, la ejecución del pacto afectará forzosamente a la esfera de terceros ajenos (incluidos los

---

17 TORRECILLAS LÓPEZ, S., "Régimen...", cit., pp. 745 y 747; SÁEZ LACAVE, M.I., "Los pactos...", cit., pp. 5 y 8.

18 MARTÍNEZ ROSADO, J., *Los pactos...*, cit., pp. 37-38. En relación con la publicidad del protocolo familiar prevista en el art. 6 del RD 171/2007 de 9 de febrero, algunos sectores piensan que su calificación es idéntica a la que recae sobre las cuentas (art. 368.1 RRM) y que puede depositarse un protocolo con estipulaciones contrarias a los estatutos ya que solo se somete al control general de los contratos (la referencia en MARTÍNEZ ROSADO, J., *Los pactos...*, cit., pp. 199 y ss, contrario a esta interpretación —pp. 214-215— ya que la EM del RD dice que el depósito del protocolo en ningún caso podrá afectar a la organización de la sociedad según conste inscrita en el RM).

socios futuros) conculcándose la relatividad del propio pacto[19]. Tan sólo cabe excepcionar el supuesto de los acuerdos contrarios al orden público societario en función de sus circunstancias (es decir, en un momento puntual y por consiguiente al margen e independientemente de la licitud de las clausulas estatutarias que contemplen en abstracto el régimen de estos derechos de los socios)[20], al presuponer

---

19 Vid., por ej., la SAP de León de 8/7/2022 (Roj: 1163/2022 Secc.1 Nº de Recurso: 367/2022) en relación con un pacto de socios que impide la disolución de la sociedad, salvo que los dos estén de acuerdo. Este pacto es contrario al art. 363 de la LSC, que establece los supuestos en los que la sociedad de capital "deberá disolverse" (no dice que podrá...). Y también contraviene el art. 365 de la LSC, que legitima a todos los socios para solicitar la disolución de la sociedad... "la radical prohibición de disolución de la sociedad" hace que el pacto de socios sea nulo y que no se pueda exigir su cumplimiento o una eventual condena a suscribirlo con ese contenido, las normas reguladoras de la disolución son imperativas. Ilustra al respecto VALPUESTA GASTAMIZA, E., *Comentarios...*, cit., p. 129; SAP de Málaga de 3/7/2024 (Roj: 2681/2024 Secc. 6 Nº de Recurso: 425/2024); las posiciones doctrinales se recogen con detalle en MARTÍNEZ ROSADO, J., *Los pactos...*, cit., pp. 104 y ss; PERDICES HUETOS, A., "Lecciones...", cit.,; ALONSO ESPINOSA, F.J., "El pacto...", cit., p. 3; en relación con las socidades cotizadas CAZORLA GONZÁLEZ-SERRANO, L.,/NEIRA FERNÁNDEZ, P., "Los pactos parasociales en las sociedades cotizadas", en CAZORLA GONZÁLEZ-SERRANO, Luis (dir.), *Acuerdos y Pactos Parasociales: Una Visión práctica de su Contenido,* Thomson Reuters ARANZADI, Navarra, 2018, pp. 367 y ss.

20 Vid., por ejemplo en relación con pactos de sindicación, cuando se plantean problemas en su ejecución por parte de socios que desean separarse de él, especialmente cuando se han materializado en la atribución de un poder irrevocable y forzoso en favor del administrador único de la sociedad y presidente de la junta, que actúa ejecutando el pacto no omnilateral, del que la sociedad a la que representa no forma parte, impidiendo la asistencia a la junta de los socios representados, convocarles o el ejercicio de su derecho de información... violando sin duda el orden público societario, vid., SJM de Valencia de 27/09/2022 (Roj: 9969/2022 Secc. 3 Nº de Recurso: 392/2022). Los actores habían revocado notarialmente el poder y formularon demanda para que fuera reconocido su derecho de separación del pacto, obteniendo una sentencia provisionalmente favorable. El administrador de la sociedad "no puede cercenar de forma tan gruesa derechos esenciales de cualquier socio, implica una lesión del orden público societario. No es lo mismo cuando el socio obra en su condición de tal, que cuando lo hace

un conflicto concreto entre mayoría y minoría o socio individual y por tanto intereses disponibles en concreto por los propios socios.

En consecuencia, para enjuiciar la validez de los pactos que contravengan normas imperativas es imprescindible analizar el fundamento de la norma correspondiente, de forma que cuando tenga por objeto tutelar intereses de terceros, el pacto parasocial contrario a la misma será ilícito y cuando trate de preservar derechos individuales del socio "el carácter irrenunciable e inderogable de dichas normas rige frente a la sociedad, no en el contexto de relaciones privadas de un socio con otros", por eso nada obsta a la validez del pacto parasocial que impida transmitir la acción durante un tiempo o por el que el socio renuncie al derecho de suscripción o que obligue al socio a adherirse en la junta general al sentido mayoritario del voto de los firmantes del sindicato[21].

como administrador o presidente del órgano de gobierno societario, donde no se representa a sí mismo, ni a otros socios, sino a la sociedad…".

21 MARTÍNEZ ROSADO, J., *Los pactos…*, cit., p. 113 compartiendo las conclusiones de Vaquerizo, Madridejos y para la casuística vid., pp. 114 y ss. Por esa razón la vinculación del voto (en un pacto de sindicación) como instrumento para someterse a las decisiones o estrategia del socio mayoritario no comporta ilicitud alguna desde la perspectiva del Derecho de obligaciones, vid., SAP de Madrid de 17/12/2021 (Roj: 16527/2021 Secc. 28 de Nº de Recurso: 599/2020); y vid., SAP de Madrid de la misma fecha (Roj: 14887/2021 Secc. 28 Nº de Recurso: 554/2020) que resuelve sobre el incumplimiento del pacto y describe su contenido; y de interés es la STS de 23/10/2012 (Roj: 6729/2012, Nº de Recurso: 762/2009), relativa al desmembramiento de la condición de socio y el voto. Que el contrato incluya pactos de "cesión" de derechos políticos no hace inválida la venta, porque aparece como "garantía" del pago aplazado del precio, es posible que el accionista vendedor se reserve el control de la compañía mediante la retención de los derechos de voto del 50 % de las acciones. Este desmembramiento de derechos políticos del accionista no sería inscribible, pero sí puede exigirse ante los tribunales. Vid., VALPUESTA GASTAMIZA, E., *Comentarios…*, cit., pp. 129-130; también STS de 4/6/2010 (Roj: STS 3881/2010 Nº de Recurso: 1400/2006); SAP de Madrid de 12/11/2024 (Roj: 16577/2024 Secc. 20 Nº de Recurso: 573/2023); SAP de Pontevedra de 14/12/2023 (Roj: 2872/2023 Secc. 1 Nº de Recurso: 224/2022).

En esta perpectiva es especialmente oportuno recordar, como advierte la STS de 25/2/2016[22], que el problema que se plantea con más frecuencia no es el de la validez del pacto parasocial, que normativamente se presupone en el marco expuesto[23], sino el de su eficacia cuando tales pactos no se transponen a los estatutos sociales.

Desde la perspectiva de la impugnación de acuerdos sociales la fuente del conflicto surge por la existencia de dos regulaciones contradictorias, la que resulta de los estatutos (o de las previsiones legales para el caso de ausencia de previsión estatutaria) y la establecida en los pactos parasociales no traspuestos a los estatutos, ambas válidas y eficaces, pudiendo provocar dicha disparidad de regulaciones que se impugnen acuerdos sociales por no respetar lo pactado extraestatutariamente, o que se impugne un acuerdo social por ser contrario a los estatutos sociales, aunque adoptado de conformidad con el pacto parasocial adoptado por todos los socios.

Los problemas derivados de esta contrariedad resultan más acusados cuando el pacto parasocial ha sido adoptado por todos los socios que lo siguen siendo cuando se plantea el conflicto, considerándose suficiente este carácter de omnilateralidad en muchos casos para salvar su oponibilidad frente a la sociedad. Si un contrato no puede vincular a terceros ajenos al mismo, parece claro que la sociedad no quedará sometida al pacto cuando alguno de sus socios no sean parte del mismo, pero "sí lo estará cuando todos sus socios sean partes del pacto, porque la ausencia de un tercero real y efectivo impide calificar de tal a la sociedad" (art. 1257.1 CC). Difícilmente puede hablarse de ajenidad en este caso, el pacto no es reservado (art. 29

---

22 Roj: STS 659/2016 Nº de Recurso: 2363/2013.

23 El art. 6 de la LSA de 1951 declaraba la nulidad de este tipo de pactos. Este régimen legal cambió con el TRLSA de 1989, de 22 de diciembre, y con la Ley 2/1995 de SRL que, al igual que hace el actual TRLSC, no prevé su nulidad sino su inoponibilidad a la sociedad (para la evolución en su tratamiento normativo vid., STS de 25/2/2016 (Roj: 659/2016 Nº de Recurso: 2363/2013); STS de 16/6/2014 (Roj: 2828/2014 Nº de Recurso: 2174/2012); para la validez de poder de representación otorgado en un pacto parasocial en relación con una junta universal ATS de 23/6/2021 (Roj: 8734/2021 Nº de Recurso: 775/2019); y amplias referencias en la SAP de Logroño de 17/10/2023 (Roj: 535/2023 Nº de Recurso: 544/2022).

LSC)[24], argumento que está detrás de la aplicación de la doctrina del levantamiento del velo por parte del TS manejada para fundamentar la impugnación de acuerdos contrarios a pactos omnilaterales al permitir verificar una infracción de los estatutos[25], si bien para el TS

---

24 PERDICES HUETOS, A., "Lecciones…", cit.,; GALACHO ABOLAFIO, A.F., "Derechos…", cit., pp. 90 y 94; en la jurisprudencia vid., la SAP de Zaragoza de 24/3/2022 (Roj: 535/2022 Secc. 5 Nº de Recurso: 765/2021) en un asunto de reclamación de cantidad, el hecho de que esté suscrito por los dos únicos socios sin hacer referencia a la sociedad no es obstáculo para otorgarle validez frente a la sociedad, no se puede decir que no es oponibe a la sociedad en el sentido del art. 29 LSC; y vid., las consideraciones de la apelada en el AAP de Valencia de 25/1/2022 (Roj: 235/2022 Secc. 9 Nº de Recurso: 1602/2021); y en la SJM de Girona de 26/4/2022 (Roj: 6238/2022 Secc. 1 Nº de Recurso: 4/2021) se afirma que "algunas resoluciones judiciales han reconocida eficacia societaria a los pactos que hayan sido firmados por todos los socios…", lo que no sucede en el caso; otras referencias doctrinales en MARTÍNEZ ROSADO, J., *Los pactos…*, cit., p. 185.

25 STS de 24/9/1987, ECLI ES:TS:1987:8684 Núm. 551, declarando la invalidez del acuerdo adoptado en junta de accionistas prescindiendo de uno de los dos socios que integran la sociedad, existiendo conformidad de las partes acerca de que, según los documentos aportados, la impugnante es propietaria de acciones que "por razones convenientes a la sociedad" aparecen documentadas en favor de Alfredo, Director y único propietario del mayoritario resto de acciones. Según el art. 14 de los Estatutos es preciso para que exista acuerdo el voto favorable dos socios como mínimo. El acuerdo es nulo sin el concurso de la impugnante por ser opuesto a los Estatutos "pues los únicos intereses en presencia son los de la impugnante y los de Alfredo", la sociedad, "aún gozando de personalidad distinta e independiente de la de sus dos únicos socios no puede reputársela bastante a desligar al socio mayoritario de pactos…. Se pretende que la persona jurídica que es la SA vele y oculte y haga inoperante la realidad que subyace debajo, dos únicos socios ligados por contratos…; inadmisible… transmisión puramente formal acciones propiedad de la impugnante". La Sala aparta el artificio de la SA para decidir los casos según la realidad.

Así mismo, parece que el TS en alguna ocasión no ha tenido grandes inconvenientes para admitir la posibilidad de impugnar acuerdos contrarios a pactos omnilaterales a través de la ficción de considerarlos acuerdos emanados de una especie de junta universal, vinculante como tal para la sociedad, vid., STS de 26/02/1991 (ECLI ES:TS:1991:1086, *Núm.* 145) ya que estuvo presente la totalidad del capital desembolsado, aunque no existió la aceptación por unanimidad de celebración Junta, como exige la ley. Pero para el TS, aunque se estimase que el acuerdo no se tomó en una junta

el reconocimiento de que la sociedad no es tercero distinto de todos sus socios que firman el pacto, no significa que los pactos omnilaterales sean oponibles frente a la sociedad, por impedirlo el art. 29 de la LSC[26].

Y, en efecto, la réplica a este planteamiento advierte que no cabe justificar de ese modo que el incumplimiento de uno de esos negocios (el pacto) se traduzca en el incumplimiento de otro (el contrato de sociedad), cuando se someten a regímenes jurídicos distintos; y los socios que asumen obligaciones conforme al régimen jurídico del pacto no pueden pretender hacerlos efectivos bajo otro régimen, el del contrato de sociedad, por esa razón se tiende a basar la impugnación de acuerdos sociales por infracción de pactos omnilaterales en una violación de los estatutos sociales o bien en la lesión del interés social[27].

III. IMPUGNABILIDAD DE ACUERDOS SOCIALES CONTRARIOS A LOS PACTOS PARASOCIALES

1. *Inoponibilidad del pacto frente a la sociedad y obligada canalización de su incumplimiento entre las causas legalmente previstas para la impugnación de acuerdos*

Las últimas decisiones de la jurisprudencia advierten que la mera infracción de un convenio parasocial omnilateral no basta, por sí sola, para anular un acuerdo social porque se trata de pactos que no son oponibles a la sociedad (art. 29 LSC), de forma que para estimar la impugnación del acuerdo social es preciso justificar que este infringe, además del pacto parasocial y de forma simultánea, la ley, los estatutos o el reglamento o que el acuerdo es lesivo del interés

general de accionistas de «Munaka, S. A.», y que no es un acuerdo social, concurriendo en él los requisitos para la validez de los contratos tiene fuerza obligatoria entre quienes lo suscribieron y deben cumplirlos (art. 1.091 CC).

26 MARÍN DE LA BÁRCENA, F., "Pactos...", cit., p. 2.

27 PÉREZ MILLÁN, D., (2019) "Pactos...", cit., pp. 113-114.

social, es decir, que concurre alguna de las causas de impugnación contenidas en el art. 204.1 LSC, que omite mencionar entre ellas la violación del pacto parasocial, que por lo tanto no es una causa de impugnación de los acuerdos sociales (*númerus clausus* respecto de las causas de impugnación).

Los recursos de Casación que motivan esta posición del TS se formalizan sin embargo citándose como infringida la doctrina jurisprudencial contenida en las SSTS de 24/9/1987 y 10/2/1992 que habrían permitido oponer a la sociedad pactos parasociales firmados por los socios como fundamento de la impugnación de acuerdos, por ser de obligado cumplimiento para socios y consejeros, rechazando el TS tajantemente que la doctrina jurisprudencial mencionada tenga tal carácter: la Sª de 24/9/1987 estima la impugnación de acuerdos por violación del art. 14 de los Estatutos, con independencia de que discurra acerca de pactos existentes entre socios al respecto de la legitimación de la impugnante y aplique la doctrina del levantamiento del velo; y la Sª de 10/2/1992 razona que "la lesión de los intereses de la sociedad puede producirse mediante acuerdos sociales adoptados con intervención de las circunstancias tipificadoras del abuso del derecho (subjetiva, de intención de perjudicar o falta de una finalidad seria y objetiva, de anormalidad en el ejercicio del mismo), que es lo ocurrido en supuesto litigioso". Según el criterio de TS ninguna de estas sentencias mantiene la doctrina alegada, al referirse a causas impugnación legalmente previstas y no a un mero pacto parasoccial[28].

Se condiciona consecuentemente el éxito de la impugnación a que los acuerdos se vean afectados por alguna de las causas legalmente previstas para su impugnación, de forma que el incumplimiento del pacto parasocial, para ser eficaz frente a la sociedad a estos efectos de justificar la impugnación de los acuerdos de su órganos, deberá subsumirse en alguno de supuestos de impugnación previstos legalmente[29], es decir, deberá alegarse que la adopción del acuerdo

---

28 Vid., por ej., STS de 10/12/2008 Nº de resolución 1136/2008.

29 Por ej., SAP de Madrid de 13/1/2023 (Roj: 45/2023 Secc. 28 Nº de Recurso: 486/2022); STS de 6/3/2009 (Roj: 941/2009 Nº de Recurso: 700/2004); STS de 17/11/2020 (Roj: 3794/2020 Nº de Recurso: 5135/2017); SJM de

social, incumpliendo lo convenido en un pacto parasocial, conlleva una infracción de una norma legal, una vulneración de los estatutos sociales o del reglamento, o una lesión de los intereses sociales.

Pero parece estarse lejos de desconsiderar la relevancia del pacto parasocial[30]; todo lo contrario, se parte de aceptar su contenido para

---

Murcia de 12/1/2023 (Roj: 326/2023, Secc. 3 Nº de Recurso: 749/2021); SAP de Logroño de 17/10/2023 (Roj: 535/2023 Nº de Recurso: 544/2022); y las referencias jurisprudenciales de PÉREZ MILLÁN, D., (2010), "Presupuestos y fundamento jurídico de la impugnación de acuerdos sociales por incumplimiento de pactos parasociales", *RDBB*, 117, pp. 232 y ss. En particular en estas sentencias se impugnan acuerdos del consejo de administración, que contradicen lo pactado en convenios extrasocietarios que establecen principios de cogestión de sociedades participadas por dos familias, que hicieran necesario el voto del miembro del grupo minoritario, llevándose su contenido a los estatutos, que también contemplan el remedio para el caso de fracaso del logro de la mayoría (según los estatutos el acuerdo del consejo requería el voto favorable de cuatro de sus cinco miembros en 1ª convocatoria pero sólo de tres en 2ª convocatoria) con la consecuencia de que los acuerdos impugnados se adoptaron con mayoría de tres miembros, todos del grupo mayoritario (STS de 10/12/2008 Nº de resolución 1136/2008; STS de 05/3/2009 (Roj: STS 1488/2009 Nº de Recurso: 1946/2002); STS de 06/03/2009 (Roj: STS 940/2009 Nº de Recurso: 368/2004). El TS advierte en esta última sentencia, y de forma similar en el resto, que "no cabe abuso de derecho sin tener en cuenta las circunstancias del caso concreto: que lo pactado por los socios debía proyectarse por voluntad de los mismos, y se proyectó, en los estatutos... Y que los estatutos por decisión de la junta, contienen, *junto a normas que expresaron la voluntad de dar intervención a la minoría en la administración social*, otra, *de aplicación supletoria, que elimina el rigor de tal exigencia*"; STS de 25/2/2016 (Roj: 659/2016 Nº de Recurso: 2363/2013); SJM de Murcia de 12/1/2023 (Roj: 326/2023 Secc. 3, Nº de Recurso: 749/2021; AAP de Valencia (Roj: 235/2022); SAP de Zaragoza de 2/11/2023 (Roj: 2001/2023 Secc. 2 Nº de Recurso: 32/2023) en relación con el incumplimiento contractual de un Acuerdo de Intenciones llevado también a los estatutos de la UTE, solicitándose la remoción del acuerdo de la Junta de la UTE, que acordó por unanimidad de los socios comparecientes el cambio de domicilio social, pero se rechaza dado que, tras la transmisión de las participaciones, el cambio estaba motivado por razones de practicidad y operatividad, dada la composición de la UTE.

30 PÉREZ MORIONES, A, "Impugnación de acuerdos sociales y pactos parasociales ominilaterales (reflexión a la luz de los últimos pronunciamientos

perfilar *el contenido del interés social pactado* y, a partir de ahí valorar si su incumplimiento puede estar justificado o no, conforme a los requisitos legalmente exigidos para que puedan prosperar las causas de impugnación legalmente previstas, de ahí que la lesión del interés social por el abuso de mayoría no tenga que producirse necesariamente cuando se infringe un pacto omnilateral sino que requerirá verificar en cada caso la concurrencia de los requisitos legales hoy previstos al efecto en el art. 204.1 de la LSC, que no necesariamente van parejos o son inherentes a la adopción de un acuerdo que contravenga un pacto parasocial, y lo mismo sucede cuando se aplica el principio de buena fe o su variante del abuso de derecho con carácter general (art. 7 CC), cuya apreciación se hace depender de las circunstancias concretas concurrentes. Todo lo cual, sin embargo, para la doctrina crítica y menos crítica con esta doctrina jurisprudencial, no resolvería nada, en la medida en que el acuerdo societario en esas condiciones es ya impugnable con independencia de la existencia del pacto parasocial y al margen de él[31], lo cual parece inexacto, al menos en la mayoría de los supuestos judicializados relacionados con los pactos de organización.

Ilustra esta problemática la SAP de Málaga de 3/7/2024 que conoce de la impugnación de acuerdos del consejo de administración de una SA, que acordó el cese del demandante como consejero delegado solidario y como presidente del consejo, por vulneración del pacto omnilateral suscrito por la sociedad también y por el consejero delegado apelante. Frente a la pretensión de anulación del acuerdo por parte del apelante por ser contrario al interés social, aportan-

---

de nuestros tribunales)", en CUÑAT EDO, Vicente y otros (Dir.), *Estudios de derecho mercantil. Liber amicorum profesor Dr. Francisco Vicent Chuliá*, Tirant lo Blanch, Valencia, 2013, pp. 590 y ss.

31 PAZ-ARES, C., "Violación de pactos, impugnación de acuerdos y principio de no contradicción", *Revista de Derecho Mercantil*, núm. 325, 2022, (edición electrónica), pp. 9-10; GALLEGO CÓRCOLES, A., "Impugnación de acuerdos sociales por abuso de mayoría e infracción de pactos parasociales omnilaterales tras la Ley 31/2014, de 3 de diciembre", en GONZÁLEZ FERNÁNDEZ María Belén y COHEN BENCHETRIC, Amanda (dir.), *Derecho de sociedades: revisando el derecho de sociedades de capital*, Tirant lo Blanch, Valencia, 2018, pp. 1437-1438 y 1446.

do resoluciones judiciales que aceptan como infracción del interés social la contravención pacto parasocial, la Audiencia de Málaga advierte que para la jurisprudencia el interés social no es necesariamente el de los socios en particular sino el de la sociedad, aunque el interés de la sociedad sea la suma de todos los intereses particulares y que son contrarios a tal interés los acuerdos de la mayoría que no persiguen el interés conjunto de los accionistas, ni el de la sociedad. En tal sentido, el art 204 de la LSC dispone que la lesión del interés social se produce también cuando el acuerdo se impone de manera abusiva por la mayoría. Según el apelante el acuerdo de cese del consejero delegado es contrario al interés social por contravenir el pacto parasocial en virtud del cual se organiza el sistema de administración. Pero "Para ello es necesario acreditar que ese sistema de organización que en concreto se pactó... favorece el interés social frente a cualquier otro sistema organizativo; y nada se demuestra que desde un punto de vista estricto de interés social como obtención de beneficio la sociedad se vea perjudicada. Si lo analizamos desde un punto de vista más amplio del concepto de interés social entendiendo que también debe de protegerse a la minoría, *debe de acreditarse que el acuerdo del consejo de administración perjudica al minoritario sin beneficiar en nada a la sociedad.* La *vulneración del pacto parasocial* según la jurisprudencia, no es causa para impugnar el acuerdo de la sociedad...; y *únicamente lo sería si entendemos que es abuso de derecho o una actuación contraria a la buena fe, lo que en puridad respondería a ese sentido amplio del interés social,* la concreción del interés social compete a la mayoría... no entendemos que exista lesión del interés social ni actuación abusiva por parte de los restantes miembros del consejo de administración, el administrador puede ser destituido en cualquier momento y necesariamente el desempeño de esta función requiere la confianza de la sociedad... *la destitución no responde a una actuación abusiva que pudiera amparar que la infracción del pacto parasocial hiciera anulable el acuerdo pues la destitución no se basa en la ausencia de motivos* para ello sino en las sospechas por parte resto de administradores respecto de actuaciones lesivas por el Sr. Silvio en su comportamiento como administrador social, *el interés social no se ve vulnerado pues el acuerdo de destitución no está dirigido a perjudicar el interés del minoritario sin que la sociedad obtuviera beneficio alguno pues aparece basado en las sospechas que se acreditan* con el informe de KPMG y la querella…"[32].

---

[32] Roj: 2681/2024 Secc. 6 Nº de Recurso: 425/2024. Vid., también SAP de Madrid de 4/2/2022 (Roj: 1862/2022 Secc. 28 Nº de Recurso: 618/2020), supuesto en el que se solicita la declaración de nulidad del acuerdo de la junta de accionistas de promover el ejercicio de la acción social responsabilidad contra dos administradores, que se habría impuesto de forma abusiva, en términos del art. 204.1 2º párr. LSC en conexión con los pactos de accionistas. La Sª es desestimatoria: los pactos parasociales no son oponibles a la sociedad y del contenido del acta de la junta se desprende que los dos administradores "habían perdido la confianza de la mayoría social, pudiéndose colegir de ello que el cese de aquellos no supone acto abusivo por parte de la mayoría social en contra del interés social". Se combate que no quepa impugnar un acuerdo social con base en el incumplimiento del pacto parasocial; en relación con el párrafo 2º del art 204.1 LSC lo determinante para invalidar el acuerdo es que se adopte "en detrimento injustificado de los demás socios", en dicho marco regulatorio el elemento de referencia es el "interés de los demás socios"… los pactos parasociales suscritos por los socios tienen especial significación, en cuanto plasmación expresa del interés común de todos los socios. Se aduce que el interés común subyacente al acuerdo era el mantenimiento de los administradores cesados en el cargo para culminar la liquidación ordenada de la sociedad, al provocar el cese de aquellos con el acuerdo, los socios mayoritarios actuaron en detrimento injustificado de los demás socios, a cuyo interés respondía el pacto. Pero según el tribunal, "la mera infracción del pacto parasocial no basta, por sí sola, para la anulación… 'Fuera de tales casos (infracciones a exigencias de la buena fe, abuso del derecho) la eficacia del pacto parasocial, perfectamente lícito, no puede defenderse atacando la validez de los acuerdos". Aun admitiendo que *el desconocimiento de los pactos omnilaterales pudiera suponer un detrimento para los intereses de quienes lo suscribieron,* plasmados en tales pactos, *quedaría por evidenciar que tal detrimento resulta injustificado.* El apelante sostiene *que es supuesto de "abuso de la mayoría"* operando el pacto omnilateral como referente para identificar el interés de los socios minoritarios y, por ende, para establecer que los acuerdos sociales impugnados se adoptaron "en detrimento injustificado" de aquellos. Pero en el recurso…, *falta un discurso que permita apreciar razones diferentes del propio incumplimiento del pacto de accionistas que,* conforme a lo expuesto, otorguen respaldo a las pretensiones deducidas.

Supuesto similar se aborda en la SAP de Murcia de 31/7/2013 previamente a la incorporación del abuso de la mayoría en el art. 204.1 LSC como causa de impugnación (la referencia crítica en ALFARO AGUILA-REAL, J., "Impugnación de acuerdos sociales que infringen un pacto parasocial",

Inversamente, la SAP de Barcelona de 10/1/2023, ha declarado abusivo el acuerdo de la mayoría, considerando entre otras circunstancias, el contenido de un pacto parasocial que aparece vulnerado, pero que no causa automáticamente la impugnación del acuerdo que lo viola. Es un supuesto en el que a través de un pacto parasocial se ha determinado la composición del consejo de administración, nombrando la mayoría tres consejeros y dos la minoría, entre ellos, el consejero delegado. Un año después, la mayoría decide ejercer la acción social de responsabilidad contra los administradores designados por la minoría, acuerdo que es impugnado. La pretensión se estima por considerarse *no justificado el ejercicio de la acción social fundada en irreguralidades contables, que no son causa directa de ningún daño* a la sociedad (acuerdo no necesario para la sociedad), provocando no obstante dicho acuerdo la *destitución* automática *ex lege* de los dos consejeros de la minoría —art. 238.3 LSC—, quedando el consejero delegado en consecuencia *privado de la indemnización pactada* en el pacto parasocial en caso de destitución, y pasando a designar *la mayoría* al consejero delegado (ventaja de la mayoría en detrimento de la minoría), *aumentando su poder y aislando a la minoría del contacto directo con la gestión.* Se concluye que el acuerdo impugnado es *abusivo al no aparecer justificado y comportar ventaja para la mayoría y un perjuicio para la minoría,* siendo el verdadero objetivo perseguido por el mismo, no tanto ejercicio posterior de la acción social de responsabilidad, como apartar al grupo minoritario de la gestión de la sociedad, en

---

Almacen del Derecho, 1/10/2013). Los tres socios de una SA firman un pacto por el que se aseguran participar en el órgano de administración, las relaciones se deterioran y el mayoritario modifica los estatutos y el modo de administración suprimiendo el consejo por un administrador único. Los socios "expulsados" de la administración impugnan ("el total de socios entendía que el interés conjunto de ellos exigía que todos los hermanos formaran parte del CA, que la modificación estatutaria... exigía el acuerdo de los tres... "). según la AP de Murcia la infracción del pacto no permite impugnar el acuerdo ex art. 204 LSC... *quebranto de lo establecido en el pacto parasocial no constituyen motivo nulidad incardinable en el art. 115.1 TRLSA, al no haber sido incorporados los pactos a los estatutos sociales, ni tampoco se estima que el acuerdo impugnado perjudique el interés social, puesto de manifiesto éste en los pactos parasociales, ya que no se ha acreditado un perjuicio concreto que ocasione el cambio de administración al interés del propio desarrollo y funcionamiento de la mercantil.*

contra de acordado en el pacto parasocial y sin asumir las consecuencias económicas derivadas de la extinción, sin causa justificada, del contrato de prestación de servicios suscrito entre la sociedad y el Sr. Santos[33].

2. *El incumplimiento del pacto parasocial cómo causa "autónoma" y de funcionamiento automático de impugnación de acuerdos sociales*

El denominador común de la mayoría de las construcciones doctrinales susceptibles de englobarse en este apartado estriba en considerar, por un lado, que no está justificado, como parece presuponer la doctrina jurisprudencial del TS, interpretar el art. 204 de la LSC como *numerus clausus* de motivos de impugnación. Por otro lado, se parte de la oponibilidad del pacto parasocial frente a la sociedad, en general porque los suscriptores de los pactos omninalerales y los socios de la sociedad a la que se refieren coinciden, en ese caso el pacto parasocial de organización goza de eficacia corporativa sin que proceda distinguir entre plano societario y plano obligacional, el pacto se integra en el ordenamiento societario de forma semejante

33 Roj: 212/2023 Secc. 15 Nº de Recurso: 3002/2022. El supuesto responde a los requisitos de los acuerdos abusivos. Ha exigido valorar si el acuerdo impugnado obedece a necesidad razonable, es decir, determinar si desde la perspectiva del interés de la sociedad, estaba justificada su adopción. Si los hechos que se imputan a los administradores frente a los que se pretende ejercitar acción social no son aptos de producir daño al patrimonio social, el acuerdo de ejercitar acción social no está justificado. No obstante, para que sea abusivo es preciso determinar si a consecuencia del mismo resulta ventaja o beneficio para la mayoría y perjuicio injustificado para la minoría. Los administradores pueden ser separados de su cargo en cualquier momento (art. 223 LSC), por lo que la ventaja obtenida por la mayoría no puede concretarse únicamente en el cese del administrador, el grupo mayoritario consigue la extinción del contrato del Sr. Santos sin derecho a percibir la indemnización pactada, así como la alteración del número de miembros del consejo aumentando su influencia en el mismo, ventaja para el socio inversor por tanto y detrimento de la posición de los socios impugnantes que ven como ha variado su capacidad de influir en la gestión de la sociedad.

a los estatutos, beneficiándose en consecuencia de sus mecanismos de *enforcement*, siendo por ello causa directa de impugnación de los acuerdos sociales[34]. Añadidamente, porque la relación contractual (pactos de organización) y la societaria persiguen el mismo objetivo de regular y organizar la colaboración de los socios y, además, una vez reconocida la posibilidad de ejecución específica y forzosa del pacto parasocial (por ej., una obligación de voto) y no simplemente la mera opción de resolver e indemenizar ante el incumplimiento del pacto prasocial[35], hay coincidencia de efectos entre los remedios (*enforcement*) que ofrece el derecho de sociedades y los que ofrece el derecho contractual, así que por razones de economía procesal se impone, aun reconociéndose la separación entre el ordenamiento propiamente societario y el parasocial, aceptar la comunicación entre ambos ámbitos para conseguir la solución más eficiente; dicha solución más eficiente es la de considerar que el acuerdo contrario al pacto es en sí nulo y no válido porque esta última opción obligaría a los socios perjudicados a demandar al incumplidor, obligarle a emitir la declaración de voluntad a la que se comprometió y «readaptar» el

---

34 Por ej., NOVAL PATO, J., "La jurisprudencia...", cit., apartado 3.2, siempre que carezca de cualquier incidencia en terceros de buena fe; y vid., la síntesis de estas construcciones en PAZ-ARES, C., "Violación...", cit., pp. 31-32.

35 En caso de incumplimiento del compromiso el juez podrá designar a la persona que en representación del socio incumplidor ejerza el voto según lo prometido ya que el derecho de voto no es personalísimo sino que permite la representación y por tanto su ejecución en especie y no por conversión en indemnización dineraria, vid., VICENT CHULIÁ, F., *Introducción al Derecho Mercantil*, 25ª Edic., V. I, Tirant lo blanch, Valencia, 2024, p. 915; PÉREZ MILLÁN, D., "Presupuestos...", cit., p. 246; PERDICES HUETOS, A., "Lecciones...", cit.,; SAP de Madrid de 12/11/2024 (Roj: 16577/2024 Secc. 20 Nº de Recurso: 573/2023), resulta exigible su cumplimiento forzoso en caso de contravención, sin más limitaciones que las generales derivadas de la imposibilidad física o jurídica de la prestación (art. 1184 CC) o de la inexigibilidad de la misma fundada en la buena fe o en la interdicción del abuso del derecho (art. 7 CC); Roj: SJM de Valencia de 27/9/2022 (Roj: 9969/2022 Secc 3 Nº de Recurso: 392/2022). Ampliamente para los remedios en caso de incumplimiento del pacto parasocial MARTÍNEZ ROSADO, J., *Los pactos...*, cit., pp. 128 y ss, remitiendo al art. 708 LEC.

acuerdo social con un sentido contrario al original, previa su remoción (art. 1098 II CC)[36].

Todas las posiciones englobadas en este apartado defienden que siempre que se adopte un acuerdo contrario a un pacto omnilateral, ese acuerdo será impugnable por esa causa, independientemente de si su fundamento se ubica en una noción actualizada de estatutos, en el interés social o en una causa no escrita de un *numerus apertus* de supuestos de impugnación[37].

2.1. Por lesionar el interés social

Las tesis con más aceptación subsumen la violación de los pactos parasociales dentro de las causas legalmente tipificadas de impugnación de acuerdos, pero haciéndolas operar de forma automática, es decir, como consecuencia de la mera violación por el acuerdo social del pacto parasocial sin condicionantes ulteriores valorativos de tipo alguno, muy en particular, por considerar que necesariamente cualquier acuerdo que contravenga lo prescrito en un pacto suscrito por todos los socios es contrario al interés social, ya que el interés social ha de coincidir e identificarse necesariamente con el interés de todos los socios y, por tanto, verse reflejado en los pactos parasociales si han sido suscritos por todos los socios. En consecuencia, el interés social no puede ser distinto del interés que se construye estatutaria o extraestatutariamente mediante el acuerdo de todos los socios de la sociedad y, si esto es así, la mayoría que aprueba un acuerdo contrario a los compromisos parasociales acordados unánimemente por todos los socios, está infringiendo el deber de lealtad hacia la minoría, atenta contra el deber de fidelidad del socio puesto que "el beneficio de unos con vulneración del pacto unánime necesariamente comporta el perjuicio de los otros" (art. 204.1, 2º par. LSC, supuesto

---

36 SÁEZ LACAVE, M.I., "Los pactos…", cit., pp. 15 y ss; para su desarrollo en particular PAZ-ARES, C., "Violación…", cit., pp. 13 y ss; y la referencia de VALPUESTA GASTAMIZA, E., *Comentarios…*, cit., p. 13; aplica estas razones de economía procesal la STS de 25/2/2016 (Roj: 659/2016 Nº de Recurso: 2363/2013).

37 PERDICES HUETOS, A., "Lecciones…", cit.

de abuso de la mayoría, partiendo de que el deber de lealtad de la mayoría ha sido precisado por el pacto parasocial)[38].

El propio TS declara —*obiter dicta*— que el contenido del pacto omnilateral puede ser definitorio del interés social entendido desde una óptica contractual («asimilar el interés social con el contenido del pacto parasocial que por su carácter omnilateral equivaldría también a la voluntad de la sociedad en determinado momento (en el que voluntad quedó congelada dada la exigencia de unanimidad para su modificación conforme a reglas del derecho contractual común)...»), que podría resultar lesionado como consecuencia de la infracción del pacto omnilateral[39]. De hecho, la STS de 10/2/1992,

---

38 ALFARO AGUILA-REAL, J., "Impugnación...", cit., con motivo de la SAP de Murcia de 31/7/2013; SÁEZ LACAVE, M.I., "Los pactos...", cit., pp. 21-22; PÉREZ MILLÁN, D., "Presupuestos...", cit., pp. 254 y ss, marcando sus limitaciones, por ej., ante el incumplimiento de pactos en que todos los socios se obligan a asumir obligaciones frente a terceros; SAP de Barcelona núm. 76/2016, de 31 de marzo (la referencia en GALLEGO CÓRCOLES, A., "Impugnación...", cit., pp. 1436-1437), en relación con el acuerdo de modificación del órgano de administración contrario a un pacto parasocial verbal por el que los tres socios de una SRL habían acordado que serían administradores y que, siendo así, recibirían sus dividendos a través de la retribución como tales, para la Audiencia es lesivo para el interés social "su contravención constituye infracción fiduciaria ya que el acuerdo contrario al pacto parasocial siempre se adopta en beneficio de la mayoría incumplidora y en perjuicio de la minoría restante"; GALACHO ABOLAFIO, A.F., "Derechos...", cit., p. 97; NIETO CAROL, U., "Algunas consideraciones...", cit., p. 653 en relación con protocolos familiares; VICENT CHULIÁ, F., *Introducción...*, cit., p. 915; PAZ-ARES, C., "Violación...", cit., pp. 11 y 20 y ss, aunque hoy admite que en estos casos la mayoría no necesariamente, aunque sí ordinariamente, infringe su deber de lealtad frente a la minoría ya que pueden darse casos en que no sea así porque el pacto mismo puede quedar neutralizado y no porque el contenido concreto del interés social sea variable (evoluciona con la empresa), ya que el interés social como cláusula de completamiento o integración del contrato (art. 1258 CC), ya ha sido completada en el pacto omnilateral; y la referencia en la SAP de Barcelona de 5/11/2024 (Roj: 12723/2024 Secc. 15 Nº de Recurso: 432/2023).

39 Apdo. 6.7 del fundamento de derecho quinto de la STS de abril de 2022, vid., ALONSO ESPINOSA, F.J., "El pacto...", cit., pp. 6-7; MARÍN DE LA BÁRCENA, F., "Pactos...", cit.,; NOVAL PATO, J., "La jurisprudencia...", cit., apartado 3.3.

como antes se avanzó, fundamenta su decisión en la lesión del intereses de la sociedad como consecuencia de la actuación abusiva llevada a cabo por varios accionistas de la sociedad, pues la lesión del interés de la sociedad, en beneficio uno o varios accionistas, puede producirse mediante acuerdos sociales adoptados con intervención de las circunstancias tipificadoras del abuso de derecho, al no haberse respetado lo que los cuatro únicos accionistas habían convenido en el pacto parasocial que fijó el contenido material del concreto interés social respecto de los cuatro accionistas y sus expectativas en relación con la sociedad, en una especie de junta universal, si bien acomodado a la concurrencia de los requisitos legales en el caso y no de forma automática como defienden las tesis ahora expuestas[40].

---

40 STS de 10/2/1992 Núm. de resolución 97/1992. D. Jon (accionista de "Munaka, S.A.") impugnó acuerdos de una junta que acordó la ampliación capital social, pues el "quorum" para la constitución de la Junta se logró con asistencia de Dª Flor y la mayor parte de las nuevas acciones creadas fueron suscritas por D. Valentín aportando bienes inmuebles, en un contexto en el que los cuatro únicos accionistas de la sociedad (el demandante, su madre Dª. Flor, su hermano D. Valentín y la esposa de éste Dª Teresa) habían suscrito un documento privado con acuerdos por los que se dividen todas las propiedades comunes de los hermanos Valentín y Jon, bajo epígrafe "Liquidación de Munaka, S.A.", en el que se obligan todos a reducir el capital de la sociedad (con vistas a la posterior disolución y liquidación de misma). En dicho documento Dª. Flor reconoce que las 30 acciones nominativas de las que figura como titular pertenecen, por mitad, a sus dos hijos y D. Valentín reconoce que los bienes inmuebles que, como propios, aportó para el desembolso de las nuevas acciones, pertenecen, por mitad, a su hermano.
Haciendo caso omiso de lo pactado, se celebró la junta mencionada en la que, con ausencia de D. Jon, los otros tres accionistas acuerdan ampliar el capital social, suscribiendo D. Valentín el mayor número de las nuevas acciones, aportando inmuebles que reconoció pertenecían, por mitad, a su hermano D. Jon, al que de esa forma convirtieron en socio minoritario. Todo lo cual se realizó con el pretexto de que la validez del documento privado estaba pendiente de un proceso que D. Jon se vió obligado a promover contra los otros tres accionistas, ante la negativa de éstos a cumplir lo pactado en el documento, *cuando la más elemental buena fe negocial e incluso societaria* (dado carácter familiar de la sociedad) aconsejaba esperar el resultado del proceso, al caber posibilidad que se declarara plena validez y eficacia documento privado, como así ocurrió con la STS de 26/2/1991 (ECLI ES:TS:1991:1086, *Núm.* 145), puesto que el acuerdo impugnado se adopta en abierta contravención de lo que los cuatro únicos accionistas

Este automatismo entre violación del pacto por el acuerdo y su inmediata impugnabilidad está justificado y amparado por un punto de partida previo, que no puede ignorarse al estar respaldado por un hecho constante en los casos litigiosos consultados, suscitados en sociedades de capital estructuradas de forma personalista, cual es el de sobreponer y priorizar el mantenimiento de la estructuctura personalista de las reglas de organización de estas sociedades (al menos mientras los socios sigan siendo los mismos también en el momento de adopción del acuerdo que infringe el pacto), proyectada en el contenido de estos pactos acordado unánimemente por los socios y definitorio respecto de ellos del contenido del interés social y/o de sus deberes fiduciarios, de forma que cualquier acuerdo mayoritario, por esencia, alterará o materializará un incumplimiento del mismo. Por esa razón en estas sociedades estructuradas de forma personalista, el pacto parasocial aceptado por todos los socios "y referido a asegurar la participación" de una u otra forma "de todos en la gestión social puede oponerse a la sociedad" y, por consiguiente, un acuerdo de la junta de socios que lo infrinja sería impugnable, sin perjuicio de que no sea posible fijar en los estatutos una cláusula que garantice que no se puede destituir al administrador, puesto que la libre destituibilidad de los administradores es una norma imperativa[41].

---

de la sociedad (en una especie de Junta universal) tenían convenido en el documento privado.

41 Vid., la referencia a esta STS austriaco de 2/8/1999 en ALFARO AGUILA-REAL, J., "Oponibilidad de pactos parasociales a la sociedad", *Almacén del Derecho*, 10/12/2009, se fundamenta la decisión en exigencias de la buena fe y del deber de lealtad de los socios: *es contrario a la buena fe ampararse en la separación entre contrato de sociedad y pactos parasociales para incumplir este último;* PORTALE, G.B., "Patti parasociali...", cit., p.11. En la SAP de Málaga de 3/7/2024 (Roj: 2681/2024 Secc. 6 N° de Recurso: 425/2024) el apelante reproduce parte de la SJM n° 12 de Barcelona de 18/4/23 en este mismo sentido (Sr. Hilario): "Consideró acreditado que los dos socios y la propia sociedad al firmar el acuerdo parasocial establecieron cual era la voluntad no sólo de ambos socios, sino de la propia compañía, sobre la búsqueda soluciones consensuadas para abordar las decisiones de mayor trascendencia... en una sociedad cerrada, de dos socios, la existencia de un pacto firmado por ambos y asumido por la sociedad me permite tener probado cual era el interés social y el marco de protección al socio minoritario... la adopción del acuerdo... debería haber respetado el contrato entre socios,

Se trata inicialmente de una postura perfectamente defendible con arreglo a la legalidad vigente al no quedar afectados intereses de terceros, incluso tratándose de contenidos que no pueden acceder a los estatutos (por ej., imposibilidad de destituir a un administrador sin su consentimiento o la exigencia de unanimidad para la toma de determinadas decisiones por los órganos sociales), puesto que, por un lado, estos pactos no se sujetan a las limitaciones que derivan del art. 28 LSC para la autonomía estatutaria sino sólo a las limitaciones generales para los contratos (1255 CC) y, por otro lado, en el peor de los casos, se ventilan infracciones que no se materializan en cláusulas estatutarias permanentemente infractoras que pudieran afectar a futuros socios (terceros), sino que se ventilan desviaciones "puntuales" entre los mismos socios de dichas reglas que no trascienden más allá (tampoco tras el proceso de impugnación) como trató de ponerse de relieve al hablar de acuerdos contrarios al orden público en función de las circunstancias y como también confirman, desde esta perspectiva de los intereses en juego, los casos resueltos por el TS, en que se impugnan acuerdos que ejecutan pactos parasociales por ser contrarios a los estatutos, en los que, no obstante, se cuestionan problemas y contenidos de pactos susceptibles de reflejarse en estatutos (Vid., el apartado IV)[42].

---

que exigía mayoría cualificada y por ello el consenso de ambos socios"; y la justificación de ALONSO ESPINOSA, F.J., ("El pacto...", cit., p. 15), el pacto parasocial omnilateral sirve como técnica de creación y organización de sociedades de capital atípicas adaptadas a los intereses y necesidades reales de la organización de todos los socios, salvando así normas imperativas propias de la forma social cuya suspensión o modificación no afecte a su propia definición estructural ni a derechos o intereses de terceros. Estos pactos no son ilícitos sino atípicos, responden al ejercicio de la autonomía privada de los socios amparada por el derecho de asociación ex art. 22 de la Constitución.

42 Algunos sectores consideren oponibles a la sociedad estos pactos de organización sólo si su contenido puede incorporarse a los estatutos sociales (GALLEGO CÓRCOLES, A., "Impugnación...", cit., pp. 1435 y ss; TORRECILLAS LÓPEZ, S., "Régimen jurídico...", cit., pp. 752 y 754; NOVAL PATO, J., "La jurisprudencia...", cit., punto 2.2; MARTÍNEZ ROSADO, J., *Los pactos...*, cit., pp. 92 y ss).

En el régimen jurídico de las sociedadesde capital existen normas jurídico-societarias de naturaleza corporativa que son imperativas *tipológicamente* porque así lo exige el diseño estas organizaciones, de forma que existen reglas inderogables para proteger a la minoría, se prohíbe la unanimidad para evitar bloqueos en el funcionamiento de los órganos societarios, se tasan las causas de impugnación de los acuerdos de los órganos societarios o se dispone el carácter reservado de los pactos que nos ocupan, estandarización esta de las reglas de organización de los tipos societarios de las sociedades de capital que ha parecido esencial para atraer la inversión de terceros en este tipo de sociedades, sin perjuicio de que esta tutela no tenga sentido inicialmente "invocarla entre los propios socios firmantes del pacto"[43], pactos, hay que recordar, que no son ilícitos sino atípicos y que, además, no pierden su naturaleza obligacional ni son oponibles frente a socios futuros y otros terceros por el reconocimiento de la eficacia de estos pactos omnilaterales de organización frente a la sociedad[44] que pudiera resultar del proceso de impugnación del acuerdo.

Las observaciones anteriores son importantes desde la perspectiva que aborda el trabajo, por conducirnos al supuesto límite, puesto que las reglas societarias en las sociedades de capital presuponen o están presididas por el principio mayoritario, mientras que a través de los pactos parasociales los minoritarios tratan de sortear las dificultades que les supone dicha regla. En este contexto, su problemática e interconexión con la impugnación de acuerdos se acota en rigor a aquellos pactos cuyo contenido pueda afectar a los límites de validez a los que se sujetan los acuerdos mayoritarios en el marco y ámbito de las relaciones estrictas entre socios mayoritarios y minoritarios que, tras la depuración de normas imperativas antes realizada, reconduce siempre a intereses disponibles de los socios y por ellos mismos. Como ha concluido el Auto dictado por la sección 15 de la Audiencia de Barcelona de 13/1/2020 "para lo que se firman

---

43 MARÍN DE LA BÁRCENA, F., "Pactos...", cit., pp. 4-5; SÁEZ LACAVE, M.I., "Los pactos...", pp. 23-24; ALFARO AGUILA-REAL, J., "El fundamento de la impugnabilidad ex art. 204 LSC de los acuerdos sociales que infringen un pacto parasocial omnilateral", *Almacén de Derecho,* 31/5/2023; PAZ-ARES, C., "Violación...", cit., pp. 36-37.

44 NOVAL PATO, J., "La jurisprudencia...", cit., punto 2.2.

los pactos parasociales es precisamente para intentar evitar que esos acuerdos entre socios puedan verse rotos por el régimen de mayorías que rigen la vida social, de manera que la adopción de acuerdos… es la forma ordinaria de infringir un pacto parasocial"[45].

El valor de la doctrina jurisprudencial es el de poner de relieve ese dato, los pactos parasociales omnilaterales vinculan hasta que se rompen y resolver cuando está justificada esa ruptura o no, solo pueden garantizarlo las mismas reglas que hoy resuelven o permiten resolver los conflictos entre mayoría y minoría, como son las reflejadas taxativamente en las causas de impugnación de acuerdos sociales, en especial las que regulan los acuerdos lesivos del interés social, que no operan de forma automática, tampoco en los supuestos en que el contenido del deber de lealtad haya sido concretado a través del pacto parasocial[46].

La otra opción nos llevaría a aceptar en estos casos sacralizar la regla de unanimidad y proteger el veto de la minoría y expectativas vinculadas al mismo en relación con la conducción consensuada de la actividad societaria, también en supuestos en que las circunstancias muestren que carece ya de justificación, en lugar de aceptar simplemente en esos casos la vigencia y el fundamento del principio mayoritario, que ha sido una conquista en la perspectiva histórica de las sociedades de capital. El régimen del derecho positivo español y su interpretación sistemática dice que algo así, este tipo de pretensiones contractualmente pactadas al margen de los instrumentos propiamente societarios, puede sostenerse sólo en sociedades de tipo personalista con reglas de organización estrictamente apegadas a la persona del socio, no en las sociedades de capital por mucha relevancia que tenga su estructura personalista en el caso concreto, y naturalmente dada la solución que arbitra el art. 29 de la LSC para este

---

45 Respecto de un pacto de sumisión a arbitraje no recogido en estatutos sino en un pacto parasocial omnilateral, la referencia a este auto (ECLI:ES: APB:2020:95ª pte Fernández Seijo), en MARTORELL ZULUETA, P., "Impugnación de acuerdos y pactos parasociales", en GONZÁLEZ FERNÁNDEZ María Belén (dir.), *Sobre el contrato de sociedad*, T. II, Tirant lo Blanch, Valencia, 2024, pp. 712-713, trabajo en el que puede verse la última jurisprudencia sobre diversos aspectos de este tema.

46 GALLEGO CÓRCOLES, A., "Impugnación…", cit., p. 1437.

problema. Cosa distinta es que en el caso concreto (y no de forma automática) se abuse por la mayoría o que en algún supuesto cupiera plantear la aplicación de la cláusula general de la buena fe en sus distintas variantes en función de las circunstancias concurrentes en el caso concreto.

Este problema se plantea en los mismos términos en las otras dos opciones barajadas para fundamentar la impugnabilidad del acuerdo que incumpla un pacto omnilateral, debido a su funcionamiento igualmente automático o si se prefiere aislado de la técnica que ofrece el legislador para resolver los conflictos entre mayoría y minoría, como seguidamente se expone.

2.2. Por materializar una infracción estatutaria o a ella equiparada

Y la doctrina suele justificar la impugnabilidad del acuerdo societario que infrinja lo acordado en un pacto omnilateral como consecuencia de equiparar lo contenido en dicho pacto con los estatutos. Se observa que en determinados pactos hay elementos para interpretar los estatutos, o se consideran un complemento o actualización del contrato social, o cláusulas estatutarias atípicas que modifican transitoriamente los estatutos, (condicionadas como están a la coincidencia entre la composición subjetiva de la sociedad y la del pacto omnilateral), con la consecuencia de que la infracción del pacto se convierte en violación de una norma estatutaria, o se asimila jurídicamente a una infracción de los estatutos sociales por formar parte de ellos en sentido sustantivo, o simplemente se aplican análogicamente las normas sobre impugnación de acuerdos con fundamento en la violación de los estatutos porque la violación del pacto traduce igualmente un incumplimiento del contrato social en sentido amplio por parte de la mayoría[47].

---

47 Las referencias en PÉREZ MILLÁN, D., "Presupuestos...", cit., pp. 252-253; GALLEGO CÓRCOLES, A., "Impugnación...", cit., pp. 1433-1434. Son las tesis de ALONSO ESPINOSA, F.J., "El pacto...", cit., pp. 9 y ss, el espíritu y finalidad del art. 29 LSC es dar solución a pactos típicos celebrados entre sólo parte de los socios y no todos; SÁEZ LACAVE, M.I., "Los pactos...", pp. 1 y 23-24; ALFARO AGUILA-REAL, J., "El fundamento de la impugnabili-

2.3. Por infracción de la buena fe objetiva

Para otro sector la impugnabilidad del acuerdo que viola el pacto parasocial se fundamenta en la contravención de la buena fe (art. 7.1 CC) o en el abuso de derecho (art. 7.2 CC), es decir, en una infracción legal, ya que entre los acuerdos nulos se encuentran los que infringen estas cláusulas generales del ordenamiento, a la vista de la reprobabilidad del comportamiento de quien se escuda en el ámbito societario para incumplir un contrato[48].

El propio TS apoya esta opción al considerar que la regla de la inoponibilidad no carece de excepciones, podría exceptuarse en cada caso concreto en función de las circunstancias concurrentes, mediante la aplicación de cláusulas generales como la buena fe, el principio de confianza que subyace a la doctrina de los propios actos, la interdicción del abuso de derecho o la técnica del levantamiento del velo, como se vio en el apartado introductorio del trabajo.

Las construcciones doctrinales sin embargo suelen aceptar un funcionamiento automático de esta causa de impugnación, al margen de la consideración de las circunstancias concurrentes, de forma que la invocación de la buena fe *garantizaría en todo caso* que lo estipulado en un pacto omnilateral sea plenamente eficaz, en la medida en que la vulneración de ese pacto por parte de un socio siempre va

---

dad ex art. 204 LSC…", cit.,. La critica a estas orientaciones que apoyan su construcción, entre otros elementos, en el régimen de la sociedad en formación y en el de la sociedad irregular (arts. 36-40 LSC), marca el contraste entre la eficacia obligacional del pacto parasocial y la eficacia erga omnes o real de las normas estatutarias, faltándoles los requisitos de forma y publicidad, así como el distinto régimen de modificación del pacto respecto de los estatutos, sólo posible por unanimidad (MARTÍNEZ ROSADO, J., *Los pactos…*, pp. 87 y ss).

48 VICENT CHULIÁ, F., *Introducción…*, cit., p. 915; otras referencias en MARTÍNEZ ROSADO, J., *Los pactos…*, cit., p. 187; STS de 04/10/2011 (Roj: 7170/2011 Nº de Recurso: 1065/2007; GALLEGO CÓRCOLES, A., "Impugnación…", cit., pp. 1432-1433 objetando que la apelación a estas cláusulas generales sólo es posible, en tanto que constituyen un remedio excepcional, cuando existe desamparo jurídico, mientras que los socios perjudicados pueden acudir a los mecanismos del derecho de los contratos frente a la contraparte incumplidora del pacto parasocial.

a constituir un ejercicio abusivo de sus derechos, en particular, del ejercicio del derecho de voto que deja de lado la obligación asumida en un pacto omnilateral. La invalidez de esos votos provocará que el acuerdo no cuente con la mayoría necesaria para su aprobación, determinando su impugnabilidad[49].

La misma consecuencia se produce cuando se toma la persepctiva de considerar si está justificada o no la pretensión que hace valer la sociedad al oponerse a la impugnación de sus acuerdos que incumplen el pacto parasocial, aceptándose que es en ese intento de la sociedad de parapetarse en el carácter meramente obligacional del pacto, donde residiría lo más reprochable de su proceder, por dos razones. En primer lugar, la pretensión de impugnación no puede paralizarse por la sociedad oponiendo la conformidad del acuerdo a la normativa societaria, ya que cuando se suscribió el pacto omnilateral, además del vínculo obligacional contraído, se creó confianza en el ámbito interno de la sociedad de que su cumplimiento no se impediría apelando a la normativa societaria; en segundo lugar y sobre todo porque aunque se rechazara la anulación del acuerdo apelando a la inoponibilidad del pacto parasocial, no podría rechazarse en el futuro su revocación en ejercicio de la acción de remoción (art. 1098 CC). Falta en consecuencia interés propio en el mantenimiento del acuerdo social (*dolo facit qui petit quod redditurus est*, regla derivada de buena fe en el ejercicio de los derechos art. 7.1 CC), no puede ampararse a quien pretende conservar un acuerdo (oponiéndose a la impugnación fundada en la violación del pacto omnilateral con el pretexto de que carece de relieve en la esfera societaria), que inmediatamente tendría que revocar (a consecuencia de los derechos contractuales del demandante que hace valer mediante el ejercicio de la acción de remoción y subsiguiente solicitud de celebración de una junta), ya que constituye un ejercicio inadmisible o contrario a la buena fe de su pretensión defensiva.

La eficacia societaria de la infracción parasocial no puede explicarse directamente en función del incumplimiento contractual porque los pactos parasociales, aunque sean omnilaterales, se proyectan exclusivamente en el plano obligatorio entre los socios, no se inte-

---

49 NOVAL PATO, "La jurisprudencia...", cit., apartado 3.1.

gran en el ordenamiento de la persona jurídica, ni pueden valerse por ello de sus mecanismos de enforcement. Ello sólo será posible si se cumplen las dos condiciones que convierten en abusiva la apelación a esa distinción de planos por parte de la sociedad: la falta de ajenidad de la sociedad respecto de los pactos y la equivalencia de los resultados a que conducen los mecanismos de *enforcement* del derecho societario y del derecho general de los contratos.

En consecuencia, la eficacia societaria de la infracción parasocial se explica acudiendo al expediente de la *exceptio doli*, cuya función cumple hoy la buena fe objetiva (art. 7.1 CC), permitiendo romper la separación entre el plano societario y el plano obligacional. Pues cuando el pacto es omnilateral, se registra el incumplimiento y la sociedad apela a su inoponibilidad, el dolo está *in re ipsa*, es dolo presente[50].

IV. IMPUGNABILIDAD DE ACUERDOS SOCIALES CONTRARIOS A LOS ESTATUTOS SOCIALES Y CONFORMES A LOS PACTOS PARASOCIALES. LA DOCTRINA DE LOS ACTOS PROPIOS

El supuesto inverso cuestiona la impugnabilidad de un acuerdo social contrario a los estatutos sociales, pero adoptado en cumplimiento de un pacto parasocial suscrito por todos los socios. El TS en esta situación, considerando las circunstancias concurrentes, resuelve sistemáticamente que la impugnación de los acuerdos sociales resulta contraria a las exigencias de la buena fe e incurre en abuso de

---

50 PAZ-ARES, C., "Violación…", cit., pp. 5 y ss. Efecto de la excepción es hacer que la acción se desestime, sin prejuzgar nada acerca de la existencia o inexistencia del derecho ejercitado. Es doloso accionar, aunque se tenga derecho, en un momento o en unas circunstancias en que resulte contrario a la buena fe, lo decisivo es evitar que se produzcan consecuencias que objetivamente están en pugna con la buena fe, que hace inadmisible el ejercicio anormal de un derecho o el intento abusivo de obtener un resultado contrario al exigido por la buena fe (DÍEZ-PICAZO, L., *La doctrina de los actos propios. Un estudio crítico sobre la jurisprudencia del Tribunal Supremo*, 2º edic. Civitas, Navarra, 2014, pp. 232 y ss).

derecho, puesto que "quienes fueron parte del pacto parasocial omnilateral y constituyen el único sustrato personal de las sociedades, podían confiar legítimamente en que la conducta del demandante se ajustara a la reglamentación establecida en el pacto parasocial". El tribunal no puede atender sólo a la formal infracción estatutaria porque resulta injustificable desde el punto de vista de la obligación de todos de ejercitar los derechos de buena fe y de no incurrir en un abuso de derecho.

El TS insiste en que la solución que adopta no deroga la regla legal de la inoponibilidad de los pactos parasociales a la sociedad, sino que se basa en la aplicación de la regla general de la buena fe y, en conexión con ella, el principio de la confianza legítima (art. 7.1 CC), en relación con el incumplimiento por el impugnante de lo pactado en el acuerdo extraestatutario del que era parte. El problema no estriba en este caso "en la oponibilidad o no de los pactos parasociales a la sociedad, sino en si resulta admisible en derecho que el socio que está vinculado por aquéllos pueda ejercitar acciones impugnatorias que resulten incompatibles con las obligaciones que libremente adquirió, aprovechando que todavía no se habría procedido a la formal reforma estatutaria" que incorpore los pactos. A mayor abundamiento el TS subraya la vinculación entre la regla general de la buena fe, la doctrina de los actos propios y el principio de confianza legítima: "La doctrina de los actos propios tiene su último fundamento en la protección de la confianza y en el principio de la buena fe, que impone un deber de coherencia y limita la libertad de actuación cuando se han creado expectativas razonables…. El principio de que nadie puede ir contra sus propios actos solo tiene aplicación cuando lo realizado se oponga a los actos que previamente hubieren creado una situación o relación de derecho que no podía ser alterada unilateralmente por quien se hallaba obligado a respetarla" [51].

---

[51] ATS de 22/10/2013 (Roj: 9666/2013 Nº de Recurso: 143/2013). La referencia a la SAP de Madrid de 16/11/2012 relacionada con este auto puede verse en PÉREZ MORIONES, A, "Impugnación…", cit., pp. 596-597; STS de 5/5/2023 (Roj: 1965/2023 Nº de Recurso: 3728/2019). Por otro lado, se subraya la falta de armonía del TS a la hora de aplicar el principio de la buena fe en relación con el derecho de impugnación y en relación con

Acaso pueda cuestionarse si el socio en estos casos, en rigor, no actúa contra la buena fe, sino que sin más infringe la obligación contractual contraída. Pero el TS entiende que, por concurrir una duplicidad de planos, el estatutario y el contractual, no puede resolver la cuestión solo desde uno de ellos, declarando que se ha infringido el contrato. Debe *darse respuesta al conflicto planteado en el plano orgánico societario, y es ahí donde la infracción de la obligación derivada del pacto parasocial puede articularse a través de la infracción de la buena fe*[52].

Para el TS nada impide en efecto que a la vista de las particularidades que presente el caso enjuiciado, se apliquen las cláusulas generales que permiten evitar que la mera aplicación de ciertas reglas concretas del ordenamiento pueda llevar a un resultado que repugne al más elemental sentido jurídico[53].

Así ocurrió, entre otros, en el caso resuelto por la STS 103/2016, de 25 de febrero, en el que se visibiliza con especial claridad esta problemática, que resolvió sobre la impugnación de un acuerdo social que daba cumplimiento a un acuerdo parasocial omnilateral, consistente en que el titular de acciones y participaciones sociales en sendas sociedades al transmitirlas a sus dos hijos se reservaba el usufructo vitalicio sobre las mismas y también el derecho de voto derivado de las mismas, y en el cómputo de votos para la aprobación de los acuerdos se tuvo en cuenta el voto emitido por dicho usufructuario. La impugnación se basó en que los pactos parasociales no se recogieron en los estatutos sociales, que seguían previendo que en caso de usufructo de participaciones la cualidad de socio (y por tanto el derecho de voto) reside en el nudo propietario (art. 127.1 TRLSC). Ante la contradicción entre la regulación del pacto parasocial y la del régimen estatutario el TS consideró las circunstancias concurrentes (en particular, el especial interés de la previsión del pacto, puesto

---

el abuso de mayoría (NOVAL PATO, "La jurisprudencia…", cit., apartado 3.1.; PAZ-ARES, C., "Violación…", cit., pp. 5 y ss).

52 VELA TORRES, P.J., "Impugnación…", cit., p. 1457.

53 Las cuestiones relativas a la aplicación de la doctrina de los actos propios son muy casuísticas y la posible solución dependerá siempre del caso concreto (ATS de 11/10/2023 (Roj: 15759/2023 Secc. 1 Nº de Recurso: 9505/2021); PÉREZ MORIONES, A, "Impugnación…", cit., p. 598).

que los dos hijos resultaban titulares de la mitad de las acciones y de las participaciones sociales de una y otra sociedad familiares, por lo que el derecho de voto reservado al padre le permitiría solucionar situaciones de bloqueo, como la que se produjo en un contexto de enfrentamiento entre los socios) y concluyó que en esas circunstancias, la impugnación es efectivamente contraria a la buena fe. Cuando el acuerdo social ha dado cumplimiento al pacto parasocial, la intervención del socio en dicho pacto puede servir, junto con demás datos concurrentes, como criterio para enjuiciar si la actuación del socio que impugna el acuerdo social respeta las exigencias de la buena fe[54].

---

[54] Roj: 659/2016 Nº de Recurso: 2363/201; idéntica solución y problema se cuestionan en SAP de Barcelona de 25/7/2013 (Roj: 10029/2013 Nº de Recurso: 746/2012); y vid., la referencia de ALFARO AGUILA-REAL, "Pactos parasociales cumplidos voluntariamente e impugnación de acuerdos", *Almacén del Derecho,* 13/10/2015; idéntica solución en relación con la pretendida violación de la regulación legal y estatutaria del derecho de separación por un acuerdo social que ejecuta el contenido de un pacto parasocial en la SAP de Pamplona, Roj: SAP NA 130/2022 Secc. 3 Nº de Recurso: 937/2020. Y un amplio desarrollo y recopilación de la doctrina jurisprudencial sobre los actos propios se recoge en el caso resuelto por la STS 674/2023 de 5/5/2023 (el último pronunciamiento al respecto) con origen en pactos parasociales de organización en los que los socios reglamentaban internamente el sistema de toma de decisiones en el seno sociedad, afectando a la vertiente del funcionamiento del órgano de administración, en un supuesto en que se reclama la resolución del acuerdo de socios por incumplimiento de una de las partes, junto con la indemnización de los daños y perjuicios que causa dicho incumplimiento, pretensión que se desestima por estimarse acreditado que el acuerdo no fue aplicado por ninguna de las partes, sin que en un periodo de doce años el actor requiriese al demandado para que adecuara su conducta a lo establecido en el acuerdo de socios. La denuncia que hace actor de incumplimientos del acuerdo por el demandado constituye una actuación contraria a exigencias del principio de la buena fe y de la doctrina de los actos propios que constituye un principio general del derecho que veda ir contra los propios actos (*nemo potest contra propium actum venire*) como límite al ejercicio de un derecho subjetivo o de una facultad. Límite consagrado también normativamente por el art. 111.8 del Código civil de Cataluña, en términos equivalentes a los contenidos en la jurisprudencia: "nadie puede hacer valer un derecho o una facultad que contradiga la conducta propia observada con anterioridad si ésta tenía una significación inequívoca de la cual derivan consecuencias jurídicas

En el supuesto el demandante no cuestiona la validez y eficacia del pacto, si bien considera que su eficacia debe articularse a través de una reclamación entre contratantes basada en la vinculación negocial existente entre los firmantes del pacto, pues este no tiene efectos frente a la sociedad ni por tanto en un litigio de naturaleza societaria como es el de impugnación de acuerdos sociales. Frente a ello se ha hecho ver que la previsión del art. 29 de la LSC es una "norma de defensa de la sociedad", por eso cuando la sociedad actúa conforme al pacto parasocial adoptado por todos los socios, dicha norma no puede utilizarse en perjuicio de la sociedad y en beneficio del socio que pretende incumplir el pacto que suscribió[55].

En consecuencia, concurren en los supuestos analizados los presupuestos que fundamentan la aplicación de la regla de la inadmisibilidad de *venire contra factum propium,* como derivación necesaria e inmediata del principio general que impone el deber de comportarse de buena fe o de proceder lealmente en las relaciones jurídicas. Una de consecuencias del deber de ejercer los derechos de buena

---

incompatibles con la pretensión actual (Roj: 1965/2023, Nº de Recurso: 3728/2019).

La doctrina de los actos propios se ha aplicado incluso para rechazar la indemnización daños y perjuicios que se entendieron causados por el acuerdo adoptado por las sociedades demandadas, de cese del demandante como administrador y como director, incumpliendo un Protocolo Familiar, por lo que si bien los acuerdos son conformes con la normativa mercantil (de hecho, no han sido impugnados), los demandados habrían incurrido en incumplimiento contractual. Pero a la vista de las circunstancias del caso (el mismo demandante pidió salir de la empresa, pero con pretensiones económicas inasumibles y además rechazó la propuesta de los demandados, exigiendo cantidades incluso superiores a las que venía percibiendo), aunque se acredita el incumplimiento contractual, no sin embargo un perjuicio causado por dicho incumplimiento, razón por la cual la pretensión indemnizatoria se desestima (SAP de Logroño de 17/10/2023, Roj: 535/2023 Nº de Recurso: 544/2022).

55 VELA TORRES, P.J., "Impugnación ob. cit., pp. 1457-1458. La valoración del demandante expuesta en el texto es frecuente en la jurisprudencia (por ej., SAP de Barcelona de 3/10/2022 Roj: 10205/2022 Secc 15 Nº de Recurso: 2472/2022; y respecto de su interpretación vid., SAP de Palma de Mallorca de 27/6/2024, Roj: SAP IB 1674/2024 - secc. 5, Nº de Recurso: 906/2023).

fe es la exigencia de un comportamiento coherente, de forma que cuando dentro de una relación jurídica, se ha suscitado en otro una confianza fundada en una determinada conducta futura, no debe defraudarse la confianza suscitada, sino que se debe ser consecuente con la expectativa creada. La prohibición de ir contra los propios actos es una limitación al ejercicio del derecho subjetivo o de una facultad, que presupone encontrarnos ante un supuesto límite en el que "para impedir una contravención de la buena fe, que no puede ser evitada por ninguna de las normas legales positivas se acude a una norma claramente subsidiaria"[56].

V. CONSIDERACIÓN FINAL

Como ha puesto de relieve G.B. PORTALE, la cuestión analizada es un asunto de estricto derecho positivo y la voluntad del legislador español hasta es momento es la de la inoponibilidad del pacto parasocial (art. 29 LSC). Las sociedades de capital estructuradas de forma personalista son abundantes, acaso la inmensa mayoría. No faltan razones prácticas que justifiquen una respuesta interpretativa del derecho positivo adecuada a las necesisadades reales de estos tipos societarios personalizados, manifestadas con claridad en el ejercicio de la autonomía extraestatutaria en lo que se refiere a los pactos de organización (los pactos de atribución y los de relación presentan muchos menos problemas a ese efecto).

Pero la opción por la que se ha decantado el art. 29 de la LSC y su aplicación jurisprudencial, no parece que se esté traduciendo en soluciones desproporcionadas, arbitrarias o alejadas de las necesidades e intereses en juego que subyacen a los conflictos que generan los pactos parasociales omnilaterales de estos tipos socierarios.

No parece en consecuencia, que en los casos en que se impugna el acuerdo adoptado por la junta de socios o por el consejo de administración desconociendo lo estipulado en el pacto parasocial adop-

---

56 DÍEZ-PICAZO, L., *La doctrina...*, cit., pp. 80-81 202-203, 250 y ss y 273. El deber de proceder lealmente es un modelo de conducta social reclamada por la idea ética imperante (pp. 196 y ss).

tado por todos los socios, el «interés social» necesite jugar más allá de la tipificación prevista en el art. 204 de la LSC, es decir, no parece que necesite operar automáticamente y sin la concurrencia de requisitos distintos de los previstos en el pacto parasocial, para obtener la anulación del acuerdo.

Y lo mismo sucede con la buena fe o el abuso de derecho, ya que por naturaleza las cláusulas generales exigen la concurrencia de circunstancias excepcionales en cada caso que, cuando concurran, harán imprescindible su consideración.

En otros supuestos, es decir, cuando se equiparen los pactos parasociales a los estatutos sociales para fundamentar la impugnación del acuerdo que icumpla un pacto parasocial omnilateral, se proporciona acaso la vía más perfecta para legitimar su juego automático, pero conviene recordar que quienes han celebrado un pacto parasocial y no lo han recogido en los estatutos sociales es porque no han querido o porque no han podido, "si no se puede, está claro que no se podrá sujetar a las normas previstas para los pactos estatutarios" —y legitimar ese juego automático—; "y si no se quiere tampoco parece lógico que se pueda aprovechar de las ventajas de la inclusión en los estatutos quien no quiere pasar por sus inconvenientes"[57].

Las conclusiones que se extraen no tienen base o fundamento en la defensa de la personalidad jurídica de la sociedad como un sujeto totalmente distinto de lo socios, sino que están propiciadas por lo que nos ha parecido, al hilo de los conflictos planeados entre mayoría y minoría, la solución más acorde, proporcionada y equilibrada de los mismos. Pero ninguna duda puede existir respecto de la simplificación de los problemas que supondría amparar la oponibilidad de estos pactos legalmente, como se ha hecho por ejemplo en el régimen americano (secc. 7.32(a) MBCA), con la seguridad jurídica correspondiente que ello proporcionaría.

---

57 MARTÍNEZ ROSADO, J., *Los pactos…*, cit., pp. 92 y ss y 188 y ss.

VI. BIBLIOGRAFÍA

ALFARO AGUILA-REAL, J., "Oponibilidad de pactos parasociales a la sociedad", *Almacén del Derecho*, 10/12/2009.

ALFARO AGUILA-REAL, J., "Impugnación de acuerdos sociales que infringen un pacto parasocial", *Almacen del Derecho*, 1/10/2013.

ALFARO AGUILA-REAL, J., "Pactos parasociales cumplidos voluntariamente e impugnación de acuerdos", *Almacén del Derecho*, 13/10/2015.

ALFARO AGUILA-REAL, J., "Oponibilidad a la sociedad de pactos parasociales omnilaterales: la funesta manía de largarse un montón de páginas de resumen doctrinal que no forma parte de la ratio decidendi de la sentencia", https://derechomercantilespana.blogspot.com ›, 21/4/2022.

ALFARO AGUILA-REAL, J., "El fundamento de la impugnabilidad ex art. 204 LSC de los acuerdos sociales que infringen un pacto parasocial omnilateral", *Almacén de Derecho*, 31/5/2023.

ALONSO ESPINOSA, F.J., "El pacto parasocial omnilateral como pacto social", *LA LEY Mercantil*, núm. 102, 2023, pp. 1-22.

CAZORLA GONZÁLEZ-SERRANO, L.,/NEIRA FERNÁNDEZ, P., "Los pactos parasociales en las sociedades cotizadas", en CAZORLA GONZÁLEZ-SERRANO, Luis (dir.), *Acuerdos y Pactos Parasociales: Una Visión práctica de su Contenido*, Thomson Reuters ARANZADI, Navarra, 2018, pp. 365-379.

COUTINHO DE ABREU, J.M., *Curso de Direito Comercial Das Sociedades*, V. II, 8ª edic. EDIÇÕES ALMEDINA, Coimbra, 2024.

DÍEZ-PICAZO, *La doctrina de los actos propios. Un estudio crítico sobre la jurisprudencia del Tribunal Supremo*, 2° edic. Civitas, Navarra, 2014.

DE ULLOA LAPETRA, D., "El pacto de socios y las startups", en CAZORLA GONZÁLEZ-SERRANO, Luis (dir.), *Acuerdos y Pactos Parasociales: Una Visión práctica de su Contenido*, Thomson Reuters ARANZADI, Navarra, 2018, pp. 265-321.

GALACHO ABOLAFIO, A.F., "Derechos de socios procedentes de pactos parasociales y su oponibilidad frente a la sociedad de capital", en GONZÁLEZ FERNÁNDEZ María Belén y COHEN BENCHETRIC, Amanda (dir.), *Derecho de sociedades. Los derechos del socio*, Tirant lo Blanch, Valencia, 2020, pp. 79-100.

GALLEGO CÓRCOLES, A., "Impugnación de acuerdos sociales por abuso de mayoría e infracción de pactos parasociales omnilaterales tras la Ley 31/2014, de 3 de diciembre", en GONZÁLEZ FERNÁNDEZ María Belén y COHEN BENCHETRIC, Amanda (dir.), *Derecho de sociedades: revisando el derecho de sociedades de capital*, Tirant lo Blanch, Valencia, 2018, pp. 1427-1448.

MARÍN DE LA BÁRCENA, F., "Pactos parasociales omnilaterales (Comentario a la Sentencia del Tribunal Supremo, Sala Primera, de 7 de abril del 2022)", ga-p.com https://ga-p.com › area › mercantil

MARTÍNEZ MARTÍNEZ, M.T., "Especialidades societarias de las empresas emergentes", en ALMUDÍ CID, Jose Manuel y otros (dir.), *El Derecho ante realidades disruptivas: empresas emergentes, soiedades pantalla y criptoactivos,* Thomson Reuters ARANZADI, Navarra, 2022, pp. 19-42

MARTÍNEZ ROSADO, J., *Los pactos parasociales,* Marcial Pons, Madrid, 2017.

MARTORELL ZULUETA, P., "Impugnación de acuerdos y pactos parasociales", en GONZÁLEZ FERNÁNDEZ María Belén (dir.), *Sobre el contrato de sociedad,* T. II, Tirant lo Blanch, Valencia, 2024, pp. 699-724.

NIETO CAROL, U., "Algunas consideraciones respecto al protocolo familiar como pacto parasocial", en GONZÁLEZ FERNÁNDEZ María Belén (dir.), *Sobre el contrato de sociedad,* T. II, Tirant lo Blanch, Valencia, 2024, pp. 699-724.

NOVAL PATO, J., "La jurisprudencia del Tribunal Supremo en materia de pactos omnilaterales. Comentario a la sentencia 300/2022, de 7 de abril" *Revista de Derecho de Sociedades,* núm. 66, 2022 (edición electrónica).

PAZ-ARES, C., "Violación de pactos, impugnación de acuerdos y principio de no contradicción", *Revista de Derecho Mercantil,* núm. 2022, (edición electrónica).

PEÑAS MOYANO, M.J., (2023) "Empresas familiares y prestaciones accesorias", en PEÑAS MOYANO, María Jesús (Corrd.), *Estudios de Derecho de sociedades y de Derecho concursal, Libro homenaje al profesor J. QUIJANO GONZÁLEZ,* Valladolid, 2023, pp. 627-638.

PEÑAS MOYANO, M.J., "Prestaciones accesorias, pactos parasociales e impugnación de acuerdos contrarios", en CASTELLANO, María José y CAMPUZANO, Ana Belén (Coord.), *ESTUDIOS JURÍDICOS EN HOMENAJE AL PROFESOR ÁNGEL ROJO,* T. II, *DERECHO DE SOCIEDADES,* Aranzadi, Madrid, 2024, pp. 661-682.

PERDICES HUETOS, A., "Lecciones: validez, eficacia y oponibilidad de los pactos parasociales, en una cáscara de nuez", *Almacén del Derecho,* 25/2/2016.

PÉREZ MILLÁN, D., "Presupuestos y fundamento jurídico de la impugnación de acuerdos sociales por incumplimiento de pactos parasociales", *Revista de Derecho Bancario y Bursátil,* núm. 117, 2010, pp. 231-260.

PÉREZ MILLÁN, D., "Pactos parasociales y prestaciones accesorias", en MARTÍNEZ MUÑOZ, Miguel y HERNÁNDEZ GONZÁLEZ-BARREDA,

Pablo Andrés (Coord.), *Estudios de Derecho Mercantil y Derecho Tributario,* Thomson Reuters ARANZADI, Navarra, 2019, pp. 105-130.

PÉREZ MORIONES, A, "Impugnación de acuerdos sociales y pactos parasociales ominilaterales (reflexión a la luz de los últimos pronunciamientos de nuestros tribunales)", en CUÑAT EDO, Vicente y otros (Dir.), *Estudios de derecho mercantil. Liber amicorum profesor Dr. Francisco Vicent Chuliá,* Tirant lo Blanch, Valencia, 2013, pp. 581-598.

PORTALE, G.B., "Patti parasociali con «efficacia corporativa» nelle societa di capital", *Rivista delle Società,* núm. 1, 2015, pp. 1-14

SÁEZ LACAVE, Mª. I., "Los pactos parasociales de todos los socios en Derecho español. Una materia en manos de los jueces", *InDret,* núm. 3, 2009, pp. 1-31.

TORRECILLAS LÓPEZ, S., "Régimen jurídico de los pactos parasociales tras los recientes pronunciamientos del Tribulan Supremo de España. Comparativa con otras legislaciones (como Argentina, Italia, Brasil y México, etc.)", en GONZÁLEZ FERNÁNDEZ María Belén (Dir.), *Sobre el contrato de sociedad,* T. II, Tirant lo Blanch, Valencia, 2024, pp. 743-763.

VALPUESTA GASTAMIZA, E., *Comentarios a la Ley de Sociedades de Capital,* Bosch, 4ª ed., Madrid, 2022.

VELA TORRES, P.J., "Impugnación de acuerdos y revocación o sustitución de los mismos. Buena fe e impugnación de acuerdos conformes con un pacto parasocial", en GONZÁLEZ FERNÁNDEZ María Belén y COHEN BENCHETRIC, Amanda (dir.), *Derecho de sociedades: revisando el derecho de sociedades de capital,* Tirant lo Blanch, Valencia 2018, pp. 1449-1458.

VICENT CHULIÁ, F., *Introducción al Derecho Mercantil,* 25ª edic., V. I, Tirant lo blanch, Valencia, 2024.

Jurisprudencia directamente utilizada

STS de 24/9/1987, ECLI ES:TS:1987:8684, Núm. 551 (Vlex).

STS de 26/2/1991, ECLI ES:TS:1991:1086, Núm. 145 (Vlex).

STS de 10/2/1992 Resolución 97/1992 (Vlex).

STS de 10/12/2008 Resolución 1136/2008 (Vlex).

STS de 5/3/2009 (Roj: 1488/2009 Recurso: 1946/2002 Resolución: 131/2009).

STS de 6/3/2009 (Roj: 940/2009 Recurso: 368/2004 Resolución: 128/2009).

STS de 6/3/2009 (Roj: 941/2009 Recurso: 700/2004 Resolución: 138/2009).

STS de 4/6/2010 (Roj: 3881/2010 Recurso: 1400/2006 Resolución: 371/2010).

STS de 4/10/2011 (Roj: 7170/2011 Recurso: 1065/2007 Resolución: 662/2011).

STS de 23/10/2012 (Roj: 6729/2012 Recurso: 762/2009 Resolución: 616/2012).

SAP de Barcelona de 25/7/2013 (Roj: 10029/2013 Recurso: 746/2012 Resolución: 319/2013).

ATS de 22/10/2013 (Roj: 9666/2013 Recurso: 143/2013).

STS de 16/6/2014 (Roj: 2828/2014 Recurso: 2174/2012 Resolución: 306/2014).

STS de 3/11/2014 (Roj: 4443/2014 Recurso: 490/2013 Resolución: 589/2014).

STS de 25/2/2016 (Roj: 659/2016 Recurso: 2363/2013 Resolución: 103/2016).

STS de 20/2/2020 Resolución:120/2020 (Vlex).

STS de 17/11/2020 (Roj: 3794/2020 Recurso: 5135/2017 Resolución: 613/2020).

ATS de 23/6/202 (Roj: 8734/2021 Recurso: 775/2019).

SAP de Madrid de 17/12/2021 (Roj: 16527/2021, Secc. 28 Recurso: 599/2020, Resolución: 509/2021).

Roj: SAP de Madrid de 17/12/2021 (Roj: 14887/2021, Secc. 28 Recurso: 554/2020 Resolución: 507/2021).

SAP de Madrid de 4/2/2022 (Roj: 1862/2022, Secc.: 28 Recurso: 618/2020, Resolución: 67/2022).

SAP de Palma de Mallorca de 17/3/2022 (Roj: SAP IB 673/2022, Secc: 5 Recurso: 966/2021 Resolución: 274/2022).

SAP de Zaragoza de 24/3/2022 (Roj: 535/2022 Secc: 5 Recurso: 765/2021 Nº Resolución: 419/2022).

STS de 7/4/2022 (Roj: STS 1386/20 Recurso: 1726/2019).

SJM de Girona de 26/4/2022 (Roj: 6238/2022 Secc. 1 Recurso: 4/2021 Resolución: 141/2022).

SAP de Córdoba de 6/5/2022 (Roj: 398/2022 Secc. 1 Recurso: 611/2021 Resolución: 435/2022).

SAP de Madrid de 27/5/2022 (Roj: 8070/2022 Secc. 28 Recurso: 748/2020 Resolución: 391/2022).

SJM de Barcelona de 23/6/2022 (Roj: 6308/2022 Secc. 12).

SAP de León de 8/7/2022 (Roj: 1163/2022 Secc.1 Recurso: 367/2022 Resolución: 535/2022).

SAP de Barcelona de 3/10/2022 (Roj: 10205/2022 Secc. 15 Recurso: 2472/2022 Resolución: 1412/2022).

SJM de Barcelona de 16/12/2022 (Roj: 13492/2022, Secc. 6 Recurso: 690/2021 Resolución: 659/2022).

SAP de Cádiz de 18/12/2022 (Roj: 2734/2022 Secc. 5 Recurso: 321/2019 Resolución: 8/2023).

SAP de Barcelona de 21/12/2022 (Roj: 14644/2022, Secc. 15 Recurso: 3688/2022 Resolución: 1768/2022).

SJPII de Cuenca de 22/12/2022 (Roj: 636/2022 Secc. 2 de 22/12/2022 Recurso: 21/2021 Resolución: 10058/2022).

SAP de Pamplona (Roj: SAP NA 130/2022 Secc 3 Recurso: 937/2020 Resolución: 2/2022).

AAP de Valencia (Roj: 235/2022).

SAP de Barcelona de 10/1/2023 (Roj: 212/2023 Secc. 15 Recurso: 3002/2022, Resolución: 6/2023).

SJM de Murcia de 12/01/2023 (Roj: 326/2023 Secc. 3 Recurso: 749/2021 Resolución: 12/2023).

SAP de Madrid de 13/1/2023 (Roj: 45/2023, Secc. 28 Recurso: 486/2022 Resolución: 25/2023).

STS de 5/5/2023 (ROJ: 1965/2023 Resolución: 674/2023 Recurso: 3728/2019).

SJM de Madrid de 20/7/2023 (Roj: 5165/2023 Secc. 3 Recurso: 574/2020 Resolución: 196/2023).

SAP de Valencia de 28/7/2023 (Roj: 3032/2023 Secc. 6 Recurso: 733/2022 Resolución: 361/2023).

AAP de León de 31/7/2023 (Roj: 649/2023 Secc. 1 Recurso: 66/2023 Resolución: 96/2023).

SAP de Palma de Mallorca de 26/9/2023 (Roj: SAP IB 2448/2023 Secc. 5 Recurso: 848/2022 Resolución: 660/2023).

SAP de Zaragoza de 6/10/2023 (Roj: 1871/2023 Secc. 5 Recurso: 722/2022 Resolución: 411/2023).

ATS de 11/10/2023 (Roj: 15759/2023 Secc. 1 Recurso: 9505/2021).

SAP de Logroño de 17/10/2023 (Roj: 535/2023 Recurso: 544/2022 Resolución: 408/2023).

SAP de Zaragoza de 2/11/2023 (Roj: 2001/2023 Secc. 2 Recurso: 32/2023 Resolución: 365/2023).

SAP de Pontevedra de 14/12/2023 (Roj: 2872/2023 Secc. 1 Recurso: 224/2022 Resolución: 617/2023).

SAP Ourense de 23/5/2024 (Roj: 515/2024 Secc. 1 Recurso: 238/2024 Resolución: 382/2024).

SAP de Palma de Mallorca de 27/6/2024 (Roj: SAP IB 1674/2024 Secc. 5 Recurso: 906/2023 Resolución: 359/2024).

SAP de Málaga de 3/7/2024 (Roj: 2681/2024 Secc. 6 Recurso: 425/2024 Resolución: 993/2024).

SAP de Barcelona de 5/11/2024 (Roj: 12723/2024 Secc. 15 Recurso: 432/2023 Resolución: 1118/2024).

SAP de Madrid de 12/11/2024 (Roj: 16577/2024 Secc. 20 Recurso: 573/2023 Resolución: 402/2024).

SJM de Palma de Mallorca de 29/12/2024 (Roj: SJM IB 292/2024 Secc. 2 Recurso: 58/2023 Resolución: 1/2025).

RDGSJYFP de 11/10/2024 (BOE 15/11/2024).

RDGSJYFP de 29/11/2024 (BOE 25/12/2024).

Algunas reflexiones en torno a la válida celebración de la junta universal por usufructuarios no socios: una visión comparada

MARCOS CRUZ GONZÁLEZ
Profesor Ayudante Doctor de Derecho Mercantil
Universidad de Salamanca

RESUMEN

la celebración de la Junta Universal por comparecencia de quien sin ser socio tiene atribuidos todos o parte de los derechos correspondientes a dicha posición para con la sociedad genera en España una problemática y enconada situación que discurre entre el formalismo garantista y la flexibilización utilitaria. El texto se centra en analizar y comparar esta situación particular con lo previsto en ordenamientos jurídicos del entorno de España, a fin de detectar e identificar posibles soluciones.

Palabras clave: Junta Universal, Derecho de Voto, Usufructo de Participaciones, Derecho de Asistencia.

ABSTRACT

The Universal shareholders meeting substantiated by the exclusive compresence of subject which are not shareholders yet retain all or most of the rights pertaining to that position creates in the case of Spanish law quite a conundrum, the resolution of which walks in a tight rope between formalism and flexibilization. The text focuses on analyzing and comparing this national topicality with the solutions provided by other neighboring legal regimes.

Keywords: *Universal Shareholder meeting, right to vote, usufruct of shares, right to assist to the meeting.*

mo y practicidad. IV. LA TEXTURA ABIERTA DEL MODELO ESPAÑOL: ENTRE LA FUNCIONALIDAD Y EL FORMALISMO. V. BREVES CONCLUSIONES. VI. BIBLIOGRAFÍA.

I. INTRODUCCIÓN A LA PROBLEMÁTICA

Las sociedades cerradas, especialmente las de tipo familiar[1], vienen caracterizadas por una alta dinamicidad, una relevante fluidez ejecutiva informal y la intercambiabilidad funcional de sus miembros, lo que hace que algunas figuras propias del Derecho de Sociedades, como destacadamente es la Junta General, no acaben de acompasarse adecuadamente[2], llegando incluso a superar figuras tradicionales de cuño flexibilizador como son las denominadas Juntas Universales[3], expediente con el que, a menudo, dar cobertura jurí-

---

1 Sobre la noción de sociedad familiar y el debate doctrinal en torno a las mismas vid., entre otros y sin un orden particular, VIERA GONZÁLEZ J., "Algunas reflexiones sobre «proyecto de Real Decreto regulador de la publicidad de los protocolos familiares y la empresa familiar»", *Revista de Derecho de Sociedades*, N.° 26, 2006, versión online, 12 pp.; MARTÍNEZ-CORTÉS JIMENO J., "Conflictos más frecuentes en el marco de la empresa familiar y su prevención", *Cuadernos de Derecho y Comercio,* número extraordinario, 2017, pp. 765-851, p. 767; CAMPUZANO LAGUILLO A.B., "Las Sociedades Familiares", en ORTEGA BURGOS E. *Tratado jurídico y fiscal de la empresa familiar,* Tirant-lo-Blanch, Valencia, 2021, pp. 15-91, p. 16; ALFARO ÁGUILA-REAL J. "Los problemas contractuales en las sociedades cerradas", *In-Dret: Revista para el análisis del Derecho,* 308, 2005, 22 pp.; PEÑAS MOYANO Mª. J., "Empresas Familiares y Prestaciones Accesorias" en AA.VV. *Estudios de Derecho de Sociedades y de Derecho Concursal. Libro en Homenaje al profesor Jesús Quijano González,* Universidad de Valladolid, 2023, pp. 627-637; QUIJANO GONZÁLEZ J., "Órganos de gobierno de la empresa familiar", en AA.VV. *El patrimonio familiar, profesional y empresarial. Sus protocolos, constitución, gestión, responsabilidad, continuidad y tributación,* Vol. 6, Bosch, 2005, pp. 47-92.

2 GARCÍA-CRUCES GONZÁLEZ J.A., "Capítulo V. Junta Universal. Comentario al art. 178 TRLSC", ROJO A. y BELTRÁN E. *Comentario de la Ley de Sociedades de Capital,* Civitas, Navarra, 2011, pp.1286-1295, p. 1287.

3 LEÓN SANZ F.J., "Capítulo V. Junta Universal" en JUSTE MENCÍA J. y RECALDE CASTELLS A. (coords.) *La Junta General de las Sociedades de Capital. Comentario de los artículos 159 a 208 LSC,* Civitas, Navarra, 2022, pp. 327-356, p. 332.

dica *ex post* a actos llevados a cabo sin reparar en la vestidura jurídica formal pertinente[4].

El binomio sociedad cerrada/sociedad familiar, no necesario[5], pero, por lo demás, sumamente habitual en nuestro país[6], específicamente bajo la forma jurídica de la Sociedad Limitada[7], plantea una miríada de problemas prácticos cuyo apropiado ajuste con la ley exige un cuidado estudio y suscita, por lo común, un contundente y profundo debate.

Este es el caso que se plantea en la Sentencia de la Audiencia Provincial de Salamanca Núm. 443/2023, de 11 de septiembre, utilizada como hilo conductor de esta exposición, y que levanta importantes cuestiones al tratar un problema como es el de la validez de la junta universal y los acuerdos en ella adoptados, pero en el que se imbrica otro espacio de gran complejidad legal y técnica, cual es el usufructo de acciones y participaciones, pues la *quaestio iuris* a resolver (entre otras) por el juzgador fue precisamente la validez de la junta universal celebrada con la concurrencia exclusiva y voto favorable de los usufructuarios de las participaciones sociales en representación del 100% del capital social.

Se trata, en fin, de una cuestión tan clásica como irresoluta en el sistema español, fruto de una tibia redacción legal que permite sostener con buenos argumentos tanto la validez de la junta universal así constituida[8], como su radical invalidez por faltar un requisito esen-

---

4 Ibid., p. 331.

5 ALFARO ÁGULA-REAL J. "Los problemas contractuales en las sociedades cerradas", *InDret: Revista para el análisis del Derecho,* 308, 2005, 22 pp., p. 6

6 ENCISO ALONSO-MUÑUMER M., "El protocolo familiar", en ORTEGA BURGOS E. *Tratado jurídico y fiscal de la empresa familiar,* Tirant-lo-Blanch, Valencia, 2021, pp.127-158, p. 127.

7 QUIJANO GONZÁLEZ J., "Aspectos jurídico-mercantiles de la empresa familiar: la empresa familiar como forma de sociedad mercantil", AA.VV. *Manual de la Empresa Familiar,* Ediciones Deusto, Bilbao 2005, pp. 113-147, p. 121.

8 Postura que personificamos en MIRANDA SERRANO L.M. "La Junta Universal de accionistas o socios. Una propuesta de solución a la problemática que encierran los requisitos de universalidad de las juntas", *Revista de Derecho Mercantil,* 243, 2002, pp. 71-200, p. 140.

cial cual es la aceptación de la totalidad de los socios, concurrentes potenciales, de la celebración de la Junta y su orden del día como tal reunión universal, al no estar aquella facultad incluida dentro del general derecho de voto en Junta[9] y hallarse, por tanto, fuera del conjunto de facultades cedidas al usufructuario mediante título constitutivo.

II. LA PROBLEMÁTICA DE LA REDACCIÓN ESPAÑOLA: DE LA DEFINICIÓN DE JUNTA UNIVERSAL (ART. 178 LSC) AL CONCEPTO DE USUFRUCTO

Tratar de dar una solución que pretenda ser definitiva a la cuestión en el Derecho español dista de nuestras pretensiones, si bien se puede exponer la principal vía de razonamiento y las limitaciones que presenta esta. El punto de arranque se ha de dar, lógicamente, a partir del propio concepto de junta universal, tal y como lo define el art. 178 LSC, para el que la institución se define como la reunión de la totalidad del capital social, *presente o representado*, para adoptar cualquier asunto, siempre y cuando los propios *concurrentes* acuerden su celebración *in situ*. Nótese que el énfasis de la definición se encuentra en los elementos objetivos[10], reflejado en la explícita referencia al capital social (alineada, por tanto, con la tesis clásica del prof. GARRIGUES que concibe la junta como reunión de capi-

---

9 Postura encabeza por el profesor GARCÍA-CRUCES J.A., "Capítulo V. Junta Universal", en GARCÍA-CRUCES J.A. y SANCHO GARGALLO I. (Dirs.) *Comentario de la Ley de Sociedades de Capital. Tomo III. Arts. 159-262. La Junta General y La Administración de la Sociedad*, Tirant-Lo-Blanch, Valencia, 2021, pp. 2535-2557, p. 2552; también sigue este posicionamiento SÁNCHEZ ÁLVAREZ, M. Mª., "Junta universal, remoción de administrador y representación del socio", RODRÍGUEZ ARTIGAS F., *Derecho de Sociedades: comentarios de jurisprudencia*, Thomson Reuters Aranzadi, Navarra, 2010, pp. 1483-1484.

10 Para LEÓN SANZ F.J. "La Junta General Universal" en AA.VV. *Estudios de Derecho de Sociedades y de Derecho Concursal. Libro en Homenaje al profesor Jesús Quijano González*, Universidad de Valladolid, 2023, pp. 427-443, p. 427, hablamos de una configuración despersonalizada de la Junta Universal.

tal) así como en la voz *concurrentes*[11] (a la junta), algo que destaca aún más si tenemos en cuenta que el art. 159 LSC al definir la junta general hace una referencia directa y única a la figura del s*ocio de la sociedad*.

De la contraposición de ambos preceptos algunas ideas emergen con claridad. La primera, lógicamente, es que el art. 178 LSC pretende ser una norma especial respecto de la general contenida en el art. 159 LSC y que busca precisamente distanciarse de la subjetividad de la definición general de la junta y lo hace con el objetivo claro de operar como un precepto flexible capaz de canalizar la plurívoca funcionalidad de la junta universal en el tejido empresarial español, cuyo objeto básico es, por tanto, la flexibilización[12] del formalismo intrínseco a una figura de importancia capital en la vida de la sociedad, proporcionando, a la sazón, una nueva modalidad de celebración[13]. Por tanto, la junta universal no es un órgano distinto en sustancia a la junta general, sino en cuanto hace a la omisión del procedimiento formal de convocatoria y a su sustitución por un doble requisito, a saber: a) la comparecencia de la universalidad del capital; y b) la aquiescencia del mismo en la celebración de una junta, estando ausentes los trámites formales ordinarios.

La relativa despersonalización del precepto, que se cuida muy bien, además, de admitir la representación, ni ha sido capaz de privar de argumentos a la doctrinas personalistas que sostienen la necesaria aceptación del socio en la celebración de la junta como universal, in-

---

11 Entendida por PÉREZ MORIONES A. "Junta Universal y Orden público", *Estudios de Deusto*, Vol. 59, N.º 2, 2011, pp. 279-307, p. 293, como todo aquél que debiendo estar presente para la valida celebración de la junta, tenga materialmente la capacidad de determinar la voluntad social.

12 En el sentido de flexibilización procedimental, cfr. GARCÍA-CRUCES J.A., "Capítulo V. Junta Universal", en GARCÍA-CRUCES J.A. y SANCHO GARGALLO I. (Dirs.) *Comentario de la Ley de Sociedades de Capital*, cit., p. 2536; GARCÍA-CRUCES GONZÁLEZ J.A., "Capítulo V. Junta Universal. Comentario al art. 178 TRLSC", ROJO A. y BELTRÁN E. *Comentario de la Ley de Sociedades de Capital*, cit., p. 1287.

13 Una vez más GARCÍA-CRUCES GONZÁLEZ J.A., "Capítulo V. Junta Universal. Comentario al art. 178 TRLSC", ROJO A. y BELTRÁN E. *Comentario de la Ley de Sociedades de Capital*, cit., p. 1287.

tervenga o no en la adopción de acuerdos posteriormente en junta, ni, a la vez, ha sido lo suficientemente clara para resolver la compleja situación que deriva en estos casos del usufructo de acciones, probablemente porque el propio legislador no tuviera en mente la posibilidad de que el usufructuario concurriera potencialmente como votante en junta, en la redacción del precepto.

Y, es que, el tratamiento que la propia LSC dedica a la cuestión del usufructo de títulos de participación difícilmente puede calificarse de suficiente[14], centrada en el contenido "natural" del usufructo de acciones, se limita disponer sobre la percepción de los dividendos[15], aunque admitiendo, como pacto en contrario, la posibilidad de asignar al usufructuario otros derechos derivados de la posición de socio. De este modo, legalmente resulta atípica la tópica situación en que el usufructuario se reserva para sí, en el momento constitutivo del derecho real, los derechos de participación política o, como ocurre en la SAPSA 443/2023 "todos los derechos correspondientes a la posición de socio", estrategia cuya razón de ser se encuentra, a su vez, en una cesión de la titularidad de las acciones o participaciones que pretende ser incompleta, a fin de retener en el usufructuario, antiguo socio, un mínimo control en el ámbito de la sociedad. El único requisito en este sentido es un correcto alineamiento de la realidad estatutaria, que haga trascender los efectos del usufructo al ámbito

---

14 PARRA LUCÁN Mª. A., "Art. 127. Usufructo de Participaciones Sociales o de Acciones" en GARCÍA-CRUCES GONZÁLEZ J.A. y SANCHO GARGALLO I., *Comentario de la Ley de Sociedades de Capital*, Tomo II, Tirant-lo-Blanch, Valencia, 2021, pp. 1799-1818, p. 1800

15 Contenido mínimo inescindible del derecho de usufructo so pena de desnaturalizar la figura; cfr. FERNÁNDEZ RUIZ J.L., "De nuevo en torno al usufructo de acciones", *Revista de Derecho de Sociedades*, N.º 24, 2005, pp. 121-137, p. 125, con cita de PANTALEÓN PRIETO A. F., "Copropiedad, usufructo, prenda y embargo de acciones (artículos 66 a 73 de la LSA)", *Comentario al régimen legal de las sociedades mercantiles*, Tomo IV, Vol. 3, Civitas, 1992, p. 57.

externo de la relación socio/sociedad[16/17], sin que quepa, de acuerdo a la doctrina de la DGRN, resolver la cuestión mediante una norma estatutaria genérica que remita a lo establecido en cada caso por el título constitutivo[18].

Usado comúnmente en la práctica el usufructo como herramienta de salvaguardia del interés social y de resolución de los siempre abundantes conflictos societario-familiares; en el caso, como herramienta de control del antiguo socio y ahora usufructuario, se plantean los interrogantes sobre cuál de las dos realidades ha de prevalecer en aquellos supuestos en que el usufructuario impone su voluntad en contra del interés o criterio manifestado por el nudo propietario, particularmente, como ocurre en la SAPSA 443/2023, de 11 de septiembre, cuando, para ello, acude a la junta universal buscando conseguir un elemento de sorpresa que limite la capacidad

---

16 Cfr. GONZÁLEZ FERNÁNDEZ B., "El derecho de separación previsto en el art. 348 bis LSC en el caso de acciones y participaciones sociales", *Revista de Derecho Bancario y Bursátil.* cit., pp. 143 y 144; en este mismo sentido aunque circunscrita a la compraventa de acciones con reserva de derecho de voto vid. MARTÍN ARESTI P., "Validez de una compraventa de acciones con reserva del vendedor de los derechos políticos", *Cuadernos Civitas de Jurisprudencia Civil,* N ° 92, 2013, pp. 449-472. Sin dicho reconocimiento expreso por parte de la sociedad al contenido del Derecho de usufructo establecido, únicamente cabe reconocer el derecho a percibir los dividendos por vía indirecta, so pena de imponer eficacia *erga omnes* a negocios entre particulares; cfr. PEINADO GARCÍA J.I., "Principios y derechos del socio (significado y límites de la condición de socio)" en AGÚNDEZ M.A., MARTÍNEZ SIMANCAS SÁNCHEZ J., CREMADES GARCÍA J. y PEINADO GARCÍA J.I., *Cuadernos de Derecho para Ingenieros 10: Accionistas Minoritarios,* La Ley, 2011, pp. 65-78, p. 72.

17 Nótese, sin embargo, que esta perspectiva plantea importantes problemas en relación con la naturaleza *erga omnes* que, como Derecho real dispone el usufructo y que solamente se puede salvar a partir de la delimitación legal que, como regla especial, establece en este contexto el art. 127 LSC, limitando, como se ha dado en señalar, el usufructo a la percepción de dividendo salvo pacto en contrario, que deberá, por esta razón excepcional, constar doblemente: en el título constitutivo y en los estatutos de la sociedad. En una línea similar GALACHO ABOLAFIO A.F., *Transmisión y ejercicio separado de derechos del socio,* Marcial Pons, Madrid, 2020, p. 73.

18 Cfr. RDGRN de 4 de marzo de 1981, BOE de 9 de Abril de 1981.

de maniobra de aquél, exponiéndose con ello a la posible nulidad de la junta universal por incomparecencia de la totalidad de los socios (interpretación personalista estricta) y forzando así la necesidad de una clarificación doctrinal en estos casos. La escasa jurisprudencia suele manifestarse particularmente flexible y pragmática ante este tipo de conflictos[19].

III. RESPUESTA AL PROBLEMA DE LA JUNTA UNIVERSAL CELEBRADA POR USUFRUCTUARIOS: REFERENCIA COMPARADA A LOS SISTEMAS PORTUGUÉS E ITALIANO

Llegados en este punto a la indefectible indeterminación en el sistema español y antes de adelantar una respuesta, quizá sea oportuno trazar brevemente, dadas las limitaciones del medio, una sucinta referencia a dos modelos claramente contrapuestos en cuanto a su respuesta a esta cuestión: el ordenamiento jurídico portugués (cuya mención es obligada habida cuenta del homenajeado) y el ordenamiento jurídico italiano (que nos proporciona un interesante contrapunto).

1. Sistema Portugués: la prevalencia del formalismo

La situación de la regulación portuguesa es realmente interesante, guardando importantes concomitancias con el posicionamiento de un sector de la doctrina española. En efecto, bajo el sistema portugués (art. 54° del Código das Sociedades Comerciais – CSC en adelante) los socios pueden adoptar decisiones unánimes por escrito

19 Buena prueba de ello es la propia SAPSA 443/2023, pero también destaca las STS 103/2016, de 25 de febrero, la 255/2016, de 19 de abril, o aquella de 16 de marzo de 2010 (2010, 3793) referida por BOQUERA MATARREDONA J., "La Reciente Jurisprudencia del Tribunal Supremo sobre los conflictos societarios en las sociedades familiares" en CAMISÓN ZAORNOZA C. y VICIANO PASTOR J. (Dirs.), *Dirección, Organización del Gobierno y Propiedad de la Empresa Familiar,* cit., pp. 107 y 108.

o reunirse en asamblea general omitiendo las formalidades de convocatoria, siempre que comparezcan a la misma todos los socios y manifiesten la voluntad de que la asamblea se constituya y delibere sobre determinado asunto[20]. La requerida asistencia de los socios en el propio momento constitutivo de la reunión hace que en supuestos de asistencia y voto exclusivamente por usufructuarios, al no estar presentes y no aceptarse la reunión por todos los socios, pierda aquella dicha cualidad de universal[21] y que, por tanto, resulte imposible plantear si quiera el problema jurídico analizado: la junta universal así celebrada y los acuerdos en ella adoptados, no pueden considerarse válidos a la luz del Derecho portugués.

Y es que el *radiciário* o nudo propietario no perdería la condición de socio, al retener un interés vital en la sociedad en tanto que le interesa el valor de la sustancia de su participación social, lo que hace que retenga en su persona el derecho de asistencia y de voz en las *assembleias gerais*[22] (art. 248°,ap. 5 CSC), lo que es tanto como hablar de una participación limitada del socio[23] de carácter irrevocable.

El régimen analizado se completa, lógicamente, con las disposiciones del CSC relativas al usufructo de participaciones[24], específi-

---

20 COUTINHO DE ABREU J.M., *Curso de Direito Comercial*, Volume II, 8° Edición, Almedica, Coimbra, 2024, p. 242; Literalmente: Artigo 54°, ap. 1 - "Podem os sócios, em qualquer tipo de sociedade, tomar deliberações unânimes por escrito, e bem assim reunir-se em assembleia geral, sem observância de formalidades prévias, desde que todos estejam presentes e todos manifestem a vontade de que a assembleia se constitua e delibere sobre determinado asunto" (Traducción propia).

21 COUTINHO DE ABREU J.M., "Deliberações unánimes e assembleias universais. Art. 54°", en COUTINHO DE ABREU J.M., *Código das Sociedades Comerciais em Comentário*, Vol. 1, Almedina, Coimbra, 2013, pp. 642-647, p. 645.

22 COSTA ANDRADE M. "Usufruto e penhor de participações. Art. 23°" en COUTINHO DE ABREU J.M., *Código das Sociedades Comerciais em Comentário*, Vol. 1, Almedina, Coimbra, 2013, pp. 372-409, p. 387.

23 COUTINHO DE ABREU J.M., *Curso de Direito Comercial*, Volume II, cit., p. 254.

24 Cuya recta constitución impone seguir las prescripciones del CSC para cualquier acto transmisivo de títulos de participación (art. 23°, ap. 1), lo que supone su formulación escrita y su comunicación escrita o reconocimiento

camente el art. 23 CSC, donde su apartado segundo dispone claramente que "los derechos del usufructuario serán los indicados en los artículos 1466 y 1467 del Código Civil [portugués], con las modificaciones previstas en [el CSC], y los derechos que a mayores le atribuya la norma específica"[25]. La remisión explícita obliga a contrastar lo dispuesto en el Código Civil Portugués, donde, tras un precepto genérico (art. 1466° CCp) destinado a reconocer en favor del usufructuario de los títulos de crédito el disfrute de las primas o utilidades aleatorias de otro tipo producidas por el título[26], se regula con cierto detalle la cuestión particular del usufruto sobre los títulos de participación (art. 1467° CCp).

Dicho precepto, tras declarar como derecho del usufructuario sobre acciones, *quotas* o partes sociales los lucros distribuidos correspondientes al tiempo de duración del usufructo (literal a), reconoce en su favor el derecho a votar en las asambleas generales (y más ampliamente en todo tipo de deliberación de socios contemplada en el CSC[27]), excepto cuando la misma recaiga sobre dos materias específicas y de gran importancia para la vida de la sociedad y la sustancia misma del objeto usufructuado, a saber: a) modificación de los estatutos y b) disolución de la sociedad[28], caso en que el voto se atribuye

---

por la sociedad para surtir efectos en la vertiente externa, así como deberá operarse su oportuno registro en el Registro de la Propiedad y en el de Socios de la Sociedad implicada, Cfr. COSTA ANDRADE M. "Usufruto e penhor de participações. Art. 23°" en COUTINHO DE ABREU J.M., *Código das Sociedades Comerciais em Comentário,* Vol. 1, Almedina, Coimbra, 2013, pp. 372-409, p. 381.

[25] Literalmente: Artigo 23 CSC, ap. 2 - "Os direitos do usufrutuário são os indicados nos artigos 1466.° e 1467.° do Código Civil, com as modificações previstas na presente lei, e os mais direitos que nesta lhe são atribuídos". (Traducción propia)

[26] Literalmente: Artigo 1466° CCp – "O usufrutuário de títulos de crédito tem direito à fruição dos prémios ou outras utilidades aleatórias produzidas pelo título" (Traducción propia).

[27] Cfr. COSTA ANDRADE M. "Usufruto e penhor de participaçoes. Art. 23°" en COUTINHO DE ABREU J.M., *Código das Sociedades Comerciais em Comentário,* cit., p. 386.

[28] Literalmente: Artigo 1467° CCp, Ap. 1 – "O usufrutuário de acções ou de partes sociais tem direito: a) Aos lucros distribuídos correspondentes ao

conjuntamente *ex lege* a usufructuario y a nudo propietario (cfr. art. 1467°, ap. 2[29]), imponiendo, con ello, la necesidad de un preacuerdo entre los cotitulares que garantice la unidad y homogeneidad en los intereses de la posición compartida.

De este modo, aparecen alteraciones al modelo español que es oportuno destacar: habría, en la práctica, una tutela reforzada de los intereses del socio-nudo-propietario sobre aquella toma de decisiones susceptible de alterar de modo relevante la estructura, funcionamiento y continuidad del constructo societario (y de la parte de aquél, objeto de nuda propiedad), lo que hace que, aun omitiendo el problema de invalidez radical de la junta ya analizado, resulte redundante plantearse la viabilidad de un razonamiento como el vertido en la SAP de Salamanca 443/2023, que vertebra y motiva el presente análisis, toda vez que para cualquier alteración de los estatutos, se impone la decisión desde una unidad de intereses que la propia ley reconoce, por tanto, como no homogéneos, lo que hace que el usufructuario no pueda actuar sin el consentimiento y aquiescencia del nudo propietario.

El sistema portugués parece imponer una postura ciertamente formalista en garantía del socio-nudo-propietario, quien debe concurrir con voz aunque sin voto a la junta universal para dejar después la deliberación y voto en manos del usufructuario (titular del derecho al voto *ex* art. 1467° CCP, ap. 1), salvo que la materia tratada constituya una modificación estatutaria (como es el caso de marras), en cuyo supuesto será pertinente la concurrencia de ambos, usufructuario y nudo propietario, en la válida manifestación del voto.

Partiendo de ello, la junta universal que se ha celebrado sin asistencia del nudo propietario se lleva a cabo, por tanto, en lesión del derecho de asistencia que aún le pertenece, lo que ya en sí mismo im-

---

tempo de duração do usufruto; b) A votar nas assembleias gerais, salvo quando se trate de deliberações que importem alteração dos estatutos ou dissolução da sociedade; (...)" (Traducción propia).

29 Literalmente: Artigo 1467° CCp, Ap. 2 – "Nas deliberações que importem alteração dos estatutos ou dissolução da sociedade, o voto pertence conjuntamente ao usufrutuário e ao titular da raiz" (Traducción propia).

pone sobre el acto una falta realmente grave[30]que hace que la votación esté afecta en sí por no haber expresado oportuna conformidad con su celebración el *radiciário,* quien *ex lege* tiene, además, derecho conjunto de voto en las decisiones que impongan la modificación estatutaria del constructo societario[31].

2. *Sistema Italiano: antiformalismo y practicidad*

De modo interesante, en el Derecho Comparado, el sistema italiano proporciona una atribución del derecho de voto automática en favor del usufructuario. En este sentido, el art. 2352 *Codice Civile* (*CCi*) establece que en el caso de prenda o usufructo sobre acciones, el derecho de voto corresponde, salvo pacto en contrario, al acreedor pignoraticio o al usufructuario[32]. Partiendo, por tanto, de la hipótesis contraria y concibiendo al usufructuario como legitimado en tanto que titular del derecho de uso y disfrute de las acciones o participaciones sociales. Esta regla la debemos conjugar con el art. 2366 *CCi, comma* 4 conforme al cual la asamblea se considerará válidamente constituida, ausentes las formalidades de convocatoria, cuando esté

---

30 COUTINHO DE ABREU J.M., "Deliberações nulas. Art. 56°", en COUTINHO DE ABREU J.M., *Código das Sociedades Comerciais em Comentário,* Vol. 1, Almedina, Coimbra, 2013, pp. 655-668, p. 656.

31 Es decir, tanto la junta universal en general como el acuerdo en particular estarían afectos de vicios susceptibles de impuner su impugnación por el nudo propietario o *radiciário,* lo que impide salvar la validez de la decisión de junta, cabiendo como causa de impugnación el art. 56°, ap. 1 – nulidad por no convocatoria, al no comparecer el socio-nudo-propietario.

32 Literalmente: Articolo 2352 CCi – "nel caso di pegno o usufrutto sulle azione, **il diritto di voto spetta**, salvo convenzione contraria, al creditore pignoratizio **o all ' usufruttuario...**" (Traducción *supra* y énfasis propios). Derecho que corresponde por sí mismo al usufructuario y que no le viene cedido por el nudo propietario; cfr. ANGELICI C., "Della società per azioni – Le Azioni", en SCHLESSINGER P. (Dir.) Il Codice Civile – Commentario art. 2346-2356, Giuffre, Roma, 1996, p. 196.

representado todo el capital social y participe en ella la mayoría de órganos administrativos y de control[33/34].

Los derechos de los ausentes se salvaguardan requiriendo la remisión a los mismos de información sucinta sobre los diferentes temas a tratar con el fin de que los ausentes puedan ejercitar su derecho de oposición[35]. Esta obligación de información no incluye a los socios, que, lógicamente, concurren presentes o representados a la *assemblea totalitaria*[36]. De este modo, lo que se aprecia en el régimen italiano

---

33 Literalmente: Articolo 2366 CCi, comma 4 –"In mancanza delle formalita' previste per la convocazione, l'assemblea si reputa regolarmente costituita, quando e' rappresentato l'intero capitale sociale e partecipa all'assemblea la maggioranza dei componenti degli organi amministrativi e di controllo. Tuttavia in tale ipotesi ciascuno dei partecipanti puo' opporsi alla discussione degli argomenti sui quali non si ritenga sufficientemente informato" (Traducción *supra* propia).

34 Puede apreciarse cómo el sistema italiano opta por una simplificación en la materia, primero atribuyendo el derecho de voto (y los demás derechos accesorios en buena lógica jurídica; así lo considera GARRIDO MELERO M., "Capítulo V. Copropiedad y derechos reales sobre participaciones sociales o acciones (art. 127)", en PRENDES CARRIL P., MARTÍNEZ-ECHEVARRÍA Y GARCÍA DE DUEÑAS A. y CABANAS TREJO R. (Dirs.), *Tratado de Sociedades de Capital: comentario judicial, notarial, registral y doctrinal de la ley de Sociedades de Capital,* Tomo I, (arts. 1 a 316), Aranzadi, Navarra, 2017, pp.735-742, p. 742.) al usufructuario y, posteriormente, fijando que la denominada "*assemblea totalitaria*" se constituye regularmente ausente el cumplimiento de las formalidades de convocatoria (*In mancanza delle formalita' previste per la convocazione...*) concurriendo representado la totalidad del capital social (*quando e' rappresentato l'intero capitale sociale*) y participa la mayoría de los miembros del órgano de administración y de control (*la maggioranza dei componenti degli organi amministrativi e di controllo*).

35 Conforme a la Massima n. 15 pubblicata il 27 maggio 2011 elaborata dalla Commissione Studi societari del Comitato Notarile della Regione Campania, dictada en relación con el art. 2479 bis *CCi,* sobre la celebración de la *Assemblea Totalitaria.* Cfr. https://www.fondazioneanselmoanselmi.it/assemblea-totalitaria (ultima consulta el 7 de enero de 2025).

36 Como indica la Sentencia de *Cassazione Civile, Sez. I, n. 23269, del 17 de noviembre de 2005,* "la indicación en el aviso de convocatoria de la asamblea de socios del elenco de materias a tratar cumple la doble función de informar a los socios sobre los temas a tratar, para permitir que su participación en la asamblea tenga lugar con la preparación e información necesaria y, por otro, evitar que se sorprenda la buena fe de los ausentes tras la decisión

es que la garantía de los derechos de los ausentes en la asamblea de socios se deja al régimen de oposición e impugnación de acuerdos, permitiendo la celebración de *assemblea totalitaria* por representantes de los socios. Teniendo en cuenta que el usufructuario recibe de manera natural (y por sí mismo, no como representante del socio) en el régimen italiano el derecho de voto, parece que no hay excesivo problema en considerar válida la *assemblea totalitaria* celebrada por la concurrencia exclusiva de usufructuarios siempre que con ello se encuentre representada la totalidad del capital (requisito elemental exigido por el art. 2366, comma 4 CCi).

El modelo italiano opta, claramente, por un enfoque funcional y práctico donde la clave de bóveda de la validez de la *assemblea totalitaria* se hace depender de la presencia *representada* de la totalidad del capital social, en la línea de considerar la Junta como una reunión de capital y no de socios, postura que ha sido sostenida también en España[37].

A diferencia de Italia, la tendencia antiformalista se ve en España dificultada, sin embargo, por el requisito establecido a la sazón en el art. 178 TRLSC que impone la concurrencia y a mayores la aceptación unánime *por los concurrentes*, lo que ha servido a parte de la doctrina[38] para exigir la aceptación unánime por la totalidad de los socios. Algo que se apoya precisamente en que *ex lege* el usufructo únicamente conlleva el traspaso del derecho al dividendo en el usufructuario,

---

sobre temas no inicialmente incluidos en el orden del día". Estando todos los socios presentes, no ha lugar a la infracción o sorpresa de la buena fe, mientras que la función habilitante de la preparación del socio se encontraría tutelada por el propio art. 2366, comma 4, cuando establece que los socios podrán negarse a deliberar sobre los asuntos para los que no se consideren preparados o con información suficiente.

37 Cfr. URÍA R., MENÉNDEZ A., *Los requisitos de convocatoria de la junta general de la Sociedad anónima*, cit., p. 9; también por MIRANDA SERRANO L.M. "La Junta Universal de accionistas o socios. Una propuesta de solución a la problemática que encierran los requisitos de universalidad de las juntas", *Revista de Derecho Mercantil*, cit., p. 140.

38 Fundamentalmente, como ya se indicó, GARCÍA-CRUCES J.A., "Capítulo V. Junta Universal", en GARCÍA-CRUCES J.A. y SANCHO GARGALLO I. (Dirs.) *Comentario de la Ley de Sociedades de Capital. Tomo III. Arts. 159-262. La Junta General y La Administración de la Sociedad*, cit.,p. 2535.

estando el resto de derechos del socio en el nudo propietario, salvo pacto en contrario. Así, del mismo modo que se exige la presencia y aceptación del socio sin voto para la validez de la junta universal, (se razona) se considera que es el nudo propietario a quien corresponde admitir la celebración de la junta universal, sin perjuicio de que no sea posteriormente él uno de sus protagonistas. Es más, sin perjuicio de que ni si quiera pueda asistir, al estar este derecho transferido al usufructuario.

IV. LA TEXTURA ABIERTA DEL MODELO ESPAÑOL: ENTRE LA FUNCIONALIDAD Y EL FORMALISMO

La redacción del art. 178 LSC debe, a la luz de lo expuesto, considerarse como una solución formalmente neutra a un problema de fondo, optando por una formulación que cabe tildarse de "textura abierta" y que permite sostener lo primero y lo contrario en punto a la válida constitución de la Junta Universal, posibilitando, en fin, plantear con correcta lógica jurídica ambas posturas. En particular, la clave de bóveda de esta ambigua construcción legal deriva, a nuestro entender, de la noción *concurrentes* que utiliza el precepto y que permite dos razonamientos contradictorios: a) el primero consiste en alinearse con el prof. GARCÍA-CRUCES y concebir que, como mecanismo de protección informativa del socio-nudo-propietario, éste debe ser *concurrente necesario* en la manifestación de voluntad consistente en aceptar la celebración de la Junta Universal y su orden del día[39]; b) el segundo planteamiento es concebir que si bien el usufructuario no es socio de la sociedad en el pleno sentido del término[40],

---

39 GARCÍA-CRUCES J.A., "Capítulo V. Junta Universal", en GARCÍA-CRUCES J.A. y SANCHO GARGALLO I. (Dirs.) *Comentario de la Ley de Sociedades de Capital*, cit., pp. 2552 y 2542; vid. también OTERO LASTRES J.M., "El requisito de la aceptación unánime en la Junta Universal de la sociedad anónima", AA.VV. *Derecho de Sociedades: libro homenaje al profesor Fernando Sánchez Calero*, Vol. I, MacGraw-Hill, 2002, pp. 1229-1244, p. 1233 y ss.

40 Cfr. PANTALEÓN PRIETO A.F. "Copropiedad, usufructo, prenda y embargo de acciones (artículos 66 a 73 de la LSA)", *Comentario al régimen legal*

se plantea una equivalencia funcional entre ambos cuando tiene el segundo estatutariamente cedidos los derechos políticos (o todos los derechos) correspondientes a la posición de socio[41].

Desde nuestro punto de vista, la correcta determinación de la disquisición requiere responder dos cuestiones, a saber: a) los efectos prácticos derivados de la atribución al nudo propietario de un derecho de veto sobre la deliberación de ciertos asuntos en junta universal; b) las consecuencias jurídicas que han de asignarse a la infracción del derecho de información que subsiste en el nudo propietario de títulos participativos derivada, precisamente, de la no homogeneidad de intereses a causa de la traslación de los derechos del socio a un tercero (en este caso usufructuario).

Sobre los efectos prácticos que materialmente se derivan de la postura que exige la concurrencia del nudo propietario para aprobar la celebración de la junta como universal, cabe decir que deja expedita la impugnación de los acuerdos bajo la contravención de las reglas esenciales de constitución del órgano que reconoce el art. 204.3.a LSC[42], defecto que ha llegado a ser considerado como una contravención del orden público[43], que, por tanto, puede ser objeto

---

de las sociedades mercantiles, cit., p. 84; PANTALEÓN PRIETO A.F., y PORTELLANO DÍAZ P., "Derechos reales sobre las participaciones sociales y adquisición de las propias participaciones sociales (artículos 35 a 42 LSRL), en URÍA R., MENÉNDEZ A. y OLIVENCIA M. *Comentario al régimen legal de las sociedades mercantiles,* cit. p. 260; PARRA LUCÁN Mª. A., "Art. 127. Usufructo de Participaciones Sociales o de Acciones" en GARCÍA-CRUCES GONZÁLEZ J.A. y SANCHO GARGALLO I., *Comentario de la Ley de Sociedades de Capital,* cit., p. 1809.

41 MIRANDA SERRANO L.M. "La Junta Universal de accionistas o socios. Una propuesta de solución a la problemática que encierran los requisitos de universalidad de las juntas", *Revista de Derecho Mercantil,* cit., p. 140; SAPSA 443/2023, de 11 de septiembre.

42 SANCHO GARGALLO I., "Capítulo IX La impugnación de Acuerdos. Art. 204. Acuerdos Impugnables", en GARCÍA-CRUCES J.A. y SANCHO GARGALLO I. (Dirs.) *Comentario de la Ley de Sociedades de Capital,* cit., pp. 2837-2873, p.2853.

43 Cfr. SST de 29 de septiembre de 2003, de 30 de mayo de 2007 y de 19 de julio de 2007, citadas por GARCÍA-CRUCES GONZÁLEZ J.A., "Capítulo V. Junta Universal. Comentario al art. 178 TRLSC", ROJO A. y BELTRÁN E.

de impugnación más allá del año de caducidad[44] y sin restricciones de legitimación.

Ahora bien, dada la cesión de facultades al usufructuario, se puede conjurar fácilmente este riesgo mediante una convocatoria de junta ordinaria, debidamente notificada e informada al nudo propietario, en la medida en que así pierde éste la facultad de "vetar" la celebración de la reunión y, con ella, la decisión, siendo entonces nuevamente el remedio a aplicar contra el acuerdo de junta general debidamente convocada la impugnación de los acuerdos sociales adoptados, esta vez, no por el defecto de procedimiento de convocatoria contrario al orden público, sino por ejercicio abusivo del derecho de voto por parte del usufructuario en perjuicio del nudo propietario, cauce que, como se verá más adelante acaba siendo el mismo al que reconduce el conflicto la otra postura doctrinalmente apoyada.

Debe reconocerse, empero, que la Ley impone, por el momento, la asistencia directa o mediante representación del socio-nudo-propietario para la válida celebración de la Junta Universal[45] y que, por tanto, no es función del juez corregir lo que es tarea propia del legislador[46]. *Sensu contrario,* debe considerarse que la textura abierta del

---

Comentario de la Ley de Sociedades de Capital, cit., p. 1280; también la STS de 19 de abril de 2010 comentada por PÉREZ MORIONES A. "Junta Universal y Orden público", *Estudios de Deusto,* cit., pp. 279-307; la lógica de este tratamiento, como explica SANJUÁN Y MUÑOZ E., "Capítulo IX. La impugnación de acuerdos. Comentario al art. 204 TRLSC", en PRENDES CARRIL P., MARTÍNEZ-ECHEVARRÍA Y GARCÍA DE DUEÑAS A. y CABANAS TREJO R. (Dirs.), *Tratado de Sociedades de Capital,* cit., p. 1203, se debe a que son acuerdos no adoptados porque ni si quiera se habría realizado (válidamente) la junta de socios.

44 PÉREZ MORIONES A. "Junta Universal y Orden público", *Estudios de Deusto,* cit., p. 280.

45 Se comparte la opinión por tanto de FARRANDO MIGUEL, I., "Examinando críticamente la regulación de la Junta universal en la Ley de Sociedades Anónimas", *Revista de Derecho Mercantil,* N. 262, 2006, pp. 1307-1354, p. 1327, y de BOQUERA MATARREDONA J., *La Junta General de las Sociedades Capitalistas,* Aranzadi, Navarra, 2008, p. 34.

46 Planteamiento que aparece, en fin, en el comentario de EMBID IRUJO J.M., "Posición jurídica de los usufructuarios de participaciones sociales

precepto impone la necesidad de interpretación, acto bajo el cual cabe llevar a cabo una lectura correctora, máxime cuando la vigencia del principio *iura novit curia,* permite al juzgador profundizar más allá de la realidad aparente a la redacción de un precepto ambiguo para desentrañar su auténtico sentido a la vista del caso concreto.

Cabe, por ello, plantearse si el usufructuario que cuenta con las facultades propias de la posición de socio cedidas en su favor (con el oportuno reconocimiento estatutario), no estaría, de facto, actuando como una suerte representante impropio del capital[47], lo que permite, en fin, resolver la situación "a la italiana", dentro, además, de la dicción literal del art. 178 LSC. Bajo esta perspectiva, lo que interesa verificar es que el socio tenga suficientes vías para resarcirse en caso de que la conducta representativa del usufructuario le irrogue perjuicios, algo que parece suficientemente cubierto de ordinario a través de la satisfacción de responsabilidad por la vía interna[48], esto es, en la relación usufructuario/nudo propietario, de la que derivaría, entre otros deberes impuestos por la lealtad que conlleva el disfrute de una *res* ajena, una obligación *ex fide bona* de información a quien es titular del derecho de participación en la sociedad[49].

En el orden externo de la relación socio/sociedad, la impugnación de los acuerdos por quien ostenta la posición de nudo propieta-

---

y acuerdos de la junta (universal)", Rincón de Commenda, 2024 (publicación on line).

47 Nunca del socio, cfr. PANTALEÓN PRIETO A.F., y PORTELLANO DÍAZ P., "Derechos reales sobre las participaciones sociales y adquisición de las propias participaciones sociales (artículos 35 a 42 LSRL), en URÍA R., MENÉNDEZ A. y OLIVENCIA M. *Comentario al régimen legal de las sociedades mercantiles. Régimen de las participaciones sociales en la sociedad de responsabilidad limitada,* Tomo XIV, Vol. 1.B, Civitas, 1999, pp. 213 y ss., p. 281.

48 GARCÍA VICENTE J.R. "Capítulo V. Copropiedad y Derechos Reales sobre Participaciones Sociales o Acciones. Comentario al art. 127 TRLSC", en ROJO A. y BELTRÁN E., *Comentario de la Ley de Sociedades de Capital,* cit., p. 1020.

49 PANTALEÓN PRIETO A.F., y PORTELLANO DÍAZ P., "Derechos reales sobre las participaciones sociales y adquisición de las propias participaciones sociales (artículos 35 a 42 LSRL), en URÍA R., MENÉNDEZ A. y OLIVENCIA M. *Comentario al régimen legal de las sociedades mercantiles,* cit., pp. 282-291, en especial pp. 286 y 291.

rio queda debidamente garantizada en tanto que titular legítimo de las acciones o participaciones sociales[50], que concurre en paralelo a la legitimación (variable[51]) del usufructuario[52]. La misma, en nuestra opinión, no debería plantearse tanto por defecto en la celebración de la junta[53], cuanto por infracción de los derechos de información y asistencia correspondientes (y subsistentes) al socio-nudo-propietario verdadera *ratio* de la doctrina que exige la necesaria comparecencia del nudo propietario para asentir en la celebración de la junta como

---

50 MASSAGUER FUENTES J., " Capítulo IX. La impugnación de acuerdos. Comentario al Art. 206 TRLSC", en JUSTE MENCÍA J. y RECALDE CASTELLS A. (coords.) *La Junta General de las Sociedades de Capital*, cit., p. 283

51 En función de si la impugnación se plantea en este caso como cesionario de los diferentes derechos del socio, en cuyo caso su posición es equiparable a la del socio, en tanto que titular funcional de la legitimación (ibid., pp. 283 y 284; PANTALEÓN PRIETO A.F., y PORTELLANO DÍAZ P., "Derechos reales sobre las participaciones sociales y adquisición de las propias participaciones sociales (artículos 35 a 42 LSRL), en URÍA R., MENÉNDEZ A. y OLIVENCIA M. *Comentario al régimen legal de las sociedades mercantiles,* cit., p. 288) o si concurre para defender su derecho al dividendo, en cuyo caso debe considerarse como tercero con interés legítimo (FERNÁNDEZ RUIZ J.L., "De nuevo en torno al usufructo de acciones", *Revista de Derecho de Sociedades*, cit., p. 140; también GARCÍA VICENTE J.R. "Capítulo V. Copropiedad y Derechos Reales sobre Participaciones Sociales o Acciones. Comentario al art. 127 TRLSC", en ROJO A. y BELTRÁN E., *Comentario de la Ley de Sociedades de Capital*, cit., p. 1020).

52 Una vez más, FERNÁNDEZ RUIZ J.L., "De nuevo en torno al usufructo de acciones", *Revista de Derecho de Sociedades*, cit., p. 140.

53 Ya que en este caso, se estaría impugnando la capacidad del órgano para adoptar acuerdos válidos, cfr. ALFARO ÁGUILA-REAL J., "Capítulo IX. La impugnación de acuerdos. Comentario al art. 204 TRLSC", en JUSTE MENCÍA J. y RECALDE CASTELLS A. (coords.) La Junta General de las Sociedades de Capital, cit., p. 737, con cita de la SAP de las Palmas de Gran Canaria de 23 de enero de 2020; invalidada de este modo la junta, los actos adoptados en ella devienen asimismo inválidos (cfr. CARBAJO CASCÓN F., *Los requisitos de convocatoria de la junta general de la Sociedad anónima,* Tecnos, Madrid, 1996, p. 11, en relación con la convocatoria de la Junta General; en el mismo sentido, ahora sí en relación con la Junta Universal, GARCÍA-CRUCES J.A., "Capítulo V. Junta Universal", en GARCÍA-CRUCES J.A. y SANCHO GARGALLO I. (Dirs.) *Comentario de la Ley de Sociedades de Capital*, cit., p. 2540.)

universal[54]. De este modo, el nudo propietario cuyos intereses se hayan visto lesionados de modo relevante y suficiente por un acuerdo adoptado en junta universal sin su conocimiento y consentimiento, puede impugnar el acto dimanante de la junta a fin de preservar sus intereses. Para ello, deberá acreditar la omisión indebida por parte del usufructuario en que se informe de la próxima celebración de la junta universal y de los acuerdos cuya adopción se pretende. Y, lo que es más relevante, la impugnación se somete al análisis de relevancia de la infracción, esto es, valorar que la omisión haya sido causalmente relevante en la adopción definitiva de la decisión perjudicial para sus intereses[55], lo que, en fin, parece limitar la impugnabilidad de los acuerdos sociales a aquellos escenarios en los que el usufructuario y la sociedad han actuado de mala fe en perjuicio de los intereses del nudo propietario, abusando de su incapacidad para concurrir a la junta y defender sus propios intereses[56].

Debe, entonces, demostrarse por el impugnante el carácter abusivo del acuerdo tomado en junta con su exclusión, lo que impone, al menos, acreditar el perjuicio irrogado como consecuencia no solo de su exclusión de la junta, sino del propio acuerdo adoptado. Esto en el caso de la SAPSA 443/2023 resulta doblemente complejo, por cuanto al estar privado de derecho de asistencia y voto, ostentados legítimamente por el usufructuario porque así lo establece el título constitutivo del usufructo y lo reconocen los estatutos de la sociedad, su intervención en la junta con voz pero sin voto poca influencia puede tener en la adopción de la decisión; todo lo más que cabe pensar es en la posible preterición de la decisión ante la negativa a

---

54 En la línea planteada por la STS 255/2016, de 19 de abril.

55 ALFARO ÁGUILA-REAL J., "Capítulo IX. La impugnación de acuerdos. Comentario al art. 204 TRLSC", en JUSTE MENCÍA J. y RECALDE CASTELLS A. (coords.) *La Junta General de las Sociedades de Capital*, cit., p. 746.

56 En consonancia con la definición de acuerdo social abusivo proporcionada por el prof. COUTINHO DE ABREU J.M., *Do Abuso de direito. Ensaio de um Critério em Direito Civil e nas Deliberações Sociais,* Almedina, Coimbra, 2006, p. 136: "*em regra, uma deliberação social é abusiva quando, sem violar específicas disposiões da lei ou dos estatutos da sociedade, és susceptível de causar ao(s) sócio(s) minoritário(s) um dano – a que corresponde, ou uma não desventagem, o uma vantagem para o(s) (sócio(s) maioritário(s) -, assim se contrariando o interesse social.*

la celebración de la junta como universal, lo que, a la postre, habría conducido a una convocatoria ordinaria de junta general en la que adoptar idéntica decisión. Como prueba la propia interposición de demanda de impugnación de acuerdo adoptado en junta universal, conocimiento tuvo (*ex post*, eso es cierto) tanto de la celebración de la junta universal, como de la adopción del acuerdo y, en particular, de su contenido, con lo que, a su vez, tampoco se habría visto privado de armas como consecuencia de su exclusión.

En cuanto al segundo aspecto a considerar, esto es, la abusividad del acuerdo en sí que fundamente la impugnación, debe ponerse en conocimiento del lector, que el acuerdo adoptado consistía en dejar sin efecto una decisión previa de junta consistente en la modificación de estatutos por medio de una ampliación de capital, adoptada en perjuicio de usufructuario y de socios minoritarios (quienes habían delegado el voto), adoptada por el socio administrador y otro socio mayoritario, cuyo objeto era generar nuevas participaciones sociales que, incrementando y reforzando su posición dentro de la sociedad (el administrador representante manifiesta la renuncia de los minoritarios a acudir, ejercitando el derecho de adquisición preferente, a la ampliación de capital), tiene por efecto práctico la eliminación del control de voto que por medio del usufructo con cesión de facultades de socio se había guardado para sí el socio saliente (y padre de los nudos propietarios). Y es que, siendo manifiesto el carácter abusivo del acuerdo antedicho, del que el impugnado es solo consecuencia lógica encaminada a dejarlo sin efecto restableciendo el *statu quo* del capital, parece difícil admitir que se irrogue por medio de él un perjuicio ilegítimo o injustificado en el impugnante.

Parece entonces que, aun con cierta vaguedad inherente a planteamientos generales para una cuestión necesariamente *ad hoc* como es esta, puede plantearse una regla general: cabe la impugnación del acuerdo social por ruptura de la unidad o comunidad en la posición existente entre usufructuario/nudo propietario, esto es, cuando el usufructuario aprovechando la incapacidad del nudo propietario para actuar en junta, adopte un acuerdo claramente perjudicial de los intereses compartidos inherentes a la posición conjunta; en cambio, cuando el disenso en el binomio usufructuario/nudo propietario sea una cuestión de homogeneidad en los intereses, parece que cabe limitar el remedio a la reclamación interna de responsabilidad por incumplimiento de los deberes impuestos directamente con la constitución del derecho real limitado en cosa ajena[57]/[58]. En estos casos, la valoración de la procedencia o no de la impugnación por ruptura de la unidad parece que debe discurrir separada de la determinación de los daños derivados de la infracción del deber de información y colaboración que impone el usufructo, lo que puede conducir a determinar, en el caso concreto de la SAPSA 443/2023, la no impugnabilidad del acuerdo, sin perjuicio de que pueda corresponder en favor del nudo propietario y a cargo del usufructuario una módica indemnización por los perjuicios derivados de la incapacidad del socio-nudo-propietario, de comparecer en la junta y defender el acuerdo anulado, sin voto pero con voz (extremo que no valora la sentencia, que sigue otros razonamientos en este punto); el perjuicio tendría razón de ser en la indefensión derivada de la incapacidad de haber comparecido y aportado las pertinentes explicaciones en cuanto a la racionalidad económica de la decisión adoptada cuya anulación se pretende.

Esta segunda solución transitaría el camino inverso a la postura italiana y reconoce, como hace el sistema Portugués, la necesidad de conceder una especial protección al nudo propietario en vistas a su relativo distanciamiento respecto de la vida social, si bien limitado a su real participación e interés en la sociedad, de modo que solo quepa la impugnación cuando su interés económico en la sustancia

---

57 Partiendo de los planteamientos de GARCÍA VICENTE J.R. "Capítulo V. Copropiedad y Derechos Reales sobre Participaciones Sociales o Acciones. Comentario al art. 127 TRLSC", en ROJO A. y BELTRÁN E., *Comentario de la Ley de Sociedades de Capital*, cit., p. 1020, para quien el usufructo constituye una comunidad no homogénea de intereses.

58 Y ello porque como considera ANGELICI C., "Della società per azioni – Le Azioni", en SCHLESSINGER P. (Dir.) *Il Codice Civile – Commentario art. 2346-2356*, cit. p. 196, el usufructario que ejercita el derecho de voto ejercita un derecho que es propio y en interés propio, no como representante o mandatario del nudo propietario, respecto del cual guarda un deber de información, de solicitar instrucciones y, en general, de lealtad derivado del propio deber de conservación de la cosa usufructuada.

de las participaciones se vea perjudicado[59]. Cuando se afecte un interés económico no estrictamente conectado con la sustancia de su partición en la sociedad, parece que el derecho real de usufructo y los deberes que impone a las partes pueda ser mecanismo adecuado para reequilibrar la situación[60].

V. BREVES CONCLUSIONES

El desenvolvimiento fáctico de las sociedades cerradas, especialmente de las sociedades familiares, caracterizadas por un alejamiento funcional de la formalidad societaria y por la imbricación de un entramado de relaciones personales y afectivas a las netamente societarias, hace que a menudo la realidad práctica desborde el sistema legal formal de Derecho de Sociedades, imponiendo una reconstrucción forzada de la situación al conjunto de protocolos legalmente exigidos.

Figuras de flexibilización y canalización de la tendencia antiformalista, como es la junta universal, a menudo se ven superadas por la presión del *factum* o tienen gran dificultad para dar una adecuada solución al caso, precisamente por la oscuridad inherente a una figura que la ley prevé como excepcional y que, por tanto, contempla sucintamente pero no desarrolla en profundidad. Este es el caso también del usufructo, configurado como una cuestión limitada al

---

59 COSTA ANDRADE M. "Usufruto e penhor de participações. Art. 23°" en COUTINHO DE ABREU J.M., *Código das Sociedades Comerciais em Comentário,* Vol. 1, cit., p. 387.

60 PANTALEÓN PRIETO A.F., y PORTELLANO DÍAZ P., "Derechos reales sobre las participaciones sociales y adquisición de las propias participaciones sociales (artículos 35 a 42 LSRL), en URÍA R., MENÉNDEZ A. y OLIVENCIA M. *Comentario al régimen legal de las sociedades mercantiles,* cit., pp. 282- 291, en especial p. 286; en línea con lo propuesto por QUIJANO GONZÁLEZ J., " El sistema de impugnación de acuerdos sociales: necesidad de una reforma", en AA.VV. *La Junta General de las Sociedades de Capital. Cuestiones Actuales,* cit., p. 81, en torno a la conveniencia de establecer mecanismos de restitución de los perjuicios sufridos por un socio como consecuencia de un acuerdo social no impugnable a causa de restricciones legales.

disfrute de la dimensión económica de la posición de socio (en España, al menos), es empleado de modo habitual como herramienta de control ante el cambio generacional en la Sociedad, escapando así a la lógica de la regulación y generando nuevamente dificultades en la reconducción del *factum* al *iuris* societario.

La SAPSA 443/2023, de 11 de septiembre, nos presenta un caso de singular complejidad añadida (no abarcada en su integridad por razones de espacio en esta aportación), de cuya respuesta depende además la entera realidad societaria al momento de conocer. En ella, las dos oscuras figuras, junta universal y usufructo de participaciones, se entrelazan de un modo realmente interesante, que obliga al operador a superar la letra de la ley, para descender al nivel del fundamento, a fin de dar una respuesta acorde a las necesidades de las partes y de justicia en el caso concreto.

En esta labor, hemos encontrado en el magisterio del jurista aquí homenajeado, el ilustre prof. Jorge Manuel Coutinho de Abreu, un arsenal inmejorable en el descenso y análisis de la *ratio iuris* de las instituciones jurídicas que componen el Derecho de Sociedades, como núcleo y corazón del Derecho Mercantil. Esperamos que lo trazado en estas páginas sirva de humilde tributo a sus inmensas y brillantes aportaciones.

VI. BIBLIOGRAFÍA

ALFARO ÁGUILA-REAL J., "Capítulo IX. La impugnación de acuerdos. Comentario al art. 204 TRLSC", en JUSTE MENCÍA J. y RECALDE CASTELLS A. (coords.) *La Junta General de las Sociedades de Capital. Comentario de los artículos 159 a 208 LSC*, Civitas, Navarra, 2022, pp.727-796.

ALFARO ÁGULA-REAL J. "Los problemas contractuales en las sociedades cerradas", *InDret: Revista para el análisis del Derecho*, 308, 2005, 22 pp.

BOQUERA MATARREDONA J., "La Reciente Jurisprudencia del Tribunal Supremo sobre los conflictos societarios en las sociedades familiares" en CAMISÓN ZAORNOZA C. y VICIANO PASTOR J. (Dirs.), *Dirección, Organización del Gobierno y Propiedad de la Empresa Familiar*, Tirant-lo-Blanch, Valencia, 2015, pp. 103-126.

BOQUERA MATARREDONA J., *La Junta General de las Sociedades Capitalistas*, Aranzadi, Navarra, 2008.

CAMPUZANO LAGUILLO A.B., “Las Sociedades Familiares”, en ORTEGA BURGOS E. *Tratado jurídico y fiscal de la empresa familiar,* Tirant-lo-Blanch, Valencia, 2021, pp. 15-91.

COSTA ANDRADE M. “Usufruto e penhor de participaçoes. Art. 23°” en COUTINHO DE ABREU J.M., *Código das Sociedades Comerciais em Comentário,* Vol. 1, Almedina, Coimbra, 2013, pp. 372-409.

COUTINHO DE ABREU J.M., *Curso de Direito Comercial,* Volume II, 8° Edición, Almedica, Coimbra, 2024.

COUTINHO DE ABREU J.M., “Deliberações unánimes e assembleias universais. Art. 54°”, en COUTINHO DE ABREU J.M., *Código das Sociedades Comerciais em Comentário,* Vol. 1, Almedina, Coimbra, 2013, pp. 642-647.

COUTINHO DE ABREU J.M., “Deliberações nulas. Art. 56°”, en en COUTINHO DE ABREU J.M., *Código das Sociedades Comerciais em Comentário,* Vol. 1, Almedina, Coimbra, 2013, pp. 655-668.

COUTINHO DE ABREU J.M., *Do Abuso de direito. Ensaio de um Critério em Direito Civil e nas Deliberações Sociais,* Almedina, Coimbra, 2006.

EMBID IRUJO J.M., “Posición jurídica de los usufructuarios de participaciones sociales y acuerdos de la junta (universal)”, *Rincón de Commenda,* 2024 (publicación on line).

ENCISO ALONSO-MUÑUMER M., “El protocolo familiar”, en ORTEGA BURGOS E. *Tratado jurídico y fiscal de la empresa familiar,* Tirant-lo-Blanch, Valencia, 2021, pp.127-158.

FARRANDO MIGUEL, I., “Examinando críticamente la regulación de la Junta universal en la Ley de Sociedades Anónimas”, *Revista de Derecho Mercantil,* N. 262, 2006, pp. 1307-1354.

FERNÁNDEZ RUIZ J.L., “De nuevo en torno al usufructo de acciones”, *Revista de Derecho de Sociedades,* N.° 24, 2005, pp. 121-137.

GALACHO ABOLAFIO A.F., *Transmisión y ejercicio separado de derechos del socio,* Marcial Pons, Madrid, 2020.

GARCÍA-CRUCES GONZÁLEZ J.A., “Capítulo V. Junta Universal”, en GARCÍA-CRUCES J.A. y SANCHO GARGALLO I. (Dirs.) *Comentario de la Ley de Sociedades de Capital. Tomo III. Arts. 159-262. La Junta General y La Administración de la Sociedad,* Tirant-Lo-Blanch, Valencia, 2021, pp. 2535-2557.

GARCÍA-CRUCES GONZÁLEZ J.A., “Capítulo V. Junta Universal. Comentario al art. 178 TRLSC”, ROJO A. y BELTRÁN E. *Comentario de la Ley de Sociedades de Capital,* Civitas, Navarra, 2011, pp.1286-1295.

GARCÍA VICENTE J.R. “Capítulo V. Copropiedad y Derechos Reales sobre Participaciones Sociales o Acciones. Comentario al art. 127 TRLSC”, en

ROJO A. y BELTRÁN E., *Comentario de la Ley de Sociedades de Capital*, Tomo I, Civitas, Navarra, 2011, pp. 1009-1050.

GARRIDO MELERO M., "Capítulo V. Copropiedad y derechos reales sobre participaciones sociales o acciones (art. 127)", en PRENDES CARRIL P., MARTÍNEZ-ECHEVARRÍA Y GARCÍA DE DUEÑAS A. y CABANAS TREJO R. (Dirs.), *Tratado de Sociedades de Capital: comentario judicial, notarial, registral y doctrinal de la ley de Sociedades de Capital*, Tomo I, (arts. 1 a 316), Aranzadi, Navarra, 2017, pp.735-742.

GONZÁLEZ FERNÁNDEZ B., "El derecho de separación previsto en el art. 348 bis LSC en el caso de acciones y participaciones sociales", *Revista de Derecho Bancario y Bursátil*, N.° 152, 2018, pp. 129-164.

LEÓN SANZ F.J. "La Junta General Universal" en AA.VV. *Estudios de Derecho de Sociedades y de Derecho Concursal. Libro en Homenaje al profesor Jesús Quijano González*, Universidad de Valladolid, 2023, pp. 427-443.

LEÓN SANZ F.J., "Capítulo V. Junta Universal" en JUSTE MENCÍA J. y RECALDE CASTELLS A. (coords.) *La Junta General de las Sociedades de Capital. Comentario de los artículos 159 a 208 LSC*, Civitas, Navarra, 2022, pp. 327-356.

MARTÍN ARESTI P., "Validez de una compraventa de acciones con reserva del vendedor de los derechos políticos", *Cuadernos Civitas de Jurisprudencia Civil*, N ° 92, 2013, pp. 449-472.

MARTÍNEZ-CORTÉS JIMENO J., "Conflictos más frecuentes en el marco de la empresa familiar y su prevención", *Cuadernos de Derecho y Comercio, número extraordinario*, 2017, pp. 765-851.

MASSAGUER FUENTES J., " Capítulo IX. La impugnación de acuerdos. Comentario al Art. 206 TRLSC", en JUSTE MENCÍA J. y RECALDE CASTELLS A. (coords.) *La Junta General de las Sociedades de Capital. Comentario de los artículos 159 a 208 LSC*, Civitas, Navarra, 2022, pp.817-848.

MIRANDA SERRANO L.M. "La Junta Universal de accionistas o socios. Una propuesta de solución a la problemática que encierran los requisitos de universalidad de las juntas", *Revista de Derecho Mercantil*, 243, 2002, pp. 71-200.

OTERO LASTRES J.M., "El requisito de la aceptación unánime en la Junta Universal de la sociedad anónima", AA.VV. *Derecho de Sociedades: libro homenaje al profesor Fernando Sánchez Calero*, Vol. I, MacGraw-Hill, 2002, pp. 1229-1244.

PANTALEÓN PRIETO A.F., y PORTELLANO DÍAZ P., "Derechos reales sobre las participaciones sociales y adquisición de las propias participaciones sociales (artículos 35 a 42 LSRL), en URÍA R., MENÉNDEZ A. y OLIVENCIA M. *Comentario al régimen legal de las sociedades mercantiles. Régimen de las participaciones sociales en la sociedad de responsabilidad limitada,* Tomo XIV, Vol. 1.B, Civitas, 1999, pp. 213 y ss.

PANTALEÓN PRIETO A. F., "Copropiedad, usufructo, prenda y embargo de acciones (artículos 66 a 73 de la LSA)", *Comentario al régimen legal de las sociedades mercantiles,* Tomo IV, Vol. 3, Civitas, 1992.

PARRA LUCÁN Mª. A., "Art. 127. Usufructo de Participaciones Sociales o de Acciones" en GARCÍA-CRUCES GONZÁLEZ J.A. y SANCHO GARGALLO I., *Comentario de la Ley de Sociedades de Capital,* Tomo II, Tirant-lo-Blanch, Valencia, 2021, pp. 1799-1818.

PEINADO GARCÍA J.I., "Abnegación y silencio en la sociedad mercantil (apuntes sobre los conflictos de interés entre el socio y su sociedad)", en GONZÁLEZ FERNÁNDEZ M.B. y COHEN BENCHETRIT A., Derecho de Sociedades. Revisando el Derecho de sociedades de capital, Tirant-lo-Blanch, Valencia, 2018,pp. 45-80.

PEÑAS MOYANO Mª. J., "Empresas Familiares y Prestaciones Accesorias" en AA.VV. *Estudios de Derecho de Sociedades y de Derecho Concursal. Libro en Homenaje al profesor Jesús Quijano González,* Universidad de Valladolid, 2023, pp. 627-637.

PÉREZ MORIONES A. "Junta Universal y Orden público", *Estudios de Deusto,* Vol. 59, N.º 2, 2011, pp. 279-307.

QUIJANO GONZÁLEZ J., "Órganos de gobierno de la empresa familiar", en AA.VV., *El patrimonio familiar, profesional y empresarial. Sus protocolos, constitución, gestión, responsabilidad, continuidad y tributación,* Vol. 6, Bosch, 2005, pp. 47-92.

SÁNCHEZ ÁLVAREZ, M. Mª., "Junta universal, remoción de administrador y re- presentación del socio", RODRÍGUEZ ARTIGAS F., *Derecho de Sociedades: comentarios de jurisprudencia,* Thomson Reuters Aranzadi, Navarra, 2010, pp. 1483-1484.

SANCHO GARGALLO I., "Capítulo IX La impugnación de Acuerdos. Art. 204. Acuerdos Impugnables", en GARCÍA-CRUCES J.A. y SANCHO GARGALLO I. (Dirs.) *Comentario de la Ley de Sociedades de Capital. Tomo III. Arts. 159-262. La Junta General y La Administración de la Sociedad,* Tirant-Lo-Blanch, Valencia, 2021, pp. 2837-2873.

SANJUAÑ Y MUÑOZ E., "usufructo de acciones y scrip dividends, una visión desde las estrategias de los interesados", en GONZÁLEZ FERNÁNDEZ Mª.B. y COHEN BENCHERTRIT A., *Derecho de Sociedades. Los derechos del socio,* tirant-lo-blanch, Valencia, 2020 pp. 289-307.

URÍA R., MENÉNDEZ A., *Los requisitos de convocatoria de la junta general de la Sociedad anónima,* Tecnos, Madrid, 1996.

VIERA GONZÁLEZ J., "Algunas reflexiones sobre «proyecto de Real Decreto regulador de la publicidad de los protocolos familiares y la empresa familiar»", *Revista de Derecho de Sociedades,* N.º 26, 2006, versión online, 12 pp.

SEGUNDA PARTE
DERECHO DE LA INSOLVENCIA

Continua renovación y supuesta mejora del régimen jurídico de la liquidación concursal

PEDRO J. RUBIO VICENTE
Catedrático de Derecho Mercantil
Universidad de Valladolid

RESUMEN

A pesar de la preferencia inicial del legislador por el convenio, la solución normal y habitual del concurso de acreedores es la liquidación. Esta realidad judicial ha llevado a la introducción de diversas modificaciones normativas con el propósito de anticipar la apertura de esta fase y agilizar sus operaciones. La ley 16/2022, de reforma del TRLC, incide de nuevo en este objetivo, simplificando y reduciendo trámites innecesarios. El resultado, aunque más aparente que sustancial, puede servir no obstante de pretexto para reducir los motivos de litigiosidad que han ralentizado su conclusión.

Palabras clave: concurso, liquidación, simplificación, litigiosidad.

ABSTRACT

Despite the legislator's initial preference for the agreement, the normal and usual solution to bankruptcy proceedings is liquidation. This judicial reality has led to the introduction of various regulatory modifications with the purpose of anticipating the opening of this phase and streamlining its operations. Law 16/2022 reforming the TRLC once again focuses on this objective, simplifying and reducing unnecessary procedures. The result, although more apparent than substantial, can nevertheless serve as a pretext to reduce the reasons for litigation that have slowed down its conclusion.

Keywords: *bankruptcy, liquidation, simplifying, litigation.*

I. CONSIDERACIONES PRELIMINARES

La novedosa previsión en la Ley 22/2003, de 9 de julio, *Concursal* (en adelante, LC), de un procedimiento único y flexible, capaz de proporcionar la mejor solución a la concreta situación de insolvencia del deudor, no ha conseguido los objetivos perseguidos con su instauración —satisfacción de los acreedores y eventual conservación de la empresa—.

Ninguna de las soluciones aplicables, convenio y liquidación, se corresponde en estos momentos con la idea inicial que tenía de ambas el legislador. Por otra parte, ni siquiera subsiste ya la proclamada unidad de sistema o de procedimiento, que tanto costó alcanzar con esta regulación y que supuso un punto de inflexión respecto al arcaico ordenamiento concursal previgente. Prueba de ello es la articulación de un novedoso procedimiento especial para microempresas en los arts. 685 y ss. del Texto Refundido de la Ley Concursal, de 5 de mayo de 2020 (en adelante, TRLC).

El apartado VI de la Exposición de Motivos de la LC de 2003 consideraba que la solución normal del concurso era el convenio, asignando a la liquidación, al menos sobre el papel, una participación subsidiaria o residual. La solución convencional se fomentaba en el articulado con la adopción de una serie de medidas encaminadas a favorecer la presentación de propuestas de convenio (propuesta anticipada de convenio —art. 104 LC—), abriéndose incluso esta fase con carácter preceptivo tras la conclusión de la fase común, a pesar de la ausencia inicial de propuestas, con la única excepción de que el concursado hubiera optado con anterioridad por la apertura de la fase de liquidación —art. 111 LC—. Lo que permitía hablar de la existencia de un *favor convenii* por parte del legislador[1].

---

1 No lo entiende así, sin embargo, ni bajo la vigencia de la LC ni del TRLC, VALPUESTA GASTAMINZA, E., "Comentario al art. 406 TRLC", en PULGAR EZQUERRA, J. (Dir.), *Comentario a la Ley Concursal*, 3ª ed., La Ley, Madrid, 2023, t. I, pp. 1829-1832; FORTEA GORBE, J. L., "Reglas especiales de Liquidación vs Reglas generales supletorias de Liquidación en la Reforma concursal", en VEIGA COPO, A. B. (Dir), *Perímetros de Insolvencia, Parámetros de Reestructuraciones*, Aranzadi, Madrid, 2024, pp. 452-453, aunque se centra sobre todo en la regulación del TRLC y se prescinde de la evolución nor-

La tozuda realidad de los concursos siempre ha sido ajena sin embargo a esta preferencia normativa, siendo en cambio la liquidación la solución normal y habitual, aplicable en la inmensa mayoría de los procedimientos concursales desde la vigencia de la LC[2].

A pesar de su predominio abrumador, esta solución tampoco ha sido capaz de alcanzar los objetivos propuestos ante el retraso en su aplicación y la lentitud e ineficiencia de su tramitación.

El fracaso de ambas soluciones no ha sido sin embargo patrimonio exclusivo de una incorrecta configuración normativa o de una equivocada preferencia legislativa ajena a la realidad. Sin perjuicio del amplio margen de mejora de su regulación, del que se ha ido ocupando con posterioridad el legislador en las sucesivas reformas, responde sin duda también a la difícil consecución de una solicitud tempestiva de la declaración de concurso, en ausencia de suficientes incentivos para ello, elevados costes y falta de dinamismo del procedimiento, así como de una adecuada política jurídica de prevención de la insolvencia[3].

---

mativa que ha experimentado la fase de liquidación desde la promulgación de la LC de 2003.

2 Anticipaba ya este escenario liquidativo tras la publicación de la LC de 2003, VELASCO SAN PEDRO, L. A., "Comentario al art. 148 LC", en PULGAR EZQUERRA, Juana y otros (Dir.), *Comentarios a la Legislación Concursal,* Dykinson, Madrid, 2004, t. II, p. 1323; ID., "El Plan de Liquidación y las Reglas legales supletorias en Liquidación en el Concurso", en JIMÉNEZ SÁNCHEZ, Guillermo Jesús (Coord.), *Estudios sobre la Ley Concursal. Libro Homenaje a Manuel Olivencia,* Marcial Pons, Madrid, 2005, t. V, p. 4878. En este mismo sentido, cabe destacar la referencia actual que se hace a esta cuestión en el apdo. I del Preámbulo de La Ley 16/2022, de 5 de septiembre, de reforma del TRLC, donde se evidencia como limitaciones de nuestro sistema de insolvencia el hecho de que "(...) los concursos se caracterizan por que la mayoría terminan en liquidación, y no en un convenio. En concreto, para las personas jurídicas, el 90% de las fases sucesivas lo son de liquidación.". No obstante, y a pesar de estas manifestaciones tampoco se puede obviar que la entrada en vigor de esta nueva regulación ha supuesto una considerable proliferación de concursos sin masa en los que ni siquiera se produce la apertura de la fase de liquidación.

3 Así lo entendían también, MENÉNDEZ MENÉNDEZ, A., "Hacia un nuevo Derecho Concursal. La Anticipación de la Apertura del Procedimiento", en *Anales de la Real Academia de Jurisprudencia y Legislación,* núm. 31, 2001,

Sea como fuere, y sin perjuicio de avanzar de forma muy tímida en esta última dirección con la introducción en el año 2009 y 2013 de los institutos preconcursales (acuerdos de refinanciación y acuerdos extrajudiciales de pagos, respectivamente), sustituidos por los vigentes planes de reestructuración, el legislador se centró fundamentalmente en el continuo rediseño de esta fase de liquidación, renunciando así de forma paulatina a la preferencia convencional. Dado que la realidad de las soluciones concursales era la liquidación, lejos de fomentar una declaración tempestiva del concurso, se embarcó en sucesivas reformas conducentes a anticipar cuanto antes la apertura de esta fase y agilizar su tramitación, desconociendo sin embargo la realidad sobre la que se proyectaban. Si bien es cierto que hay que evitar que al retraso en la solicitud de declaración de concurso se sume el retraso en la apertura de la fase de liquidación, también lo es que esto último depende casi en exclusiva de la voluntad y buen hacer del concursado, lo que puede reducir aún más las escasas expectativas de cobro de los acreedores[4].

---

pp. 403-404; RUBIO VICENTE, P. J., "Prevención de la Insolvencia y Propuestas de Reforma", en *Revista de Derecho Concursal y Paraconcursal*, núm. 4, 2006, pp. 187-191 y 206-207; HUALDE LÓPEZ, I., *La Fase de Liquidación en el Proceso Concursal (Apertura, Efectos y Operaciones de Liquidación)*, Aranzadi, Navarra, 2008, pp. 25-26; ALCOVER GARAU, G., "Aproximación al Régimen jurídico de la Liquidación anticipada", en *Revista de Derecho Concursal y Paraconcursal*, núm. 11, 2009, p. 77; incide también en la demora en la solicitud, FERNÁNDEZ SEIJO, J. Mª, "Notas sobre la Liquidación anticipada", en *Anuario de Derecho Concursal*, núm. 20, 2010-2, p. 239. Más recientemente, ALCOVER GARAU, G., "El Fracaso de la Normativa concursal", en *La Ley Mercantil*, núm. 118 (noviembre), 2024, edición electrónica, pp. 1-3, esp. esta últ., para quien "(...) el sistema concursal español introducido en la Ley Concursal ha sido un fracaso al no haberse cumplido ninguna de sus finalidades: lo que se ha señalado que pretendía el texto legal es diametralmente opuesto a lo que se ha obtenido en la práctica después de veinte años y de un sinfín de reformas: el procedimiento concursal es lento y dilatado en el tiempo; es casi siempre un procedimiento liquidatorio que, en las muy pocas ocasiones que finaliza con convenio, el convenio finalmente fracasa, y, en fin, ningún incentivo hay para que los acreedores insten el concurso necesario a fin de que los deudores se les adelanten con un concurso voluntario en el que aún puedan ofrecer algo".

4 PULGAR EZQUERRA, J., "Insolvencia: Conservación versus Liquidación", en GARCÍA VILLAVERDE, Rafael y otros (Dir.), *Estudios sobre el Anteproyecto*

Con este propósito no duda en introducir, a semejanza de lo que sucedía con la propuesta anticipada de convenio, un novedoso mecanismo de propuesta anticipada de liquidación por el deudor —art. 142 bis LC, a través del Decreto-ley 3/2009, de 27 de marzo—. Se facultaba así al deudor para presentar una propuesta anticipada de liquidación para la realización de la masa activa hasta los quince días siguientes a la presentación del informe de la administración concursal, adelantando de este modo su apertura y las operaciones de liquidación. Tras su estrepitoso fracaso, la anticipación de esta fase se reconduce en virtud de la Ley 38/2011, de 10 de octubre, a la previsión de una mayor amplitud del momento de presentación de la solicitud de apertura de esta fase a instancia del deudor, lo que hace ya innecesaria una distinción entre liquidación anticipada y ordinaria. A lo que se suma el aumento de los sujetos legitimados para solicitar su apertura, confiriendo también a la administración concursal esta posibilidad, si bien en unos supuestos tan limitados que difícilmente puede contrarrestar el excesivo voluntarismo del que depende aquella ampliación temporal en manos del deudor. En otro orden de cosas, se aprovecha asimismo para realizar ligeros retoques en la regulación de los efectos de la apertura de esta fase sobre la persona del deudor —art. 145 LC— y en el régimen del plan de liquidación —art. 148 LC— y reglas legales supletorias —art. 149 LC—, al objeto de solventar errores detectados en su aplicación y suplir ciertas lagunas en su diseño originario, permaneciendo el resto de los preceptos inalterados.

El último hito normativo en esta cascada de reformas de la fase de liquidación está representado por la Ley 16/2022, de 5 de sep-

---

de Ley Concursal de 2001, Dilex, Madrid, 2002, pp. 99-100; ID., "Las Soluciones al Concurso de Acreedores: el Convenio y la Liquidación", en ALONSO UREBA, Alberto y otros (Dir.), *Derecho Concursal. Estudio sistemático de la Ley 22/2003 y de la Ley 8/2003, para la Reforma Concursal,* Dilex, Madrid, 2003, págs. 481-482; GALLEGO SÁNCHEZ, E., "Comentario al art. 142 LC", en GALLEGO SÁNCHEZ, Esperanza (Coord.), *Ley Concursal —Comentarios, Jurisprudencia y Formularios—*, La Ley, Madrid, 2005, t. II, pp. 411 y 415; HUALDE LÓPEZ, I., *La Fase...*, cit., págs. 28-29, 37, 39-41; GUTIÉRREZ GILSANZ, A., "La Liquidación concursal anticipada", en *Revista de Derecho Mercantil,* núm. 274, 2009, pp. 1277-1278.

tiembre, por la que se reforma el TRLC, para incorporar a nuestro ordenamiento jurídico la Directiva 2019/1023, de 20 de junio, sobre marcos de reestructuración preventiva, exoneración de deudas e inhabilitaciones. Aunque no constituyen exigencias expresas de la Directiva, las modificaciones introducidas en la fase de liquidación responden al objetivo general que inspira esta disposición de consecución de una mayor eficiencia y agilización del procedimiento concursal, lo que se traduce en una importante reducción y simplificación de trámites. Con ellas se abandona definitivamente el favor del convenio y aquella visión ideal o poco realista que tenía el legislador sobre los concursos de acreedores[5].

El giro regulatorio de esta fase, enmarcado además en un proceso más amplio y coordinado de potenciación simultánea de las soluciones preconcursales —planes de reestructuración—, causante de un nuevo modelo normativo de insolvencia, se antoja al menos sobre el papel sumamente relevante. No sólo afecta a las disposiciones que regulan las operaciones de liquidación, suprimiendo trámites y mitigando eventuales retrasos procesales, al detectarse que la elaboración y aprobación judicial de un plan de liquidación era uno de los momentos retardatarios de esta fase —apdo. VI Preámbulo Ley 16/2022—. También afecta sobre todo a la configuración misma de esta fase, erigiéndose a partir de este momento en la fase prioritaria o preferente de apertura tras la conclusión de la fase común. A diferencia de lo que sucedía bajo el régimen jurídico anterior, en el que se abría la fase de convenio tras la fase común, aun cuando no se hubieran presentado propuestas de convenio hasta ese momento —art. 111 LC—, no penalizando la inacción de las partes y favoreciendo de este modo el retraso de la liquidación, el nuevo art. 296 bis TRLC dispone ahora el fin de la fase común tras la presentación del informe de la administración concursal y la simultánea apertura de la fase de liquidación a no ser que se hubiera presentado propuesta de convenio. En términos semejantes se expresa el art. 340 TRLC,

---

[5] FACHAL, N., "Las Operaciones de Liquidación concursal", en *Anuario de Derecho Concursal*, núm. 59 (enero-febrero), 2023, edición electrónica, apdo. I, p. 4; FORTEA GORBE, J. L., "Reglas especiales...", cit., pp. 451 y 453.

acordando la apertura de la fase de liquidación en caso de falta de presentación de propuestas de convenio. Sin embargo, mientras que en aquel precepto se atribuye esa competencia al letrado de la administración de justicia mediante decreto, en este último corresponde al juez, de oficio, mediante auto, lo que parece evidenciar una falta de coordinación entre ambas disposiciones.

Las modificaciones y nueva configuración normativa de esta fase no se circunscriben al concurso de acreedores. La Ley 16/2022 también ha provocado una quiebra del principio de unidad de sistema o procedimiento que regía la LC de 2003, al introducir un nuevo procedimiento especial para las microempresas en el libro III del TRLC —arts. 685 y ss. TRLC—, no previsto sin embargo en la Directiva.

La necesidad de dar una respuesta más eficaz y adaptada a las particularidades de este tipo de empresas demanda una solución específica para sus situaciones de insolvencia; exigencia que desemboca también en la articulación de un singular procedimiento de liquidación —arts. 705 y ss. TRLC—, dotado de características propias y particularidades que contrastan y se desvían de las que rigen el concurso de acreedores.

II. APERTURA DE LA FASE DE LIQUIDACIÓN: LEGITIMACIÓN Y PUBLICIDAD

Ambos aspectos apenas han sufrido modificaciones sustanciales con la Ley 16/2022. Se mantiene la amplitud y automaticidad de la legitimación a instancia del deudor —arts. 406 y 407 TRLC—, la limitada y selectiva legitimación de la administración concursal —art. 408 TRLC—, y la legitimación de oficio por el juez del concurso a modo de cierre del sistema —art. 409 TRLC—.

La mayor novedad es la supresión de la legitimación que se reconocía hasta este momento con carácter subsidiario y genérico a los acreedores, cuando, durante la vigencia de un convenio, el concursado que conociera la imposibilidad de cumplir los pagos comprometidos y las obligaciones contraídas no solicitara la liquidación y se acredite la existencia de alguno de los hechos o indicios que pueden fundamentar la declaración de concurso —originario art. 407.2, TRLC—.

1. Apertura a instancia del deudor

La aplicación de la solución más adecuada a la concreta situación económica no se puede demorar. Del mismo modo que es deseable la celebración de un convenio en caso de empresa viable, cuando suceda todo lo contrario no parece lógico forzar la búsqueda de esta solución convencional y proceder cuanto antes a la liquidación de la masa activa. Pretender recuperar lo inviable no sólo está abocado al fracaso, sino que además es un motivo adicional de agravación de la irreversible situación económica[6].

Este razonamiento es precisamente el que ha llevado al legislador, ya desde la Ley 38/2011, de 10 de octubre, de reforma de la LC, a facilitar al máximo la apertura de la fase de liquidación. Lo ha hecho fundamentalmente poniendo el acento en la voluntad del deudor. En este sentido, el art. 406 TRLC faculta a este sujeto para pedir la apertura de la fase de liquidación *en cualquier momento,* constituyendo su solicitud un motivo suficiente para que el juez proceda en todo caso y de forma automática a la apertura de la fase de liquidación dentro de los diez días siguientes —*el juez dictará auto abriendo la fase de liquidación*—. A la vista de sus limitados términos, esta solicitud no parece por tanto que tenga que estar justificada ni necesita tampoco autorización de la administración concursal. Asimismo, ni se da traslado a este órgano ni a los acreedores. Y, en última instancia, el juez no puede entrar a valorar su oportunidad. En consecuencia, sólo depende de la exclusiva voluntad del deudor[7].

---

6 En idéntico sentido, PULGAR EZQUERRA, J., "Insolvencia...", cit., p. 102; ID., "Las Soluciones...", cit., p. 485; VELASCO SAN PEDRO, L. A., "Comentario al art. 142...", cit., p. 1323; ID., "El Plan...", cit., p. 4878.

7 VALPUESTA GASTAMINZA, E., "Comentario al art. 406 TRLC...", cit., pp. 1835-1836; 1835; FACHAL, N., "Las Operaciones...", cit., apdo. II.1, pág. 4; DE CASTRO ARAGONÉS, J. M., "La Liquidación concursal tras la Reforma de la Ley 16/2022, de 5 de septiembre. Aplicación práctica", en *Revista General de Insolvencias & Reestructuraciones,* núm. 12, 2024, p. 323.

Ya no se trata, por tanto, de una simple propuesta anticipada de liquidación, que debía ser valorada en último término por el juez, sino de una apertura automática e inmediata en todos los supuestos[8].

La efectividad de esta medida sigue, sin embargo, dependiendo en exceso de la voluntad del deudor —*podrá pedir*—, situándose al margen por tanto de cualesquiera circunstancias objetivas concurrentes en el concurso, lo que puede ser un motivo de eventuales defectos y excesos, al menos en abstracto. Se confía en el buen hacer y responsabilidad del concursado allí donde esta solución sea estrictamente necesaria o simplemente conveniente para el interés del concurso. No obstante, se incurre en el defecto que caracterizaba a la liquidación anticipada, permitiendo al deudor abstenerse incluso en escenarios económicos en los que ésta es la única solución factible, al configurarse como una mera facultad. Una cosa es que la realidad de los concursos sea la liquidación y se defienda su rápida apertura y otra muy distinta que se vaya a instar de forma voluntaria por el deudor cuando sea la única solución aplicable. Por otro lado, como la solicitud no se subordina a ninguna circunstancia económica objetiva, como puede ser la viabilidad o no de la actividad económica, no sólo se desvanece la oportunidad de celebración de un convenio, sino que desde otra perspectiva también se puede utilizar la intimidación de una liquidación no deseada para lograr su celebración forzosa[9]. Lo mismo sucede con el automatismo judicial que provoca, al prescindir su apertura de cualquier tipo de valoración preliminar sobre las circunstancias objetivas concurrentes y de la posibilidad de formular observaciones u objeciones por parte de otros sujetos[10].

En contrapartida a la amplitud con la que se configura esta facultad del deudor, subsiste sin embargo el deber a cargo de este sujeto

---

8 ARIAS VARONA, J., "La Reforma de la Ley Concursal en Materia de Liquidación y Procedimiento abreviado", en *Revista de Derecho Concursal y Paraconcursal*, núm. 15, 2011, p. 95.

9 PULGAR EZQUERRA, J., "Insolvencia...", cit., pp. 100-101; ID., "Las Soluciones...", cit., pp. 482-283 y 485

10 No lo entienden así, sin embargo, ARIAS VARONA, F. J., "La Reforma...", cit., p. 95; VALPUESTA GASTAMINZA, E., "Comentario al art. 406 TRLC...", cit., p. 1837, considerando en cambio razonable y acertado este proceder si ésa es la voluntad del deudor.

de solicitar la apertura de la liquidación, pero circunscrito únicamente al caso concreto de conocimiento durante la vigencia de un convenio de la imposibilidad de cumplimiento, ya sea de los pagos comprometidos en él por deudas anteriores o de las nuevas obligaciones contraídas con posterioridad a su aprobación —art. 407 TRLC—. Al margen de esta específica previsión, no existe sin embargo ningún otro supuesto de solicitud forzosa, incluso aunque el deudor pueda tener la certeza de antemano de que no va a ser posible la celebración de un convenio, lo que debería abogar también por su expresa inclusión a fin de no retrasar de forma injustificada la liquidación[11].

La aprobación del TRLC, de 5 de mayo de 2020, supuso la supresión en el nuevo art. 407.1 del automatismo judicial que también regía en estos casos la apertura de la fase de liquidación. Al igual que en el supuesto de solicitud voluntaria, el derogado art. 142.2 LC señalaba que "Presentada la solicitud, el juez dictara auto abriendo la fase de liquidación", extremo que resultaba excesivo, al no parecer exigir ningún tipo de justificación de esa imposibilidad de cumplimiento del convenio ni contemplar tampoco una eventual oposición en su caso por parte de los acreedores[12].

A pesar de la desaparición de este automatismo judicial del nuevo art. 407, lo que permite pensar en una necesaria justificación y valoración judicial, subsisten las dudas iniciales acerca del plazo que ha de respetar el deudor para pedir en estos casos la apertura de la liquidación a la vista del silencio de la norma, lo que genera inseguridad jurídica[13]. La ausencia de un plazo concreto podría llevar a pensar por analogía en la aplicación del plazo de dos meses dispuesto en el art. 5.1 TRLC para que el deudor insolvente cumpla con su deber de solicitar la declaración de concurso desde que conoció o debió conocer su situación de insolvencia. En la medida en que ahora se

---

11 En este sentido, BELTRÁN, E., "Comentario al art. 142 LC", en BELTRÁN, Emilio y ROJO, Ángel (Dir), *Comentario de la Ley Concursal*, Civitas, Madrid, 2004, t. II, p. 2299.

12 GALLEGO SÁNCHEZ, E., "Comentario al art. 142...", cit., p. 418; SACRISTÁN REPRESA, M., "Comentario al art. 142...", cit., pp. 1296-1297; HUALDE LÓPEZ, I., *La Fase...*, cit., pp. 96 y 125.

13 Crítico, ya, con esta omisión, SACRISTÁN REPRESA, M., "Comentario al art. 142...", cit., pp. 1295 y 1301-1302.

contempla en el nuevo art. 445 bis.3.2 TRLC el supuesto de incumplimiento del deber de solicitar la liquidación de la masa activa como una presunción *iuris tantum* de incumplimiento culpable del convenio, no cabe duda de que este incumplimiento facilitará la prueba de la culpabilidad. Por este motivo parece que serán los sujetos legitimados para defender esta presunción quienes deberán demostrar el conocimiento del deudor de la imposibilidad de cumplir el convenio a partir de un determinado momento sin que se haya instado por su parte la apertura de esta fase[14].

En relación con el cumplimiento de este deber, la LRTRLC también suprime ahora de esta misma disposición la legitimación subsidiaria que se reconocía a cualquier acreedor, ya fuera por tanto concursal o contra la masa, para solicitar la apertura de la fase de liquidación cuando, durante la vigencia del convenio, el concursado no solicitara la liquidación y se acreditarse la existencia de alguno de los hechos que pueden fundamentar la declaración de concurso —art. 407.2 TRLC, derogado—. En estos casos el juez resolvía sobre la solicitud mediante auto, previa audiencia del concursado, la procedencia o no de su apertura. Se les facultaba en consecuencia para pedir la liquidación cuando el concursado incumpliera el deber de hacerlo y, a diferencia de lo que sucedía con la legitimación del deudor, el juez no estaba vinculado de forma automática a proceder a su apertura. La exigencia de tener que esperar a que el deudor no lo solicite y acreditar además alguno de los hechos reveladores que permiten fundamentar la declaración de concurso, referidos al momento de vigencia del convenio, dificultaba su aplicación en detrimento de la tutela de los acreedores[15]. En este sentido, aunque hubo intentos durante la tramitación parlamentaria de la Ley 38/2011, de 10 de octubre, de reforma de la LC, de eliminar tales exigencias, fracasaron.

---

14 En este sentido, FACHAL, N., "Las Operaciones...", cit., apdo. II.2.1, p. 5. Se abogaba ya por la tipificación de esta presunción para fomentar precisamente su rápido cumplimiento, en BELTRÁN, E., "Comentario al art. 142...", cit., pp. 2309-2310.

15 Críticos ya con esta exigencia, GALLEGO SÁNCHEZ, E., "Comentario al art. 142...", cit., p. 419; SACRISTÁN REPRESA, M., "Comentario al art. 142...", cit., pp. 1303-1304; MANZANO CEJUDO, M. A., "La Liquidación...", cit., p. 630; HUALDE LÓPEZ, I., *La Fase...*, cit., pp. 132-133.

Ahora, sin embargo, se va más allá y se suprime incluso esta facultad. No sólo se abandona así profundizar en el establecimiento de estímulos para anticipar la apertura de la fase de liquidación, facilitando las solicitudes de los acreedores, sino que desaparece de forma inexplicable la limitada posibilidad residual que ya existía. Más aún, cuando en estos casos de incumplimiento del convenio por parte del deudor tampoco se reconoce la posibilidad de apertura de oficio de la liquidación, al tener que ser instado previamente el incumplimiento por un acreedor afectado, o al menos a instancia de la administración concursal al haber cesado desde la eficacia del convenio y no estar comprendida esta facultad tampoco entre las que aún puede conservar a pesar del cese —art. 395.3 TRLC—.

A partir de este momento a los acreedores sólo les queda la posibilidad de solicitar con carácter previo la declaración de incumplimiento del convenio en lo que les afecte, estando legitimado para ello únicamente el acreedor o acreedores que se vean afectados por el incumplimiento —art. 402 TRLC—, frente a la genérica legitimación anterior[16]. Declarado por resolución judicial firme el incumplimiento del convenio, la apertura de la fase de liquidación se acordará en la propia resolución judicial que la ha motivado y se hará efectiva una vez que adquiera firmeza —arts. 409.1.5ª y 409.2 TRLC—. Los titulares de créditos no afectados por el convenio —créditos privilegiados no sujetos al convenio— o de créditos contra la masa pierden así la legitimación para solicitar la apertura de la liquidación. Ante la falta de impago de sus créditos sólo les queda la posibilidad de ejercitar acciones judiciales para reclamar su pago, pero existen dudas sobre el órgano judicial competente para ello, en la medida en que

16 PÉREZ-BUSTOS MANZANEQUE, A., *La Liquidación Concursal tras la Reforma de la Ley 16/2022 de 5 de septiembre,* Tirant lo Blanch, Valencia, 2022, p. 20; FACHAL, N., “Las Operaciones…”, cit., apdo. II, 2.2, p. 6; DE CASTRO ARAGONÉS, J. M., “La Liquidación…”, cit., pp. 323-324, considerando que de este modo se otorga al concursado más posibilidades de defensa, al ser aquel un procedimiento más sumario existiendo sólo una previa audiencia al concursado; FORTEA GORBE, J. L., “Reglas especiales…”, cit., p. 407.

la ley guarda silencio sobre este aspecto cuando se ha producido la aprobación judicial del convenio[17].

2. *Apertura a instancia de la administración concursal*

Al lado de la legitimación del deudor, se mantiene intacto el régimen jurídico de la legitimación de la administración concursal —art. 408 TRLC—. El propósito de anticipar cuanto antes las operaciones de liquidación llevó ya al legislador de Ley 38/2011, de 10 de octubre, de reforma de la LC, a ampliar el elenco de los sujetos legitimados, reconociendo a este órgano la posibilidad también de solicitar su apertura, si bien con un reducido ámbito de aplicación práctica. Sólo en el caso de cese total o parcial de la actividad profesional o empresarial del concursado.

A pesar de su limitado alcance, esta previsión normativa sirve para contrarrestar en alguna medida el excesivo voluntarismo que preside la legitimación del deudor, atajando así un eventual e injustificada inactividad del deudor en los supuestos contemplados. Cabe pensar que en casos de cese total o parcial de la actividad existen serios inconvenientes para alcanzar un convenio, motivo por el cual no debería demorarse la apertura de la fase de liquidación. No obstante, y a fin de no generalizar una respuesta, la solicitud de la administración concursal reviste carácter facultativo, a fin de que pueda valorar en este tipo de situaciones el interés del concurso. No en vano, su actuación siempre debe estar presidida por el interés del concurso. Lo que no aclara el precepto es si esta facultad existe en todos los supuestos de cese de la actividad, ya sea anterior o posterior a la declaración de concurso, y con independencia de su causa. La ausencia de un deber equivalente a cargo del deudor en este tipo de situaciones parece abogar a favor de una interpretación amplia a fin de obviar la inacción del deudor. Tampoco se dice nada acerca del momento para presentar esta solicitud. Evidentemente, dependerá de cuándo se ha producido el cese de la actividad, pero no se dispone ningún plazo para ello a partir de ese instante. En todo caso, cabe entender que

---

17 En este sentido, recogiendo argumentos a favor y en contra del juez del concurso, FACHAL, N., "Las Operaciones...", cit., apdo. II, 2.2, p. 6.

podrá hacerse en cualquier momento a lo largo de la tramitación del procedimiento, antes por supuesto de que se produzca la apertura de oficio de la liquidación al carecer ya de sentido.

Al objeto de valorar la concurrencia del supuesto y la adecuación de la liquidación en estos casos, la solicitud formulada por la administración concursal se traslada al deudor por un plazo de tres días. Esto hace presumir la existencia de una fase contradictoria, pudiendo en consecuencia hacer alegaciones o formular oposición, aunque el precepto no diga nada al respecto, limitándose simplemente a apuntar el traslado de la solicitud[18]. En este mismo sentido, se prevé que el juez resolverá sobre la solicitud mediante auto dentro de los cinco días siguientes, existiendo así un cierto margen de actuación a la decisión judicial frente al automatismo judicial que rige la legitimación del deudor.

Nada se dice tampoco en la norma tras la reforma acerca de la posibilidad de recurrir o no este auto. No obstante, en la medida en que ni se excluye de forma expresa la posibilidad de recurso ni se admite la específica interposición de un recurso de apelación, cabría concluir que esta resolución judicial sería susceptible de un recurso de reposición[19].

Dada la objetividad que introduce la intervención de la administración concursal en su actuación, es una lástima que no se haya aprovechado esta reforma para ampliar las posibilidades de intervención de este órgano en la solicitud de apertura de la fase de liquidación y extender su aplicación a otros supuestos en los que concurran factores que indiquen un futuro escenario liquidativo —extinción inicial de las relaciones laborales, ejecuciones separadas sobre bienes relevantes— o en los que simplemente se hayan suspendido al deudor las facultades de administración y disposición y se estime a la vista de la situación patrimonial del concursado que no es viable, sin perjuicio de la posibilidad de oposición por parte de este sujeto[20].

---

18 Así, ARIAS VARONA, F. J., "La Reforma...", cit., p. 96.

19 DE CASTRO ARAGONÉS, J. M., "La Liquidación...", cit., p. 324.

20 FERNÁNDEZ SEIJO, J. Mª, "Notas...", cit., nota núm. 2. Asimismo, si bien con un alcance mayor aún, ALCOVER GARAU, G., "El Fracaso...", cit., p. 4, abogando con carácter general por potenciar la labor del administrador

3. Apertura de oficio

La apertura de la fase de liquidación no sólo se produce a instancia de parte, como sucede en el caso del deudor y de la administración concursal, también se prevé de oficio por el juez del concurso —art. 409 TRLC—. Su régimen jurídico se mantiene también casi intacto tras la LRTRLC. Lo único que se ha hecho es introducir puntuales correcciones formales a la redacción de algunos de sus apartados a fin de adaptar los términos de los supuestos ya tipificados que provocan esta apertura a las nuevas modificaciones introducidas por la LRTRLC en el resto de aspectos del procedimiento concursal (supresión de la junta de acreedores y tramitación escrita del convenio y modificación de su sistema de aprobación). Y, por otro lado, añadir la posibilidad de recurrir la resolución judicial que se dicte en todos estos casos[21].

Todos los motivos de apertura de oficio responden a supuestos de fracaso o frustración del convenio. Esto es lo que sucederá, en primer lugar, cuando no se haya presentado dentro del plazo legal ninguna propuesta de convenio o no hayan sido admitidas a trámite las que se hubieran presentado. O bien cuando no se haya aceptado por los acreedores ninguna propuesta de convenio. Se suprime en este caso la referencia que se hacía a la aceptación en junta de acreedores o en la tramitación escrita. Lo mismo sucede cuando se haya rechazado por resolución judicial firme el convenio aceptado por los acreedores, suprimiéndose de nuevo las referencias que también se hacían a la junta de acreedores y a la tramitación escrita. Y, por último, cuando se haya declarado por resolución judicial firme el incumplimiento del convenio.

---

concursal, abandonando su configuración pasiva, y ampliar sus funciones. En este sentido, considera que "(...) debería analizar la situación global de la concursada y, si estima posible un convenio "cumplible", se le deberían dotar de facultades legales para, de forma activa, acercar a las partes, deudor y acreedores, a fin de que lleguen a un convenio. Si no lo estima viable, a la vista de la situación patrimonial y financiera del concursado, debería tener la facultad de solicitar de inmediato la liquidación y, si ve viable la venta de una o varias unidades productivas, adoptar de nuevo una actitud activa a fin de que estas puedan llegar a buen término".

21 DE CASTRO ARAGONÉS, J. M., "La Liquidación...", cit., pp. 324-325.

Al igual que sucedía en la regulación precedente, en los dos primeros supuestos la apertura de la fase de liquidación se acordará mediante auto, que se notificará al concursado, administración concursal y a todas las partes personadas. En el resto de los casos se acordará en la propia resolución judicial que la motive, ya sea por rechazo o incumplimiento, y se hará efectiva una vez que adquiera firmeza.

La novedad más importante en este punto hace referencia sin embargo a la inclusión de un expreso pronunciamiento acerca de la posibilidad de recurso frente a la resolución judicial que se dicte por el juez, supliendo así el silencio que existía sobre este extremo tanto en la LC de 2003 como en el TRLC de 2020 antes de la LRTRLC. Con este motivo se adiciona un nuevo tercer apartado al art. 409 TRLC, en el que se señala que, contra el auto o la sentencia, según los casos, de apertura de la fase de liquidación, el concursado podrá interponer recurso de apelación. Previsión sorprendente, si de lo que se trataba con la reforma era de conseguir una mayor eficiencia y agilidad del procedimiento, ante el previsible retraso provocado por la resolución de los eventuales recursos, al incurrir así el legislador en un motivo dilatorio más que es precisamente lo que se pretende evitar[22]. Nada se dice, en cambio, respecto al eventual efecto suspensivo de la presentación de este recurso, por lo que cabe entender que no lo tiene y, en consecuencia, el administrador concursal podría iniciar las operaciones de liquidación. No obstante, al no existir una resolución firme, este hecho puede retraer el comienzo de tales operaciones. Por otro lado, tampoco se puede descartar una solicitud por parte del concursado instando la adopción de medidas cautelares a fin de evitar consecuencias negativas del inicio de la realización de ciertos activos relevantes[23].

4. Publicidad

La referencia que se hace a la publicidad de la fase de liquidación también permanece inalterada. El art. 410 TRLC reconoce a la reso-

---

22 Un rechazo total también a esta novedad legislativa, en FORTEA GORBE, J. L., "Reglas especiales…", cit., p. 458.

23 DE CASTRO ARAGONÉS, J. M., "La Liquidación…", cit., p. 325.

lución judicial que declare esta apertura la misma publicidad que a la del auto de declaración del concurso. Ello, además, con independencia de que se produzca a instancia de parte o de oficio, eliminándose a estos efectos publicitarios ya desde la Ley 38/2011, de 10 de octubre, de reforma de la LC, toda referencia o precisión que se hacía al origen o causa de la resolución judicial. Por su parte, el TRLC ya suprimió la expresa indicación que se hacía también en esta disposición a los preceptos que regulaban la publicidad de la declaración de concurso, manteniéndose ahora una exclusiva y genérica alusión a la publicidad que se haga del auto de declaración de concurso sin especificar los preceptos que la regulan —arts. 35 a 37 TRLC—.

III. EFECTOS DE LA APERTURA

La LC de 2003 supuso una reordenación de los efectos jurídicos que derivaban de la previgente declaración de quiebra. Frente a esta regulación, en la que la apertura de la fase de liquidación sólo implicaba la realización de las operaciones propias de esta actividad, se confían algunos de aquellos efectos en exclusiva a esta fase y se precisan al mismo tiempo las particularidades, desviaciones y especialidades que experimentan algunos de los que rigen hasta este momento.

Tras la LRTRLC, la apertura de la fase de liquidación sigue produciendo los mismos efectos generales que ya se preveían en la LC y en el TRLC. En este sentido, el art. 411 TRLC declara la vigencia durante la fase de liquidación de las normas contenidas en el Título III del Libro I del TRLC, en cuanto no se opongan a las específicas del presenten capítulo. En otros términos, siguen siendo de aplicación los mismos efectos sobre el deudor, las acciones, los créditos y los contratos que derivan de la declaración de concurso, con la única salvedad de que no resulten contradictorios con las específicas previsiones contempladas en cada caso para esta fase. La disposición de unos efectos específicos con ocasión de la apertura de la fase de liquidación, que atienden a las singularidades y fines específicos de esta fase, no supone la sustitución o reemplazo de los que derivan de forma natural de la declaración de concurso. De ahí esta declaración de principios. Su generalidad y falta de precisión sobre los efectos excluidos puede suscitar sin embargo dudas que deberían haberse resuelto tras las diversas reformas efectuadas. Algunos resultan evidentes, como ciertos efectos sobre la persona del deudor que afectan a sus facultades de administración y disposición y el derecho de alimentos, o en el caso de concursado persona jurídica su disolución o el cese de los administradores. Pero la cuestión no resulta tan clara en lo que respecta a los efectos sobre los contratos ante el silencio de la norma en uno u otro sentido y, según los casos, poder resultar contradictorios con la finalidad perseguida por la propia fase de liquidación. Lo mismo sucede con la imposibilidad de aplicar algunos de aquellos efectos por los requisitos exigidos para ello, como es el caso de la posibilidad de rehabilitación de contratos de financiación y de adquisición de bienes con precio aplazado —arts. 166 y 167 TRLC—, cuestiones que no es que se opongan a las normas previstas en la regulación de esta fase, que no disponen una solución diversa al respecto, sino que simplemente no se pueden aplicar por no poder concurrir los presupuestos necesarios.

Al igual que sucede con esta genérica declaración, subsiste también el efecto de reposición de la administración concursal cuando en virtud de la eficacia de un convenio este órgano hubiera cesado en sus funciones, por lo que al abrirse la liquidación habrá de ser repuesta en su cargo o nombrarse una nueva —art. 412 TRLC—.

1. Efectos sobre la persona del deudor

La LRTRLC regula de forma más clara y ordenada los efectos especiales sobre la persona del deudor, distinguiéndose en los dos apartados del nuevo art. 413 TRLC los efectos sobre la persona del concursado persona natural y sobre el concursado persona jurídica. Así, en el caso de que el concursado fuera persona natural, la apertura de la fase de liquidación producirá la suspensión de las facultades de administración y disposición sobre los bienes y derechos que integran la masa activa —art. 413.1.1° TRLC—. Ello, con independencia por tanto de que tras la declaración de concurso se hubiera decretado la intervención de estas facultades, siendo de aplicación todos los efectos establecidos para la suspensión en el Título III del Libro I. También se extingue el derecho de alimentos con cargo a la masa activa, salvo cuando fuera imprescindible para atender las necesidades mínimas del concursado, su cónyuge o pareja de hecho inscrita, descendientes bajo su potestad y ascendientes a cargo. Llama la atención, sin embargo, en este punto la falta de coordinación con lo dispuesto a este respecto en el art. 123 TRLC, donde se reconoce el derecho de alimentos tras la declaración de concurso. En esta disposición, para que la pareja de hecho inscrita tenga derecho de alimentos, se exige apreciar la existencia de pactos expresos o tácitos o hechos concluyentes de los que poder deducir la inequívoca voluntad de los convivientes de conformar un patrimonio común. Nada de esto se contempla en fase de liquidación tras la LRTRLC, limitándose a referirse a la pareja de hecho inscrita sin realizar mayores precisiones al respecto, frente a lo que sucedía además en el precepto equivalente del TRLC, por lo que parece que puede tratarse de una simplificación del precepto, aunque no exenta de controversia. Por otra parte, el art. 123 TRLC guardaba silencio respecto al derecho de alimentos de los ascendientes, al igual que el art. 413.2 TRLC antes de la reforma. El art. 413.1.2º resultante de la LRTRLC alude con acierto a ellos de forma expresa, permitiendo la subsistencia de este derecho cuando resulte imprescindible para atender sus necesidades mínimas, signo inequívoco de que tras la declaración de concurso estos sujetos también tienen este derecho aun cuando allí no se les mencione, pues en otro caso no tiene sentido que se proclame de forma excepcional su continuidad durante la fase de liquidación[24].

En última instancia, y como novedad incorporada por la LRTRLC, se añade como efecto adicional el derecho del concursado persona natural a solicitar la exoneración del pasivo insatisfecho siempre que concurran los presupuestos y requisitos establecidos en la ley —art. 413.1.3º— Ello, en plena coherencia con la configuración de la exoneración del pasivo como un derecho y la posibilidad del concursado de optar con carácter general por la modalidad de exoneración previa liquidación de la masa activa o con sujeción a un plan de pagos sin previa liquidación. Este expreso reconocimiento entre los efectos de la apertura de esta fase ha llevado a algún autor a defender en

---

[24] Aplaude también la expresa inclusión de los ascendientes a cargo del concursado, FORTEA GORBE, J. L., “Reglas especiales...”, cit., p. 459.

consecuencia el derecho a solicitar la exoneración desde el momento inmediatamente posterior a la apertura de la liquidación[25]. Sin embargo, una cosa es el reconocimiento de este derecho con motivo de la apertura de la fase de liquidación y otra muy distinta el momento procesal oportuno para su ejercicio efectivo en estos casos bajo la modalidad de exoneración con previa liquidación. En este sentido, el art. 501.2 TRLC señala a este respecto que, liquidada la masa activa, y siendo insuficiente el líquido obtenido para el pago de la totalidad de los créditos concursales, la solicitud de exoneración del pasivo insatisfecho podrá hacerse en estos casos "(...) dentro del plazo de audiencia concedido a las partes para formular oposición a la solicitud de conclusión del concurso".

Por lo que respecta al concursado persona jurídica —art. 413.2 TRLC—, el principal efecto es la declaración de disolución, que se tiene que reflejar en la resolución judicial que abra la fase de liquidación, si es que no estuviera ya disuelta, en la medida en que la declaración de concurso por sí sola no es causa de disolución de la sociedad. Y, en todo caso, también se produce el cese de los administradores sociales y liquidadores, que serán sustituidos a estos efectos liquidativos por la administración concursal, cesando también aquellos en la representación de la sociedad en favor de este órgano, salvo respecto a la representación de la concursada en el procedimiento concursal y en los incidentes o actuaciones judiciales que se encuentren en trámite[26]. Nada se dice respecto a la suspensión de las facultades de administración y disposición porque resulta innecesario al producirse precisamente el cese de los administradores sociales o liquidadores[27].

---

25 Así lo entiende FORTEA GORBE, J. L., "Reglas especiales...", cit., p. 460.

26 Reconoce la posibilidad de mantener esa representación, FORTEA GORBE, J. L., "Reglas especiales...", cit., p. 461, si bien únicamente en la medida en que un tercero garantice los gastos de la actuación procesal y el pago de las posibles costas no recaiga sobre la masa activa.

27 DE CASTRO ARAGONÉS, J. M., "La Liquidación...", cit., p. 325.

2. *Efectos sobre los créditos*

Los efectos especiales de la apertura de la fase de liquidación no se limitan a la persona del concursado. Se proyectan también sobre los créditos concursales. En este sentido, el art. 414 TRLC mantiene su redacción originaria. En él no sólo se proclama la subsistencia de los efectos de la declaración de concurso sobre los créditos, establecidos en el Capítulo III del Título III del Libro I (suspensión del devengo de intereses, compensación, suspensión del derecho de retención, interrupción del plazo de prescripción).

Al margen de estos efectos generales, y como complemento a ellos, se añaden dos efectos específicos propios de esta fase, el vencimiento anticipado de los créditos aplazados y la conversión en dinero de aquellos que consistan en otras prestaciones. Efectos que sólo parecen tener sentido si se procede a la realización del patrimonio del concursado, razón por la cual se han reservado a esta fase frente a lo que sucede con los que derivan de la declaración de concurso. En la medida en que se van a enajenar los bienes y derechos que integran la masa activa del concurso y a su reparto entre los acreedores, resulta imprescindible que todos ellos puedan participar ya en ese momento de dicho reparto sin tener que esperar al vencimiento de sus créditos. De no ser así, difícilmente podrían hacerlos efectivos, al margen de ralentizar en otro caso la conclusión de las operaciones de liquidación si hubiera que esperar a su vencimiento efectivo. De ahí la previsión *ex lege* de esta ficción jurídica a estos exclusivos efectos de favorecer la celeridad de la liquidación y el cobro de los créditos, sin perjuicio de aplicar en su caso el descuento correspondiente en caso de pago anticipado de tales créditos para evitar un enriquecimiento injusto del acreedor beneficiado —art. 436 TRLC—. Por otra parte, la necesidad de conocer de antemano el importe exacto de los créditos concursales a efectos de cobro reclama, como otro efecto natural e inevitable de la liquidación, la conversión en dinero de los créditos que consistan en otras prestaciones diferentes al dinero, ya sean obligaciones de dar, hacer o no hacer. El único límite es que debe de tratarse de créditos concursales puesto que los créditos contra la masa gozan de un régimen especial de pago basado en la prededucibilidad —art. 429 TRLC—.

La mayor novedad de la LRTLC respecto a la regulación de los efectos de la apertura de la fase de liquidación sobre los créditos reside en la previsión de un efecto especial sobre tales créditos para el caso de incumplimiento del convenio. Se introduce así un nuevo art. 414 bis TRLC, en el que se clarifica definitivamente la calificación jurídica de los créditos contraídos durante el periodo de cumplimiento del convenio cuando se produzca la ulterior apertura de la liquidación de oficio por incumplimiento del convenio aprobado, que la norma también extiende de forma expresa a los supuestos de su declaración de nulidad. Esta norma sólo tiene sentido en estos dos supuestos porque en el resto de las causas previstas de apertura de oficio de la liquidación o bien no se ha llegado a presentar propuestas de convenio o no ha sido aprobado por los acreedores o por el juez, por lo que ningún crédito se ha podido contraer durante su vigencia. Por consiguiente, si se han contraído créditos durante la vigencia de un convenio y después se abre de oficio la liquidación, ya sea por incumplimiento o nulidad del convenio aprobado, aquellos créditos serán calificados en ambos casos de créditos concursales. Calificación que puede desincentivar la concesión de crédito durante este periodo, y en último término el éxito del convenio celebrado, al reducirse de este modo las posibilidades de recuperación en caso de incumplimiento ulterior[28]. La única excepción está representada por los créditos concedidos al concursado antes de la apertura de la fase de liquidación para financiar el cumplimiento del convenio aprobado por el juez, siempre que se realice siguiendo el plan de viabilidad presentado y así se hubiera previsto esta financiación en el propio convenio. En este caso, según el art. 242.1.16ª TRLC, estos créditos tendrán la calificación de créditos contra la masa[29].

El art. 414 bis TRLC solo contempla el supuesto de apertura de oficio de la liquidación por declaración de incumplimiento o nulidad del convenio. Nada se dice, sin embargo, respecto a si se estaría ante este mismo efecto si fuera el deudor quien solicitara la apertura en cumplimiento del deber de hacerlo durante la vigencia del

---

28 VALPUESTA GASTAMINZA, E., "Comentario al art. 414 bis TRLC...", cit., pp. 1886-1887.

29 FACHAL, N., "Las Operaciones...", cit., apdo. II, 2.3, pág. 6.

convenio desde que conozca la imposibilidad de cumplir los pagos comprometidos en él y las obligaciones contraídas con posterioridad a su aprobación —art. 407 TRLC—. Aunque el silencio de la norma genera incertidumbre, no parece que deba darse una solución diferente por el hecho de que sea el deudor quien solicite la apertura de la liquidación y no se produzca de oficio.

En todos estos casos los créditos contraídos durante la vigencia del convenio surgen en un contexto negocial en el que han cesado los efectos del concurso, al margen por consiguiente del procedimiento. No en vano, aunque con un alcance algo más limitado, el nuevo art. 242.1.11° TRLC considera que son créditos contra la masa los créditos generados por el ejercicio de la actividad profesional o empresarial del concursado tras la declaración de concurso hasta la aprobación judicial del convenio o, en otro caso, hasta la conclusión del concurso. Fija por tanto también el límite de la calificación de créditos contra la masa en el momento de la aprobación judicial del convenio. Y sólo en el caso de que no se llegara a aprobar un convenio los créditos generados por este motivo hasta la conclusión del concurso seguirían teniendo la consideración de créditos contra la masa. De donde cabe deducir que los contraídos durante la aprobación del convenio, al igual que señala el art. 414 bis TRLC serían créditos concursales. Del mismo modo que, una vez abierta la liquidación, los contraídos durante este periodo de liquidación también serían créditos concursales, pues, aunque el art. 242.1.11° TRLC considera que son créditos contra la masa los contraídos hasta la conclusión del concurso, esto sólo será así si no se ha aprobado un convenio, pero en el caso que nos ocupa no sólo se ha aprobado, sino que además se ha incumplido, lo que ha provocado la apertura de la fase de liquidación. La única diferencia entre ambos preceptos es que el art. 414 bis TRLC está haciendo referencia a todos los créditos contraídos durante la vigencia del convenio, sin efectuar ninguna distinción al respecto, mientras que el art. 242.1.11° TRLC alude únicamente a los créditos generados por el ejercicio de la actividad profesional o empresarial del concursado[30].

---

30 FACHAL, N., "Las Operaciones...", cit., apdo. II, 2.3, pp. 6-8, destacando, no obstante, ciertos problemas de compatibilidad entre ambos preceptos,

IV. LAS OPERACIONES DE LIQUIDACIÓN

Las modificaciones más relevantes llevadas a cabo por la LRTRLC en la fase de liquidación afectan a las operaciones de liquidación. Si el elemento principal de estas operaciones giraba en torno al denominado plan de liquidación, elaborado por la administración concursal, y la existencia de unas reglas supletorias, aplicables en ausencia o insuficiencia del plan, la LRTRLC ha suprimido el plan de liquidación, derogando los arts. 416 a 420 TRLC. Lo ha sustituido por la previsión de unas reglas especiales de liquidación —nuevo art. 415 TRLC— y en su defecto por la aplicación de un conjunto de reglas generales supletorias —arts. 421 a 423 bis TRLC—.

Lo primero que llama la atención son los términos empleados para referirse a esta nueva configuración de las operaciones de liquidación. Se habla así ahora de reglas *especiales* de liquidación, cuando en realidad serán los supuestos normales de aplicación, y de reglas *generales* supletorias, que es previsible que constituyan la excepción de las reglas aplicables en esta fase.

1. Antecedentes

Bajo la regulación anterior a esta reforma las operaciones de liquidación se iniciaban con la elaboración y presentación por la administración concursal al juez del concurso de un plan de liquidación —arts. 148 LC y 416 TRLC—. Se trataba de un documento consistente en un proyecto o propuesta *ad hoc* de realización del conjunto de bienes y derechos que integraban la masa activa del concurso, especificándose en él los procedimientos y momentos de ejecución, así como los potenciales adquirentes, formas de pago y eventuales garantías[31].

---

derivados de la aplicación de las normas de derecho transitorio contenidas al respecto en la disposición transitoria 1ª, apdo. 3, núm. 5 de la LRTRLC.

31 VELASCO SAN PEDRO, L. A., "Comentario al art. 148...", cit., pp. 1325-1326; ID., "El Plan...", cit., pp. 4880-4881; HUALDE LÓPEZ, I., *La Fase...*, cit., p. 301.

El plazo concedido para ello era sumamente reducido, apenas quince días desde la notificación de apertura de la fase de liquidación, y una eventual prórroga de igual periodo de duración si la complejidad del concurso lo justificaba a juicio del juez, lo que dificultaba su cumplimiento según la diversa dimensión patrimonial del concursado. Inconveniente temporal al que tampoco era ajena su eventual presentación formando parte del informe de la administración concursal cuando la solicitud de apertura de la fase de liquidación se hacía con la solicitud de declaración de concurso, lo que suponía una carga adicional de trabajo a realizar en el mismo plazo general previsto para la elaboración de dicho informe.

La necesaria aprobación judicial de este documento estaba precedida, en todo caso, de la concesión de un plazo de quince días desde su presentación para la formulación de observaciones y propuestas de modificación por parte del concursado, acreedores concursales y, en su caso, representantes de los trabajadores. A la vista del plan y de las eventuales observaciones y propuestas formuladas, el juez podía limitarse mediante auto a aprobar el plan en los términos presentados, introducir en él las modificaciones que estimara necesarias u oportunas o acordar la liquidación conforme a las reglas legales supletorias. Su tramitación, como se puede apreciar, demoraba el comienzo de la ejecución de las operaciones de liquidación, sin perjuicio además de la posibilidad reconocida a los interesados de interponer un recurso de apelación contra el auto judicial —arts. 148 LC y arts. 418 y 419 TRLC derogados—.

Al lado del plan de liquidación, y en previsión de que no llegara a aprobarse o contuviera omisiones, se contemplaba un conjunto de reglas imperativas a las que debían sujetarse las operaciones de liquidación —arts. 149 LC y arts. 421 y 422 TRLC originarios—. Se limitaban fundamentalmente a proclamar la preferencia de la enajenación como un todo del conjunto de establecimientos, explotaciones y unidades productivas y a la aplicación en otro caso de las reglas que rigen el procedimiento de apremio. Aunque la denominación para referirse a ellas ha cambiado desde su previsión inicial, la originaria *reglas legales supletorias*, *reglas legales de liquidación* tras la Ley de reforma 9/2015, de 25 de mayo, o simplemente *reglas supletorias* con motivo del TRLC, en todos los casos se evoca su carácter subordinado o relegado a la inexistencia o insuficiencia de un plan de liquidación, elemento principal y prioritario, siendo concebidas por tanto como unas reglas de cierre del sistema de liquidación.

En la medida en que la elaboración y aprobación del plan de liquidación constituía un motivo retardatario del inicio de las operaciones y una fuente continua de controversia judicial, la LRTRLC opta por su supresión a fin de agilizar y simplificar los trámites de liquidación —apdo. VI Preámbulo—. Extremo que contrasta sin embargo, a pesar de esta motivación para su supresión, con su permanencia en el procedimiento especial de microempresas —art. 707 TRLC—. Se recurre así en su lugar a la previsión de unas eventuales reglas especiales de liquidación establecidas por el juez, que serán de aplicación general y preferente para llevar a cabo las operaciones de liquidación. Asimismo, y de forma similar a lo que ya sucedía hasta este momento, en ausencia o insuficiencia de estas reglas especiales, se contemplan unas reglas generales supletorias que, si bien mantienen la esencia de las precedentes, son objeto de algunas precisiones y adiciones, constituyendo la excepción en la ejecución de las operaciones de liquidación.

2. *Reglas especiales de liquidación*

El nuevo art. 415.1 TRLC derivado de la LRTRLC establece ahora que, en la resolución en la que se acuerde la apertura de la fase de liquidación o en una resolución posterior, el juez podrá establecer las reglas especiales de liquidación que considere oportunas, previa audiencia o informe del administrador concursal a evacuar en un plazo máximo de quince días naturales. Asimismo, podrá modificarlas o dejarlas sin efecto de oficio o a solicitud de la administración concursal.

A la vista de su redacción, resulta evidente el carácter facultativo de su aprobación —*el juez podrá*—, frente al carácter forzoso o ineludible del plan de liquidación anterior —*la administración concursal presentará*—, y la atribución al juez del concurso de la competencia exclusiva para su elaboración. Con ello parece otorgarse en este punto un papel más preponderante al juez, al asignarle la tarea de diseñar la forma de liquidación de los activos, y no de mero supervisor del proyecto presentado por la administración concursal, en detrimento del relevante papel que hasta este momento venía desempeñando este órgano en la elaboración del plan de liquidación, sin perjuicio de su función en todo caso de ejecución efectiva de las operaciones[32].

Nada más lejos, sin embargo, de la realidad. La exigencia para su adopción de una previa audiencia o informe del administrador concursal ya evidencia la posibilidad de influir por esta vía en alguna medida en la fijación por el juez de tales reglas, a pesar de tener un mero carácter consultivo y no vinculante. El problema surge en el modo de articular este trámite previo cuando las reglas, como dice el precepto, se fijen en el mismo auto de apertura de la liquidación, en lugar de en una resolución posterior. Esto supone dar traslado al administrador concursal de forma anticipada al auto de apertura sin que se precise el trámite para hacerlo y, en todo caso, retrasando la apertura de la fase de liquidación. O lo que resulta más absurdo aún, sin que exista, en su caso, administrador concursal designado para poder informar, como sucede en los supuestos en los que se solicite la declaración de concurso con simultánea solicitud de apertura de la fase de liquidación, siendo nombrado el administrador en el mismo auto de declaración de concurso y apertura de la fase de liquidación por lo que difícilmente este sujeto puede ser oído o emitir un informe antes de ser nombrado como tal. De ahí que al objeto de evitar inconvenientes prácticos lo más razonable será la fijación de estas reglas en una resolución posterior a la apertura de la fase de liquidación[33] Lo mismo sucede con la atribución al administrador concursal de la posibilidad de solicitar en cualquier momento la modificación o inaplicación de las reglas establecidas por el juez. A menos que se quiera privar de utilidad y vaciar de contenido a estos trámites, parece lógico que habrá de atribuirse a esta intervención un alcance más amplio, permitiendo en cada caso la formulación de

---

32 FACHAL, N., "Las Operaciones...", cit., apdo. III.1, p. 9.

33 FORTEA GORBE, J. L., "Reglas especiales...", cit., p. 465, advirtiendo de todos estos inconvenientes prácticos y entendiendo que en otro caso se está ante una actuación sin cabida en el texto legal y muy forzada, además de retardataria de la apertura de la liquidación.

nuevas o diferentes reglas y no limitarse a pronunciarse simplemente sobre la oportunidad o conveniencia de las fijadas[34].

Por otra parte, no se puede desconocer tampoco las dificultades que tiene el juez para conocer en detalle las particularidades y vicisitudes que presenta la liquidación del patrimonio de cada concursado y en consecuencia la determinación del modo y momento más efectivo para la realización de los activos. Todo ello frente a la mayor cercanía y conocimiento del administrador concursal encargado de la ejecución de la gestión diaria de la empresa y de las tareas de liquidación. De ahí que, aunque no lo diga de forma expresa el precepto y no se reconozca abiertamente su legitimación, la propuesta de reglas especiales de liquidación procederá normalmente del administrador concursal, sin perjuicio de su sometimiento a la necesaria aprobación del juez para su validez, quien podrá realizar las modificaciones, adiciones o sustituciones oportunas para mejorar y facilitar su aplicación. Por consiguiente, aunque formalmente ha desaparecido el plan de liquidación que tenía que presentar la administración concursal, en realidad se ha sustituido por el informe del administrador concursal al que ahora alude el nuevo art. 415.1 TRLC, en el que se incluirán las reglas que se consideren oportunas para la realización del activo. En definitiva, una especie de *pseudoplan de liquidación* o *plan de liquidación encubierto*, pero sin los inconvenientes ni las interferencias que afectaban al proceso de elaboración y aprobación de este documento[35].

---

34 Así lo entiende FACHAL, N., "Las Operaciones...", cit., apdo. III 2.2, p. 10.

35 Comparten también esta conclusión, PÉREZ-BUSTOS MANZANEQUE, A., *La Liquidación...*, cit., p. 35, al manifestar que "(...) fuera del ámbito de las microempresas, pensar que el órgano jurisdiccional va a elaborar motu proprio las normas de liquidación de cada una de las liquidaciones de que conoce no deja de ser una utopía propia de quien desconoce la sobrecarga de trabajo y el anormal funcionamiento de la Administración de Justicia en la mayoría de juzgados (...). Es por ello, que vaticino que el órgano judicial se seguirá apoyando en el informe elaborado por la administración concursal, lo cual no deja sino de ser un plan de liquidación, entre otras razones porque es quien mejor conoce la situación de la parte concursada y ofrecerá como hasta aquí las soluciones más viables"; DE CASTRO ARAGONÉS, J. M., "La Liquidación...", cit., pp. 329-330; FACHAL, N., "Las Operaciones...", cit., apdo. III 2.2, *in fine*, pp. 9 y 10. No lo entiende así, sin

En este sentido, si bien da la impresión de que todo cambia, pero para que todo permanezca igual, lo que en verdad se modifica y además de manera sustancial es el modo de aprobación de estas reglas especiales de liquidación, al objeto de evitar los retrasos y la excesiva judicialización derivada de la aprobación del plan de liquidación. Frente a lo que allí sucedía, permitiendo la realización de observaciones y propuestas de modificación al deudor, los acreedores y, en su caso, representantes legales de los trabajadores, ahora la elaboración y aprobación de estas reglas se circunscribe únicamente al juez y al administrador concursal, sin posibilidad de realizar observaciones o propuestas de modificación por parte de otros sujetos. Además, frente a la posibilidad también de interponer recurso de apelación contra el auto que aprobaba el plan de liquidación, el art. 415.3 TRLC sólo reconoce a los interesados, es decir a todos los que resulten afectados por las operaciones de liquidación —concursado, acreedores concursales y contra la masa y representantes legales de los trabajadores— la interposición de un recurso de reposición. No obstante, cuando las reglas especiales se incluyan en la resolución judicial de apertura de la fase de liquidación —auto o sentencia—, si es que se produce, habrá que diferenciar entre la interposición de este recurso de reposición contra el específico pronunciamiento relativo a la aprobación de estas reglas y la interposición de un eventual recurso de apelación contra el auto de apertura de la fase de liquidación, previsto en el art. 409.3 TRLC, lo que reclama sin duda una expresa referencia en la resolución. En los demás supuestos, el recurso de reposición se interpondrá contra la resolución judicial posterior que las establezca, las modifique o las deje sin efecto, según los casos[36].

Con esta solución singular se reducen y simplifican los trámites de las operaciones de liquidación en aras de una mayor rapidez y agilidad procesal[37]. Para conseguir este objetivo, sin embargo, no habría sido necesario suprimir el plan de liquidación y sustituirlo por una

---

embargo, FORTEA GORBE, J. L., "Reglas especiales...", cit., p. 466, para quien las reglas especiales no son ni pueden ser un plan de liquidación, sino normas concretas y especiales para una particular liquidación.

36 FACHAL, N., "Las Operaciones...", cit., apdo. III.5, p. 15.

37 DE CASTRO ARAGONÉS, J. M., "La Liquidación...", cit., p. 330. Se muestra más cauteloso sin embargo respecto al eventual acierto de esta medida,

especie de plan furtivo u oculto. Habría bastado con modificar la posibilidad de realizar observaciones y propuestas de modificación o sustituirlo por la facultad que ahora se reconoce a los acreedores en relación con las reglas especiales y cambiar el recurso de apelación contra el auto de aprobación del plan por el de reposición. No obstante, quizá se haya considerado excesivo la privación de ciertos derechos ya reconocidos a los acreedores sin modificar al mismo tiempo la esencia del sistema articulado, aunque sea más formal que sustantiva. Estas nuevas previsiones normativas no resuelven sin embargo el problema del breve plazo que se concedía para la elaboración del plan de liquidación. Si las reglas especiales son elaboradas por el juez, deben figurar ya en la resolución judicial en la que se abra la fase de liquidación, con lo cual ya tienen que estar elaboradas antes de ese momento. Y si se incluyen en una resolución judicial que se dicte con posterioridad, ese será el plazo indeterminado que tendrá el juez para su elaboración, el que medie entre la apertura de la fase de liquidación y la promulgación de la resolución judicial en la que se aprueben las reglas. La ausencia en estos casos de un plazo máximo para poder dictar esta resolución se antoja contraria al objetivo perseguido de mayor eficiencia y agilidad del procedimiento[38]. Por otra parte, si quien en verdad elabora estas reglas especiales es el administrador concursal en el informe que se prevé en el art. 415.1 TRLC, el plazo para evacuarlo es de tan sólo diez días naturales, sin posibilidad además de prórroga, con lo cual parece que se agrava, aún más si cabe, la brevedad del plazo para su elaboración respecto a lo que sucedía en el caso del plan de liquidación.

No obstante esta simplificación procesal, y al objeto de tutelar en alguna medida el interés de los acreedores, que ahora se ven privados de la posibilidad de realizar observaciones y propuestas de modificación de estas reglas, el nuevo art. 415.4 TRLC les reconoce la eventualidad de solicitar al juez dejarlas sin efecto, si bien abandonando la tutela de carácter individual y sustituyéndola por una de carácter

---

VALPUESTA GASTAMINZA, E., "Comentario al art. 415 TRLC...", cit., p. 1898.

38 VALPUESTA GASTAMINZA, E., "Comentario al art. 415 TRLC...", cit., p. 1896; FORTEA GORBE, J. L., "Reglas especiales...", cit., p. 463.

colectivo. Para ello deben concurrir a la presentación de la solicitud acreedores cuyos créditos representen más del cincuenta por ciento del pasivo ordinario o más del cincuenta por ciento del total del pasivo sin distinción de categorías, ya se ostente de forma individual o colectiva, a pesar del término acreedores utilizado en el precepto. En este caso, el efecto de pérdida de vigencia de estas reglas es automático. El acreedor o acreedores no tienen que justificar su solicitud y el juez no puede rechazarla. Tiene que acordar la inaplicación de las reglas sin poder realizar ningún tipo de valoración o examen judicial al respecto, a la vista de los tajantes términos del art. 415.4 TRLC para referirse a esta consecuencia —*quedarán sin efecto*—, lo que evidencia su carácter imperativo[39]. Ello, sin perjuicio de tener que reconocerse la validez de las operaciones ya realizadas hasta el momento de presentación de esta solicitud en cumplimiento de las reglas especiales aprobadas; máxime, cuando no se señala límite temporal para esta solicitud ni se precisa tampoco si la solicitud de dejar sin efecto estas reglas puede afectar a todas o sólo a algunas de ellas.

A pesar de este automatismo judicial, la efectividad de esta medida se antoja escasa. Ya no se trata de permitir a cualquier acreedor cuestionar las reglas especiales aprobadas, al requerir la participación de una mayoría cualificada de créditos. Además, la consecuencia derivada de su aplicación no es que los acreedores están facultados para proponer otras reglas diferentes en su lugar o realizar propuestas de modificación de las existentes. Se limita únicamente a tener que desecharse las reglas ya aprobadas y a provocar que las operaciones de liquidación se desarrollen en estos casos de conformidad con las reglas generales supletorias, previstas precisamente en los arts. 421

---

39 PÉREZ-BUSTOS MANZANEQUE, A., *La Liquidación...*, cit., p. 39; FACHAL, N., "Las Operaciones...", cit., apdo. III.6, p. 16; FORTEA GORBE, J. L., "Reglas especiales...", cit., p. 467, considerando por este motivo de desaprobación que es muy dudoso que el juez y la administración concursal se aventuren en la redacción, sugerencia y aprobación de normas especiales de liquidación; efecto que, sin embargo, parece a todas luces excesivo. Duda, sin embargo, de este automatismo en algunos supuestos, VALPUESTA GASTAMINZA, E., "Comentario al art. 415 TRLC...", cit., pp. 1897-1898.

a 423 bis TRLC para el caso de ausencia o insuficiencia de reglas especiales[40].

En última instancia, su aplicación tampoco está exenta de algunos inconvenientes prácticos. En la medida en que se puede solicitar la apertura de la fase de liquidación con la solicitud de declaración de concurso y en cualquier momento, incluso anterior a la presentación del informe de la administración concursal, que incluye el inventario y la lista de acreedores, para determinar el porcentaje de créditos requeridos para la presentación de esta solicitud sólo podrá acudirse a la lista de acreedores que presente el deudor con la solicitud de concurso; extremo que evidencia la provisionalidad e inseguridad del cómputo al no tratarse de la lista definitiva que elabora el administrador concursal, que es seguramente en la que está pensando el legislador al formular esta previsión normativa.

Nada se dice, sin embargo, en esta disposición respecto al contenido de estas reglas especiales. En consecuencia, todo parece apuntar que, al igual que sucedía en el caso del plan de liquidación, es sumamente amplio, pudiendo determinar los modos y momentos de realización que se consideren más convenientes en atención al caso concreto y siempre en interés del concurso. Rige por tanto aquí un gran margen de discrecionalidad en su fijación, tan sólo limitado por las dos expresas prohibiciones legales que se contemplan en el nuevo art. 415.2 TRLC[41]. En este sentido, el juez no puede exigir la previa autorización para la realización de los bienes y derechos, puesto que ello llevaría precisamente a provocar el efecto contrario que se pretende evitar con la fijación de estas reglas, que no es otro que agilizar y simplificar al máximo las operaciones de liquidación y

---

40 Asimismo, PÉREZ-BUSTOS MANZANEQUE, A., *La Liquidación...*, cit., p. 40; FACHAL, N., "Las Operaciones...", cit., apdo. III.6, p. 16.

41 Más restrictivo aún, FORTEA GORBE, J. L., "Reglas especiales...", cit., p. 466, para quien las reglas especiales únicamente deberían abordar la delimitación de los bienes a liquidar, con formación de lotes o no, y la fijación de concretas formas de liquidación, con atención especial a los bienes que precisen de un modo de realización fuera de lo habitual. El resto debe encomendarse a su juicio a las normas generales supletorias.

no entorpecer con trámites innecesarios su realización[42]. Y, por otro lado, tampoco puede establecer reglas cuya aplicación suponga dilatar la liquidación durante un periodo superior al año, lo que resultaría contradictorio con el plazo máximo fijado en todo caso en el art. 427 TRLC para finalizar precisamente la fase de liquidación y evitar así su prolongación indebida; circunstancia que permitiría a cualquier interesado solicitar al juez del concurso la separación de la administración concursal y el nombramiento de otra nueva, y que en este caso resultaría injustificado porque la dilación tendría su causa en la indebida fijación de las reglas aprobadas por el propio juez del concurso.

En este mismo sentido, y aun cuando no se refleje en el art. 415.2 TRLC ni siquiera por remisión, tampoco parece posible que el juez pueda prescindir en la fijación de estas reglas especiales de la aplicación de las disposiciones que rigen la enajenación de bienes o derechos afectos a privilegio especial —arts. 209 a 214 TRLC— y las especialidades de la enajenación de unidades productivas —arts. 215 a 225 TRLC—. La duda se plantea porque, a diferencia de lo que aquí sucede, la regla general supletoria dispuesta en el art. 421 TRLC sí que contempla de forma expresa esta limitación, imponiendo al administrador concursal en defecto de reglas especiales el deber de realizar los bienes y derechos de la masa activa del modo más conveniente para el interés del concurso, sin más limitaciones que las establecidas en los artículos siguientes y, a los efectos que aquí interesan, en el Capítulo III, del Título IV del Libro I, que hacen referencia precisamente a aquellas especialidades.

La ausencia de una previsión semejante en el art. 415.2 TRLC pudiera dar a entender que en la fijación de las reglas especiales por el juez no existiría esta limitación. No se puede obviar, sin embargo, que aquellas reglas revisten carácter imperativo y afectan a todas las

42 Cuestiona, sin embargo, la efectividad de esta limitación, PÉREZ-BUSTOS MANZANEQUE, A., *La Liquidación...*, cit., p. 38; FORTEA GORBE, J. L., "Reglas especiales...", cit., p. 465, en la medida en que será frecuente, a su juicio, que la administración concursal solicite autorización judicial para la enajenación de ciertos bienes y derechos por su importancia o complejidad.

fases del procedimiento, incluida en consecuencia la fase de liquidación, con independencia por tanto de las reglas que rijan la realización de sus operaciones, ya sean especiales o supletorias. Ello, a pesar del silencio que se guarda al respecto en el caso de las reglas especiales de liquidación. En sentido contrario, tampoco se reconoce en ningún momento la posibilidad de que estas reglas especiales puedan prescindir de la aplicación de aquellas especialidades, frente a lo que sucede en relación con algunas reglas generales supletorias, que no resultan de aplicación si al establecerse las reglas especiales el juez hubiera decidido otra cosa. La primacía de estas reglas especiales tiene por tanto un alcance limitado y no puede afectar a otras especialidades dispuestas de forma expresa en la regulación[43]. Por si esto no fuera suficiente, el derogado art. 415.3 TRLC ya señalaba que "En cualquier caso, se apruebe o no el plan de liquidación, será de necesaria aplicación las reglas previstas en el Título IV del Libro I sobre realización de bienes o derechos afectos a privilegio especial y sobre la enajenación de las unidades productivas", declarándose así su aplicación en ambos casos.

La necesidad de facilitar la inscripción en el registro correspondiente de los títulos procedentes de la enajenación de bienes y derechos con motivo de la liquidación ha llevado al legislador de la reforma a introducir con este firme propósito un nuevo art. 415.5 en el TRLC. En este sentido, cuando se presente a inscripción en los registros de bienes cualquier título relativo a un acto de enajenación de bienes y derechos de la masa activa realizado por la administración concursal durante la fase de liquidación, el registrador comprobará en el registro público concursal si el juez ha fijado o no reglas especiales de liquidación, explicitando además en su redacción original que no podrá exigir a la administración concursal que acredite la existencia de tales reglas.

Con esta previsión se pretende limitar el control de legalidad de las operaciones de liquidación realizadas por el registrador en atención a su función calificadora de conformidad de tales operaciones

---

43 VALPUESTA GASTAMINZA, E., "Comentario al art. 415 TRLC…", cit., p. 1894; FACHAL, N., "Las Operaciones…", cit., apdo. III 4.2, pp. 13-14, esp. esta últ.; FORTEA GORBE, J. L., "Reglas especiales…", cit., p. 464.

con las reglas aplicables contenidas en documentos judiciales. Bajo la vigencia del plan de liquidación ésta era una de las cuestiones más controvertidas, al impedirse en algunos casos el acceso al registro de títulos de enajenación mientras no se acreditase la resolución judicial que autorizaba la específica operación. Ello, a pesar de que dicha operación formaba parte del contenido del plan de liquidación y éste había sido aprobado por el juez, lo que lleva a imponer la reproducción en el auto de aprobación del contenido íntegro del plan para evitar su calificación registral negativa —art. 419 TRLC derogado—.

Para obviar estos inconvenientes prácticos, y circunscribir el control realizado por el registrador, el art. 415.5 TRLC vetaba con carácter general la posibilidad de exigir a la administración concursal tener que acreditar la existencia de tales reglas específicas, debiendo ser el registrador el encargado de comprobar mediante consulta al registro público concursal si el juez ha fijado o no reglas especiales de liquidación. Debía limitarse por tanto a realizar esta tarea de comprobación de su existencia y verificación, en su caso, de su observancia en la realización de las operaciones de liquidación, de suerte que, si no las hubiera aplicado, la calificación de la inscripción sería negativa. Por consiguiente, si algunas no se han publicado en el registro, cabía entender que, como el administrador concursal no tenía que acreditar su existencia, esta omisión tampoco debería impedir el acceso al registro del título que documente la realización de la operación, sin perjuicio de la responsabilidad en la que, en su caso, podría incurrir[44]. La disposición final vigesimoctava de la Ley Orgánica 1/2025, de 2 de enero, *de medidas en materia de eficiencia del Servicio Público de Justicia*, ha modificado sin embargo la redacción de este apartado para salir al paso de esta eventualidad. Ahora ya no se afirma de forma tajante que el registrador no podrá exigir a la administración concursal que acredite la existencia de tales reglas. En su lugar, se precisa, con errata de por medio en su publicación inicial, que "*no* —sic— sólo podrá exigir a la administración concursal que acredite la existencia de tales reglas, si no constare referencia alguna a las mismas en la resolución judicial ni en el Registro Público Concursal". Por consiguiente, el registrador sí está facultado en estos es-

---

44 FACHAL, N., "Las Operaciones...", cit., apdo. III 7.1 y 7,2, pp. 17-19.

pecíficos supuestos para exigir al administrador concursal acreditar su existencia.

El art. 415.5 TRLC sólo se ocupa de la inscripción de títulos procedentes de enajenaciones realizadas al amparo de la aplicación de reglas especiales de liquidación. Nada prevé, sin embargo, respecto a los que tengan su causa en enajenaciones realizadas al amparo de la aplicación de reglas generales supletorias de liquidación. Puesto que en ellas prevalece la regla de la subasta electrónica, el problema surge cuando esta subasta, en lugar de ser judicial, dictando el letrado de la administración de justicia decreto de adjudicación y mandamiento para la inscripción, sea extrajudicial, celebrada ante notario o por medio de entidad especializada. En estos supuestos no existe una resolución judicial autorizando la enajenación, limitándose a la formalización de la operación en una escritura pública, que es la que pretende acceder al registro. Surge así de nuevo el eventual rechazo del registrador, al no acreditarse una resolución judicial autorizándola, posición que debería revisarse y flexibilizarse, permitiendo su inscripción, a fin de permitir agilizar y concluir las operaciones de liquidación[45].

En último término, dentro de la misma sección 1ª, dedicada a las reglas especiales de liquidación, se incluye un nuevo art. 415 bis, cuyo objetivo es dar publicidad a los bienes y derechos que son objeto de liquidación para facilitar así su realización. Aunque es novedosa su numeración, su contenido reproduce lo dispuesto en el derogado art. 423 TRLC, que se ubicaba en un capítulo diferente al que regulaba el plan de liquidación y las reglas legales supletorias de liquidación puesto que es una disposición que afectaba y sigue afectando a ambas vías de liquidación. De ahí que sorprenda ahora su limitada incorporación en la sección que se ocupa únicamente de las reglas especiales de liquidación.

Conforme a esta disposición, en el caso de un concursado persona jurídica, la administración concursal, una vez establecidas las reglas

---

45 FACHAL, N., "Las Operaciones...", cit., apdo. III 7.3, pp. 20-21, dudando, no obstante, de que la Dirección General de Seguridad jurídica y Fe pública flexibilice su posición.

especiales de liquidación o acordado que la liquidación se realice mediante las reglas legales supletorias, deberá remitir para su publicación en el portal de liquidaciones concursales del Registro público concursal, cuanta información resulte necesaria para facilitar la enajenación de la masa activa en los términos que reglamentariamente se determinen. Como se puede apreciar, es un mandato dirigido al administrador concursal que tiene que cumplir tanto si se aplican reglas especiales de liquidación como si se acuerda la realización de la liquidación mediante la aplicación de reglas supletorias; motivo por el cual, al regir en ambos casos, lo lógico habría sido, igual que sucedía en la legislación precedente, regular esta exigencia en una sección común a ambas modalidades de liquidación. Por otro lado, también cabe destacar la específica referencia que se hace en él a las reglas legales supletorias, lo que constituye una reminiscencia de su denominación anterior, al utilizarse ahora en la LRTRLC la denominación reglas generales supletorias y no reglas legales supletorias para referirse a ellas; prueba inequívoca de que el legislador se ha limitado a conservar la redacción originaria de este precepto. La única diferencia sustancial entre ambas disposiciones reside en la remisión que se hace ahora al desarrollo reglamentario para determinar la información que se considera necesaria para facilitar la enajenación, mientras que en el derogado art. 423 se detallaba en su segundo párrafo cuál era esta información que debía remitirse y que afectaba a diversos aspectos, desde la forma jurídica de la persona jurídica concursada, sector o tiempo de funcionamiento hasta su volumen de negocio, tamaño del balance, número de empleados, contratos, pasivos o procesos judiciales o administrativos en que estuviera incursa, entre otros. Lo que no se entiende bien es el mantenimiento de su limitado ámbito subjetivo de aplicación, reservado únicamente al supuesto de personas jurídicas, dejando fuera a los concursados personas naturales.

A pesar de esta previsión, cabe destacar la imposibilidad en todo caso de proceder a su cumplimiento en tanto en cuanto no se cree el portal de liquidaciones concursales del Registro público concursal. La disposición adicional 6ª de la LRTRLC fijaba para ello el plazo de seis meses desde su entrada en vigor, existiendo en estos momentos un proyecto de Decreto con este propósito, de 10 de octubre de 2023, pendiente de aprobación, cuyo capítulo II —arts. 21 y 22— se ocupa de su articulación y del modo y contenido de la información que se ha de remitir.

3. Reglas generales supletorias

En ausencia, insuficiencia de reglas especiales de liquidación o, en su caso, veto a instancia de los acreedores legitimados para ello, los arts. 421 a 423 bis TRLC contemplan una serie de reglas supletorias o subsidiarias para regir las operaciones de liquidación[46]. Aunque han tenido diversa denominación desde la LC de 2003, reglas legales supletorias, reglas legales de liquidación, reglas supletorias, y ahora reglas generales supletorias, mantienen en esencia un contenido común. No obstante, tras la LRTRLC se ha dispuesto en este ámbito una regla general de liquidación, que inspira y sirve de portada a todas las demás, y a la que parece que están subordinadas, añadiéndose alguna más a las ya existentes.

La regla general está recogida en el nuevo art. 421 TRLC. Según esta disposición, "De no haber establecido el juez reglas especiales de liquidación, el administrador concursal realizará los bienes y derechos de la masa actica del modo más conveniente para el interés del concurso, sin más limitaciones que las establecidas en los artículos siguientes y en el Capítulo III del Título IV del Libro primero". Queda por tanto a juicio del administrador concursal determinar en cada caso cómo se van a realizar los bienes y derechos, pero siempre priorizando en su decisión el interés del concurso. Concepto jurídico indeterminado que se refiere "(...) a lo que mejor convenga a la finalidad perseguida con el concurso de acreedores, que es la satisfacción de los acreedores y la continuidad de la actividad empresarial

---

[46] Considera, sin embargo, que no puede hablarse de supletoriedad en defecto de reglas especiales, sino de un auténtico *ius cogens*, FORTEA GORBE, J. L., "Reglas especiales...", cit., pp. 465-466 y 468, cuestionando la técnica legislativa empleada para definir el ámbito objetivo de aplicación de las normas especiales de liquidación, al realizarse precisamente en las normas supletorias que se prevén tras ellas.

del deudor concursado"[47]. Como se puede apreciar, el legislador ya no se limita en este ámbito de forma escueta, como se hacía bajo la regulación precedente, a señalar algunos modos concretos de realización —reglas del procedimiento de apremio y regla de conjunto—, sino a disponer también de forma genérica un criterio a seguir en su elección, que debe presidir e inspirar su actuación con carácter general e incluso la aplicación del resto de reglas supletorias específicas. Dentro de este marco dispone en consecuencia de amplia libertad para elegir los distintos modos y momentos de realización[48]. En todo caso, y a diferencia del silencio inexplicable que existe en el caso de las reglas especiales de liquidación, se reproduce de forma expresa el límite representado por las especialidades que rigen la enajenación de bienes o derechos afectos a privilegio especial y de las unidades productivas o el conjunto de la empresa. A él se suman también las limitaciones establecidas en los artículos siguientes, que contemplan tres reglas supletorias específicas, y que deben ser aplicadas cuando concurra el supuesto de hecho contemplado en la norma por considerar que de ese modo se maximiza el interés de los acreedores, pero que también tienen que coordinarse con las previsiones de la regla general[49].

En este sentido, al lado de la regla general que debe inspirar en cualquier supuesto la actuación del administrador concursal en defecto de reglas especiales, se prevén unas específicas reglas supletorias de liquidación.

El art. 422 TRLC mantiene así la denominada *regla de conjunto*, vigente ya desde la promulgación del art. 149 LC de 2003, aunque no con esta nomenclatura. Se sigue otorgando preferencia a la enajenación como un todo del conjunto de establecimientos, explotaciones y cualesquiera otras unidades productivas sobre la enajenación individualizada de alguna o algunas de ellas y de sus elementos integrantes.

---

47 STS, Sala Primera, de lo Civil, núm. 660/2016, de 10 de noviembre, rec. 2694/2014, Fundamento de Derecho Segundo.6.

48 PÉREZ-BUSTOS MANZANEQUE, A., *La Liquidación...*, cit., p. 44; VALPUESTA GASTAMINZA, E., "Comentario al art. 422 TRLC...", cit., pp. 1902-1903, esp. esta últ.

49 FACHAL, N., "Las Operaciones...", cit., apdo. IV.1, IV.2 y IV.3, pp. 22-23.

Este mandato, que consagra el principio de conservación de la empresa, se antoja la primera opción a seguir, en la medida en que el valor total de la organización productiva se entiende superior a la suma aislada de sus establecimientos o de sus activos respectivos. Se parte en consecuencia de una mayor satisfacción de los acreedores con este modo de realización. Su preferencia, sin embargo, no puede ser llevada al extremo allí donde no produzca este efecto y resulte incompatible con el interés del concurso y por tanto con el propósito último de una mayor satisfacción de los acreedores[50]. De ahí su supeditación también a este objetivo general y que el legislador disponga al mismo tiempo ciertos límites a su aplicación prioritaria. En este sentido, cabe excluir la aplicación de esta regla cuando el juez, al establecer las reglas especiales de liquidación, hubiera autorizado la enajenación individualizada —art. 422.1 TRLC—. Asimismo, cuando lo estime conveniente para el interés del concurso, se confiere a la administración concursal la posibilidad de solicitar del juez la autorización para la enajenación individualizada de los establecimientos, explotaciones y cualesquiera otras unidades productivas o de algunas de ellas, o de los elementos de que se compongan —art. 422.2 TRLC—.

Si la primera limitación es una consecuencia lógica de las nuevas previsiones normativas y de la relación existente entre las reglas especiales de liquidación y las reglas generales supletorias, dando preferencia a aquellas sobre éstas, la segunda ya se contemplaba en términos parecidos bajo la regulación anterior, si bien era el juez quien podía decidirlo cuando así lo estimara más conveniente para el interés del concurso, previo informe de la administración concur-

---

50 En este mismo sentido, MARTÍNEZ SANZ, F., "Venta de Unidad productiva en el Concurso de Acreedores", en *Revista General de Insolvencias & Reestructuraciones*, núm. 14, 2024, pp. 105-106, para quien "(...) no debería excluirse que en ciertos casos la venta de la unidad productiva no resulte al fin a la postre la mejor opción posible para los acreedores (...), la conservación de puestos de trabajo ("de tejido productivo") es, sin duda, un objetivo implícito de la venta de la unidad productiva, pero no creemos que haya de serlo a toda costa". Ante la alternativa de una liquidación fragmentada de los activos, habrá que valorar con precisión qué obtendrían los acreedores y compararlo con el resultado de la mejor de las ofertas presentadas por la unidad productiva.

sal. Se posibilita así en ambos casos la existencia de una autorización judicial para la enajenación individualizada, ya sea de los establecimientos, explotaciones o unidades productivas, ya de sus elementos integrantes.

En relación con esta posibilidad, el art. 422.3 TRLC dispone con carácter general que contra el auto que acuerde esta enajenación individualizada no cabrá recurso alguno. El ámbito de aplicación de esta previsión se antoja sin embargo confuso. Situada en el último apartado del art. 422 TRLC, dedicado a la regulación de la regla de conjunto, se desconoce si resulta aplicable a todos los supuestos previstos en él. Como se ha apuntado, el primer apartado alude como excepción a la posibilidad de que el juez, al establecer las reglas especiales, autorice la enajenación individualizada y el segundo contempla la eventualidad de que el administrador concursal solicite en interés del concurso esta enajenación individualizada. Si el art. 422.3 TRLC se aplica a ambos supuestos, y en ninguno de ellos cabría recurso contra el auto que acuerde la enajenación individualizada, esto podría entrar en contradicción con lo dispuesto en el art. 415.3, que reconoce la facultad de interponer recurso de reposición contra la resolución en la que se apruebe las reglas especiales, entre las que puede figurar esta decisión, a menos que se diferencie el contenido de la resolución susceptible de recurso.

El art. 423.1 TRLC resultante de la reforma añade una nueva regla supletoria de liquidación, desconocida hasta este momento. Es la llamada *regla de la subasta*, según la cual, deberán realizarse mediante subasta electrónica cualquier bien o derecho o conjunto de bienes o derechos que, según el último inventario presentado por la administración concursal, tuviera un valor superior al cinco por ciento del valor total de los bienes y derechos inventariados, salvo que el juez haya decidido otra cosa al establecer las reglas especiales de liquidación. Por consiguiente, siempre que el valor de los bienes y derechos por sí sólo o, en su caso, agrupados con otros formando lotes superen ese valor, deberán enajenarse de este modo.

La aplicación de esta regla exige por tanto partir del último inventario presentado por la administración concursal a fin de poder realizar esta comparación de valores. El problema se plantea en aquellos casos en los que la apertura de la liquidación se produce con ocasión de la declaración de concurso. En estos supuestos aún no existirá inventario elaborado por la administración concursal, por lo que lo razonable será esperar a su presentación al objeto de poder conocer con cierta precisión su composición y el valor asignado a sus diversos elementos. Sólo así se estará en condiciones de realizar esta labor de comparación con seguridad jurídica[51]. Por otro lado, la amplia referencia que se hace en la norma a cualquier bien, derecho o conjunto de bienes o derechos, cuyo valor supere el porcentaje apuntado, plantea dudas sobre su extensión también a la realización de bienes hipotecados o de unidades productivas para los que existen sin embargo previsiones específicas en los arts. 209 y ss. y 215 y ss. TRLC. A pesar de la incertidumbre y descoordinación normativa existente, parece más lógico pensar que la regulación de las especialidades que rigen la enajenación de este tipo concreto de bienes debe prevalecer sobre esta disposición de carácter supletorio en fase de liquidación. No en vano, el art. 421 TRLC, que contempla la regla general en materia de liquidación, señala de forma expresa como límites a su aplicación no sólo las reglas establecidas en los artículos siguientes, entre las que se encuentra la que es objeto de controversia, sino también las que rigen precisamente la enajenación de aquellos específicos bienes y derechos[52].

El art. 423.2 TRLC exige además que esta subasta electrónica se realice mediante la inclusión de esos bienes o derechos o parte de ellos, bien en el portal de subastas de la Agencia Estatal del Boletín Oficial del Estado, bien en cualquier otro portal electrónico especializado en la liquidación de activos. Se reconoce así como opción la participación de entidades especializadas en la realización de este tipo de operaciones[53]. Esta previsión sólo se ocupa del modo de articular la subasta, pero ni se pronuncia ni prejuzga el sistema de realización o modalidad de esta subasta electrónica[54]. El administrador

---

51 FACHAL, N., "Las Operaciones...", cit., apdo. IV, pp. 25-26, esp. esta últ.

52 Comparte también esta conclusión, FORTEA GORBE, J. L., "Reglas especiales...", cit., pp. 469-470, esp. esta últ, sin perjuicio de reconocer que también se puede sostener lo contrario ante la amplitud de sus términos.

53 Aplaude esta opción, FORTEA GORBE, J. L., "Reglas especiales...", cit., p. 470, destacando el éxito de este procedimiento bajo la normativa Covid-19.

54 DE CASTRO ARAGONÉS, J. M., "La Liquidación...", cit., pp. 328-329.

concursal dispone por tanto de un amplio margen de discrecionalidad para seleccionar la que mejor se adapte a las particularidades de los bienes y derechos que son objeto de realización. En este sentido, cabe aplicar tanto la subasta judicial como la extrajudicial, ya sea notarial o por medio de entidad especializada. Lo verdaderamente relevante es que el proceso sea suficientemente transparente y concurrente como para poder desactivar la eventual oposición que asiste en el caso de enajenaciones directas a los titulares de créditos con privilegio especial. Y, por supuesto, que la modalidad elegida resulte la más conveniente para el interés del concurso por aplicación de la regla general supletoria prevista en el art. 421 TRLC. A falta de reglas especiales de liquidación, la decisión corresponde en exclusiva al administrador concursal sin necesidad por tanto de recabar ni una autorización judicial previa ni una resolución judicial posterior complementaria. En otro caso se estaría violentando el propósito de mayor agilidad de las operaciones de liquidación, al entorpecer su desarrollo con trámites adicionales innecesarios no exigidos además por la propia norma[55]. Cuestión distinta es la problemática ya apuntada que deriva del acceso a los registros de los títulos procedentes de las enajenaciones realizadas por la vía de las subastas extrajudiciales ante el bloqueo registral si no se cuenta con una preceptiva autorización judicial, lo que se antoja absolutamente excesivo y contradictorio.

Nada se dice en esta disposición respecto al modo de enajenar el resto de bienes y derechos que no superen el cinco por ciento del valor total de los bienes y derechos inventariados. En estos casos, a falta de regla especial de liquidación, será de aplicación la regla general supletoria prevista en el art. 421 TRLC, por lo que deberán ser realizados adoptando el procedimiento que el administrador concursal considere más conveniente para el interés del concurso.

El elenco de reglas supletorias culmina con una novedosa y desconocida hasta este momento regla final, prevista en el nuevo art. 423 bis TRLC, que dispone la adjudicación forzosa de ciertos bienes a determinados acreedores, contribuyendo así a facilitar la conclusión de la fase de liquidación y del concurso ante un eventual bloqueo de la liquidación. Esto es lo que puede suceder cuando se trata de bienes

---

55 FACHAL, N., "Las Operaciones...", cit., apdo. IV 4.1, pp. 26-27, esp. esta últ.

hipotecados o pignorados subastados en caso de falta de postores. Se sale así al paso de aquellas situaciones en las que, concluidas las operaciones de liquidación, subsisten en la masa activa bienes gravados con una carga real cuyo valor de realización no permite la cobertura total del crédito garantizado. En estos casos suele ser habitual que la subasta quede desierta por falta de postores. A lo que se suma la recurrente oposición del acreedor a la dación en pago —art. 211 TRLC— o a la realización directa del bien a un tercero por un precio inferior al mínimo que se pactó para constituir la garantía —art. 210.3 TRLC—.

Para atajar estos inconvenientes prácticos y contrarrestar las amplias facultades conferidas a este tipo de acreedores, se arbitran en el art 423 bis TRLC diversas soluciones, que dependen de la postura que adopten y, en su caso, de la relación existente entre el valor del bien y el de la deuda garantizada[56].

En primer término, si en la subasta de este tipo de bienes realizada a iniciativa del administrador concursal o del titular del derecho real de garantía no hubiera ningún postor, se reconoce al beneficiario de la garantía el derecho a adjudicarse el bien o el derecho en los términos y dentro de los plazos establecidos por la legislación procesal civil —art. 423 bis.1 TRLC—. En consecuencia, antes de la modificación de la Ley de Enjuiciamiento Civil por la Ley Orgánica 1/2025, de 2 de enero, *de medidas en materia de eficiencia del Servicio Público de Justicia*, la posibilidad de adjudicación, tratándose de bienes muebles, por el treinta por ciento del valor de tasación o por la cantidad que se le deba por todos los conceptos —art. 651 LECiv—. Y, en el caso de bienes inmuebles, por el cincuenta por ciento del valor por el que el bien hubiera salido a subasta o por la cantidad que se le deba por todos los conceptos, elevándose al setenta por ciento o al sesenta por ciento, si

---

56 VALPUESTA GASTAMINZA, E., "Comentario al art. 423 bis TRLC…", cit., p. 1913, limitando su aplicación únicamente a los supuestos de subasta de bienes hipotecados o pignorados, pero no a la de otros bienes afectos que también puede dar lugar al nacimiento de créditos privilegiados como sucede con la anticresis o los créditos refaccionarios; mayor amplitud en FACHAL, N., "Las Operaciones…", cit., apdo. IV 5.2, p. 31, para quien esta disposición se aplica a todas las subastas de activos gravados con carga real, aunque no se reconozca un crédito con privilegio especial.

la cantidad que se le deba es inferior a aquel porcentaje, cuando se trate de la vivienda habitual del deudor —art. 671 LECiv.—. Ambos preceptos procesales han sido sin embargo modificados por aquella disposición legal y ya no contemplan la adjudicación voluntaria de los bienes por los porcentajes apuntados. Se limitan a señalar en estos casos que el letrado o letrada de la Administración de Justicia procederá al alzamiento del embargo, a instancia del ejecutado. A la vista de esta sustancial modificación sólo cabe entender que la remisión del art. 423 bis.1 TRLC se hace ahora a los preceptos de la LECiv que contemplan la adjudicación de los bienes al acreedor cuando este sujeto participa en la subasta y por los porcentajes mínimos que allí se establecen —arts. 650 y 670 LECiv—, a pesar de que esto resulta algo forzado puesto que el precepto concursal está aludiendo de forma expresa a la adjudicación voluntaria en caso de subasta sin postores. No en vano, el nuevo art. 647.2 LECiv. señala que "El ejecutante podrá tomar parte en la subasta, aunque no existan otros licitadores, sin necesidad de consignar cantidad alguna. Necesariamente habrá de hacerlo, en las condiciones previstas en los artículos 650 y 670, cuando pretenda adjudicarse los bienes. Finalizada la subasta, no podrá mejorar el precio final ofrecido por el mejor postor. Si no hubiera habido pujas, tampoco podrá solicitar la adjudicación de los bienes". De considerarse que aquella remisión no es posible, el art. 423 bis.1 TRLC también debería ser revisado a la luz de la nueva regulación procesal ante la imposibilidad de su aplicación efectiva por no contemplarse la adjudicación voluntaria de los bienes o derechos al acreedor en caso de subasta sin postores. Sea como fuere, la previsión de estas nuevas medidas obligará sin duda a los ejecutantes a tomar parte en la subasta, aunque el activo ejecutado no les interese, al objeto de poder cobrar al menos algo de lo adeudado. La expresa prohibición de mejorar el precio ofrecido por el mejor postor una vez finalizada la subasta, sumado a la imposibilidad de adjudicarse de forma voluntaria el activo cuando ésta quede desierta y a la facultad reconocida al ejecutado de solicitar en estos casos el alzamiento del embargo, sólo pueden desembocar en este resultado[57].

---

[57] ACHÓN BRUÑÉN, Mª J., "Modificaciones de las Subastas judiciales por la Ley Orgánica 1/2025, de 2 de enero: Deficiencias de la nueva Regulación y Problemas que va a suscitar", en *Diario La Ley*, núm. 10655, 2025 —edición

La auténtica novedad de este precepto reside, sin embargo, en las medidas arbitradas cuando el titular de la garantía no ejercite este supuesto derecho de adjudicación voluntaria, que ahora suprime la LECiv. con carácter general. La solución adoptada en estos casos por el TRLC es diversa, según que el valor de los bienes subastados sea inferior o superior a la deuda garantizada, para cuya determinación habrá que atender al inventario de la masa activa —art. 423 bis.2 TRLC—.

En el primer supuesto, se reconoce al juez, una vez oídos el administrador concursal y el titular del derecho real de garantía, proceder a su adjudicación por ese valor al acreedor o a la persona natural o jurídica que hubiera señalado. Se trata, por tanto, de una auténtica adjudicación forzosa del bien en contra de su voluntad. Y además por el valor total del bien que figure en el inventario. En este caso el acreedor verá su crédito remanente, que tendrá a partir de ese momento la calificación jurídica que le corresponda, considerablemente reducido si se compara con el supuesto de adjudicación voluntaria, donde la adjudicación se realizaba por unos porcentajes inferiores, no por la totalidad del valor del bien, resultando en consecuencia un crédito remanente superior[58]. Nada se dice, sin embargo,

---

electrónica—, apdo. V.2, p. 11, y apdo. VI.2, pp. 15-16, destacando el efecto negativo de estas medidas sobre los ejecutantes particulares y abogando por conceder una cierta discrecionalidad al Letrado de la Administración de justicia para denegar este alzamiento y poder ponderar las diversas circunstancias concurrentes en cada caso.

58 FACHAL, N., "Las Operaciones...", cit., apdo. IV 5.3, pp. 32-33, esp. esta últ., atribuyendo a esta adjudicación un carácter híbrido entre la dación en pago y la dación para pago, al adquirir el acreedor adjudicatario la propiedad del bien, pero no extinguirse en cambio la deuda. Muy crítico, sin embargo, con esta adjudicación forzosa, FORTEA GORBE, J. L., "Reglas especiales...", cit., pp. 470-471, esp. esta últ., para quien esta decisión es contraria a la libertad de empresa del art. 38 CE y por ende con visos de inconstitucionalidad. Supone una imposición no una opción, a modo de llamativa excepción a la prohibición de pacto comisorio, por lo que vaticina su cuestionamiento ante instancias judiciales europeas o constitucionales. Discute también esta adjudicación sin contar con el consentimiento del acreedor, VALPUESTA GASTAMINZA, E., "Comentario al art. 423 bis TRLC...", cit., p. 1914.

respecto al tipo de resolución judicial que se debe adoptar para ello o la posibilidad de recurrir esta adjudicación. No obstante, todo parece apuntar que debería ser en forma de auto, al objeto de poder motivar suficientemente esta decisión, y susceptible asimismo de recurso de reposición por aplicación de la regla general que rige en materia de recursos contra providencias y autos —art. 546 TRLC—[59].

Cuando el valor del bien o del derecho fuera en cambio superior al importe de la deuda garantizada, se adopta una solución diferente. El juez debe ordenar en estos casos la celebración de una nueva subasta, pero sin postura mínima, para facilitar su enajenación, aunque no se señala ningún plazo para ello. Se trata así de evitar que el titular de la garantía pueda enriquecerse con la adjudicación del bien, al recibir un bien de un valor superior, y al mismo tiempo facilitar su realización, lo que sin duda redunda en interés del concurso[60]. El problema surge una vez más allí donde siga sin haber postores. En estos casos, y ante el silencio de la norma, en la medida en que no se establecen límites a la realización de subastas, se podrían seguir celebrando de forma sucesiva hasta declarar irrealizables los bienes[61]. En este mismo sentido, el nuevo art. 671, *in fine*, LECiv, dispone con carácter general, para el caso de subasta de inmueble sin ningún postor y no se haya designado por las partes una persona dispuesta a adjudicarse el bien por los importes allí previstos, la posibilidad de que "(...) las partes de la ejecución puedan solicitar, de común acuerdo, la celebración de nueva subasta, o proponer otras formas de satisfacción del derecho del ejecutante, conforme a lo previsto por el art. 640", lo que parece abogar por esta elección. No obstante, esta medida puede generar gastos excesivos y demorar precisamente las operaciones de liquidación y el cierre del concurso. Por eso, demostrado el fracaso de la nueva subasta sin postura mínima, otra posibilidad sería la adjudicación del bien al acreedor titular de la garantía, a pesar del exceso de valor del bien respecto al de la deuda

---

59 VALPUESTA GASTAMINZA, E., "Comentario al art. 415 TRLC...", cit., p. 1914.

60 Considera también acertada por este motivo esta medida, FORTEA GORBE, J. L., "Reglas especiales...", cit., pp. 471.

61 A favor de esta solución, DE CASTRO ARAGONÉS, J. M., "La Liquidación...", cit., p. 329.

garantizada, sin perjuicio de tener que contar con su consentimiento por exigencia del art. 211.2 TRLC y ante la falta de una expresa previsión de adjudicación forzosa en estos supuestos[62].

El art. 423 bis TRLC sólo se ocupa de la eventual adjudicación forzosa de bienes gravados con carga real. Nada se dispone en relación con las subastas desiertas de bienes libres de cargas. En estos casos resulta prácticamente imposible recurrir a este mecanismo de la adjudicación forzosa. No sólo por su falta de previsión legal para estos casos sino porque además no existe un específico acreedor que pueda cobrar su crédito con cargo a ese concreto bien que no se ha podido realizar. Ello, sin obviar la posibilidad de que un acreedor pueda aceptar voluntariamente la dación en pago de ese determinado bien para saldar su deuda. De ahí que lo lógico en estos casos sería realizar una nueva subasta sin postura mínima y, si aun así sigue sin haber interesados, considerar que se trata de un bien o derecho desprovisto de valor de mercado[63].

---

62 Así, en cambio, FACHAL, N., "Las Operaciones...", cit., apdo. IV 5.3, p. 34.

63 FACHAL, N., "Las Operaciones...", cit., apdo. IV 5.2, pp. 31-32, esp. esta últ.

Consecuencias para el derecho español de la Propuesta de Directiva de 7 de diciembre de 2022[1]

ÁNGEL MARINA GARCÍA-TUÑÓN
Catedrático de Derecho Mercantil
Universidad de Valladolid

RESUMEN

El presente trabajo tiene por objeto anticipar las posibles consecuencias que pudiera tener la Propuesta de Directiva del Parlamento Europeo y del Consejo de 7 de diciembre de 2022 armonizando ciertos aspectos del derecho de la insolvencia, sobre la Ley Concursal, con un comentario individualizado de las temáticas tratadas; incluye un comentario crítico sobre las limitaciones de la propuesta.

Palabras clave: derecho de la insolvencia, acciones revocatorias, procedimiento *pre-pack,* comité de acreedores.

ABSTRACT

The main purpose of this paper is to examine the possibles effects of the Proposal for a Directive of the European Parliament and the Council harmonising certain asopects of insolvency on the "Ley Concursal", particulary on every his contents; the paper include a critical commentary about the scope of the proposal.

Keywords: *insolvency law, avoidance actions, pre-pack proceeding, creditors committee.*

1 Propuesta de Directiva del Parlamento Europeo y del Consejo, para la armonización de ciertos aspectos del derecho de la insolvencia, Bruselas, 7-12-2022 COM (2022) 702 final 2022/0408 (COD).

de insolvencia y responsabilidad civil de estos. 2.6. Título VI. Liquidación de microempresas insolventes. 2.7. Título VII. Comité de acreedores. 2.8 Título VIII. Medidas para aumentar la transparencia de las legislaciones nacionales en materia de insolvencia. III. CONCLUSIONES.

I. INTRODUCCION: CUESTIONES GENERALES SOBRE EL DERECHO DE LA INSOLVENCIA

Con independencia de la referencia que venga a identificar a este conjunto normativo, es evidente que el Derecho Concursal hoy por hoy representa uno de los sectores legales que mayores niveles de mutabilidad alcanza, tanto desde el punto de vista del ordenamiento jurídico en general, como en la perspectiva más concreta del Derecho Mercantil. Si se circunscribe esta observación al espacio temporal de las tres últimas décadas, ningún otro sector dentro del ámbito del Derecho privado en general, más particularmente en lo que tiene que ver con la regulación de las obligaciones, ha sido objeto de tantas iniciativas legislativas. Estas han venido de la mano tanto de propuestas de alcance nacional, como a nivel internacional, más aún, en unos casos derivando del quehacer de instituciones propiamente legislativas, como de organizaciones que carecen en sentido estricto de un poder normativo.

Las razones que justifican tal proliferación de proposiciones e iniciativas, cabe reconducirlas en este momento alrededor de dos circunstancias, la primera, por el protagonismo que de tiempo atrás tiene la economía y lo económico, hasta el punto de marcar la agenda de actuaciones de la mayoría de organismos e instituciones, tanto en el ámbito de lo público, como de lo privado. En segundo lugar, en cierta medida derivado de lo anterior, por los avatares que aquélla, la economía, ha venido sufriendo en el tiempo de referencia, en el que se han sucedido crisis de alcance mundial; sirva de referencia al respecto la quiebra de Lehman Brothers, la pandemia generada por el Covid 19 o la más reciente de la guerra en Ucrania.

Ambos factores, la economía y sus crisis, han marcado el devenir de un gran número de sectores de los ordenamientos jurídicos, si bien con especial incidencia sobre aquellos que de una u otra forma se dirigen a quienes desarrollan, ya individualmente, ya a través de diferentes modelos de organización, actividades económicas en forma de empresa. Referencia esta última que no es ni limitativa ni contraria a poder considerar también en ese marco, a quienes de otra forma se relacionan o forman parte de aquéllas, y que hoy se encuadran en la figura, un tanto difusa, del consumidor.

Aludía al inicio a una cuestión terminológica, de identificación de este conjunto normativo, el Derecho Concursal, expresión o referencia ésta que es probable que, en poco tiempo y en razón a su contenido, se vea sustituida por la de Derecho de la Insolvencia. En efecto, cada vez son más los ámbitos en que esta expresión cobra carta de naturaleza, ya que parece ajustarse en mejor y mayor medida a sus propias previsiones, que abarca una perspectiva que va más allá de la estrictamente procedimental —concurso de acreedores—, para hoy centrar la atención en diferentes mecanismos cuyo objetivo consiste en evitar, precisamente, aquélla, la insolvencia, o éste, el concurso de acreedores.

Siguiendo con la cuestión terminológica, en la mayoría de los países de nuestro entorno se viene produciendo, sino un debate, sí al menos reconsiderar la expresión o término que mejor sirva para identificar a un conjunto normativo. Probablemente sea Francia el país en el que puede apreciarse una mayor diversidad semántica, que va desde la más clásica "droit de la faillite", pasando por una normativa de "sauvegarde des entreprises", por un "droit de l'insolvabilité" o también por un "droit des entreprises en difficulté". Siendo una cuestión que hay que valorar en sus justos términos, es lo cierto que dejando de lado la más tradicional de las expresiones, en las restantes, de más reciente implantación, se observa esa dualidad de contenidos a los que hacía anterior mención, de conjugar previsiones dirigidas a anticipar una situación de crisis, junto al establecimiento de cauces procedimentales que permitan, al menos en teoría, salvaguardar intereses en verdad plurales.

En lo que atañe a España, tal debate resulta hoy por hoy prácticamente inexistente, de manera que la mayoría de las aportaciones ya sea desde un punto de vista concreto, atendiendo a una cuestión particular, ya desde una perspectiva amplia, por genérica, la referencia Derecho Concursal sigue siendo la más utilizada. Es probable que tal estado de cosas tenga que ver con el hecho de la cercana promulgación del antecedente básico del derecho vigente, la Ley Concursal de 2003. A pesar de los innumerables cambios producidos en estos años, es lo cierto que aquella expresión sigue identificando en nuestro ordenamiento jurídico a un sector del Derecho Mercantil, cuyo contenido responde a esa dualidad de perspectivas, aunando mecanismos preventivos, junto a instrumentos fundamentalmente procesales para la ejecución colectiva de los créditos que pesan sobre un deudor. No obstante, tal vez el Preámbulo de la Ley 16/2022 pueda llegar a representar un cambio en la dirección propuesta, ya que se alude de forma reiterada a "*el sistema de insolvencia*", a modo de conjunto de previsiones que abarca esa dualidad apuntada.

Soy de la opinión de que más pronto que tarde será preciso reconsiderar en nuestro país la cuestión terminológica, sobre todo en atención a que resulta más adecuada, por conforme, al contenido del marco legal que identifica. Siendo esto así, lo que me parece más importante es reflexionar sobre ese contenido, sobre la necesidad de incorporar reglas que se alejan en cierta medida de lo estrictamente jurídico o con semejante tradición, a los fines de buscar la máxima eficiencia de sus propuestas, planteamiento que viene a traslucir en cierta medida considerar tradición e innovación. Sin pretender en modo alguno quitar relevancia a las previsiones destinadas al deudor no empresario, entiendo que la razón fundamental de ser de todo ese marco legal viene dada por el ejercicio de una actividad económica en forma de empresa, sobre la que circundan una variedad de intereses que requieren de regulación. Teniendo en cuenta este dato, ello obliga a barajar reglas que atiendan a sus peculiaridades, entre las que destacan el contar con mecanismos de información sobre los que sustentar el ejercicio de un poder de decisión. La consecuencia de todo esto va a consistir en que se incorpora como contenido de una norma jurídica, lo que hasta ese momento no era más que un tecnicismo, propio de otro ámbito científico. Quede apuntada la reflexión que precede, que en alguna medida sirve para anticipar y justificar, siquiera sea parcialmente, una opinión crítica sobre la Propuesta de Directiva objeto central del comentario, en adelante la Propuesta.

Debates al margen y en esta línea de reflexiones introductorias, debe destacarse que el conjunto normativo que representa el Derecho Concursal como marco regulador de la insolvencia de un sujeto, forma parte integrante del ámbito propio del Derecho de las obligaciones, aunque solo sea por el hecho de su estrecha y natural vinculación con cuanto tiene que ver con su cumplimiento, más exactamente, con cuanto pueda acontecer con la circunstancia contraria: su incumplimiento.

En el marco del Derecho de las obligaciones, la normativa sobre insolvencia alcanza su razón de ser, atendiendo y dando respuesta a una pluralidad de perspectivas, que de alguna manera, con diferente nivel de intensidad, encuentran reflejo a lo largo de sus previsiones. Así, en primer lugar, las posiciones que definen en el plano subjetivo a la obligación como relación jurídica, deudor y acreedor, vienen a justificar un porcentaje muy relevante de las reglas que integran el Derecho de la insolvencia; es la contraposición de intereses que subyace como elemento natural de la obligación, lo que obliga a definir un marco legal, previsor de su incumplimiento en una diversidad de posibilidades.

Pero junto a este plano o ámbito directo, no cabe duda que afloran otras orientaciones que requieren también de la atención del legislador, sin perder de vista su vinculación con el marco de las obligaciones. Limitaré en este caso la referencia a lo que acontece con los trabajadores del deudor y con los representantes por excelencia del crédito público, Agencia Tributaria y Seguridad Social. Ni que decir tiene que, en ambos casos, su posición viene a configurar una situación especial como acreedores, pero sin que ésta derive de una relación estrictamente obligacional, o al menos no respecto del esquema tradicional antes recordado. En efecto, esa posición no se vincula al esquema clásico derivado de un particular negocio jurídico, si no que su origen se conecta a otro tipo de vínculo, en el caso de los trabajadores, enmarcado en un conjunto normativo participado en mayor medida de una esencia de derecho público, respondiendo las más de las veces al paradigma de "ius cogens".

En lo que atañe a los titulares mayoritarios del crédito público, sea dicho a los meros efectos expositivos, resulta evidente el tratamiento especial que hoy alcanzan en nuestro Derecho nacional, planteamiento legislativo que ha de ser objeto de crítica, tanto desde el punto de vista de su concreta regulación, alejándose incluso del espíritu cuando no de la letra de su antecedente más directo, la normativa propuesta por la Unión Europea, cuanto del comportamiento desarrollado por sus representantes institucionales en la aplicación de aquél. En lo que tiene que ver con la obligada armonización legislativa derivada de las Directivas comunitarias, resulta cuando menos discutible la trasposición que hoy recoge el texto legal vigente, por ejemplo, en la extensión de la exoneración del pasivo insatisfecho, art. 489.1.5º[2], a unas cifras ridículas, teniendo en cuenta que la praxis viene mostrando reiteradamente que suelen ser tales créditos los primeros insatisfechos y en montantes más elevados; e igualmente criticable resulta, probablemente aún más, la justificación que se hace respecto del tratamiento privilegiado, excepcionando de la exoneración "*en la especial relevancia de su satisfacción para una sociedad justa y solidaria, asentada en el Estado de Derecho*" [3], lo que pone de manifiesto, otro ejemplo más, de las incoherencias e incongruencias de los legisladores actuales[4]; qué tendrá que ver la salvaguarda del Estado de Derecho, con él para mi injustificado privilegio del crédito público respecto del de naturaleza privada.

En lo que tiene que ver con el comportamiento desarrollado por los representantes de las administraciones citadas, son innumerables las intervenciones sustentadas a lo largo de más de una década en los procedimientos concursales en las que han participado, con decisiones que han impedido posibilidades de reflotamiento, de con-

---

2 Como es sabido, el precepto citado limita el alcance de la exoneración de deudas frente a la Agencia Tributaria y la Seguridad Social hasta el importe máximo de diez mil euros.

3 El texto entrecomillado se contiene en el Preámbulo, apartado IV de la Ley 16/2022, de 5 de septiembre, de reforma de la Ley Concursal, que vino a dar contenido al texto actualmente vigente, motivada aquella por la obligada y retrasada transposición de la Directiva 2019/1023.

4 Más que recomendable la lectura del trabajo de ROJO FERNÁNDEZ-RIO, A., "Las malas leyes", en AA.VV. "De iure mercatus. Libro homenaje al Prof. Dr. Dr.h.c. Alberto Bercovitz Rodríguez-Cano", Tirant lo Blanch, Valencia 2023, pag.169 y siguientes, poniendo de manifiesto la actual realidad legislativa española, en la que observa un doble fenómeno, de un lado, el aumento desmesurado de textos, junto, en segundo lugar, la pérdida de calidad de los que se promulgan.

tinuidad o de simple cesión de actividad a terceros; el resultado de todo ello ha sido que se han convertido en el antecedente de un dato estadístico escalofriante: la liquidación como fin de la gran mayoría de procedimientos. Y si a esta realidad se une el criterio jurisprudencial mantenido en materia de sucesión de empresa, nos encontramos ante el hecho de que unos y otros han conducido a una ineficiencia inadmisible de la legislación concursal en España.

Al margen del concreto marco normativo que representa el Derecho de las obligaciones, cabría también hablar de un interés general en la regulación de la insolvencia, teniendo en cuenta el ya citado protagonismo que en las sociedades contemporáneas tiene todo lo relacionado con la economía, que nada tiene que ver, por supuesto, con lo mencionado en relación al privilegio del crédito público. Es evidente que cualquier normativa que afecte a cuantos participan del tráfico económico, es susceptible de repercutir en la mejor consecuencia de aquél. Desde esta óptica, el alcance de este tipo de previsiones va más allá del estricto ámbito del Derecho privado, hasta presentar un contenido transversal, llegando a ser parte integrante de diversos sectores del ordenamiento jurídico.

Dejando de lado estas cuestiones introductorias, el tiempo actual ha convertido al Derecho de la insolvencia en una verdadera y propia categoría normativa, protagonista fundamental en el devenir del Derecho Mercantil, del que forma parte integrante, y susceptible de interferir en otros de sus sectores más tradicionales, caso del Derecho de sociedades. Partiendo de esta realidad, debe considerarse a continuación un factor relevante, como es el de que España forma parte de una organización supranacional, lo que impone a sus integrantes determinados niveles de cesión de soberanía en el ámbito del poder legislativo. En efecto, la Unión Europea representa ejemplo paradigmático, que impone a los Estados miembros la incorporación a sus respectivos ordenamientos legales de muy variadas normativas, entre las que cabe destacar, en cuanto ahora interesa, las referidas a la insolvencia de un deudor. El punto de partida puede fijarse en la Recomendación de la Comisión Europea de 12 de marzo de 2014, que vino a dar un nuevo enfoque a la insolvencia y al fracaso empresarial[5], cuyos primeros considerandos han de asumirse como referencias obligadas respecto de las propuestas que han seguido, en particular lo contenido en la Directiva 1023/2019 y la Propuesta de Directiva que sirve de justificación al presente escrito.

A tenor de lo recogido en los considerandos referidos, básicamente los cuatro primeros, son tres los planteamientos a tener en cuenta cara a una regulación futura, el primero de ellos, la constatación de notables diferencias existentes entre los ordenamientos nacionales en materia de insolvencia, susceptibles de afectar directamente al buen funcionamiento del mercado único en diferentes aspectos; en segundo lugar, se persigue como objetivo el garantizar que las empresas viables con dificultades financieras, tengan acceso a mecanismos que les permitan reestructurase, de forma que eviten su insolvencia, lo que redundará positivamente en una pluralidad de intereses; por último y en tercer lugar, ofrecer a los empresarios honrados incursos en procesos de insolvencia una segunda oportunidad, a través de la condonación de las deudas contraídas en el ejercicio de su actividad empresarial.

Con esta trilogía de objetivos se promulgó la Directiva 1023/2019, que debía ser transpuesta en el plazo de dos años, si bien y como es sabido, en el caso de España se solicitó prórroga, un año más, siendo la Ley 16/2022 la que vino a cumplir el trámite y recoge el texto actualmente vigente de la Ley Concursal, formalmente Real Decreto Legislativo 1/2020, de 5 de mayo. Hasta qué punto la transposición operada con aquella Ley se ha llevado a cabo correctamente, tanto en el fondo como en la forma, es cuestión que excede el ámbito de este comentario; sea suficiente apuntar que los cambios introducidos no han llegado a reflejar todas las posibilidades ofrecidas por

---

5 La referencia temporal recogida en el texto trata solamente de fijar un tiempo que sirve de antecedente a las iniciativas posteriores; con anterioridad las propuestas comunitarias han sido muy variadas, por ejemplo, la que representó el Reglamento 1346/2000 del Consejo, de 29 de mayo de 2000, sobre procedimientos de insolvencia, sustituido posteriormente por el Reglamento 848/2015

la Directiva, ampliamente permisiva con la potestad de los Estados miembros de adecuar contenidos a sus particulares circunstancias[6].

Procede, pues, sin más, abordar los cambios que es posible imaginar en nuestro Derecho de la insolvencia, derivados del mandato armonizador que pueda recoger el texto definitivo de la, hasta ahora, Propuesta de nueva Directiva.

II. PROPUESTA DE DIRECTIVA DEL PARALMENTO EUROPEO Y DEL CONSEJO, 7.12.2022, PARA LA ARMONIZACIÓN DE CIERTOS ASPECTOS DEL DERECHO DE LA INSOLVENCIA

1. Antecedentes y presupuestos

Como no podría ser de otra manera, la Propuesta objeto de comentario participa del objetivo de, si no eliminar, si al menos reducir las diferencias que existen entre las legislaciones de los Estados miembros en materia de insolvencia. Se ha dicho en numerosas ocasiones y de nuevo se reitera en el texto hecho público, que la diversidad de regímenes legales supone un claro obstáculo al correcto funcionamiento del mercado interior, susceptible también de afectar al ejercicio de las llamadas libertades fundamentales, como las que representan la libertad de establecimiento y la relativa a la circulación de capitales.

---

6 Sirvan de botón de muestra algunas críticas, más o menos generalizadas, respecto de determinadas previsiones; así, por ejemplo, la regulación en materia de enajenación de unidades productivas, arts. 215 y siguientes del TRLC, del ya criticado tratamiento del crédito público o, también y en este caso con el relevante apoyo de la jurisprudencia social, todo lo relativo a la sucesión de empresas, art. 221 del TRLC en relación con el 44.2 del estatuto de los Trabajadores, finalizando con el marco establecido en materia de exoneración del pasivo insatisfecho, arts. 486 y 487, sobremanera a la hora de concretar el concepto de deudor de buena fe y las excepciones a la concesión.

En esta línea argumental, en el propio texto de referencia, ya de inicio, se apunta que la Propuesta forma parte de los medios destinados a avanzar en la unión de los mercados de capitales, UMC, objetivo que se considera fundamental para el logro de una mayor integración financiera y económica de la Unión Europea.

Bajo la óptica de las premisas antedichas, la Propuesta ha de considerarse como continuación de la Directiva 2019/1023, en un doble ámbito, por un lado, avanzando y tratando de mejorar algunos de sus contenidos, complementado sus previsiones con algunos añadidos; de otro, abordando nuevas medidas, que no habían sido consideradas al tiempo de su promulgación[7]. En ambos casos se parte, como se destaca la Exposición de Motivos, de los diferentes niveles de eficiencia en los Estados miembros en cuanto al tiempo necesario para liquidar una empresa y el valor que puede recuperarse, con el añadido de la inseguridad jurídica que se genera en cuanto a los resultados de los procedimientos de insolvencia y a lo que sigue un incremento de los costes de información para los acreedores transfronterizos.

Bajo el amparo jurídico que representa el art. 114 del Tratado de Funcionamiento de la Unión Europea, que posibilita la adopción de medidas para la aproximación de las legislaciones nacionales destinadas al establecimiento y funcionamiento del mercado interior, el contenido de la Propuesta responde al doble criterio de la subsidiariedad y proporcionalidad, principios que han de considerarse ya tradicionales en el marco de la intervención legislativa de las instituciones comunitarias. Como es sabido, pero resulta siempre conveniente recordar, con el primero, la ausencia de competencias exclusivas en una materia por parte de la UE, viene a determinar cuándo resulta preferible su intervención frente a la de los Estados; con el segundo, las acciones de la UE están sometidas a ciertos límites, en el sentido

---

[7] En esta línea argumental, la Exposición de motivos de la Propuesta, 1. Contexto de la Propuesta. Coherencia con las disposiciones existentes en el mismo ámbito de actuación, pág. 3, señala, textualmente, que "*La presente Propuesta es plenamente coherente con otros actos legislativos de la UE en el ámbito de actuación, en particular la Directiva (UE) 2019/1023, del Parlamento Europeo y del Consejo y el Reglamento (UE) 2015/848 del Parlamento Europeo y del Consejo, ya que aborda problemas que el resto de la legislación vigente no afronta. Por lo tanto, esta acción de la UE aborda una auténtica laguna legislativa*".

de ser adecuadas y necesarias a los fines perseguidos, que en el caso que nos ocupa supone establecer unos requisitos mínimos de armonización y una flexibilidad de las medidas que se proponen.

2. Estructura de la Propuesta

La Propuesta objeto de análisis, responde a los esquemas clásicos adoptados por la UE a la hora de formular iniciativas legislativas de alcance armonizador, viniendo a reproducir una determinada estructura. Así, partiendo de una amplia Exposición de Motivos, ésta encuentra complementación a través de sesenta y tres considerandos explicativos del contenido que sigue, agrupados en nueve Títulos, que suman un total de setenta y tres artículos. En lógica con la estructura mencionada, son ocho los ámbitos de actuación, que traen causa de las consultas con las denominadas partes interesadas[8], precedidos, Título I, de un conjunto de disposiciones generales; el Título II se refiere a las acciones revocatorias, el III, al rastreo de activos pertenecientes a la masa del concurso, el IV, sobre procedimientos de pre-pack, el V, sobre la obligación de los administradores de solicitar la apertura de un procedimiento de insolvencia y responsabilidad civil de éstos, el VI, destinado a la liquidación de microempresas insolventes, el VII, sobre el comité de acreedores, el VIII, de medidas para aumentar la transparencia de las legislaciones nacionales en materia de insolvencia, y el IX, recogiendo una serie de disposiciones finales. Sea suficiente la relación de materias apuntadas para extraer una conclusión de partida: son muchos los temas abordados, con incidencia dispar sobre nuestro derecho vigente y en una dirección "ex post", en el sentido de que la situación de insolvencia del deudor se ha materializado, observación ésta que permite anticipar un punto de vista crítico como se dirá en su momento; veamos en cuanto sigue los posibles efectos de la Propuesta, teniendo en cuenta que no todas esas temáticas alcanzan igual relevancia.

---

8 Se ha llevado a cabo una consulta pública, que ha dado lugar a 129 contribuciones de diecisiete Estados miembros y del Reino Unido.

2.1. Título I. Disposiciones generales

Al igual que la Directiva 2019/1023, la Propuesta principia su contenido determinando el objeto y el ámbito de aplicación[9], en términos muy similares a los conocidos, a lo que sigue el siempre necesario capítulo de definiciones y se complementa con una previsión interesante, destinada a fijar el momento en el que una parte está estrechamente vinculada con el deudor.

En lo que respecta al capítulo de definiciones, cabe señala, entre otras, lo referido a la "*plena exoneración de deudas*", previsión que el legislador español insiste en interpretar restrictivamente, amparándose en el alcance que otorga a qué entender por deudas exonerables, precisamente las que se excluyen de ejecutar; el texto propuesto permite seguir manteniendo ese criterio de interpretación, viniendo a dejar en manos de los Estados miembros fijar el límite de la exoneración de deudas, tal y como sucede con el vigente art. 489 de la LC. Mención requiere también esa especie de renacimiento que representa el "*comité de acreedores*", a modo de órgano representativo de los acreedores, en principio con poderes consultivos y de otro tipo si así se establece en la legislación nacional, hoy por hoy desconocido en nuestra legislación; y por añadir algo al respecto, nada bueno recuerda la experiencia de nuestra junta de acreedores de la legislación derogada, Código de Comercio y Ley de Suspensión de Pagos. Se define también el procedimiento "*pre-pack*", a modo de procedimiento de liquidación acelerado de la empresa en funcionamiento del deudor, previa constatación de la situación de insolvencia; dudas suscita la referencia al concepto típicamente contable de empresa en funcionamiento, a la hora de concretar su alcance, ya que en la normativa hoy vigente no hay alusión alguna al mismo. Una última mención cabe realizar respecto de la "*parte estrechamente vinculada al deudor*", tanto persona física como jurídica, que se sustenta en una cuestión de hecho, que deriva de contar con acceso preferente a información no pública sobre los negocios del deudor; en línea con lo

---

9 En cuanto al objeto, se trata de los ámbitos de actuación que se proponen, que han quedado ya mencionados; la propuesta excluye la aplicación de su contenido a los sectores conocidos, tales como seguros y entidades de crédito, organismos públicos y personas físicas no empresarios.

establecido en los vigentes arts. 282 y 283 de la LC, la propuesta incluye una serie de vínculos, a modo de presunción "iuris et de iure", tanto para el deudor persona física, como si se trata de una persona jurídica, operando la referencia antedicha, del acceso preferente a información, a modo de cláusula general que complementa dicha relación[10].

2.2. Título II. Acciones revocatorias

Las posibles repercusiones de las propuestas en materia de acciones revocatorias, trae a colación de nuevo el debate sobre la inexistencia de un régimen especial en el marco de la legislación concursal, ya sea afirmando la necesidad de éste, ya apostando por la plena vigencia del régimen general, es decir, negando las razones que pudieran justificar la especialidad de tratamiento.

Es evidente que se trata de una temática que excede sobremanera el ámbito del presente comentario, que incluye tanto cuestiones de forma como de fondo, pero sobre las que resulta imprescindible poner de manifiesto, siquiera, algunas consideraciones muy generales. Lo primero que cabe apuntar es que, aunque sea de manera indirecta, las previsiones participan del objetivo al que alude el Título III de la Propuesta, "rastreo de los activos pertenecientes a la masa del concurso", ya que el fin último es el mismo: incorporar a la masa activa elementos que salieron indebidamente. Asumiendo este punto de partida, le sigue la cuestión terminológica y conceptual a la vez, de si cabe hablar realmente de acciones revocatorias o resulta más correcto hablar de acciones rescisorias. Sin mayores precisiones sobre la idoneidad de una u otra referencia, en verdad estamos ante un supuesto de acción pauliana, instrumento procesal fundamentalmente rescisorio, de ineficacia del acto de que se trate y subsidiariamente indemnizatoria, sobre la que ya de tiempo atrás se observa una evo-

---

10 La Propuesta recoge reglas diferentes para determinar el momento pertinente en relación a la existencia o no del vínculo, en un caso en relación a las acciones revocatorias, día en el que el acto objeto de revocación se haya perfeccionado o tres meses antes, y respecto del procedimiento *pre-pack*, el día que comience la fase de preparación o tres meses antes.

lución hacia la afirmación de su carácter objetivamente perjudicial, que no depende del fin fraudulento; en suma, este cambio de orientación ha venido a suponerla sustitución de la idea del fraude por la del perjuicio.

Sin entrar a considerar temas tan relevantes como si estamos ante una acción real o personal o si su funcionalidad es conservativa o ejecutiva, sí ha de afirmarse que, con carácter general, no estamos ante una acción de nulidad y sí rescisoria. Esta caracterización supone que no siendo posible la restitución de la cosa por estar en posesión de un tercero de buena fe, el autor del fraude estará obligado a resarcir el daño, lo que de hecho la convierte, también, en una acción con función indemnizatoria.

Si trasladamos los planteamientos que preceden al contenido de la Propuesta, son varios los desajustes que cabe observar en relación con nuestro derecho vigente, tanto el común representado por el Código Civil, como el especial de la LC; veamos en cuanto sigue, siquiera sea de forma muy resumida, las reglas principales de aquélla.

Así, en primer lugar, se parte de que los Estados miembros deberán incorporar a sus respectivos ordenamientos, previsiones que permitan la declaración de nulidad de actos jurídicos, incluidas omisiones, que beneficien a un acreedor o grupo de acreedores, si han sido perfeccionados en los tres meses anteriores a la presentación de la solicitud de apertura de un procedimiento de insolvencia, siempre que el deudor no haya podido pagar sus deudas vencidas; y también respecto de tales actos perfeccionados tras la presentación de la solicitud de apertura del procedimiento. A mayores, con carácter especial se recogen otras previsiones específicas para actos jurídicos sin contraprestación o con una manifiestamente inadecuada; en relación a estas actuaciones, el plazo de retroacción es de un año antes de la presentación de la solicitud del procedimiento. Se cierra la relación de actos objeto de revocación, los que califica de intencionadamente perjudiciales para los acreedores, con dos condiciones, perfeccionados en los cuatro años anteriores a la solicitud del procedimiento y que la otra parte conociera o debiera de haber conocido la intención dañina del deudor, lo que se presume en el caso de que se trate de personas vinculadas. En última instancia se concluye este primer apartado con la descripción de los efectos de las acciones revocatorias, bajo el principio de que los actos declarados nulos no podrán obtener satisfacción alguna con cargo a la masa del concurso.

A la luz de lo expuesto, cabe preguntarse por el alcance que la proyectada reforma pudiera tener respecto del vigente contenido de la LC, sobremanera en sus arts. 226 y siguientes. Especialidad destacable de este marco legal en comparación con el general o común del Código Civil, es que, en este último caso, arts. 1.111 y 1.293.3, las acciones reguladas presentan expresamente carácter supletorio o subordinado, en el sentido de que su ejercicio se vincula a la ausencia de otros remedios legales para lograr los efectos rescisorios. Por su parte el texto concursal presenta una serie de presupuestos básicos, entre los que cabe destacar a los efectos que en este momento interesa, el periodo de retroacción, dos años anteriores a la fecha de la solicitud del concurso, la indiferencia de la intención fraudulenta del deudor, y el conjunto de presunciones, *iuris tantum y iuris et de iure*, del perjuicio patrimonial del acto rescindible.

Sin entrar en mayores consideraciones, parece claro que la posible reforma de la LC vendrá referida sobre lo que la Propuesta identifica como actos intencionadamente perjudiciales para los acreedores. De ser así, se trataría de una ampliación del marco de revisión de los actos realizados por el deudor, no sólo en lo que se refiere a la ampliación del plazo, hasta los cuatro años, sino también lo que representa considerar nuevamente el elemento volitivo del acto del deudor, tratándose de actos que intencionadamente persiguen el perjuicio de la generalidad de los acreedores, sin que la Propuesta recoja referencia alguna en materia de presunciones. En suma, parece evidente que la cuestión a debatir tendrá que ver con la prueba de la intención de perjudicar, en sí mismo dos condiciones intencionalidad y perjuicio, y la posibilidad de incorporar unas u otras presunciones.

2.3. Título III. Rastreo de activos pertenecientes a la masa del concurso

El capítulo de actuaciones que desarrolla la referencia que antecede se centra en una trilogía de medidas, a saber, facilitar el acceso de los organismos jurisdiccionales competentes a las cuentas bancarias, en segundo lugar y en relación con los administradores concursales, facilitándoles el acceso a la información en materia de titularidad real[11] y también a los registros nacionales de activos en el caso de que existan.

Sobre la primera de las actuaciones propuestas, resulta clara la competencia exclusiva y excluyente de los juzgados de lo mercantil ex art. 44 y siguientes de la LC, de ahí que poco cabe anticipar sobre posibles efectos de la Propuesta; añadir, si cabe, que la actuación del órgano puede derivar tanto a iniciativa propia, es decir, de oficio, cuanto a petición de la administración concursal.

En cuanto a la legitimación de la administración concursal para acceder a las bases de datos sobre titularidad real, el art. 5 de la normativa referenciada, "P*ersonas legitimadas para acceder a la información del Registro Central de Titularidades Reales*", no hace mención expresa a la administración concursal como sujeto-órgano legitimado, de ahí que para evitar dudas sería bueno su inclusión[12]. En cuanto a los registros nacionales de activos, el art. 2 de la Propuesta, sobre definiciones varias, no especifica qué entender por tales, ni tampoco en nuestra estructura registral tan variada existe específicamente institución siquiera similar; por otra parte, la referencia al concepto de "*activos*" admite una concreción más que diversa, de muy difícil encuadramiento en una sola institución de publicidad legal, yendo de la propiedad inmobiliaria, a la de signos distintivos y otros derechos de propiedad industrial.

2.4. Título IV. Procedimientos de *pre-pack*

De tiempo atrás una mayoría de legisladores y organismos han venido poniendo de manifiesto la necesidad de regular mecanismos que posibiliten la supervivencia de una empresa, ya sea en su conjunto, ya desgranando algunos de sus elementos viables, y siempre antes de que los procedimientos de insolvencia diseñados lleguen a su fin,

---

11 Sobre la materia, la creación del Registro Central de Titularidades Reales, según RD 609/2023, de 11 de julio.

12 A pesar de esa ausencia de mención, podría sustentar esa legitimación el apartado 3 del precepto, cuando la reconoce a "*persona u organización que pueda demostrar un interés legítimo en su conocimiento*".

mayoritariamente con resultado liquidatario y no de conservación. Se trata de apostar por medidas de prevención en detrimento de las de liquidación, con la particularidad de que en este caso esa prevención no se destina propiamente a anticipar situaciones de insolvencia, sino que siendo esta actual o inminente el objetivo es hacer posible la continuidad de la actividad. En esta orientación, el art. 2.p), junto al art. 19, de la Propuesta, establecen que los ordenamientos de los Estados miembros han de contar con un procedimiento de liquidación acelerada, que posibilite la venta total o parcial de una empresa en funcionamiento al mejor postor, con un doble objetivo, de un lado, que la actividad, total o parcial, continúe, y de otro, aplicar lo obtenido al pago de acreedores.

Son suficientemente conocidas las deficiencias y carencias que nuestra LC ha venido manteniendo sobre la materia, en unos casos por insuficiencia de reglas o retraso en su recepción, en otros por sus incongruencias, llegando a justificar propuestas de diferentes instancias judiciales, con la finalidad de dar respuesta adecuada al vacío o confusión legal. Con independencia de todo esto, creo conveniente realizar un breve resumen del contenido de los arts. 215 y siguientes de la LC, con algo más de atención de los arts. 224 bis y siguientes, para a continuación poner de manifiesto el contenido de la Propuesta y su posible incidencia en nuestro ordenamiento.

En la exposición del derecho vigente hay que partir de la limitación establecida en el art. 215, en virtud de la cual, hasta la aprobación del convenio o la apertura de la fase de liquidación, la enajenación de la empresa o de sus unidades se deberá formalizar mediante el procedimiento de subasta electrónica, salvo que el juez autorice otro modo; a modo de aclaración del verdadero alcance de esta regla, el precepto siguiente, art. 216, posibilita esa enajenación en cualquier estado del procedimiento concursal, a través de sujeto especializado, con la consabida autorización judicial y del modo que proceda, es decir, sin necesidad de la indicada subasta electrónica. Complementando esta especie de marco general de referencia, dos previsiones a comentar, de un lado la relativa al contenido de las ofertas, art. 218, y la norma sobre sucesión de empresa del art. 221. Así, respecto de la primera, se establece un contenido mínimo de las ofertas, con independencia del sistema de enajenación que se emplee, que tiene que ver con la identificación del oferente y su solvencia, bienes y derechos integrantes de la empresa o unidad, el precio, las modalidades de pago y las garantías aportadas y en última instancia su incidencia en el ámbito laboral. En lo que tiene que ver con la segunda de las previsiones citadas, se establece un principio de sucesión de empresa a los efectos laborales y de seguridad social, que requiere de expresa declaración en tal sentido por parte del juez del concurso, declaración que, si se atiende a la literalidad de la norma, no se sabe muy bien si es un mero trámite formal a cumplir por el juez siempre que haya una enajenación o si tiene capacidad de decisión, en el sentido de decidir si en el caso de que se trate hay o no sucesión; suficientemente conocido es el criterio hermenéutico prevalente, de supeditar cualquier enajenación a tales reglas, lo que, como también es conocido, en muchas ocasiones se ha convertido en el impedimento para posibilitar la continuidad de actividades empresariales.

Con ocasión de la adaptación de la LC a lo previsto por la Directiva 2019/1023, la regulación del *pre-pack* se ha visto notablemente incrementada y lo que no está del todo claro si mejorada, siendo los arts. 224 bis a 224 septies[13] los que recogen esa ampliación. La primera de estas reglas viene a posibilitar que el deudor, al tiempo de la presentación de la solicitud de concurso, acompañe la misma de una oferta vinculante de adquisición, de acreedor, cualquier tercero y trabajadores, con el compromiso de continuar o reiniciar la actividad por un plazo mínimo de tres años; sin entrar en otros detalles a cumplimentar o que puedan acontecer en este supuesto, la novedad relevante ha venido a consistir en posibilitar un adelanto de la enajenación, en realidad de la oferta, hasta entonces inviable de no iniciado el procedimiento, ex art. 216.

Las incongruencias aparecen cuando se analizan el resto de los preceptos incorporados por la Ley 16/2022 y la primera, más evidente que otras, la encontramos en el art. 224 ter, que permite al

---

[13] Estos preceptos configuran la subsección 4ª, sobre "*Nombramiento de experto para recabar ofertas de adquisición de la unidad productiva", de la sección 1ª, De la conservación de la masa activa, del Capítulo III, De la conservación y de la enajenación de la masa activa, Título IV, De la masa activa, Libro Primero"* de la LC, ubicación que tiene relevancia.

deudor en situación de insolvencia actual, inminente o probable, solicitar del juez competente para declararle en concurso, sin que proceda la apertura automática de la liquidación, el nombramiento de un experto que recabe ofertas sobre su empresa o unidades de negocio, siempre que recojan un pago al contado; a mi entender, carece absolutamente de sentido que mientras que en el presunto régimen general de ofertas, según el art. 218 se alude a "*modalidades de pago*", en el supuesto ahora comentado se exige el pago al contado; esta disparidad de tratamiento supone a mi entender frenar una solución anticipada como la que en teoría se pretende, ya que será preferible esperar al inicio del procedimiento, que permitirá, por ejemplo, un aplazamiento en el pago. El colmo de las incongruencias se pone de manifiesto en el art. 224 septies, precepto que parte de una declaración de principio cuyo alcance ni mucho menos queda claro, indicando que la oferta, ha de entenderse que gestionada por el experto designado, deberá contener el compromiso del oferente de continuar o reiniciar la actividad por un período mínimo de dos años; sobre cual pueda ser al argumentación que justifique esa reducción del compromiso, de tres años ex art. 224 bis a dos, es algo que sinceramente no es fácil de determinar.

Sea suficiente cuanto antecede sobre el régimen vigente en la repetida materia y procede sin más abordar lo más relevante que pudiera acarrear la incorporación de las previsiones contenidas en la Propuesta. A modo de punto de partida, el art. 19 establece que el procedimiento deberá componerse de dos fases consecutivas una de preparación, destinada a la búsqueda de un comprador, a la que seguirá la de liquidación, en este caso a fin de formalizar la enajenación y subsiguiente distribución de los ingresos entre los acreedores, con arreglo a las disposiciones generales en materia de prelación de créditos. Desde el punto de vista de la normativa vigente, la LC no estructura el procedimiento en los términos antedichos, diferenciando una y otra fase, aunque con algo de imaginación sería posible encontrar previsiones propias de ambas fases, lo que no obsta por recomendar que, si la Propuesta sigue adelante, nuestro legislador clarifique todo el procedimiento, dando coherencia y uniformidad al conjunto de sus previsiones.

En lo relativo a la fase de preparación, la Propuesta recoge con detalle la figura del supervisor, art. 22, nuestro experto, que opera en igualdad de condiciones en cuanto a la labor a desarrollar, superando de esta manera las incongruencias apuntadas anteriormente en cuanto a las ofertas a gestionar. Se especifica, además, que el deudor mantenga la gestión de la empresa, así como que en los supuestos de insolvencia actual e inminente sea posible la suspensión de las ejecuciones singulares, previsiones que no encuentran refrendo específico en la LC[14]. La normativa se completa con otra declaración de principios, en el sentido de que la enajenación prevista responda a criterios competitivos, de transparencia, equitativos y acorde con las normas del mercado.

En cuanto a la fase de liquidación, arts. 25 y siguientes de la Propuesta, se parte de una regla similar ya recogida en la LC, art. 224 sexties, de que la figura del experto/supervisor asumirá el rol de administrador concursal, aunque en la LC se posibilita al juez de lo mercantil a un nombramiento distinto. La decisión última de la enajenación seguirá recayendo en el órgano judicial competente[15], que podrá venir amparada por un informe del experto, en el sentido de que se han respetado las normas establecidas sobre la materia. Poco se aclara en la Propuesta acerca de los criterios a considerar a los fines de seleccionar la mejor oferta, lógicamente de existir varias, que reenvía a las mismas reglas establecidas para seleccionar entre ofertas competidoras en los procedimientos de liquidación, art. 30[16].

14 Lo mencionado en el texto podría considerarse aplicable en el caso de declarado el concurso, como efecto o consecuencia de la resolución judicial, al hilo de lo previsto en el art. 215 de la LC.

15 Mención especial debe hacerse al contenido del art. 29 de la Propuesta, declarando la ausencia de efectos suspensivos de los recursos que puedan presentarse contra las resoluciones judiciales en el marco del procedimiento, salvo que se obligue al recurrente a prestar caución o garantía suficiente para cubrir los posibles daños causados por la paralización de la venta.

16 En la LC, el art. 224 bis establece que, en el caso de pluralidad de ofertas, el administrador concursal deberá emitir informe de evaluación de cada una, concluyendo que el juez decidirá con la "*aprobación de la que resulte más ventajosa para el concurso*", lo cual, por cierto, no es decir mucho.

Pero tal vez la novedad que pudiera ser más destacable es la que se recoge en el art. 32, referida a las "*partes estrechamente vinculadas al deudor en el proceso de venta*", que posibilita la adquisición por estos sujetos de la empresa o de sus unidades, siempre y cuando se cumplan una serie de condiciones, resumidamente, que haya una declaración expresa sobre esa relación con el deudor, que las demás partes del procedimiento tengan información suficiente sobre esa relación y que, por último, se posibilite que personas sin vinculación presenten una oferta[17]. Se completan estas reglas con otras destinadas a maximizar el valor de la empresa del deudor y de protección de los intereses de socios y acreedores[18].

2.5. Título V. Obligación de los administradores de solicitar la apertura de un procedimiento de insolvencia y responsabilidad civil de estos

El titulo V de la Propuesta, el mas breve de todos y, también, el de menor relevancia cara a eventuales cambios del derecho vigente, se concreta en dos mandatos, arts. 36 y 37, ya recogidos en la LC, el primero, estableciendo la obligación de los administradores de solicitar la apertura de un procedimiento de insolvencia dentro de los tres meses siguientes al conocimiento de la situación de insolvencia o, de otro modo, al momento en el que razonablemente deberían tener ese conocimiento[19]; el segundo, complemento del anterior, haciéndolos responsable frente a los acreedores, de los daños causados por el incumplimiento precedente[20].

---

17 Se añade también que, en el caso de que exista una sola oferta y esta corresponda a persona estrechamente vinculada con el deudor, el administrador o experto podrán rechazarla si no supera la prueba del interés superior de los acreedores, definida en el art. 2.h).

18 Arts. 33 y 34 de la Propuesta, el primero, posibilitando la financiación provisional, el segundo, tratando de garantizar el derecho a ser oídos, unos y otros, socios del deudor y acreedores de este.

19 Como es sabido, el art. 5 de la LC fija dicho plazo en dos meses para el deudor en situación de insolvencia actual.

20 Reconducible en la LC al marco de la responsabilidad por el déficit concursal, art. 456.

2.6. Título VI. Liquidación de microempresas insolventes

De tiempo atrás organismos y legisladores vienen prestando atención a las particularidades que presentan las situaciones de insolvencia en el ámbito de las pequeñas y medianas empresas. A través de muy diferentes propuestas, el objetivo no es otro que el de tratar de adecuar las soluciones legislativas a las realidades y circunstancias que identifican a los modelos de organización que representan aquellas. Si, además, en determinadas economías esas organizaciones resultan mayoritarias, hasta el punto de representar relevantes porcentajes en la creación de riqueza de un país, es imprescindible que las decisiones que adopten los legisladores tengan en cuenta esa circunstancia. Sirva de ejemplo del modelo económico aludido el que representa España, cuyos datos macroeconómicos ponen de manifiesto que nuestra economía está protagonizada por pequeñas y medianas empresas, dato este que por sí solo obliga a una adecuación de las previsiones en materia de insolvencia a esa realidad.

La vigente LC, tanto en su origen y más acentuadamente con ocasión de la recepción de la Directiva 2019/1023, ha incorporado a su contenido reglas cuya razón de ser y a la postre especialidad se justifica, precisamente, por estar destinadas a pequeñas organizaciones empresariales. Es el Libro Tercero, arts. 685 a 720, el que plasma un conjunto de disposiciones bajo la rotulación "*Procedimiento especial para microempresas*", cuyo ámbito de aplicación se define, esencialmente, por tratarse de deudores que, con independencia de su fórmula jurídica[21], lleven a cabo una actividad empresarial o profesional, que reúnan la doble característica de emplear a menos de diez trabajadores y con un volumen de negocio anual inferior a setecientos mil euros o un pasivo inferior a trescientos cincuenta mil euros.

No parece oportuno abordar, aunque fuese desde un punto de vista muy general, el comentario del Libro Tercero de la LC, teniendo en cuenta además que el contenido de la Propuesta se limita a una temática en concreto, la de la liquidación de estas empresas en

---

[21] En el caso de persona física, la LC, art. 715, posibilita que dicho deudor solicite la exoneración del pasivo insatisfecho.

situación de insolvencia[22], microempresas en su terminología, obligando a los Estados miembros a disponer de un procedimiento simplificado a tal fin.

Como es sabido, la LC ha considerado oportuno abordar el tratamiento de la insolvencia de las microempresas configurando un procedimiento específico, que puede presentar dos modalidades, una de continuación, la otra de liquidación, destinadas en buena lógica bien a posibilitar la conservación de la empresa, ya a su liquidación para la posterior redistribución de lo obtenido entre los acreedores; dualidad que no excluye la posibilidad de utilizar mecanismos similares para alcanzar objetivos, en principio, diferentes[23].

Limitando la referencia, como ya ha quedado dicho, a aquellas reglas más significativas de la liquidación, cabe señalar que la apertura del procedimiento de liquidación puede derivar de la solicitud del deudor o del acreedor, del incumplimiento del plan de continuidad o, incluso, por el hecho, sin justificación alguna a mi entender, de que el deudor no esté al corriente en el cumplimiento de las obligaciones tributarias o de la seguridad social. Paso inmediato a dicha apertura será la elaboración de un plan de liquidación, siguiendo lo establecido en un modelo de formulario normalizado, lo que exige a su vez la determinación del inventario correspondiente, con la descripción del activo y del pasivo. Las operaciones que conlleve el plan deberán ejecutarse con arreglo a lo establecido en el mismo, siendo factible la intervención del propio deudor o del administrador concursal si fue nombrado, así como la transmisión de la empresa en su conjunto o de sus unidades productivas. Tras estas operaciones deberá redactarse un informe final, ya por el deudor, ya por el administrador concursal, solicitando la conclusión del procedimiento, para el se llega a fijar una duración máxima de cuatro meses desde su comienzo.

---

22 El art. 38 parece reconducir el supuesto de hecho a una situación de insolvencia actual, "*cuando sea incapaz, en general, de pagar sus deudas a su vencimiento*", en su literalidad.

23 Me refiero a, por ejemplo, la venta de la empresa o de sus unidades productivas, susceptibles de servir tanto como mecanismos de continuación o, en su caso, de liquidación, art. 694 bis de la LC.

El objetivo de todas estas previsiones es alcanzar el máximo grado de flexibilización posible, simplificando y reducción trámites, además de obligar a la utilización de formularios oficiales.

Atendiendo ahora a las previsiones contenidas en la Propuesta, se trata de la materia que acoge el mayor número de reglas, en los ya mencionados arts. 38 a 57, muchas de las cuales ya encuentran refrendo en la vigente LC. Al respecto, son de citar, entre otras, que no podrá denegarse la apertura de un procedimiento de liquidación por el hecho de no disponer de activos o de resultar estos insuficientes para cubrir sus costes[24]; la necesidad de emplear medios electrónicos y de formularios normalizados, regla reiterada por la LC; la expresa declaración de que la apertura del procedimiento no implica el desapoderamiento del deudor, si bien podrá ver limitadas o incluso suspendidas sus facultades en el caso de nombramiento de un administrador concursal, en términos similares a los establecidos en nuestro derecho vigente[25]; la posibilidad de que se decreta la suspensión de las ejecuciones singulares, también recogida en la LC; en cuanto al reconocimiento de créditos, la competencia última corresponde al juzgado competente, con la eventual colaboración de la administración concursal si ha sido designada; sin previsión específica en este caso en la LC, la Proposición establece especialidades a la hora de aplicar las medidas sobre acciones revocatorias, en el sentido de que su ejercicio no será obligatorio para los acreedores o la administración concursal, sin que esa decisión negativa suponga eximir de responsabilidad civil o penal al deudor; por último, se apuesta por el fomento de una plataforma que posibilite una subasta electrónica para la venta de los activos del deudor, también en este caso en línea con la LC.

De cuanto antecede queda más o menos claro, que pocas son las modificaciones que respecto a la normativa recogida en la LC de-

---

24 Regla que no se recoge en la LC; como complemento de esta disposición, la Propuesta establece que la ausencia de activos o su ínfimo valor podrá justificar la decisión del órgano judicial competente para decretar la conclusión inmediata del procedimiento.

25 Art. 713 LC.

berán de incorporarse de aprobarse en los términos actuales la Propuesta objeto de referencia.

2.7. Título VII. Comité de acreedores

Una de las novedades más significativas y probablemente más inesperada de la Propuesta, tiene que ver con el denominado comité de acreedores, cuya aparición como contenido es posible que traiga razón del resultado de la consulta pública organizada por las instituciones europeas, a fin de conocer de primera mano la opinión y parecer sobre las perspectivas de evolución de la legislación de insolvencia. En efecto y poniendo ya de manifiesto una opinión crítica con la nueva figura, la Propuesta recoge la posibilidad de que a petición de los acreedores se constituya un comité de acreedores, de entre tres y siete miembros, lo que de alguna manera supone la ampliación de la estructura orgánica de los procedimientos de insolvencia, además de retrotraernos en España a los viejos tiempos de la legislación derogada con ocasión de la entrada en vigor de la LC.

Hasta qué punto la creación de un órgano como el que representa un comité de acreedores resultará eficiente y por consiguiente necesario, es algo que me permito poner en duda, ya no solo recurriendo a viejas y poco gratificantes de nuestro país, sino también porque el procedimiento de insolvencia actualmente diseñado permite la defensa y salvaguarda de cuantos intereses afloran; en consecuencia, cabe concluir poniendo de manifiesto su falta de justificación.

Atendiendo al contenido de la Propuesta, se configura una especie de estatuto del comité, que parte del nombramiento y deberes de sus miembros, método de trabajo y funciones, así como sus gastos y remuneración, concluyendo con el marco de responsabilidad. Sin entrar en el detalle de todas estas disposiciones, la Propuesta parte de la necesidad de su constitución[26], aunque posibilita a los Estados

[26] El art. 60.2 de la Propuesta permite que los Estados miembros autoricen la constitución de más de un comité, en tanto que representen a diferentes grupos de acreedores en un mismo procedimiento; posibilidad que fácilmente permite imaginar una complejidad en el desarrollo del procedimiento en modo alguno recomendable.

miembros condicionarla en base a una serie de variables, entre otras, costes globales de su intervención, reducido número de acreedores o la circunstancia de la condición de microempresa del deudor. También, establece que habrá de velarse porque sus integrantes reflejen la diversidad de intereses de los acreedores, lo que de alguna manera reconduce el tema a sede a las clases de acreedores y su representatividad, materia siempre compleja tanto a nivel conceptual como práctico.

En su perspectiva funcional[27], dos son las premisas en su actuación, una, que lo hace con independencia del administrador concursal; la segunda, que representa a la totalidad de los intereses del conjunto de acreedores. Ambas han de marcar el ejercicio de las facultades que se le atribuyen, en verdad un tanto difusas y a veces confusas en la enumeración del art. 64 de la Propuesta, entre otras, el ser parte en el procedimiento, supervisar al administrador concursal, la solicitud de información tanto al órgano judicial, como del administrador concursal y del deudor, o incluso obtener información sobre la venta de activos; como complemento a esta enumeración, el citado precepto concluye permitiendo que los Estados confieran al comité la competencia para aprobar determinadas decisiones o actos jurídicos, que requerirá de su detalle o especificación.

Sin mayores precisiones, reitero la opinión negativa a la reinstauración de la figura comentada, que poco o nada puede aportar a los objetivos que se presumen de un procedimiento de insolvencia. No obstante, podrían dejarse a salvo supuestos muy concretos, caso de grandes deudores en el doble sentido de relevantes cifras de pasivo y número de acreedores; aun así, con el añadido de que los gastos generadores fueran siempre a cuenta de los acreedores proponentes y no recayeran sobre la masa activa.

---

27 El art. 65 de la Propuesta establece que deberá especificarse quien sufraga los gastos que realice el comité; asimismo prevé que los miembros del comité perciban una retribución.

2.8. Título VIII. Medidas para aumentar la transparencia de las legislaciones nacionales en materia de insolvencia

Interesante medida es la que se recoge en la Propuesta, art. 68, referida a una cuestión que encuentra plena justificación siquiera sea por el hecho de encontrarnos en un ámbito territorial en el que operan una gran diversidad de regímenes legales, separado no solo por razón de frontera, sino por el dato más relevante de las disparidades entre ellos. En base al mandato que incorpora dicha disposición, los Estados miembros vendrán obligados a elaborar una ficha, en la que se recojan una serie de elementos básicos en materia de procedimientos de insolvencia, documento que estará a disposición a través del Portal Europeo de e-Justicia.

En cuanto a su contenido, se estructura en cuatro apartados, a saber, condiciones para la apertura de un procedimiento de insolvencia; el segundo, normas vigentes para la presentación, verificación y reconocimiento de los créditos; la tercera, normas sobre orden de prelación de créditos y del reparto de los ingresos obtenidos con la realización de activos; por último, la duración media de los procedimientos de insolvencia en el Estado de referencia. Cada uno de los tres primeros capítulos encuentran detalle en el propio precepto, de lo cual puede extraerse la conclusión de que en verdad se trata de una información que permitirá a aquellos acreedores transfronterizos tomar las decisiones que mejor convengan a sus intereses. Finalizar diciendo que esa ficha deberá redactarse en una lengua oficial de la Unión, en un lenguaje claro, no técnico y comprensible, y con una extensión máxima predeterminada.

III. CONCLUSIONES

Una primera reflexión es posible extraer del documento que sirve de argumento a estas páginas, que consiste en resaltar la lógica preocupación de las instituciones de la UE sobre la problemática jurídica que rodea al ejercicio de actividades económicas. En efecto, si ya de por sí la economía y lo económico marcan sobremanera una gran parte de sus propuestas, tal planteamiento se ha acentuado notablemente en los años transcurridos del presente siglo. Si por algo se ha caracterizado este período, es por una sucesión de situaciones de crisis, que en lo que en este momento interesa destacar, han sido la causa más directa de la proliferación de insolvencias de quienes hacen de aquella su razón de ser.

De alguna manera y como se recoge a lo largo de toda la Exposición de Motivos de la Propuesta, la intervención de la UE en este ámbito obedece a una diversidad de factores, entre los que cabe destacar la disparidad del tratamiento normativo de la insolvencia entre los Estados miembros, además de constatarse el hecho de que esta circunstancia es susceptible de afectar muy directamente a todo cuanto representa el mercado único, más concretamente a lo que representa la unión de los mercados de capitales, (UMC). Así, desde el punto de vista del ejercicio de las llamadas libertades económicas, a modo de marco de referencia normativo que define a éste, es fácil imaginar hasta qué punto pueden verse afectadas por la disparidad legislativa existente en materia de insolvencia, que en última instancia se convierte en un freno a su pleno desarrollo.

Con tales antecedentes, la Propuesta, de convertirse en Directiva, marcará un nuevo hito temporal en el objetivo de alcanzar una armonización razonable entre todas las legislaciones en materia de insolvencia de los Estados miembros. Desestimado el proyecto de construir un verdadero y propio Derecho de la insolvencia europeo, dotado de características y principios que lo identifiquen como tal, la alternativa no puede ser otra que intentar una aproximación entre ordenamientos con contenidos muy diversos, incluso dispares.

Si nos atenemos al contenido del documento, de alguna manera cumple un doble objetivo, por un lado, aborda temáticas no tratadas en iniciativas precedentes; por otro, de forma menos clara o directa y en suma menos relevante, aclara algunas de las propuestas ya vigentes, sobre todo en lo relativo a los procedimientos de exoneración de deudas. En atención a las novedades, no parece de recibo cuanto se propone en materia de comité de acreedores, que en el caso español representa a mi entender un mal recuerdo del derecho derogado; su posible justificación como resultado del período de consultas propiciado por las instituciones de la UE no justifica en modo alguno esa especie de renacimiento. Atendiendo a ambas perspectivas, sea bienvenida cualquier iniciativa que permita avanzar en el proceso de armonización legislativa, toda vez que está sobradamente acreditado que las divergencias existentes representan un obstáculo más que evidente a los objetivos que representa el mercado único. Además, como efecto positivo, la Propuesta, de mantenerse en los términos comentados, puede representar un acicate para algunos legisladores nacionales, de manera que, aprovechando la necesidad de su transposición, efectúan una mejora o aclaración de algunas de sus disposiciones. Para el caso de España, me parece imprescindible abordar los desajustes generados con la Ley 16/2022, que inciden, por ejemplo, en materia de procedimientos *pre-pack* o de liquidación de microempresas insolventes.

Pero además de posibilitar esa mejora en el contenido de nuestro derecho vigente, la Propuesta peca por defecto, en el sentido de que deja sin abordar tanto cuestiones de base o genéricas, como algunas puntuales; me refiero en particular, en primer lugar, a la falta de tratamiento sobre el elemento fundamental de todo el Derecho de la insolvencia: el concepto de insolvencia; en segundo término, la relativa inconcreción en el tratamiento del crédito público.

Me parece incuestionable que el conjunto normativo que hoy representa el Derecho de la insolvencia, en la doble vertiente preventiva —marcos de restructuración—, como estrictamente procesal —concurso de acreedores—, se sustenta sobre el concepto de insolvencia, de modo y manera que, los efectos de cada una de sus previsiones, viene marcado por el requisito de una situación especial por la que atraviesa un sujeto. En suma, tanto la operatividad de los mecanismos diseñados de prevención, como la propia declaración o apertura del procedimiento, exigen de una serie de circunstancias que rodean y definen, precisamente, la insolvencia.

Asumida la necesidad, la conveniencia, de los sistemas de orden preventivo, a los fines de anticipar situaciones de insolvencia y más propiamente, de posibilitar la continuación de la actividad de un deudor en una coyuntura de dificultades, la cuestión problemática no consiste tanto en la formulación de los instrumentos formales que lo hagan posible, cuanto determinar los denominados mecanismos de alerta de aquéllas. Siendo plenamente legítima la opción convencional que subyace en cualesquiera de las modalidades de marcos de restructuración, considero imprescindible incorporar al ordenamiento jurídico reglas que gocen de cierto grado de objetividad a la hora de su aplicación y que permitan al titular de la actividad disponer de una información sobre la que argumentar sus decisiones. Si se atiende a las formulaciones legales que tratan de definir a las diferentes modalidades de insolvencia, en la mayoría de las ocasiones se alude a una serie de consideraciones que dejan un cierto grado de discrecionalidad o incluso de interpretación. El incumplimiento regular de sus obligaciones exigibles o la previsión de que, en un concreto período, tres meses, no va a ser posible su cumplimiento regular y puntual, son circunstancias de orden fáctico que deben necesariamente complementarse con reglas, que no solo permitan al deudor contar con una información relevante, sino que, cara a terceros, sirven para poner de manifiesto el grado de diligencia de aquél.

No es nueva para el legislador la tarea de formular normas jurídicas que incorporan contenidos desarrollados en otros campos científicos. El ejemplo dado en este sentido por la regulación de la contabilidad de los empresarios es significativo, por lo que no se comparten las reticencias que tanto a nivel nacional, en el caso de la Ley 16/2022, como el comunitario vía Directiva 2019/1023 y de la propia Propuesta, parecen intuirse en estas iniciativas. Más aun, se trata de mecanismos de medición debidamente contrastados, tanto a nivel científico como práctico, de regulación relativamente sencilla y adaptables reglamentariamente a las necesidades y realidades del momento, tal y como viene sucediendo ya desde hace tiempo en el ámbito de la actividad aseguradora.

La incorporación a normas jurídicas de ratios financieros destinados a poner de manifiesto la situación de un sujeto, debería entenderse como el complemento idóneo a las previsiones anteriormente recordadas, ofreciendo una información alejada de una u otra apreciación subjetiva. De alguna manera, esto vendría a suponer un desarrollo de algo que ya está previsto en la LSC, en concreto en el art. 273 de la LSC, limitando el poder de decisión de la junta general a la hora de adoptar un eventual acuerdo de distribución de dividendos, en base a un muy elemental y mínimo test de solvencia, que aun resultando de eficacia más que dudosa, no deja de representar un punto de partida.

Apostar por este tipo de previsiones legales como contenido de un innovador planteamiento de política legislativa, representa dar mejor respuesta a toda la problemática que encierra la regulación de las situaciones de crisis que afectan a quienes participan del tráfico económico. La pluralidad y diversidad de intereses que confluyen sobre tales sujetos, sobre las organizaciones que hacen posible el desarrollo de su actividad, aconseja indefectiblemente contar con los mejores instrumentos de información sobre los que sustentar un poder de decisión, a los fines de anticipar en lo posible la coyuntura de la insolvencia.

Y respecto del tratamiento del crédito público, resulta una obviedad que la indefinición sobre su tratamiento privilegiado no es más que efecto o consecuencia de las presiones que los Estados miembros vienen realizando desde hace tiempo, dejando a su libre iniciativa la concreción del mismo. Sigue sin entenderse y menos justificarse, algunas de las disposiciones adoptadas en la vigente LC, que deberían ser objeto de acotamiento o limitación por parte del legislador comunitario.

Grupos de sociedades en el proceso concursal

ALEXANDRE DE SOVERAL MARTINS
Profesor Asociado con Agregación
Universidad Coimbra, IJ, FDUC

RESUMEN

La insolvencia de un miembro de un grupo de empresas puede repercutir en los demás miembros del grupo. Si varias de esas empresas se declaran insolventes, el tratamiento integrado de los procedimientos de insolvencia relativos a todas o a parte de ellas puede tener importantes ventajas. Las alternativas son muchas, pero las soluciones que ofrece el Derecho portugués son escasas. La comparación con el derecho español revela que esto contiene alternativas que deben ser estudiadas. Esto es también lo que pretende este texto.

Palabras clave: Concurso de acreedores/Grupo de sociedades/Consolidación procesal/Coordinación procesal.

ABSTRACT

The insolvency of one member of a group of companies can have chain effects on other members of that group. If several of those companies become insolvent, the integrated treatment of insolvency proceedings relating to all or part of them can have significant advantages. Many alternatives exist, but there are few solutions in Portuguese law. A comparison with Spanish law reveals that it contains alternatives that should be studied. This is also what this text seeks to do.

Keywords: *Insolvency/Company groups/Proceedings' consolidation/Proceedings' coordination.*

I. INTRODUCCIÓN. EL GRUPO[1]

El Derecho de Sociedades también es Derecho de Grupos[2]. Pero los grupos de sociedades no se conciben de la misma manera en todos los ordenamientos jurídicos. E incluso dentro de un mismo ordenamiento jurídico encontramos diferentes definiciones de grupo en función de la rama del derecho.

Este texto es sobre los grupos en el derecho concursal. Y ahí mismo encontramos una gran diferencia entre el derecho portugués y el derecho español cuando tratamos de ver qué se entiende por grupo en un procedimiento concursal.

En la legislación concursal portuguesa, el grupo se identifica teniendo en cuenta lo que resulta del CSC (Código das Sociedades

---

1 Quiero dar las gracias al profesor Fernando Carbajo y a la Facultad de Derecho de la Universidad de Salamanca. Me siento doblemente privilegiado. Por un lado, por participar en este homenaje al profesor Coutinho de Abreu, que marcó toda mi trayectoria profesional. No voy a extenderme en cumplidos porque el homenajeado no los necesita. Por otro, me siento privilegiado por haber hablado en la casa que fue también de Francisco de Vitoria, Martín de Azpilcueta, Domingo de Soto, Francisco Suárez, Miguel de Unamuno y tantos otros grandes de España y del Mundo.

2 Los grupos de sociedades fueron objeto de la atención del homenajeado en varias ocasiones. Destacamos los siguientes estudos: *Grupos de sociedades e direito do trabalho,* Coimbra, 1990 (extracto del vol. LXVI – 1990 – del *Boletim da Faculdade de Direito da Universidade de Coimbra*) (también publicado en *VI Jornadas Luso-Hispano-Brasileiras de Derecho del Trabajo,* Xunta de Galicia, 1992): *Grupos de sociedades – Aquisições tendentes ao domínio total* (coautor: Alexandre de Soveral Martins), Almedina, Coimbra, 2003, "A Responsabilidade nos Grupos Empresariais de Facto", in TARSO DOMINGUES, Paulo de (coord.), *I Colóquio Internacional sobre o Regime Jurídico da Administração das Sociedades,* Almedina, Coimbra, 2014 (e-book), p. 31-48, "Responsabilidade da sociedade dominante nas relações de domínio e de grupo", in AAVV, *E depois do Código das Sociedades em comentário,* Almedina/IDET, Coimbra, 2016, p. 15-29, "O direito dos grupos de sociedades segundo o European Model Company Act (EMCA)", *IV Congresso Direito das Sociedades em Revista,* Almedina, Coimbra, 2016, p. 513-527, "Duas ou três coisas sobre grupos de sociedades – Perspetivas europeias", *Boletim da Faculdade de Direito da Universidade de Coimbra,* vol. XCIII, tomo I, 2017, p. 295, "Os grupos de sociedades no direito dos cartéis da UE", *Direito das Sociedades em Revista,* 2023, 13, vol. 29, p. 13-19.

Comerciais)[3], pero a veces hay que tener en cuenta el CVM (Código de Valores Mobiliários)[4]. El grupo puede tener su origen en un contrato de grupo paritario, en un contrato de subordinación o en una relación de control total[5]. Obviamente, dejamos fuera de nuestro análisis el Reglamento UE 2015/848 sobre insolvencias transfronterizas[6].

En España, la *disposición adicional primera* del Real Decreto Legislativo 1/2020 remite al artículo 42.1 del Código de Comercio. Esto quiere decir que "existe grupo cuando una sociedad tenga o pueda tener, directa o indirectamente, el control de otra u otras"[7]. A continuación, se enumeran las situaciones en las que se presume que existe control. Se puede ver que el elemento central es el control, no la dirección unitaria[8]. La citada *disposición adicional* añade que la definición de grupo se aplica "aunque el control sobre las sociedades directa o indirectamente dependientes lo ostente una persona física o una persona jurídica que no sea sociedad mercantil"[9].

---

3 V. arts. 17.º-C, 10 y 11, y 52.º, 6, CIRE.

4 V. art. 49.º, 2, b), CIRE (Código da Insolvência e da Recuperação de Empresas).

5 V. art. 488.º ss. CSC. El CSC portugués contiene un capítulo entero dedicado a los grupos de sociedades. Para otros ordenamentos jurídicos (incluido el español), v. MARTINS, A. de Soveral, *Os Grupos de Sociedades, a Recuperação de Empresas e a Insolvência*, Almedina, Coimbra, 2025, p. 45, nt. 107.

6 V. art. 2.º, 13), Reglamento (UE) 2015/848. Sobre la definición, MARTINS, A. de Soveral, "Groups of companies in the Recast European Insolvency Regulation: Around and about the group", *IntInsolvRev*, 2019, p. 1-9.

7 La utilización del concepto de control no está exenta de dificultades en los grupos horizontales: véase VALDÉS PONS, S., *El contrato de* cash pooling *en los grupos de sociedades.Aspectos contractuales, societarios y concursales*, Aranzadi, Cizur Menor, 2021, p. 270, MARTÍNEZ-GIJÓN MACHUCA, P., "Los conflitos de interés en el seno de los grupos de sociedades", en AAVV, *Las sociedades de capital: sus intereses y sus conflitos*, Tirant lo Blanch, Valencia, 2022, p. 57-80, en p. 61 y ss.

8 Considerando que ello supone excluir a los grupos horizontales, FUENTES NAHARRO, M., "El concurso y los grupos de sociedades", in PULGAR EZQUERRA, Juana (coord.), *Manual de Derecho concursal*, Wolters Kluwer/La Ley, Madrid, 2022, p. 647-662, p. 652.

9 Sobre las dudas que pueden surgir en la interpretación de la norma, FUENTES NAHARRO, M. "El concurso y los grupos de sociedades", cit., p. 653.

II. GRUPO DE SOCIEDADES Y EFECTO DOMINÓ

Los grupos de sociedades se crean por motivos muy diversos y no todos se construyen de la misma manera[10]. No vamos a hablar de eso aquí. De lo que sí vamos a hablar, sin embargo, es de la posibilidad de que una o varias sociedades del grupo se ven arrastradas a la insolvencia por dificultades que afectan a otra empresa del grupo. Es lo que se conoce como efecto dominó o de bola de nieve[11].

Puede ocurrir, por ejemplo, cuando se aplica la ley portuguesa y la empresa directora o totalmente dominante tiene que responder de las deudas de la empresa subordinada o totalmente dominada (v. art. 501.° CSC). También puede resultar de un ajuste de la base imponible debido a la aplicación del régimen de precios de transferencia[12]. Puede resultar de la ejecución de garantías intragrupo o de la resolución de contratos de *cash-pooling* que permitían una financiación a bajo coste. Y un enorme etc. Además de las hipótesis de responsabilidad que respectan la personalidad jurídica de las sociedades del grupo (*Trennungsprinzip*[13]), están las que implican el posible "levantamiento del vielo" de éstas.

III. RECUPERACIÓN O LIQUIDACIÓN INTEGRADA

Si dos o más empresas de un grupo son insolventes, un planteamiento integrado de su recuperación o liquidación puede ser muy ventajoso: puede permitir una visión de conjunto y una identificación más fácil de pasivos y activos, el aumento de la eficiencia, el

---

10 V. MARTINS, A. de Soveral, *Os Grupos de Sociedades…*, cit., p. 13 ss..

11 MARTINS, A. de Soveral, *Os Grupos de Sociedades…*, cit., p. 71 ss..

12 V. DEMLEITNER, A., *Cash Pooling im Konzern betriebswirtschaftliche, rechtliche und steuerliche Aspekte*, Beck, München, 2020, p. 20, y MARTINS, A. de Soveral, *Os Grupos de Sociedades…*, cit., p. 84 s..

13 Sobre el *Trennungsprinzip* y sus límites, por todos, FLEISCHER, Holger, "§ 10 Kämpfe unk Kontroversen um das Konzernrecht", in FLEISCHER, Holger/KOCH, Jens/SCHMOLKE, Klaus Ulrich (Hrsg.), *Gesellschaftsrecht im Spiegel Grosser Debatten*, De Gruyter, Berlin/Boston, 2024, p. 254-430, p. 415 ss..

ahorro de costes y la obtención de mejores propuestas para satisfacer a los acreedores.

Son muchos los problemas que debe resolver una solución integrada. En primer lugar, hay que elegir entre soluciones que buscan la consolidación, material y/o procesal, la coordinación entre procesos o simplemente la concentración en un tribunal y/o la concentración de la administración de la masa en un administrador concursal. Todos tienen ventajas y desventajas.

En Portugal, hay algunas posibilidades de obtener la concentración en un tribunal y en un administrador concursal y cierta coordinación entre asuntos. La concentración en un tribunal puede ser el resultado de que todas las empresas tengan el centro de sus intereses principales en el mismo lugar (art. 7.°, 2, CIRE). La coordinación, a su vez, se facilita cuando se acumulan procedimientos, en los casos previstos por la ley. El apartado 2 del artículo 86 de la CIRE lo permite, pero la acumulación no significa fusión de procedimientos[14].

Se prevé la posibilidad de concentración de la administración de la masa en el mismo administrador concursal (art. 52.°, 6, CIRE). El nombramiento de un administrador concursal único tiene ventajas innegables. En primer lugar, se ahorran costes en notificaciones y comunicaciones y se obtiene una visión integrada. Los conocimientos así adquiridos pueden tener un efecto acelerador en el proceso[15].

---

14 Véanse los siguientes estudios sobre el problema: OLIVEIRA, A. Perestrelo, "A insolvência nos grupos de sociedades: notas sobre a consolidação patrimonial e a subordinação de créditos intragrupo", *RDS*, 2009, 4, p. 995-1028, "Ainda sobre a liquidação conjunta das sociedades em relação de domínio total e os poderes do administrador da insolvência: a jurisprudência recente dos tribunais nacionais", *RDS*, 2011, 3, p. 713-733, SERRA, Catarina, "Grupos de sociedades: crise e revitalização", in SERRA, Catarina (coord.), *I Colóquio de Direito da Insolvência de Santo Tirso*, Almedina, Coimbra, 2014, p. 35-57, "Revitalização no âmbito de grupos de sociedades", in VASCONCELOS, Pedro Pais de/ABREU, Coutinho de/Duarte, Rui Pinto (coord.), *III Congresso Direito das Sociedades em Revista*, Almedina, Coimbra, 2014, p. 467-491.

15 Para desarrolos, MARTINS, A. de Soveral, *Os Grupos de Sociedades…*, cit., p. 128 ss.

Sin embargo, el tamaño del grupo, sus operaciones en ámbitos muy diversos o en múltiples jurisdicciones pueden hacer imposible concentrar la administración en un único administrador concursal. También existe el riesgo de conflictos de intereses, que el código portugués trata de forma inadecuada. De hecho, el artículo 52, apartado 6, del CIRE se limita a estipular que, si se nombra el mismo administrador concursal para todas las empresas que mantengan una relación de control o de grupo, deberá nombrarse también otro con funciones restringidas a la evaluación de los créditos entre deudores del mismo grupo. No se excluye la posibilidad de que se nombren dos o más administradores concursales con estas mismas funciones. Pero eso es muy poco.

IV. UN DEUDOR - UN PROCEDIMIENTO - UNA MASA DE INSOLVENCIA

Concentrar la insolvencia de todas las sociedades del grupo insolvente en un único procedimiento no está permitido en Portugal[16]. Si estamos hablando de sociedades, se aplica la regla un deudor – un procedimiento – una masa de insolvencia. Pero eso debería cambiar cuando exista una relación de control o de grupo entre las empresas insolventes.

La concentración sustancial o material no está prevista en la ley y sólo es concebible en casos extremos, como en situaciones de confusión patrimonial que permiten prescindir de la personalidad jurídica. No tenemos una norma como el artículo 43 de la Ley Concursal española, que admite expresamente la posibilidad de "consolidar la masa activa de los concursos declarados conjuntamente o acumulados cuando exista confusión patrimonial y no sea posible desentrañar la titularidad de los activos y pasivos sin incurrir en un retraso en la tramitación del concurso o en un gasto injustificado". Norma que

---

16 No siempre es así para los deudores que son seres humanos: v. art. 264.º CIRE.

parece influenciada por la Guía Legislativa de la CNUDMI sobre el Régimen de la Insolvencia (Tercera parte)[17].

V. MIRANDO HACIA EL FUTURO

El sistema portugués debe reformarse en profundidad[18]. Cualquier solución que se encuentre debe ser compatible con el Reglamento (UE) 2015/848. Una solución aceptable parece ser limitar el ámbito de aplicación del posible régimen interno a los casos en que los miembros del grupo tengan el centro de sus intereses principales en Portugal. Esto es lo que han hecho Alemania (§ 3e, *Abs.* 1, del *InsO*)[19] e Italia (art. 284, 1, del *Codice della Crisi d'Impresa e dell'Insolvenza*)[20].

La consolidación procesal es una solución ya conocida en España. El artículo 38 del TRLC permite a las sociedades de un mismo grupo solicitar conjuntamente el concurso de acreedores. Un acreedor común también puede solicitar la declaración de insolvencia de las sociedades del mismo grupo que sean sus deudoras. Eso es lo que se puede leer en el art. 39. La legislación española también permite la acumulación de procedimientos relativos a sociedades de un mismo grupo (art. 41 TRLC). Sin embargo, se descarta en principio la consolidación de las masas. María Enciso Alonso-Muñumer se refiere

---

17 P. 60 y s.: "Si se consigue delimitar o disociar el patrimonio de cada empresa del grupo, el principio de la personalidad jurídica propia dará lugar a que los acreedores sólo puedan cobrar sus créditos con cargo al patrimonio de la empresa deudora de la que sean acreedores. Si dicha disociación resulta imposible, o si existen otros motivos para tratar al grupo como empresa única [...]".

18 En lo que sigue, para desarrolos, MARTINS, A. de Soveral, *Os Grupos de Sociedades...*, cit., p. 103 ss..

19 "Eine Unternehmensgruppe im Sinne dieses Gesetz besteht aus rechtlich selbständigen Unternehmen, die den Mittelpunkt ihrer hauptsächlichen Interessen im Inland haben [...]".

20 "Più imprese in stato di crisi o di insolvenza appartenenti al medesimo gruppo e aventi ciascuna il centro degli interessi principali nello Stato italiano [...]".

a una multiplicidad de concursos individuales[21]. Pero, como hemos visto, el art. 43 TRLC admite la consolidación sustancial en algunos casos.

En Portugal, nos inclinamos por permitir en el futuro la unificación procesal a iniciativa de las sociedades del grupo que son deudoras. Y habrá que aclarar hasta dónde llega la unificación. Creemos que sería preferible mantener los distintos comités de acreedores y distintas juntas de acreedores. También tendría sentido unificar cuando las sociedades del grupo no se oponen a eso.

Si se permite esta unificación procesal, habría que encontrar entonces los criterios para determinar el tribunal competente. La solución podría ser encontrada en el centro de los intereses principales (CIP) y/u otro criterio que se considere adecuado. Podría ser el CIP de la sociedad insolvente totalmente dominante, directora o dominante, por ejemplo. Si la sociedad totalmente dominante, directora o dominante no fuera insolvente, el siguiente criterio podría ser el mayor pasivo. Si el pasivo se crea artificialmente, deben preverse sanciones adecuadas.

En España, en el caso de declaración conjunta de concurso (arts. 38 y 39 TRLC), el art. 46, 1, tiene una regla: la competencia del tribunal "de la sociedad dominante" (parece que es el tribunal del lugar donde *la sociedad dominante tiene el centro de intereses* principales). Si no se ha solicitado la declaración de concurso de la sociedad dominante, el criterio pasa a ser el de la sociedad de mayor pasivo (el CIP de la sociedad con mayor pasivo, parece).

El problema también se planteará cuando, a falta de unificación procesal, haya que buscar un criterio para abrir los distintos procedimientos relativos a las distintas sociedades del grupo o en relación de control.

---

21 ENCISO ALONSO-MUÑUMER, M., «Artículo 42», in PULGAR EZQUERRA, Juana (coord.), *Comentario a la Ley Concursal*, T. I, 2.ª ed., La Ley/Wolters Kluwer, Madrid, 2020, p. 379-384, p. 379: "no supone la existencia de unidad en el concurso de varios deudores, sino multiplicidad de concursos individuales".

En España, para los casos de acumulación de procedimientos conexos, el artículo 46.2 atribuye la competencia al juez del procedimiento de la sociedad dominante que haya sido declarada insolvente o, en su defecto, aplicando el criterio de prioridad temporal (y no el de mayor responsabilidad). El criterio de prioridad temporal parece arriesgado porque podría llevar a la concentración en un tribunal poco preparado para lo que tendrá que afrontar. Tampoco garantiza la previsibilidad y podría abrir la puerta al *forum shopping*.

Creemos que sería preferible, junto a los criterios generales para el caso de cada empresa, tener como criterio alternativo el del CIP o sede social de la empresa directora, totalmente dominante o dominante si se ha solicitado la declaración de concurso de esa empresa. Si no es así, la alternativa sería el criterio del mayor valor del pasivo.

En cuanto a los órganos de insolvencia, la legislación portuguesa no prevé la posibilidad de crear comités de acreedores de grupo. Esta posibilidad está prevista en la legislación alemana (269c *InsO*[22]). Un comité de acreedores de grupo podría facilitar la cooperación entre los comités de acreedores de cada procedimiento individual, pero sería necesario delimitar claramente las competencias respectivas y el tribunal que podría crearlo.

En Portugal, tampoco se contempla la posibilidad de adoptar un procedimiento de coordinación de grupo. Alemania conoce esta posibilidad (269d ss. *InsO*), al igual que el Reglamento 2015/848 (arts. 61 ss.). Esta alternativa también debería consagrarse.

No hemos agotado los temas que podrían tratarse aquí. Sin embargo, hemos trazado líneas generales que nos permiten abrir nuevos caminos. Creemos que es una buena forma de rendir homenaje al Profesor Coutinho de Abreu.

---

22 "(1) Auf Antrag eines Gläubigerausschusses, der in einem Verfahren über das Vermögen eines gruppenangehörigen Schuldners bestell ist, kann das Gericht des Gruppen-Gerichtsstands nach Anhörung der anderen Gläubigerasuschüsse einen Gruppen-Gläubigerauschuss einsetzen".

VI. BIBLIOGRAFÍA

ABREU, C. de, *Grupos de sociedades e direito do trabalho,* Coimbra, 1990 (extracto del vol. LXVI —1990— del *Boletim da Faculdade de Direito da Universidade de Coimbra*) (también publicado en *VI Jornadas Luso-Hispano-Brasileiras de Derecho del Trabajo,* Xunta de Galicia, 1992): *Grupos de sociedades – Aquisições tendentes ao domínio total* (coautor: Alexandre de Soveral Martins), Almedina, Coimbra, 2003, "A Responsabilidade nos Grupos Empresariais de Facto", in TARSO DOMINGUES, Paulo de (coord.), *I Colóquio Internacional sobre o Regime Jurídico da Administração das Sociedades,* Almedina, Coimbra, 2014 (e-book), p. 31-48, "Responsabilidade da sociedade dominante nas relações de domínio e de grupo", in AAVV, *E depois do Código das Sociedades em comentário,* Almedina/IDET, Coimbra, 2016, p. 15-29, "O direito dos grupos de sociedades segundo o European Model Company Act (EMCA)", *IV Congresso Direito das Sociedades em Revista,* Almedina, Coimbra, 2016, p. 513-527, "Duas ou três coisas sobre grupos de sociedades – Perspetivas europeias", *Boletim da Faculdade de Direito da Universidade de Coimbra,* vol. XCIII, tomo I, 2017, p. 295, "Os grupos de sociedades no direito dos cartéis da UE", *Direito das Sociedades em Revista,* 2023, 13, vol. 29, p. 13-19.

DEMLEITNER, A., *Cash Pooling im Konzern betriebswirtschaftliche, rechtliche und steuerliche Aspekte,* Beck, München, 2020.

ENCISO ALONSO-MUÑUMER, M., «Artículo 42», in PULGAR EZQUERRA, Juana (coord.), *Comentario a la Ley Concursal,* T. I, 2.ª ed., La Ley/ Wolters Kluwer, Madrid, 2020, p. 379-384.

FLEISCHER, Holger, "§ 10 Kämpfe unk Kontroversen um das Konzernrecht", in FLEISCHER, Holger/KOCH, Jens/SCHMOLKE, Klaus Ulrich (Hrsg.), *Gesellschaftsrecht im Spiegel Grosser Debatten,* De Gruyter, Berlin/ Boston, 2024, p. 254-430.

FUENTES NAHARRO, M., "El concurso y los grupos de sociedades", in PULGAR EZQUERRA, Juana (coord.), *Manual de Derecho concursal,* Wolters Kluwer/La Ley, Madrid, 2022, p. 647-662.

MARTÍNEZ-GIJÓN MACHUCA, P., "Los conflitos de interés en el seno de los grupos de sociedades", en AAVV, *Las sociedades de capital: sus intereses y sus conflitos,* Tirant lo Blanch, Valencia, 2022, p. 57-80.

MARTINS, A. de Soveral, "Groups of companies in the Recast European Insolvency Regulation: Around and about the group", *IntInsolvRev,* 2019, p. 1-9, *Os Grupos de Sociedades, a Recuperação de Empresas e a Insolvência,* Almedina, Coimbra, 2025.

OLIVEIRA, A. Perestrelo, "A insolvência nos grupos de sociedades: notas sobre a consolidação patrimonial e a subordinação de créditos intragrupo", *RDS*, 2009, 4, p. 995-1028, "Ainda sobre a liquidação conjunta das sociedades em relação de domínio total e os poderes do administrador da insolvência: a jurisprudência recente dos tribunais nacionais", *RDS*, 2011, 3, p. 713-733.

SERRA, Catarina, "Grupos de sociedades: crise e revitalização", in SERRA, Catarina (coord.), *I Colóquio de Direito da Insolvência de Santo Tirso*, Almedina, Coimbra, 2014, p. 35-57, "Revitalização no âmbito de grupos de sociedades", in VASCONCELOS, Pedro Pais de/ABREU, Coutinho de/ DUARTE, Rui Pinto (coord.), *III Congresso Direito das Sociedades em Revista*, Almedina, Coimbra, 2014, p. 467-491.

VALDÉS PONS, S., *El contrato de* cash pooling *en los grupos de sociedades. Aspectos contractuales, societarios y concursales*, Aranzadi, Cizur Menor, 2021.

La exoneración del crédito público en el ordenamiento jurídico español y portugués: valoración del régimen vigente

MARTÍN GONZÁLEZ-ORÚS CHARRO
Profesor Ayudante Doctor de Derecho Mercantil
Universidad de Salamanca

RESUMEN

La exoneración del pasivo insatisfecho es asunto estrella en los concursos de acreedores con deudores personas físicas. Una de las cuestiones más polémicas en la práctica de esta institución es la relativa al crédito público. Conforme establece la Directiva 2019/1023, los deudores deben poder alcanzar la plena exoneración de sus deudas; pero, la normativa española de trasposición eliminó de la categoría de créditos exonerables aquéllos de titularidad pública, a excepción de una pequeña parte de las deudas de la Agencia Tributaria y de la Seguridad Social. La jurisprudencia nacional ha resultado muy crítica con esta regulación, considerando que sobrepasa los límites permitidos por la disposición europea. Son numerosas las cuestiones prejudiciales emanadas respecto de asunto; no obstante, el TJUE se ha pronunciado sobre algunas de ellas. El objeto de estudio es el examen de esta jurisprudencia desde la perspectiva hispano-lusa.

Plabaras clave: Exoneración, insolvencia, créditos públicos

ABSTRACT

The discharge of unsatisfied liabilities is a key issue in personal insolvency proceedings. One of the most controversial issues in the practice of this institution concerns public debt. Pursuant to Directive 2019/1023, debtors must be able to achieve full discharge of their debts; however, the Spanish transposition regulations eliminated those publicly owned from the category of dischargeable debts, with the exception of a small portion of debts owed to the Tax Agency and Social Security. National case law has been highly critical of this regulation, considering that it exceeds the limits permitted by the European provision. Numerous preliminary questions have arisen regarding this matter; however, the CJEU has ruled on some of them. The subject of this study is an examination of this case law from a Spanish-Portuguese perspective.

Keywords: *Exoneration, insolvency, public credits*

I. INTERÉS DEL ASUNTO

Desde que los ordenamientos jurídicos reconocen la exoneración de deudas o segunda oportunidad paras los deudores honestos, muchas han sido las cuestiones discutidas, considerando el interés práctico de la figura. La sociedad del S. XXI ha experimentado una fuerte decadencia económica, marcada por dos crisis de impacto mundial: la primera fue la crisis financiera de 2007-2008, cuyos efectos fueron avistados en EEUU por sus instituciones financieras; esencialmente por la concesión desmedida de préstamos a adquirentes de vivienda con escasos e inestables ingresos, lo que ocasionó la famosa "burbuja inmobiliaria". La segunda etapa recesiva fue mucho más imprevisible, pero también de gran impacto: hablamos de la epidemia del COVID-19, un potente y contagioso virus que desembocó en un confinamiento y, correlativamente, en la imposibilidad de seguir ejerciendo muchas de las actividades que sostenían la economía. Sin embargo y, afortunadamente, desde el año 2022, muchos países han experimentado una rápida recuperación. En cualquier caso, ambas crisis han sido las peores desde la Gran Depresión de 1929.

Considerando este precedente, muchos operadores económicos y particulares —bajo el efecto dominó— han resultado insolventes y declarados en concurso. En el caso de España, la legislación concursal de 2003, materializada en la Ley 22/2003 (LC), quedó obsoleta muy rápido. Al tiempo de su promulgación, nuestro país atravesaba una situación de bonanza económica, de modo que la norma estaba diseñada para afrontar concursos de forma detenida y pensando en que los Juzgados de lo Mercantil podrían dirimirlos sin excesiva urgencia. Sin embargo, la primera de las crisis enunciadas truncó esas expectativas y los juzgados comenzaron a abarrotarse de concursos a una velocidad importante. La primera medida fue reformar la ley y apostar por los mecanismos preconcursales y resolver las insolvencias al margen del concurso, medida que no surtió mucho efecto. La insolvencia de los deudores personas físicas comenzó a manifestarse como un problema para el cuál la ley concursal no ofrecía una solución útil. Tras atravesar el concurso, con los gastos que ello conllevaba, el pasivo remanente continuaba siendo exigible al amparo del principio de responsabilidad patrimonial universal (art. 1911 CC). Por tanto, era necesaria una medida de desahogo para los deudores más vulnerables.

El primer atisbo de aplicación de la exoneración en un concurso parte del Juzgado de lo Mercantil n.º 3 de Barcelona en el año 2010, auto de 26 de octubre[1], dictado por D. José María Fernández Seijo, relativo a dos pensionistas concursados y considerados de buena fe (su concurso fue declarado como fortuito sin que ningún acreedor hubiera manifestado la existencia de indicios de culpabilidad). Poco después, la institución se legalizó a través de la Ley 14/2013, de 27 de septiembre, de apoyo a los emprendedores y su internacionalización y se desarrolló a través del Real Decreto-ley 1/2015 y la Ley 25/2015 de mecanismo de segunda oportunidad, reducción de carga financiera y otras medidas de orden social que introdujeron y delimitaron la materia en el art. 178 bis LC. Posteriormente, llegó el Real Decreto Legislativo 1/2020, de 5 de mayo, por el que se aprueba el texto refundido de la Ley Concursal (TRLC), ante la inconsistencia de la LC, tan excesivamente reformada. Sin embargo, con la promulgación de la Directiva (UE) 2019/1023 del Parlamento Europeo y del

---

1 Auto del Juzgado de lo Mercantil n.º 3 de Barcelona de 26 de octubre de 2010 (AC 2010/1828).

Consejo, de 20 de junio de 2019, sobre marcos de reestructuración preventiva, exoneración de deudas e inhabilitaciones, el TRLC experimenta su primera importante modificación dos años después de su publicación. La Ley 16/2022, de 5 de septiembre, de reforma del TRLC afectó en sustancia al régimen de la exoneración, y es el que continúa vigente.

De todo ello, cabe apuntar que nuestro legislador siempre ha sido muy protector con el crédito público, hasta tal punto de blindarlo con mayor fuerza en cada una de las sucesivas reformas. El objeto de este estudio es manifestar la importancia de exonerar tales créditos, pues constituyen el mayor lastre que soporta el deudor. En el momento presente, la cuestión permite un desarrollo muy extenso, considerando, no sólo la complejidad normativa, sino la existencia de un buen número de cuestiones prejudiciales que han emitido nuestros tribunales frente al TJUE.

Aparte de lo expuesto, y considerando que este estudio trae su origen en una ponencia que desarrollé en un congreso de derecho de insolvencias hispano-luso, procede dedicar un espacio al estudio de las cuestiones señaladas desde la perspectiva del Derecho portugués, donde el crédito público en la exoneración ha sido también objeto de fuertes controversias.

II. LA EXONERACIÓN DEL CRÉDITO PÚBLICO EN EL DERECHO ESPAÑOL

1. Reglas generales en materia de exoneración

1.1. Naturaleza de la institución

La exoneración del pasivo insatisfecho (EPI) ha sido objeto de importantes discusiones a lo largo de los años de su existencia en nuestro ordenamiento jurídico. Una de las cuestiones más afloradas gira en torno a su naturaleza y finalidad. No existe en nuestro Derecho un precepto destinado a definir la institución, pero sí que podemos extraer su esencia de algunos artículos. El origen del conflicto reposa en una división de doctrina respecto de si la EPI constituye una vía para extinguir las obligaciones o es, por el contrario, un mecanismo diverso. La RDGRN de 20 de septiembre de 2019[2] ya puso de manifiesto esta discrepancia: *"Procede plantearse si el reconocimiento del citado beneficio de exoneración del pasivo insatisfecho constituye una causa de extinción de las obligaciones o créditos que a que dicho beneficio se extienda. Como premisa, ha de advertirse que, según señala la citada Sentencia del Tribunal Supremo de 2 de julio de 2019, «el art. 178 bis LC es una norma de difícil comprensión, que requiere de una interpretación jurisprudencial para facilitar su correcta aplicación"*. Posteriormente, el órgano administrativo manifiesta que la doctrina se encontraba dividida en dos corrientes. Así, señaló que algunos autores apostaron por la primera postura, de modo que la EPI constituía una verdadera extinción del crédito sobre el que operaba[3]; en cambio, otros consideraban que constituía una vía de inexigibilidad objetiva y definitiva de la obligación en favor del deudor exonerado[4].

---

2 RDGRN de 20 de septiembre de 2019 (RJ 2019\4541).

3 Y es así hasta tal extremo que esta corriente es mayoritaria entre los estudiosos de la institución: MORRAL SOLDEVILA, R., "La exoneración del pasivo insatisfecho: extensión y efectos", *Anuario de Derecho Concursal*, n.º 61, 2024, pp. 57-106, p. 63; CUENA CASAS, M.; y FERNÁNDEZ SEIJO, J. M., *La exoneración del pasivo insatisfecho en el concurso de acreedores de persona física*, Aranzadi, Cizur Menor, 2023, pp. 138-139; MARÍN HITA, L., "Comentario a los arts. 500-502", en PEINADO GARCÍA, J.I. (Dir.); y SANJUÁN Y MUÑOZ, E. (Dir.), *Comentarios al articulado del Texto Refundido de la Ley Concursal*, Tomo III, Sepin, Madrid, 2020, pp.769-785, p. 783; SENENT MARTÍNEZ, S., "Del beneficio de la exoneración del pasivo insatisfecho", en PULGAR EZQUERRA, J. (Dir.), *Comentario a la Ley Concursal. Texto Refundido de la Ley Concursal*, Tomo I, La Ley, Madrid, 2020, pp. 2091-2131, p. 2131; VAZQUEZ LÉPINETTE, T., "Estudio de la remisión legal de la deuda en sede concursal", en MORILLAS JARILLO, M. J. y otros (Dir.), *Estudios sobre el futuro código mercantil: Libro homenaje al profesor Rafael Illescas Ortiz*, ed. Universidad Carlos III, Madrid, 2015, pp. 312-326, pp. 313 y 320; RUBIO VICENTE, P. J., "La exoneración del pasivo, entre la realidad judicial y el mito legislativo. A propósito del auto del Juzgado Mercantil núm. 3 de Barcelona, de 26 de octubre de 2010, sobre conclusión y extinción de deudas. Asunto 671/2007-C 4 (concurso sección 1a)", *Revista de Derecho Concursal y Paraconcursal*, n.º 14, 2011, pp. 229-250, p. 230.

4 En este sentido: FACHAL NOGUER, N., "¿Cuáles son los efectos que proyecta la exoneración de pasivo insatisfecho sobre los terceros garantes?", *La Ley Insolvencia: Revista profesional de Derecho Concursal y Paraconcursal*, n.º

Sin entrar a valorar qué sistema es mejor, lo cierto es que nuestra normativa deja claro por cuál de ellos apostó nuestro legislador. Desde que la EPI se incorporó a través del art. 178 bis LC hasta el momento presente, la institución —antes beneficio y hoy derecho— está configurada como una vía para la extinción de las obligaciones del deudor; todo ello a pesar de que nuestro Código civil sigue sin incorporar este mecanismo en el listado del art. 1156 CC[5]. En su momento, el art. 178 bis 5 III LC de 2003 indicaba *"(…) Los acreedores cuyos créditos* ***se extingan*** *no podrán iniciar ningún tipo de acción (…)"*; poco después, el texto refundido ofreció una pincelada más de claridad en su originario art. 500, que ahora ha pasado a ser el art. 490 I TRLC: *"Los acreedores cuyos créditos* ***se extingan*** *por razón de la exoneración (…)"*. Con la Ley 16/2022, aparecen otras señales claras, como es el art. 498.2 TRLC: *"Excepcionalmente, el juez podrá declarar que no son total o parcialmente exonerables deudas no relacionadas en el apartado anterior cuando sea necesario para evitar la insolvencia del acreedor afectado por* ***la extinción del derecho de crédito****"*. Por tanto, considero que no hay duda de la naturaleza extintiva de la EPI[6].

11, 2022 (Edición digital. Ejemplar dedicado a: Esperando la reforma concursal); FERNÁNDEZ PÉREZ, N., "La exoneración del pasivo insatisfecho tras la Ley 16/2022 de 5 de septiembre", *Anuario de Derecho Concursal*, n.º 58 (monográfico), 2023, pp. 49-84, p. 72; y SENDRA ALBIÑANA, Á., "El beneficio de exoneración del pasivo insatisfecho como limitación cuantitativa al principio de responsabilidad patrimonial universal", *Revista CESCO de Derecho de Consumo*, n.º 17, 2016, pp. 146-158, pp. 148-149.

5 Art. 1156 CC: *"Las obligaciones se extinguen: Por el pago o cumplimiento. Por la pérdida de la cosa debida. Por la condonación de la deuda. Por la confusión de los derechos de acreedor y deudor. Por la compensación. Por la novación"*.

6 Sin embargo, no todos los países de la UE han adoptado la EPI desde esta perspectiva. Ejemplo de ello es el ordenamiento italiano, Código de la Crisis de la Empresa y de la Insolvencia de 2019 (*Codice della crisi d'impresa e dell'insolvenza: Decreto Legislativo 12 gennaio 2019, n. 14*) (CCII), que, tras la reforma operada por el *Decreto Legislativo 17 giugno 2022, n. 83*, la EPI (*esdebitazione*) queda configurado como una institución protectora del deudor frente a sus deudas exoneradas, que no quedan extintas por efecto de la EPI. El art. 278.1 CCII establece: *"La esdebitazione es una vía para obtener la liberación de las deudas y conlleva la inexigibilidad hacia el deudor de los créditos insatisfechos en el marco de un procedimiento de liquidación judicial o de liquidación controlada (…)"* (la traducción es nuestra). Sobre este punto, señala BOTTI, L., ["Commentario arts. 278-281 CCII", en ALBERTI, M. (Dir.),

1.2. La exoneración como derecho

La Directiva 2019/1023 y la Ley 16/2022 de reforma del TRLC han transformado el concepto y significación de la EPI. Hasta la llegada de estas dos normas, nuestro ordenamiento la configuraba como un beneficio al que podía acogerse el deudor, siempre que hubiera siso honesto y de buena fe; era un privilegio y, por tanto, algo excepcional. Sin embargo, actualmente la EPI constituye un verdadero derecho de todo deudor, cuyo ejercicio sólo es posible denegar si concurren una serie de excepciones y límites que contemplan los arts. 487-488 TRLC; en este sentido, corresponde a los acreedores enervar la EPI probando la concurrencia de alguna excepción o límite, pues ésta se reconoce como criterio general considerando que es un derecho y que la buena fe de su legitimado se presume[7].

Este hecho ya queda recogido expresamente en algunos preceptos de la ley reformada. Por ejemplo: el art. 413.1 3.º TRLC establece: *"1. Si el concursado fuera persona natural la apertura de la fase de liquidación producirá los siguientes efectos: (...) 3.º El derecho a solicitar la exoneración del pasivo insatisfecho, si concurren los presupuestos y requisitos establecidos en esta ley (...)"*[8]. Un cambio de paradigma que se integra mediante una "modificación genética" respecto de la incidencia de la exone-

---

Commentario breve alle Leggi su Crisi d'impresa ed insolvenza, Cedam, Milán, 2023, pp. 2116-2138, p. 2135] que los créditos exonerados son *"créditos que, si bien no extintos, no pueden ser satisfechos por vías coercitivas o coactivas; pero, si, el deudor decide pagarlas espontáneamente, se produce un efecto de retención del acreedor similar al establecido para las obligaciones naturales"*. De modo similar, ZANICHELLI, V., (*La nuova disciplina del fallimento e delle altre procedure concorsuali*, Utet, Torino, 2008, p. 382) expone que, aunque el crédito no remite por causa de la EPI, genera un efecto muy similar al de su extinción.

7 CUENA CASAS, M., "Incertidumbres alrededor de la segunda oportunidad", *Revista General de Insolvencias & Reestructuraiones*, n.º 12, 2024, pp. 61-96, p. 62-63.

8 Sin embargo, otras ubicaciones de la ley continúan referenciando la EPI como un beneficio: arts. 484.1 TRLC: *"1. En caso de conclusión del concurso por liquidación o insuficiencia de masa activa, el deudor persona natural quedará responsable del pago de los créditos insatisfechos, salvo que obtenga el beneficio de la exoneración del pasivo insatisfecho"*. Sin duda, un mero despiste del legislador que habrá de ser corregido.

ración sobre el principio de responsabilidad patrimonial universal (art. 1911 CC).

1.3. Modalidades: especial mención al plan de pagos, cambio de paradigma

Tras la Ley 16/2022, las opciones del deudor para alcanzar la EPI han experimentado un cambio sustancial. Frente a la exoneración inmediata y diferida previa liquidación patrimonial que contemplaba el régimen anterior, el modelo vigente ofrece un prisma radicalmente distinto. En primer lugar, el TRLC apuesta por el plan de pagos como norma general (arts. 495-500 bis TRLC), pues esta modalidad no requiere la liquidación previa del patrimonio del deudor, quien conservará sus bienes al objeto de cumplimiento del calendario de pagos. Aquí, la novedad reside en que los créditos objeto de inclusión en el plan son exclusivamente los de naturaleza exonerable[9]. La otra vía es la exoneración mediante liquidación (arts. 501-502 TRLC), una opción acorde a deudores sin masa (arts. 37 bis-quinquies), con

---

9 Sobre este punto, hay doctrina dividida. Por un lado, autores como FERNÁNDEZ PÉREZ, N., ("La exoneración del pasivo insatisfecho tras la Ley 16/2022 de 5 de septiembre", cit., p. 77) consideran que el plan de pagos ha de integrar pasivo obligatorio y exonerable, pues sólo de ese modo es posible pactar un calendario de pagos considerando la viabilidad global del deudor respecto a su situación económica. Otros autores, en cambio, como SENDRA ALBIÑANA, Á., "El plan de pagos en la exoneración del pasivo insatisfecho", en GÓMEZ ASENSIO, C. (Dir.), *Derecho europeo de la insolvencia: armonización, reestructuración y exoneración de deudas*, Aranzadi, Cizur Menor, 2024, pp. 275-297, p. 280; CUENA CASAS, M.; y FERNÁNDEZ SEIJO, J.M., (*La exoneración del pasivo insatisfecho en el concurso de acreedores de persona física*, cit., p. 235) o ADÁN DOMÉNECH, F.; y SIERRA SÁNCHEZ, Z., ("La exoneración del pasivo insatisfecho", en AAVV, *La segunda oportunidad de las personas naturales*, Bosch, Barcelona, 2023, pp. 129-212, p. 180) consideran que sólo es objeto de inclusión el pasivo exonerable, pues el pasivo obligatorio puede ser ejecutado por los acreedores una vez aprobado el plan. Si bien, estos últimos autores son conscientes de que el plan de pagos afecta de un modo indirecto al crédito no exonerable, pues no devengan intereses salvo que gocen de garantía real, hasta el valor de garantía (ex art. 496 bis 3 TRLC)

insuficiencia sobrevenida de la masa (arts. 470-472 TRLC) o, simplemente, en los que se haya acordado la liquidación de la masa (arts. 406-440 TRLC).

1.4. Sistema mixto: pasivo exonerable frente a pasivo obligatorio

La EPI en España, al igual que en muchos países de la Unión Europea no arroja un efecto absoluto; es decir, no elimina toda clase de créditos. Es un sistema de exoneración mixto, que compatibiliza los créditos exonerables con un pasivo mínimo u obligatorio. El régimen vigente parte de la directiva 2019/1023, cuyo art. 23.4 permite a los legisladores nacionales establecer, facultativamente, un pasivo obligatorio, inmune a la EPI: *"4. Los Estados miembros podrán excluir algunas categorías específicas de la exoneración de deudas, o limitar el acceso a la exoneración de deudas, o establecer un plazo más largo para la exoneración de deudas en caso de que tales exclusiones, restricciones o prolongaciones de plazos estén debidamente justificadas, en los siguientes casos: a) deudas garantizadas; b) deudas derivadas de sanciones penales o relacionadas con estas; c) deudas derivadas de responsabilidad extracontractual; d) deudas relativas a obligaciones de alimentos derivadas de relaciones de familia, de parentesco, de matrimonio o de afinidad; e) deudas contraídas tras la solicitud o la apertura del procedimiento conducente a la exoneración de deudas, y f) deudas derivadas de la obligación de pagar los costes de un procedimiento conducente a la exoneración de deudas"*(art. 23.4 Directiva 2019/1023). No obstante, en febrero de 2022 se publicó una corrección de errores donde se hacía constar que esta lista no era cerrada sino meramente ejemplificativa[10].

---

10 Así lo publicó el DOUE de 24 de febrero de 2022 (L43/94), donde se indicaba lo siguiente (va en negrita la modificación introducida): *"En la página 50, en el artículo 23, apartado 4: donde dice: «4. Los Estados miembros podrán excluir algunas categorías específicas de la exoneración de deudas, o limitar el acceso a la exoneración de deudas, o establecer un plazo más largo para la exoneración de deudas en caso de que tales exclusiones, restricciones o prolongaciones de plazos estén debidamente justificadas, en los siguientes casos:», debe decir: «4. Los Estados miembros podrán excluir algunas categorías específicas de la exoneración de deudas, o limitar el acceso a la exoneración de deudas, o establecer un plazo más largo para la*

En todo caso, el 23.4 Directiva 2019/1023 dispone que los Estados que opten por excluir algunos créditos de la EPI, habrán de justificar debidamente la medida. De ello podemos extraer que el legislador europeo apuesta por la regla general de exonerar cualquier crédito, configurando el pasivo obligatorio como una excepción. El considerando 1 de la directiva determina que uno de sus objetivos consiste en que *"los empresarios de buena fe insolventes o sobreendeudados puedan disfrutar de la plena exoneración de sus deudas después de un período de tiempo razonable, lo que les proporcionaría una segunda oportunidad"*; razón por la que los estados deben fundamentar cualquier pasivo excluido de la EPI. En España, el pasivo obligatorio del art. 489 TRLC recibe una justificación unitaria e insuficiente en la Exposición de Motivos de la Ley 16/2022: *"Las excepciones se basan, en algunos casos, en la especial relevancia de su satisfacción para una sociedad justa y solidaria, asentada en el Estado de Derecho (como las deudas por alimentos, las de derecho público, las deudas derivadas de ilícito penal o incluso las deudas por responsabilidad extracontractual)"*.

Estas precisiones permiten al legislador español configurar un sistema de exoneración mediante el cual aparta o protege del instituto determinados créditos cuyo pago interesa asegurar. Entre ellos, comprobaremos que el crédito público goza de un blindaje que, más allá de disponer de una tutela frente a la EPI, supone una inmunidad casi absoluta; circunstancia que resta mucha efectividad al derecho del deudor de obtener una segunda oportunidad.

2. *Crédito público y privilegio en la legislación concursal*

Uno de los precedentes legislativos que explican la protección del pasivo público frente a la EPI se ubica en la posición de estos créditos en el sistema de clasificación de la normativa sobre insolvencias. En efecto, los acreedores públicos se hallan fuertemente privilegiados por diversas vías. Sin embargo, antes de abordar el asunto procede señalar que la consideración de crédito público está ligada a un doble requisito: por un lado, uno de carácter subjetivo, pues su titular

---

exoneración de deudas en caso de que tales exclusiones, restricciones o prolongaciones de plazos estén debidamente justificadas, como en los siguientes casos...»".

es un ente público; y, por otro lado, otro objetivo, pues, además, tal crédito ha de tener su origen en el ejercicio de una potestad pública[11].

En sede del concurso, la regla general establece que todo crédito público tiene a su favor un privilegio general por la mitad de su importe (art. 280 4.° TRLC), mientras que la otra mitad será clasificada como ordinario; todo ello con excepción de aquéllos que tengan la consideración de intereses o recargos de cualquier clase (art. 281.1 3.° TRLC), multas y sanciones (art. 281. 4.° TRLC) o que, por pacto contractual (art. 281.1 2.° TRLC), hayan sido considerados como subordinados en toda su cuantía. No obstante, determinados créditos públicos gozan de privilegios superiores, como los derivados de cotizaciones de la Seguridad Social o retenciones tributarias debidas por el concursado en virtud de obligación legal, donde el privilegio general se extiende a todo el importe y tienen mayor preferencia de cobro (art. 280 2.° TRLC). Por otro lado, el crédito público tiene concedido por ley un privilegio especial en determinados casos; por ejemplo, en el supuesto de hipoteca legal tácita (art. 270 1.° TRLC) recogido en el art. 78 LGT para tributos que gravan bienes y derechos inscribibles en un registro público[12].

3. *Crédito público y exoneración: precedentes y régimen vigente*

Los orígenes del sistema de exoneración respecto del crédito público se remontan al art. 178 bis LC. Un sistema que ofrecía un doble régimen de exoneración, con efectos distintos sobre el pasivo público, según la opción elegida. En primer lugar, el deudor podía

---

11 Así lo mantiene: GARCÍA-CRUCES GONZÁLEZ, J. A., "Crédito público y planes de reestructuración", en GARCÍA-CRUCES GONZÁLEZ, J. A. (Coord.), *De Iure Mercatus. Libro homenaje al Porf. Dr. Alberto Bercovitz Rodríguez-Cano*, Tomo III, Tirant lo Blanch, Valencia, 2023, pp. 4249-4291, p. 4265.

12 La Consulta Vinculante formulada a la Dirección General de Tributos de 19/07/2023 (V2111-23), dispuso que *"para que la Administración tributaria pueda exigir la deuda tributaria del IBI al nuevo titular del bien inmueble, en virtud de la garantía de la hipoteca legal tácita, es decir, en los ejercicios 2022 y 2021, no es necesaria la previa declaración de fallido del obligado al pago, ni la declaración de responsabilidad de aquel"*.

acceder a una exoneración inmediata (art. 178 bis 3 4.º LC), que exigía el pago instantáneo de los todos los créditos contra la masa y concursales privilegiados; a cambio, quedaría inmediatamente extinto todo el pasivo concursal ordinario y subordinado, sin excepción, incluido el crédito público que tuviera esta clasificación. Este sistema gozaba de una excepción, pues el deudor quedaba obligado a abonar un 25% del pasivo ordinario si no hubiera intentado o no hubiera podido celebrar un AEP. Por otro lado, el concursado podía acogerse a la vía de la exoneración diferida mediante un plan de pagos a cinco años; dicho plan contenía el pasivo obligatorio (178 bis 3 5.º LC). Aquí, el legislador nos mostraba una importante diferencia respecto del régimen anterior: los créditos públicos y por alimentos habrían de ser pagados de manera íntegra, sin importar su calificación en el concurso. Además, respecto del crédito público, las posibilidades de aplazamiento o fraccionamiento se regían por su normativa específica (art. 178 bis 6 III LC); esto suponía dejar en manos del acreedor la concesión de prórrogas en el cumplimiento de dichas obligaciones.

Esta diferencia de efectos que mantenían ambos regímenes dio lugar a la STS de 2 de julio de 2019[13]. Esta resolución realizó una interpretación del art. 178 bis LC, centrando su análisis, esencialmente, sobre dos extremos. En primer lugar, la sentencia resuelve la dualidad confirmando que, con independencia del régimen escogido (exoneración inmediata o diferida) la exoneración del crédito público sería total para ambos casos[14]; de esta forma, nuestro Alto

13 STS de 2 de julio de 2019 (ECLI:ES:TS:2019:2253).

14 Así lo establece un fragmento de la referida sentencia: *"Esta norma debe interpretarse sistemáticamente con el alcance de la exoneración previsto en el ordinal 4.º del apartado 3. Para la exoneración inmediata, si se hubiera intentado un acuerdo extrajudicial de pagos, habrá que haber pagado los créditos contra la masa y los créditos con privilegio general, y respecto del resto, sin distinción alguna, el deudor quedará exonerado. La ley, al articular la vía alternativa del ordinal 5.º, bajo la ratio de facilitar al máximo la concesión del beneficio, pretende facilitar el cumplimiento de este requisito del pago de los créditos contra la masa y privilegiados, y para ello le concede un plazo de cinco años, pero le exige un plan de pagos, que planifique su cumplimiento. Bajo la lógica de esta institución y de la finalidad que guía la norma que es facilitar al máximo la "plena exoneración de deudas", debemos entender que también en la alternativa del ordinal 5.º, la exoneración alcanza a todos los créditos*

Tribunal facilita aún más la plena exoneración de deudas[15], aunque supuso una interpretación muy forzada. Por otro lado, la resolución aborda el problema del aplazamiento de pago del crédito público que presentaba el art. 178 bis 6 III LC, determinado el TS que el único competente para acordar cualquier diferimiento de los créditos en el plan de pagos es el juez del concurso, y no el organismo acreedor[16].

Con la entrada en vigor del TRLC, el legislador dio la vuelta a todo este sistema. Manteniendo las mismas dos vías para tramitar la exoneración (régimen general —inmediato— y régimen especial —plan de pagos—), la suerte del crédito público sería la misma con independencia de la opción acogida: todo su importe quedó convertido en pasivo obligatorio, con independencia de su clasificación[17]. Fruto de esta modificación, algunos jueces consideraron que el le-

---

ajenos al plan de pagos. Este plan de pagos afecta únicamente a los créditos contra la masa y los privilegiados".

15 VALENCIA GARCÍA, F., "Comentario de la sentencia del Tribunal Supremo de 2 de julio de 2019 (381/2019): el beneficio de la exoneración del pasivo insatisfecho: interpretación del artículo 178 bis de la Ley Concursal", en YZQUIERDO TOLSADA, M. (Dir.), *Comentarios a las sentencias de unificación de doctrina: civil y mercantil*, vol. 11, 2020, pp. 45-60, p. 58.

16 Especialmente crítico se mostró con esta medida LADO CASTRO-RIAL, C., ["Exoneración de pasivo insatisfecho y crédito público", *Revista de Derecho Concursal y Paraconcursal*, n.º 31, 2019 (LA LEY 8450/2019)], pues expuso que: *"Si el legislador hubiera querido dotar de competencia al juez del concurso para decidir este concreto aspecto, entiendo que debiera haberlo dicho de forma expresa. No existe una atribución específica de competencia, ni siquiera se dice que el juez del concurso «aplicará» dicha normativa específica. Es más: la literalidad del precepto dice exactamente lo contrario; las solicitudes han de «tramitarse conforme a su normativa específica, lo que parece dar a entender, más bien, una especial atribución de competencia a la Administración (tributaria, de seguridad social) para resolver dicha solicitud en este ámbito, erigiéndose en excepción para los créditos públicos respecto a los restantes créditos susceptibles de ser incluidos en el plan de pagos, siendo, por lo demás, una competencia que naturalmente les viene atribuida".*

17 Así lo señaló el art. 491.1 TRLC, que era el que regulaba la exoneración inmediata, cuya regulación anterior sí permitía exonerar el crédito público, y que ahora adoptaba la posición contraria: *"Si se hubieran satisfecho en su integridad los créditos contra la masa y los créditos concursales privilegiados y, si el deudor que reuniera los requisitos para poder hacerlo, hubiera intentado un previo acuerdo extrajudicial de pagos, el beneficio de la exoneración del pasivo insatisfecho*

gislador había incurrido en un exceso de su labor refundidora, y se negaron a aplicar la nueva normativa que la entendían mucho más restrictiva que la anterior[18]; otros, en cambio, no observaron ninguna infracción en la nueva norma respecto de este extremo[19]. Sobre este

---

se extenderá a la totalidad de los créditos insatisfechos, exceptuando los créditos de derecho público y por alimentos".

18 El Auto del Juzgado de lo Mercantil n.º 7 de Barcelona de 8 de septiembre de 2020 (JUR 2020/277069) dispuso: *"La entrada en vigor del Texto Refundido de la LC, con la modificación del régimen de extensión de los efectos de la exoneración en el art. 491 de la LC, no debe suponer una modificación de la anterior doctrina jurisprudencial, al apreciarse que el citado art. 491 debe ser inaplicado por vulnerar el art. 82.5 de la Constitución Española. Esta vulneración se deriva del hecho de que el Texto Refundido introduce en el art. 491 una regulación manifiestamente contraria a la norma que es objeto de refundición, en concreto el art. 178 bis 3, 4º, lo que supone un exceso ultra vires en la delegación otorgada para proceder a la refundición, pudiendo los tribunales ordinarios, sin necesidad de plantear cuestión de inconstitucionalidad (por todas STC de 28/7/2016 o sentencia del Tribunal Supremo de 29/11/18), inaplicar el precepto que se considere que excede de la materia que es objeto de refundición".* En sentido similar se pronunció posteriormente el Auto del Juzgado de lo Mercantil n.º 13 de Madrid de 6 de octubre de 2020 (JUR 2020/295129), del Juzgado de lo Mercantil n.º 2 de Bilbao de 28 de enero de 2021 (JUR 2021/46534) y de la AP de Barcelona de 17 de junio de 2021 (JUR 2021/267815). En la doctrina científica acuñaron esta opinión: SANCHO GARGALLO, I., "Consideraciones sobre la refundición de la legislación concursal y su adecuación a la jurisprudencia", *Anuario de Derecho Concursal*, n.º 51, 202, pp. 27-34, p. 33; o CERVERA MARTÍNEZ, M., "Comentario a la resolución de la Audiencia Provincial de Barcelona, Sección 15ª, de 17 de junio de 2021 sobre la extralimitación del TRLC en la exoneración pasivo insatisfecho", *Revista General de Insolvencias & Reestructuraciones*, n.º 4, 2021, pp. 445-454.

19 El Auto del Juzgado de lo Mercantil n.º 1 de Oviedo de 13 de enero de 2021 (Auto 00001/2021) entendió que el legislador no incurrió *"en un exceso de la delegación, máxime cuando la opción orillada tenga un tanto o más de innovación que de interpretación. En suma, tan ilícito es desde el punto de vista constitucional asumir una línea jurisprudencial como apartarse de ella, siempre que la comparación entre la norma primitiva y la refundida soporte el juicio de contraste".* En la misma línea: Autos del Juzgado de lo Mercantil n.º 3 de Las Palmas de Gran Canaria de 25 de enero de 2022 (JUR 2022/281568); de la AP de Valencia de 1 de abril de 2022 (AC 2022/1352); y de la AP de Vizcaya de 30 de junio de 2022 (JUR 2023/47072). En la doctrina, apoyaron esa tesis: CUENA CASAS, M., "Crédito público y segunda oportunidad en el Texto Refundido Ley Concursal (A propósito del Auto del Juzgado Mercantil n.º 7 de Barce-

asunto, recientemente se ha pronunciado el Tribunal Supremo en su sentencia de 25 de marzo de 2025[20], relativa a un concurso de persona física que arrastraba dos deudas, una de naturaleza privada y otra pública frente a la Tesorería General de la Seguridad Social (TGSS). El deudor fue declarado en concurso el 2 de diciembre de 2020, y solicitó la exoneración de sus deudas, pero la TGSS se opuso; no obstante, nuestro Alto Tribunal vino a sentar doctrina en el siguiente sentido. Respecto de la exoneración inmediata, consideró que el legislador se extralimitó en su labor refundidora en el art. 491.1 TRLC al alterar el equilibrio entre los créditos existentes y la legítima expectativa que, hasta entonces, tenía el deudor; por tanto, declara inaplicable su último inciso, permitiendo la liberación de los créditos públicos de naturaleza concursal ordinaria y subordinada. Por lo que se refiere a la exoneración mediante plan de pagos, declara aplicable la doctrina de la sentencia de 2 de julio de 2019[21]; así, el TS reconoce que el refundidor no cometió excesos en su habilitación —pues mantuvo la misma dicción que contenía el art. 178 bis 5 LC—, pero conforme a la doctrina jurisprudencial de 2019 que se venía aplicando, dispuso que ésta resulta vigente para el TRLC en su redacción original. En conclusión, sea por vía de la exoneración inmediata o diferida dentro del régimen inicialmente vigente del TRLC, quedan liberados los créditos públicos ordinarios y subordinados.

---

lona, de 8 de septiembre de 2020)", publicado en Fundación Hay Derecho, el 27 de septiembre de 2020: https://www.hayderecho.com/2020/09/27/credito-publico-y-segunda-oportunidad-en-el-texto-refundido-ley-concursal-a-proposito-del-auto-del-juzgado-mercantil-no-7-de-barcelona-de-8-de-septiembre-de-2020/ (última consulta el 4 de abril de 2024); SÁNCHEZ PACHÓN, L. Á., "El problema de la exclusión de los créditos de derecho público del beneficio de la exoneración del pasivo insatisfecho en el Texto Refundido de la Ley Concursal (Comentario al Auto del Juzgado de lo Mercantil no. 7 de Barcelona de 8 de septiembre de 2020)", *Revista de Derecho Concursal y Paraconcursal*, n.º 34, 2021 (LA LEY 2/2021); y CANDELARIO MACÍAS, M. I., "Quo Vadis créditos de derecho público de la exoneración del pasivo insatisfecho", en GARCÍA-CRUCES GONZÁLEZ, J. A. (Coord.), *De Iure Mercatus. Libro homenaje al Porf. Dr. Alberto Bercovitz Rodríguez-Cano*, Tomo III, Tirant lo Blanch, Valencia, 2023, pp. 4093-4126, pp. 4109-4110.

20 STS de 25 de marzo de 2025 (ECLI:ES:TS:2025:1055).

21 STS de 2 de julio de 2019 (ECLI:ES:TS:2019:2253).

Con la reforma operada por la Ley 16/2022, el legislador español resolvió todo este problema al dotar al TRLC de un régimen muy renovado y unitario de la exoneración. En primer lugar, el pasivo obligatorio sería el mismo para cualquier deudor que obtuviera la EPI, con independencia de que optara por el plan de pagos o la liquidación[22]. No obstante, el legislador mantuvo una elevada tutela para el crédito público, que resultó mucho más proteccionista. Esto quedó materializado en la ley de dos maneras: la primera, exigiendo el pago previo de cierto pasivo público como condición para el ejercicio de la EPI; y, en segundo lugar, el crédito público quedó blindado mediante su inclusión —cuasi in totum— como pasivo obligatorio que habrá de ser abonado aún concedida la EPI.

---

[22] El vigente art. 489.1 TRLC enumera los créditos no exonerables: "*1. La exoneración del pasivo insatisfecho se extenderá a la totalidad de las deudas insatisfechas, salvo las siguientes: 1.º Las deudas por responsabilidad civil extracontractual, por muerte o daños personales, así como por indemnizaciones derivadas de accidente de trabajo y enfermedad profesional, cualquiera que sea la fecha de la resolución que los declare. 2.º Las deudas por responsabilidad civil derivada de delito. 3.º Las deudas por alimentos. 4.º Las deudas por salarios correspondientes a los últimos sesenta días de trabajo efectivo realizado antes de la declaración de concurso en cuantía que no supere el triple del salario mínimo interprofesional, así como los que se hubieran devengado durante el procedimiento, siempre que su pago no hubiera sido asumido por el Fondo de Garantía Salarial. 5.º Las deudas por créditos de Derecho público. No obstante, las deudas para cuya gestión recaudatoria resulte competente la Agencia Estatal de Administración Tributaria podrán exonerarse hasta el importe máximo de diez mil euros por deudor; para los primeros cinco mil euros de deuda la exoneración será íntegra, y a partir de esta cifra la exoneración alcanzará el cincuenta por ciento de la deuda hasta el máximo indicado. Asimismo, las deudas por créditos en seguridad social podrán exonerarse por el mismo importe y en las mismas condiciones. El importe exonerado, hasta el citado límite, se aplicará en orden inverso al de prelación legalmente establecido en esta ley y, dentro de cada clase, en función de su antigüedad. 6.º Las deudas por multas a que hubiera sido condenado el deudor en procesos penales y por sanciones administrativas muy graves. 7.º Las deudas por costas y gastos judiciales derivados de la tramitación de la solicitud de exoneración. 8.º Las deudas con garantía real, sean por principal, intereses o cualquier otro concepto debido, dentro del límite del privilegio especial, calculado conforme a lo establecido en esta ley (…)*".

4. El pago de crédito público como condición para el acceso a la EPI: condena por infracciones administrativas o acuerdos de derivación tributaria (art. 487.1 2.º TRLC)

4.1. Justificación de la medida

La incorporación de una restricción del acceso a la EPI basada en la comisión de ciertas infracciones de naturaleza administrativa o por un acuerdo de derivación tributaria, ha sido objeto de discusión doctrinal y jurisprudencial. Antes de proceder a su análisis, merece invocar unas cuestiones previas. En primer lugar, el Considerando 75 de la Directiva 2019/1023 dispuso que *"los Estados miembros deben garantizar que al menos uno de dichos procedimientos ofrezca al empresario insolvente la oportunidad de lograr la plena exoneración de deudas dentro de un plazo que no sea superior a tres años"*. Por otro lado, el art. 23.2 de la citada norma europea establece que: *"los Estados miembros podrán mantener o introducir disposiciones que denieguen o restrinjan el acceso a la exoneración de deudas (...) siempre que tales excepciones estén debidamente justificadas"*.

Considerando lo anterior, la Ley 16/2022 de reforma del TRLC optó por restringir el acceso a la EPI ante la condena por ciertas infracciones administrativas, salvo que el deudor abonara previamente el importe de la sanción. La justificación de tal medida se basó, según lo dispuesto en la Exposición de Motivos de la Norma (apartado IV, párrafo 12): *"en la especial relevancia de su satisfacción para una sociedad justa y solidaria, asentada en el Estado de Derecho (como las deudas por alimentos, las de derecho público, las deudas derivadas de ilícito penal o incluso las deudas por responsabilidad extracontractual)"*. El contenido de esta limitación, su adecuación a la Directiva 2019/1023 y la justificación ofrecida por la norma española de trasposición, serán objeto de análisis y discusión en los siguientes epígrafes.

4.2. Descripción del supuesto

Dentro de las exigencias negativas del art. 487 TRLC —también consideradas como parte integrante de los requisitos de la buena fe u honestidad del deudor, el apartado primero, párrafo segundo, señala: *"1. No podrá obtener la exoneración del pasivo insatisfecho el deudor que se encuentre en alguna de las circunstancias siguientes: (...) 2.º Cuando, en los diez años anteriores a la solicitud de la exoneración, hubiera sido sancionado por resolución administrativa firme por infracciones tributarias muy graves, de seguridad social o del orden social, o cuando en el mismo plazo se hubiera dictado acuerdo firme de derivación de responsabilidad, salvo que en la fecha de presentación de la solicitud de exoneración hubiera satisfecho íntegramente su responsabilidad (...)".* En este sentido, el legislador sólo acepta conceder la EPI a un deudor que arrastre tales infracciones o la derivación de responsabilidad si, previamente, abona el importe de la condena. El precepto no está exento de crítica, fundamentalmente porque gran parte de las conductas descritas no siempre manifiestan un comportamiento deshonesto o de mala fe en el tráfico.

Respecto de las infracciones tributarias muy graves, vienen establecidas en los arts. 183.1 184.1 de la Ley 58/2003, de 17 de diciembre, General Tributaria (LGT); sin embargo, la legislación fiscal no enumera las sanciones según sean éstas leves, graves o muy graves, sino siguiendo un criterio objetivo (por tipo de conducta: infracciones en materia de facturación, por no presentar cierta documentación, por uso indebido del número de identificación fiscal, etc.) y dentro de cada categoría, indica en qué casos la actuación adquiere una intensidad de leve a muy grave. Sobre estas últimas, la doctrina expone que la máxima gravedad es predicable de aquellas infracciones realizadas de forma dolosa[23], ya que el elemento común de dicha categoría es el uso de medios fraudulentos[24]. En cierto modo, me encuentro conforme con esta prohibición del art. 487 TRLC, pues la comisión de estas infracciones constituye una manifestación de deshonestidad relevante en que puede incurrir un deudor. Más escéptico me muestro respecto de las infracciones meramente gra-

---

[23] En tal sentido, destaca DELGADO SANCHO, C. D., "Elementos constitutivos de la infracción tributaria", *Crónica Tributaria*, n.º 139, 2011, pp. 59-77, pp. 68-69.

[24] Ocurre, por ejemplo, en el caso de las infracciones tributarias por ausencia de ingreso de la deuda tributaria resultante de una autoliquidación (art. 191.4 LGT), o en las infracciones tributarias por incumplimiento de la obligación de presentar de forma completa y correctamente las declaraciones o documentos necesarios para practicar liquidaciones (art. 192. 4 LGT).

ves, puesto que la culpabilidad de su comisión no resulta tan intensa como las anteriores; además, el legislador muestra cierta pasividad al no ofrecer una razón objetiva de su incorporación en el precepto. El art. 487.1 2.º II emplea como único criterio para denegar la EPI el hecho de haber sido sancionado por la mitad del importe que permite exonerar para los créditos públicos ex art. 489 TRLC.

Sobre las infracciones de Seguridad Social o del orden social, se encuentran regulada en el Real Decreto Legislativo 5/2000, de 4 de agosto, por el que se aprueba el texto refundido de la Ley sobre Infracciones y Sanciones en el Orden Social (TRISOS)[25]. Respecto de este inciso, el legislador ha procurado una redacción desafortunada, pues del tenor literal del art. 487.1 2.º TRLC indica expresamente *"infracciones tributarias muy graves, de seguridad social o del orden social (...)"*; no parece hace referencia expresa a la gravedad que deben revestir las infracciones del orden social, ya que en tal caso el artículo debería indicar *"infracciones muy graves de naturaleza tributaria, de seguridad social o del orden social"*. En consecuencia, todo parece apuntar que cualquier infracción social conduce irremediablemente a denegar la EPI, salvo pago de la sanción. Esto tendría cierta lógica si se tratara de actuaciones muy graves, pero resulta de todo punto desacertado condicionar la EPI por la comisión de una infracción leve, como puede ser no exponer en lugar visible del centro de trabajo el calendario laboral (art. 6.1 TRISOS). Este artículo debería ser reformado para delimitar la sanción (denegación de la EPI) sólo a las conductas de mayor gravedad[26].

---

25 El art. 135 Real Decreto Legislativo 8/2015, de 30 de octubre, por el que se aprueba el texto refundido de la Ley General de la Seguridad Social remite al TRISOS en materia de infracciones y sanciones.

26 En contra de esta interpretación literal, la profesora FLORES SEGURA, M., ["¿Las sanciones de seguridad social o del orden social impiden el acceso a la exoneración del pasivo insatisfecho al margen de su calificación (artículo 487 1-2.º TRLC)?", en TOMÁS TOMÁS, S. y otros (Dir.), *La exoneración del pasivo insatisfecho: 100 cuestiones Polémicas*, Atelier, Madrid, 2025, p. 62], quien entiende que las excepciones a la exoneración del pasivo insatisfecho deben ser objeto de una interpretación restrictiva. Sin embargo, existen, a mi juicio, razones de peso para considerar que el legislador elaboró a conciencia la redacción del precepto. El texto del anteproyecto de la reforma ofrecía una mayor claridad, pues aludía a la resolución administrativa firme

Respecto de las condenas por causa de derivación tributaria, también me muestro crítico. Los procedimientos de derivación no tienen por objeto en todo caso sancionar una conducta dolosa o fraudulenta; en ocasiones, basta una simple negligencia en el cumplimiento de las obligaciones fiscales. En realidad, lo que pretende este mecanismo es imputar el pago de una obligación ajena con carácter accesorio o supletorio; un fin meramente garantista[27]. Por esta razón, no considero que la derivación deba constituir impedimento para le EPI, salvo que la conducta que haya impulsado el procedimiento sea de máxima gravedad.

4.3. Valoración de la norma

4.3.1. Cuestiones prejudiciales

Considerando que son múltiples los defectos del art. 487.1 2.º TRLC (excesiva punibilidad y escasa adecuación a la finalidad de la EPI), nuestros juzgados y tribunales reaccionan; no esta vez inaplicando la norma —pues no deriva de una refundición—, sino suspendiendo los procedimientos en curso y planteado diversas cuestiones prejudiciales. Procede saber si el precepto de trasposición se adecúa a los estándares de la Directiva 2019/1023. Lo cierto es que la actividad prejudicial se ha planteado menos en esta sede que, por ejemplo, respecto del art. 489.1 5.º TRLC (que aborda el crédito público como pasivo mínimo). No obstante, es abundante la riqueza de los pronunciamientos.

---

por infracciones tributarias, de seguridad social o del orden social, siempre que *"la infracción o el presupuesto de hecho determinante de la responsabilidad hubieran sido calificados como dolosos"*. Se hacía mención a las infracciones tributarias o del orden social bajo un mismo grado de culpabilidad concreto, y no como lo hace la normativa vigente.

27 Vid.: ZABALA RODRÍGUEZ FORNOS, A., "Comentario a los arts. 35-48 LGT", en HERRERO DE EGAÑA ESPINOSA DE LOS MONTEROS, J. M. (Coord.), *Comentarios a la Ley General Tributaria*, vol. I, Aranzadi, Cizur Menor, 2008, pp. 283-412, p. 339; y LÓPEZ LÓPEZ, H., *El principio de culpabilidad en materia de infracciones tributarias*, cit., pp. 289-323.

El primero de ellos fue el Auto del Juzgado de lo Mercantil n.º 1 de Alicante de 25 de abril de 2023[28], dictado por el juez Gustavo Andrés Martín Martín. El juez cuestiona severamente la dicción del art. 487.1 2.º TRLC y su compatibilidad con la Directiva 2019/1023, concretamente lo relacionado con su art. 23.2; según su parecer *"esta excepción no es coherente con el sistema general de buena fe diseñado por el legislador nacional desde la Ley 14/2013, de 27 de septiembre. Una de las circunstancias que delimitan la buena fe del deudor es que su concurso no haya sido declarado culpable (487.1 3.º TRLC). Sin embargo, conforme a la normativa concursal, el carácter culpable del concurso requiere de la apreciación de dolo o culpa grave (...). Limitar el acceso a la exoneración en tales circunstancias, puede implicar que muchos administradores societarios se vean imposibilitados de iniciar nuevos negocios"*. Considerando esta y otras circunstancias, el juez autor de esta cuestión prejudicial considera que el apartado 2 del artículo 23 de la Directiva debe interpretarse en el sentido en que se opone a una normativa nacional que impide el acceso a la exoneración en el sentido establecido en el artículo 487.1.2º TRLC en la medida que: 1.º *"dicho límite no estaba previsto en la normativa previa a la transposición de la Directiva que reconocía el derecho a la exoneración y que ha sido introducido ex novo"*; 2.º *"dicha causa* (art. 487.1 2.º TRLC) *supone alterar la sistema de clasificación de créditos concursales"*; 3.º *"se hubiera dictado acuerdo firme de derivación de responsabilidad, salvo que en la fecha de presentación de la solicitud de exoneración hubiera satisfecho íntegramente su responsabilidad"*; 4.º se hubiera *"dictado o acordado en los 10 años anteriores a la solicitud de exoneración sin atender a la fecha del hecho generador de la responsabilidad y del posible retraso en la adopción del acuerdo de derivación de responsabilidad"*; y 5.º *"que dicho límite no ha sido justificado debidamente por el legislador nacional"*.

El segundo Auto es del Juzgado de lo Mercantil n.º 10 de Barcelona de 2 de mayo de 2023[29] que, en línea que la anterior resolución, plantea las siguientes cuestiones prejudiciales respecto del art. 487.1 2.º TRLC: *"1) ¿Si el legislador nacional opta por ampliar la aplicación de*

---

[28] Auto del Juzgado de lo Mercantil n.º 1 de Alicante de 25 de abril de 2023 (ECLI: ES: JMA: 2023: 133A).

[29] Auto del Juzgado de lo Mercantil n.º 10 de Barcelona de 2 de mayo de 2023 (ECLI:ES:JMB:2023:146A).

los procedimientos previstos para la exoneración de las deudas contraídas por empresarios insolventes a las personas físicas insolventes que no sean empresarios, como contempla el artículo 1.4 de la Directiva [sobre reestructuración e insolvencia], debe ajustar necesariamente su regulación a las previsiones contenidas en el Título III de [dicha] Directiva? Si la respuesta a esa primera cuestión fuera afirmativa, 2) ¿El alcance del concepto de comportamiento deshonesto que recoge el art. 23.1 de la Directiva [sobre reestructuración e insolvencia] incluye comportamientos del deudor negligentes o imprudentes que sean la causa de la generación de una deuda? Si la respuesta a esa segunda cuestión fuera negativa, 3) ¿Los supuestos recogidos en las letras "a" a "f" del artículo 23.2 de la Directiva [sobre reestructuración e insolvencia] son una lista tasada de circunstancias bien definidas y justificadas o los Estados [miembros] pueden introducir otras circunstancias bien definidas y justificadas? Si la respuesta [a] la tercera cuestión fuera que los Estados [miembros] pueden introducir otras circunstancias bien definidas y justificadas diferentes a [las recogidas] en las letras "a" a "f" del artículo 23.2 de la Directiva [sobre reestructuración e insolvencia], 4) ¿las nuevas circunstancias bien definidas que introduce el Estado [miembro en cuestión] deben estar en todo caso justificadas en comportamientos deshonestos o de mala fe? Si las respuestas a la [tercera y cuarta] preguntas fueran que los Estados [miembros] no pueden introducir circunstancias diferentes a las relacionadas en las letras "a" a "f" del artículo 23.2 de la Directiva [sobre reestructuración e insolvencia]; o que si introducen otras conductas, diferentes, bien definidas, deben justificarse en comportamientos deshonestos o de mala fe del deudor, 5) ¿una interpretación conforme del art. 23 de la Directiva [sobre reestructuración e insolvencia]implica dejar de aplicar un precepto como el art. 487.1.2.º del texto refundido del [TRLC] cuando se observe que la infracción tributaria muy grave responde a un comportamiento del deudor que no es deshonesto ni de mala fe".

4.3.2. Respuesta del TJUE: sentencia de 7 de noviembre de 2024

El TJUE dio respuesta a las cuestiones prejudiciales anteriores dictado su sentencia de 7 de noviembre de 2024[30] [planteadas por el Juzgado de lo Mercantil n.º 1 de Alicante (C-289/23) y por el Juzgado

30 STJUE de 7 de noviembre de 2024 (ECLI: EU:C:2024:934) [asuntos acumulados C-289/23 (Corván) y C-305/23 (Bacigán)].

de lo Mercantil n.º 10 de Barcelona (C-305/23) mediante autos de 25 de abril y de 2 de mayo de 2023]. Mediante este pronunciamiento, el TJUE arroja un poco de luz y tutela sobre la restricción del acceso a la EPI por el impago de determinados créditos públicos; no obstante, comprobaremos que el juzgador no realiza una labor muy novedosa a lo largo de toda su exposición.

En primer lugar, el TJUE responde a la Primera cuestión prejudicial, letras b), c) y d), del asunto C-289/23 y cuestiones prejudiciales segunda y cuarta del asunto C-305/23. Todas relativas a la infracción del sistema de clasificación de créditos del TRLC por exigir el pago de pasivo público no privilegiado. Los juzgadores remitentes de las cuestiones prejudiciales preguntan si el hecho de que el art. 487.1 2.º TRLC exija el pago de las sanciones tributarias y del orden social como condición para obtener la EPI, créditos que en el concurso tienen la clasificación de subordinados (art. 281.1 4.º TRLC), vulnera el orden de preferencia para el pago de créditos concursales. El TJUE responde que los créditos que conforman el pasivo mínimo no tienen por qué estar supeditados a una categoría concursal concreta (privilegiada), sino que puede afectar a cualquier deuda: su apartado 35 indica que: *"(...) no parece que la obligación de pago de créditos públicos no privilegiados para poder acogerse a una exoneración de deudas implique una modificación del orden de prelación de los créditos a raíz de un procedimiento concursal"*[31].

Por otro lado, el TJUE responde a otra cuestión conectada a la anterior: si es posible impedir el acceso a la exoneración por haber sido sancionado por infracciones cuya comisión no exige, en todo caso, mala fe del deudor, sino una mera negligencia que no pueda ser considerada como conducta deshonesta. La pregunta se formula al amparo de la exigencia del art. 487.1 2.º TRLC, con motivo de la condena por acuerdo de derivación de responsabilidad, pues no en todos los casos, esta responsabilidad de atribuye por mala fe o fraude, sino que también procede por meras faltas de diligencia[32]. A juicio del tribunal, un acuerdo de derivación de responsabilidad que impi-

---

[31] Apartado 35 STJUE de 7 de noviembre de 2024 (ECLI: EU:C:2024:934).

[32] Así lo señaló la sentencia del Juzgado de lo Mercantil n.º 4 de Palma de Mallorca de 20 de mayo de 2024 (JUR\2024\183728).

de la EPI es ajustado a la legislación europea, con independencia del grado de culpabilidad en que haya incurrido el condenado a soportarla: *"el artículo 23, apartado 2, debe interpretarse en el sentido de que no se opone a una normativa nacional que excluye el acceso a la exoneración de deudas en circunstancias bien definidas en las que el deudor no haya actuado de forma deshonesta o de mala fe"*[33].

Posteriormente, el TJUE responde a la Primera cuestión prejudicial, letra e), del asunto C-289/23. Examen de la justificación que ofrece el legislador español para impedir el acceso a la EPI ante el impago de cierto pasivo público. Esta respuesta del tribunal concentra gran parte de la riqueza de esta sentencia, pues aborda la pregunta de si la exclusión del acceso a la EPI para deudores sancionados por resolución administrativa firme en virtud de la comisión de infracciones tributarias muy graves, de la Seguridad Social o del orden social, así como la responsabilidad fiscal imputada por razón de un acuerdo de derivación (también firme) es conforme a la Directiva de insolvencias y queda debidamente justificada por la normativa nacional de trasposición. El TJUE indica que el art. 487.1 2.º TRLC es contrario al art. 23.2 Directiva 2019/1023: *"Habida cuenta de las consideraciones anteriores, procede responder a la primera cuestión prejudicial, letra e), planteada en el asunto C-289/23 que el artículo 23, apartado 2, de la Directiva sobre reestructuración e insolvencia debe interpretarse en el sentido de que se opone a una normativa nacional que excluye el acceso a la exoneración de deudas en un supuesto específico, sin que el legislador nacional haya justificado debidamente tal exclusión"*[34]. Además, la sentencia aporta una visión novedosa, pero poco valiente —desde mi punto de vista—, pues descarga sobre el juez nacional la decisión final de valorar si la restricción del art. 487.1 2.º TRLC está debidamente justificada: *"Corresponde al órgano jurisdiccional remitente apreciar, por un lado, si los referidos motivos constituyen motivos legítimos de interés público y, por otro lado, si de la normativa nacional se desprende que esos motivos justificaron*

---

33 Apartado 44 STJUE de 7 de noviembre de 2024 (ECLI: EU:C:2024:934).

34 Apartado 56 STJUE de 7 de noviembre de 2024 (ECLI: EU:C:2024:934).

la exclusión de una exoneración de deudas en circunstancias bien definidas, como las que enuncia el artículo 487, apartado 1, punto 2, del TRLC"[35].

Esta decisión del tribunal ofrece, por un lado, una ventaja, pues favorecerá la inaplicación —en favor del deudor— del art. 487.1 2.° TRLC, permitiendo la EPI pese a ciertas condenas administrativas; sin embargo, también deja la puerta abierta a que otros tribunales contemplen la licitud de los establecido en dicho precepto, dejando a otros deudores sin la EPI. Situación que no considero aceptable, pues genera una desigualdad en la liberación de deudas, y que dependerá de lo que aprecie cada juez en el caso concreto.

4.3.3. Sentencia del Juzgado de lo Mercantil n.° 1 de Córdoba, de 27 de noviembre de 2024

Especialmente relevante es la sentencia del Juzgado de lo Mercantil n.° 1 de Córdoba, de 27 de noviembre de 2024[36], relativa a un empresario insolvente que solicito la EPI y le fue denegada ante la existencia de un acuerdo de derivación de responsabilidad tributaria firme en los diez años anteriores a la solicitud. El alcance exigible por dicha responsabilidad ascendía a 2801,22 euros. El juzgado, conforme a lo dispuesto en la ya examinada STJUE de 7 de noviembre de 2024, decide inaplicar el art. 487.1 2.° TRLC en base a lo siguiente.

Por un lado, la resolución destaca la potestad de los jueces y tribunales para fiscalizar las previsiones de los arts. 487 y 489 TRLC *"para comprobar si dichas previsiones se justifican debidamente conforme al derecho nacional en aquello que se aparte de las específicas y concretas previsiones regulatorias de la DIR".* En segundo lugar, la sentencia efectúa

---

35 Apartado 49 STJUE de 7 de noviembre de 2024 (ECLI: EU:C:2024:934). Vid.: BERGADÁ, M.; y FONSECA-HERRERO, L., ("El TJUE abre las puertas a la inaplicación del artículo 487.1.2 del Texto Refundido de la Ley Concursal por falta de motivación", *Confilegal*, 8 de noviembre de 2024, disponible en: https://confilegal.com/20241108-el-tjue-abre-las-puertas-a-la-inaplicacion-del-articulo-487-1-2-del-texto-refundido-de-la-ley-concursal-por-falta-de-motivacion/).

36 Sentencia del Juzgado de lo Mercantil n.° 1 de Córdoba, de 27 de noviembre de 2024 (ECLI: ES:JMCO:2024:235).

un examen sobre la justificación de la Ley 16/2022 para establecer restricciones a la EPI respecto del pasivo público; concluye sobre este respecto: *"Con la frase una sociedad justa y solidaria como vemos se puede justificar, sólo con esta frase, cualquier norma que emane del parlamento ¿qué norma no persigue una sociedad justa y solidaria? ¿existe alguna norma que no lo haga? (ciertamente sería muy grave que existiese). El legislador podría ahorrarse hojas y hojas de EM de las normas, bastaría con justificar todo en base a una sociedad justa y solidaria (...) Justo y solidario también puede ser que un empresario que lo ha perdido todo, que no tiene nada, que ha dedicado su vida a crear riqueza, empleo, a pagar impuestos durante muchos años, pueda tener una segunda oportunidad y a que en el peor de los casos, un error, una mala decisión, un mal asesoramiento no le condene de por vida"*. Ello es hasta tal punto que el juez destaca el absurdo de impedir el acceso a la EPI de empresarios por derivaciones de 3.000 euros y, concederla, por ejemplo, a delincuentes de delitos de sangre: *"En nuestras normas hay redención hasta para los asesinos, un asesino, un maltratador por ejemplo, puede acceder a la exoneración, no está incluido en ninguna de las excepciones del art. 487 del TRLC, alguien que tiene una sanción administrativa no, ¿es esto proporcional? ¿es justo?"*[37].

Considerando lo expuesto, la sentencia aplica el principio de proporcionalidad, pues existe una diferencia de trato entre el deudor empresario (que asume una mayor parte de deuda —pública—) que quien carece de tal condición (porque accede a la liberación de deudas en condiciones —reales— más favorables, al no tener que afrontar generalmente responsabilidades por derivación tributaria): *"los principios de proporcionalidad o proscripción de trato desigual también deben formar parte de la ecuación al valorar el supuesto de hecho (...). En este caso esa proporcionalidad no se verifica, pues no se justifica qué relación de causalidad existe entre no permitir la exoneración o permitirla de manera limitada, y las previsiones del art. 487.1.2º y 489.1.5º, es decir, no se justifica porqué la aplicación de esos preceptos genera una mayor capacidad de recaudación o minora el daño a las arcas públicas, y desde luego la justificación "una sociedad justa y solidaria" no colma esa obligación.(...) No es proporcional por tanto limitar de manera tan severa un derecho (así lo nomima, en contraposición al*

---

[37] Fundamento jurídico cuarto de la Sentencia del Juzgado de lo Mercantil n.º 1 de Córdoba, de 27 de noviembre de 2024 (ECLI: ES:JMCO:2024:235).

anterior "beneficio", la EM de la Ley 16/2022 de 5 de septiembre), como lo es el de exoneración, para no conseguir nada. Es más, ni siquiera resiste la actual normativa un análisis de proporcionalidad interna de la propia norma, cuando como por ejemplo ocurre en este caso, y en otros muchos, la derivación impuesta es incluso de una cantidad menor a la que podría ser objeto de exoneración, es decir, se permite exonerarse hasta 10.000 euros de deuda pública, pero no se permite ni siquiera acceder a la exoneración (incluyendo cualquier tipo de deuda) por una deuda de apenas 3000 euros como en este supuesto, eso sí, salvo que se pague"[38]. Aparte de todo ello, el juzgado también declara inaplicable —en base al principio de proporcionalidad— la limitación de exoneración de deuda ex art. 485.1 5.º TRLC, siendo exonerable toda la deuda por crédito de derecho público sin límite alguno[39].

En conclusión, la flexibilidad interpretativa que proporcionó la STJUE de 7 de noviembre de 2024 ha dado vía libre a los juzgados y tribunales nacionales para decidir aplicar o no las normas concursales que restringen o limitan el acceso a la EPI. La decisión en uno u otro sentido dependerá del juzgador que examine cada caso. Cumplir o no con el mandato de nuestro legislador parece ahora una opción tan válida como cualquier otra; no obstante, aquellas resoluciones que opten por favorecer al deudor, serán bien acogidas, mientras que otras que consideren obedecer total o parcialmente la normativa, provocarán que el deudor resulte más perjudicado en pro de cumplir estrictamente la ley. En todo caso y, con independencia de mi opinión al respecto, nos hallamos ante una etapa de excesiva inseguridad jurídica cuyo remedio, a mi juicio, no puede quedar en manos del juzgador; y entiendo que ya no cabe realizar más interpretaciones sobre la normativa española en materia de exoneración del crédito público. Por tanto, resulta absolutamente necesaria una reforma legal, razonable y bien justificada, que ponga fin a esta batalla —que continuará— entre nuestro legislador, los jueces y las necesidades reales de los deudores honestos pero desafortunados.

---

[38] Fundamento jurídico cuarto de la Sentencia del Juzgado de lo Mercantil n.º 1 de Córdoba, de 27 de noviembre de 2024 (ECLI: ES:JMCO:2024:235).

[39] Fundamento jurídico sexto de la Sentencia del Juzgado de lo Mercantil n.º 1 de Córdoba, de 27 de noviembre de 2024 (ECLI: ES:JMCO:2024:235).

5. El crédito público como pasivo no exonerable

5.1. Régimen vigente: la plena inmunidad del pasivo público y la EPI parcial del crédito de la AEAT y de la TGSS

El art. 489 TRLC establece las limitaciones a la EPI mediante la dicción del pasivo obligatorio. Concretamente, el punto uno apartado cinco se encarga del crédito público en general: *"La exoneración del pasivo insatisfecho se extenderá a la totalidad de las deudas insatisfechas, salvo las siguientes: (…) 5.º Las deudas por créditos de Derecho público. No obstante, las deudas para cuya gestión recaudatoria resulte competente la Agencia Estatal de Administración Tributaria podrán exonerarse hasta el importe máximo de diez mil euros por deudor; para los primeros cinco mil euros de deuda la exoneración será integra, y a partir de esta cifra la exoneración alcanzará el cincuenta por ciento de la deuda hasta el máximo indicado. Asimismo, las deudas por créditos en seguridad social podrán exonerarse por el mismo importe y en las mismas condiciones. El importe exonerado, hasta el citado límite, se aplicará en orden inverso al de prelación legalmente establecido en esta ley y, dentro de cada clase, en función de su antigüedad"*. El legislador ha establecido un criterio general que protege de la EPI cualquier crédito público, con independencia de su cuantía.

La única excepción recae sobre deudas públicas de naturaleza tributaria (donde se incluyen las autonómicas[40]) o social. Para estos créditos, se fija un importe exonerable de 10.000 euros como máximo, de los cuales los primeros 5.000 euros se exoneran de forma automática, mientras que los otros restantes se aplicarán al resto de la deuda por mitad hasta alcanzar esa cifra. Así, por ejemplo, si debo 7.000 euros, 5.000 euros se exoneran, y de la deuda restante, 2.000 euros, sólo la mitad: 1.000 euros; por tanto, de la deuda inicial me libero de 6.000 euros y pago 1.000 euros. En cambio, si debo 15.000 euros, me exoneran 10.000 (los primeros 5.000 euros y la mitad de la deuda restante, que equivale a otros 5.000 euros, llegando al tope máximo).

---

40 Procede recordar lo establecido en la Disposición Adicional Primera del TRLC -introducida por la Ley 16/2022-, que incorpora la siguiente previsión respecto de las Haciendas Forales: *"Las referencias que en esta ley se hacen a la Agencia Estatal de Administración Tributaria se entenderán también referidas a las Haciendas Forales de los territorios forales"*.

Sin embargo, merece realizar una doble crítica a este precepto. En primer lugar, considerando que el grueso del pasivo de los empresarios es de naturaleza pública y, más concretamente, deudas tributarias y de naturaleza social, la utilidad para el deudor de la EPI resulta puramente simbólica ante un límite tan reducido. En segundo lugar, a diferencia de lo que sucede con otros créditos, la (ínfima) exoneración del crédito público que acabamos de examinar sólo tiene cabida una única vez; en consecuencia, para las sucesivas exoneraciones que pudiera obtener el deudor habrá de pagar íntegramente tales deudas: *"El crédito público será exonerable en la cuantía establecida en el párrafo segundo del apartado 1.5.º, pero únicamente en la primera exoneración del pasivo insatisfecho, no siendo exonerable importe alguno en las sucesivas exoneraciones que pudiera obtener el mismo deudor"* (art. 489.3 TRLC). Todo ello no es más que una estrategia del legislador para dar una apariencia de sacrificio (simulado) del crédito público que a penas ofrece una utilidad al concursado; y, desde luego, a muchos que ostentan la condición de empresarios, poco lastre de pasivo les descarga. Son muchos los autores que se suman a esta crítica[41].

5.2. Valoración de la norma

5.2.1. Cuestiones prejudiciales

Las primeras reacciones sobre la actual normativa de la EPI y el crédito público se emanaron respecto de la limitación del pasivo público ex art. 489.1 5.º TRLC. En este caso fue la Audiencia Provincial de Alicante, que formuló dos cuestiones prejudiciales ante el TJUE

---

41 Entre ellos: CUENA CASAS, M., "Reformas de la Ley Concursal e insolvencia de la persona física", *Revista CESCO de Derecho de Consumo*, n.º 11, 2014, pp. 168-185, p. 171; GARCÍA BALLESTEROS, J. J., "Evolución del tratamiento concursal de la exoneración del crédito público por derivación de responsabilidad tributaria y de la seguridad social", *La Ley Mercantil*, n.º 99, 2023, (consultado en: La Ley 1282/2023); FERNÁNDEZ SEIJO, J. M., "Sobre la no exonerabilidad del crédito público en el Anteproyecto de Ley de reforma de la Ley Concursal", cit. (consultado en: LA LEY 10069/2021); y CANDELARIO MACÍAS, M. I., "Quo Vadis créditos de derecho público de la exoneración del pasivo insatisfecho", cit., p. 4113.

con suspensión de los procedimientos en trámite. Se plantearon mediante los Autos de 11 de octubre de 2022 (Asunto C-687/22 ante el TJUE)[42] y de 31 de enero de 2023 (Asunto C-111/23 ante el TJUE)[43]. Resumidamente, ambas resoluciones plantean las mismas preguntas ante el Tribunal Europeo. Grosso modo, la audiencia desea saber si; 1) el listado de créditos no exonerables del art. 23.4 Directiva 2019/1023 es exhaustivo o meramente ejemplificativo; y 2) si el art. 489.1 5.º TRLC, que excluye el crédito público de la exoneración y carece de justificación debida, compromete o perjudica la consecución de los objetivos previstos en la norma europea. Sobre la primera cuestión formulada, el Abogado General, Sr. Jean Richard de la Tour, presentó sus conclusiones el 14 de diciembre de 2023[44]. En ellas, ofrece su parecer respecto de las preguntas planteadas indicando que la lista de créditos del art. 23.4 de la directiva no es exhaustiva, y que, a su modo de ver: *"la mera falta de justificación de la exclusión de los créditos públicos de la exoneración de deudas no puede comprometer gravemente, por sí sola, antes de la expiración del plazo de transposición, la realización del objetivo prescrito por la Directiva 2019/1023, puesto que los Estados miembros tienen la posibilidad de excluir los créditos públicos de la exoneración de deudas"*.

Por otro lado, el —ya citado— Auto del Juzgado de lo Mercantil n.º 1 de Alicante, de 25 de abril de 2023[45] se pronuncia sobre el crédito público como límite o pasivo mínimo en la EPI. En este caso, el

---

42 Auto de la AP de Alicante de 11 de octubre de 2022 (ECLI: ES: APA: 2022: 33A), relativo a un procedimiento concursal de dos personas físicas que solicitaban la exoneración de sus deudas, y la posición controvertida de la AEAT, que se opuso a la liberación de su crédito (que procedía de una derivación de responsabilidad del art 43.1 a) LGT, por importe de 192.366,21 €).

43 Auto de la AP de Alicante de 31 de enero de 2023 (ECLI: ES: APA: 2023: 13A), relativo a dos deudores (un matrimonio) que fueron declarados responsables subsidiarios de varias deudas y sanciones tributarias de la que era titular una sociedad (Vicente Belliure Construcciones Navales, S.L.), en aplicación del art. 43.1.a) LGT; el juzgado excluye este crédito de la exoneración y los demandantes recurren en segunda instancia.

44 Conclusiones del Abogado General Sr. Jean Richard de la Tour de 14 de diciembre de 2023, Asunto C-687/22 (ECLI: EU: C: 2023: 995).

45 Auto del Juzgado de lo Mercantil n.º 1 de Alicante de 25 de abril de 2023 (ECLI: ES: JMA: 2023: 133A).

juzgador ofrece varias consideraciones. La primera, valora la previsión del art. 489.1 5.° TRLC como contraria a lo dispuesto en el art. 23.4 de la Directiva 2019/1023, pues limita indebidamente el acceso a la exoneración y pone en riesgo la libertad de empresa y el derecho al trabajo (arts. 15 y 16 de la Carta de Derechos Fundamentales de la Unión Europea —CDFUE—)[46]. Por otro lado, considera que el citado precepto (art. 489.1 5.° TRLC) otorga un trato privilegiado e injustificado a los acreedores públicos al alterar el orden de clasificación de créditos concursales[47]. También entiende que el margen exonerable de 10.000 euros que permite la norma española no guarda relación porcentual con el total del crédito público adeudado, ni garantiza una segunda oportunidad real y efectiva[48]. En último lugar, el juez cierra su auto manifestando que la limitación del crédito público no está debidamente justificada considerando las razones genéricas que ofrece nuestro legislador para su protección en la Exposición de Motivos de la Ley 16/2022 (Estado de derecho basado en una sociedad justa y solidaria)[49].

Por citar otro ejemplo más, el Auto del Juzgado de lo Mercantil n. ° 19 de Madrid, de 4 de septiembre de 2023[50] se centró en la justificación de nuestro legislador para restringir y limitar el acceso a la EPI por causa del crédito público. El juzgado plantea si: 1) esa debida justificación, basada, en la especial relevancia de su satisfacción para una sociedad justa y solidaria, asentada en el Estado de Derecho, es respetuosa con arreglo a la normativa europea sobre exoneración; 2) seguidamente pregunta qué criterios debe seguir cada Estado para argumentar la exclusión de un crédito de la EPI; y 3) en último lugar, si el legislador nacional debe procurar una justificación gené-

---

46 Apartado 254 Auto del Juzgado de lo Mercantil n.° 1 de Alicante de 25 de abril de 2023 (ECLI: ES: JMA: 2023: 133A).

47 Apartado 275 Auto del Juzgado de lo Mercantil n.° 1 de Alicante de 25 de abril de 2023 (ECLI: ES: JMA: 2023: 133A).

48 Apartado 287 Auto del Juzgado de lo Mercantil n.° 1 de Alicante de 25 de abril de 2023 (ECLI: ES: JMA: 2023: 133A).

49 Apartado 313 Auto del Juzgado de lo Mercantil n.° 1 de Alicante de 25 de abril de 2023 (ECLI: ES: JMA: 2023: 133A).

50 Auto del Juzgado de lo Mercantil n.° 19 de Madrid de 4 septiembre 2023 (JUR 2023\340885).

rica o debe se individualizada para cada crédito protegido. El juzgador se muestra especialmente crítico con esta cuestión, y dispone que: *"una sociedad justa y solidaria podría permitir que el deudor de buena fe quedara exonerado del pago de las deudas por créditos de derecho público. Téngase en cuenta que la exoneración se otorga al deudor de buena fe, al que o bien se le han liquidado todos sus bienes o se ha sometido a un plan de pagos. ¿Constituye realmente una segunda oportunidad obligar al deudor de buena fe al que se han liquidado todos sus bienes a pagar las deudas por créditos de derecho público? Mantener que estas deudas deben ser pagadas, sin la debida justificación, conducirá al ostracismo, a la marginalidad y a la economía sumergida a buena parte de deudores de buena fe, que se verán impedidos o dificultados para acceder a créditos, a subvenciones e incentivos públicos, pues pesará sobre ellos, como una losa, la deuda por los créditos de derecho público. No estarán en condiciones de generar empleo y podrían quedar relegados de por vida, repito, a una situación de marginalidad económica, fiscal y jurídica. Quiero decir que la exoneración de esta categoría de deudas también podría ser especialmente relevante para una sociedad justa y solidaria, asentada en el Estado de derecho, en cuanto evitaría situaciones como las indicadas"*[51].

---

[51] Fundamento Jurídico Tercero Auto del Juzgado de lo Mercantil n.º 19 de Madrid de 4 septiembre 2023 (JUR 2023\340885). Sobre esta cuestión de la sociedad justa y solidaria, apunta FERNÁNDEZ-MIRANDA, A., ("El Estado Social, *Revista Española de Derecho Constitucional*, n.º 69, 2003, pp. 139-180, p. 158) que el Estado Social que impulsa nuestra constitución debe garantizar una digna calidad de vida a los ciudadanos, lo que se traduce en ofrecer una protección frente al infortunio y el desamparo; cuestión ésta, muy ligada al asunto de la EPI y los deudores honestos en crisis, a mi juicio. Por otro lado, añade SÁNCHEZ PACHÓN, L. Á., ["El problema de la exclusión de los créditos de derecho público del beneficio de la exoneración del pasivo insatisfecho en el Texto Refundido de la Ley Concursal (Comentario al Auto del Juzgado de lo Mercantil no. 7 de Barcelona de 8 de septiembre de 2020)", cit. (LA LEY 2/2021)] *"es labor del legislador, con una opción político-jurídica clara, crear un mecanismo equilibrado, que dote de seguridad jurídica y que permita conjugar las necesidades de la sociedad en su conjunto, como corresponde al modelo de economía social de mercado que se desprende de nuestro texto constitucional"*.

5.2.2. Respuestas del TJUE: sentencias de 11 de abril y 7 de noviembre de 2024

Sobre el crédito público como pasivo mínimo del art. 489 TRLC, el TJUE sea pronunciado en dos ocasiones. La primera de ellas fue a través de la sentencia de la Sala Segunda de 11 de abril de 2024[52], por la que ofrece respuesta a la primera cuestión prejudicial emanada de la Audiencia Provincial de Alicante, relativa al Asunto C-687/22. El TJUE se apoya íntegramente en las conclusiones del Abogado General. Respecto de la primera cuestión prejudicial, dispone el tribunal que la obligación general de los órganos jurisdiccionales nacionales de interpretar su Derecho interno traspuesto de una directiva nace únicamente desde la expiración del plazo de transposición de aquélla[53]. Seguidamente indica la resolución que el art. 23.4 de la Directiva 2019/1023 no tiene carácter exhaustivo y los Estados miembros tienen la facultad de excluir de la exoneración de deudas categorías específicas de créditos distintas de las enumeradas en esa disposición. En último lugar, la sentencia mantiene que ningún Estado obligado a trasponer la directiva de insolvencias está obligado a ofrecer una justificación debida a la exclusión de ciertos créditos de la exoneración mientras no haya expirado el plazo para la trasposición de aquélla[54]. Además, considera adecuadamente justificada la razón que aporta nuestro legislador, pero sin indicar el motivo concreto: *"los preámbulos y las exposiciones de motivos de disposiciones legales españolas forman parte integrante de ellas y son pertinentes para interpretarlas, dado que el órgano*

---

52 STJUE (Sala Segunda) de 11 de abril de 2024, Asunto C-687/22 (ECLI:EU:C:2024:287).

53 Así lo indica expresamente el Considerando 32 STJUE (Sala Segunda) de 11 de abril de 2024, Asunto C-687/22 (ECLI:EU:C:2024:287): *"procede responder a la primera cuestión prejudicial que el principio de interpretación conforme no es aplicable a una situación en la que los hechos se produjeron después de la fecha de entrada en vigor de la Directiva sobre reestructuración e insolvencia, pero antes de la expiración del plazo de transposición de dicha Directiva y de la transposición de la misma al Derecho nacional"*. Consúltese igualmente, en sentido parecido, las SSTJUE de 4 de julio de 2006, Asunto C-212/04 (ECLI:EU:C:2006:443); y de 23 de abril de 2009, Asuntos C-378/07 a C-380/07 (ECLI:EU:C:2009:250).

54 Considerando 51 STJUE (Sala Segunda) de 11 de abril de 2024, Asunto C-687/22 (ECLI:EU:C:2024:287).

del que emanan explica allí la ratio legis. En la medida en que ha quedado acreditado que el legislador español justificó la exclusión de la exoneración de deudas de los créditos de Derecho público en el preámbulo de la Ley 16/2022, parece, a priori, que dicho legislador ha aportado una justificación con arreglo al Derecho nacional y que la falta de justificación, en particular, en la versión del TRLC aplicable al litigio principal, no puede tener como efecto comprometer gravemente, tras la expiración del plazo de transposición de la Directiva sobre reestructuración e insolvencia, la realización del objetivo perseguido por dicha Directiva"[55].

En torno a la —ya citada— STJUE de 7 de noviembre de 2024 añade algunas consideraciones. En primer lugar, la resolución recuerda que los Estados miembros tienen la facultad de excluir de la exoneración de deudas categorías específicas de créditos distintas de las enumeradas en esa disposición, siempre que tal exclusión esté debidamente justificada[56]. Por otro lado, el tribunal resuelve la duda sobre la legitimación de establecer un límite máximo a la exoneración de determinados créditos públicos (en referencia a los de naturaleza tributaria y social del art. 489.1. 5.º TRLC). Sobre este punto, confirma la licitud considerando el principio *Qui potest minus, potest plus*, pues si el legislador europeo habilita a los legisladores nacionales para excluir de la exoneración el importe íntegro de ciertas categorías de créditos, más aún podrá regular una exoneración parcial de aquéllos. Por otro lado, el TJUE alude al principio de proporcionalidad, pues invoca que dicha limitación es adecuada siempre que no exceda de lo apropiado y necesario para garantizar que los empresarios insolventes puedan tener acceso a la plena exoneración de deudas[57].

---

55 Considerando 54 STJUE (Sala Segunda) de 11 de abril de 2024, Asunto C-687/22 (ECLI:EU:C:2024:287).

56 Considerandos 59, 61 y 69 de la STJUE de 7 de noviembre de 2024 [asuntos acumulados C-289/23 (Corván) y C-305/23 (Bacigán)].

57 Considerando 81 de la STJUE de 7 de noviembre de 2024 [asuntos acumulados C-289/23 (Corván) y C-305/23 (Bacigán)].

III. LA EXONERACIÓN DEL CRÉDITO PÚBLICO EN EL DERECHO PORTUGUÉS

1. Aspectos generales

Aunque no es objeto del presente trabajo abordar la exoneración desde una perspectiva general, merece la pena ofrecer unas notas al lector, antes de entrar en la cuestión que es nuclear de esta investigación, sobre los aspectos más relevante de la figura en nuestro país vecino. La exoneración del pasivo insatisfecho o *exoneração do passivo restante*, se regula en los artículos 235-248-A del *Código da Insolvência e da Recuperação de Empresas - CIRE*[58], que constituyen su Capítulo I del Título XII ("Disposiciones específicas de la insolvencia de las personas físicas"). De igual manera que ha sucedido en el resto de los Estados miembros, en Portugal el régimen de exoneración se ha visto alterado por la *Lei n.° 9/2022, de 11 de janeiro*, que reformó el CIRE al objeto de adaptar su contenido y trasponer la Directiva (UE) 2019/1023.

En primer lugar, procede señalar que la exoneración fue introducida en ordenamiento portugués mediante el *Decreto-lei n.° 53/2004, de 18 de março*, el art. 235 CIRE no define en términos exactos qué es la exoneración, simplemente establece el principio general para su aplicación, según el cual *"Si el deudor es una persona física, podrá obtener la exoneración de los créditos impagados durante el proceso concursal o en los tres años siguientes a su cierre, de conformidad con el presente capítulo"*. La figura queda reservada para las personas naturales, aspectos sobre el que no procede hacer mayores consideraciones, en atención a que casi todos los ordenamientos que la regulan la ofrecen en exclusiva a estos concursados. Eso sí, abarca a cualquier deudor persona natural, sea empresario, profesional liberal o consumidor[59]. Del mismo modo

---

58 Decreto-lei n.° 53/2004, de 18 de março. Diário da República n.° 66/2004, Série I-A de 2004-03-18, páginas 1402-1465.

59 Señala RIBEIRO, M., ["A exoneração do passivo restante e a lei n.° 9/2022: alterações de regime, problemas resolvidos, problemas criadose problemas ignorados", en SOVERAL MARTINS, A. (Coord.); y GÓMEZ ASENSIO, C. (Coord.), *Reestructuración de empresas y exoneración de deuda en Portugal y España*, Universidade de Coimbra, Coimbra, 2023, pp. 179-202, p. 191] que,

que la legislación española, la portuguesa contempla, igualmente, una doble vía para la concesión de la EPI: 1) de forma inmediata (antes de que concluya el concurso) y 2) diferida (en los tres años siguientes a su conclusión). Respecto de deudores consumidores y empresarios titulares de pequeñas y medianas empresas, podrán acceder a la exoneración mediante un plan de pagos, para lo cuál deberán reunir las condiciones subjetivas que marca la ley[60].

En segundo lugar, la exoneración en el derecho portugués constituye una vía para la extinción de las obligaciones; de modo que, una vez concedida, el efecto principal que arroja es la desaparición del crédito exonerado[61]. Así lo dispone el art. 245.1 CIRE, con mayor claridad, a mi juicio, que la normativa española, pues lo hace al abordar los efectos dimanantes de la exoneración: *"La exoneración del deudor implica la extinción de todos los créditos concursales que aún existan en la fecha en que se concede (...)"*. En este punto, la doctrina lusa corrobora el principio de considerar la exoneración como una vía más de extinguir el vínculo obligacional, una modalidad más y adicional a las clásicas causas de extinción de las obligaciones que contempla la legislación civil[62].

En torno a la solicitud de exoneración, el art. 236.1 CIRE contiene una regulación más rígida que la española en este aspecto. En caso de concurso iniciado a instancia del deudor, la exoneración deberá pedirse junto con la solicitud. En situación de concurso instado por tercero, el juez concederá al concursado un plazo de diez días

al igual que el legislador español, el redactor portugués de la norma optó por extender este derecho a los consumidores. Vid., también: LEITAO, L. M., *Direito da insolvencia*, Almedina, Coimbra, 2015, p. 208.

60 Dispone el art. 249.1 CIRE que habrá de tratarse de personas no consumidoras, o bien de empresarios que reúnan las siguientes características: a) no haber sido titular de una sociedad en los tres años anteriores al concurso; y b) reunir las siguientes condiciones al inicio del procedimiento: 1) no tener deudas laborales, 2) el número de acreedores no puede ser superior a 20, y 3) el pasivo global no puede exceder de 300.000 euros.

61 MARTINS, L. M., *Recuperação de Pessoas Singulares*, vol. I, Almedina, Coimbra 2012.

62 GONÇALVES FERREIRA, J., *A Exoneração do Passivo Restante*, Coimbra Editora, Coimbra, 2013, p. 116.

para que presente solicitud de exoneración; el acta de citación del deudor deberá indicar la posibilidad pedir la liberación de deudas (art. 236.2 CIRE). El sistema portugués exige, por tanto, conocer desde el inicio del procedimiento el interés del deudor en obtener la liberación de deudas, sin permitir iniciar el trámite de la exoneración de deudas en un momento posterior, con algunas salvedades. La solicitud de exoneración siempre será desestimada si se presenta con posterioridad a la reunión de evaluación del informe, o, en el caso de su dispensa, transcurridos 60 días desde la declaración del concurso. Solicitada en período intermedio, será el juez quien determine si la acepta o la rechaza.

Respecto de los requisitos para acceder a la exoneración, aparecen contenidos en el art. 238 CIRE. Concretamente, quedará rechazada de plano toda solicitud de exoneración que reúna alguna de las circunstancias siguientes.

En primer lugar, cuando la solicitud se presenta fuera de plazo [art. 238.1 a) CIRE], de conformidad a lo establecido en el párrafo anterior; en este sentido, la legislación portuguesa es muy tajante con los tiempos marcados por la ley, frente a la española que manifiesta una mayor flexibilidad (y no incorpora esta causa de denegación de la EPI en su art. 487 TRLC).

En segundo lugar, tampoco podrá optar a la liberación de deudas el concursado que, en los tres años anteriores al concurso, haya facilitado, con dolo o culpa grave, información falsa o incompleta sobre sus circunstancias económicas al objeto de obtener créditos o subvenciones del sector público, o para evitar pagos a instituciones de esta naturaleza [art. 238.1 b) CIRE]. Se trataría de un supuesto de endeudamiento irresponsable por doble razón: la primera, porque el deudor es consciente de su incapacidad para afrontar deudas futuras; y, la segunda, por entregar documentación falseada, lo que constituye otro ilícito adicional. En el derecho español tenemos una disposición parecida a ésta, pues el art. 487.1 6.º TRLC se refiere al endeudamiento irresponsable: *"6.º Cuando haya proporcionado información falsa o engañosa o se haya comportado de forma temeraria o negligente al tiempo de contraer endeudamiento o de evacuar sus obligaciones, incluso sin que ello haya merecido sentencia de calificación del concurso como culpable (...)"*.

Otros impedimentos de la ley para el acceso a la exoneración son: haberse beneficiado de la liberación del pasivo en los 10 años anteriores al inicio del proceso de insolvencia [art. 238.1 c) CIRE]; por incumplir el deudor su deber de solicitar la declaración de concurso estando obligado a presentarla [art. 238.1 d) CIRE]; cuando la administración concursal o los acreedores aporten indicios que indiquen probabilidad de existencia de culpa del deudor en la generación o el agravamiento de su insolvencia [art. 238.1 e) CIRE]; la condena por determinados delitos en los 10 años anteriores a la fecha de entrada en conocimiento del tribunal de la solicitud de declaración de concurso o después de esta fecha [art. 238.1 f) CIRE]; o por incumplir con dolo o culpa grave los deberes de información, comparecencia y colaboración del deudor con los órganos del concurso durante su tramitación [art. 238.1 g) CIRE][63].

2. *El pasivo mínimo*

2.1. Generalidades

El régimen de pasivo obligatorio en la legislación portuguesa aparece regulado en el art. 245.2 CIRE. En términos generales, el derecho luso ofrece una restricción considerablemente inferior a la que proscribe el art. 489 TRLC, por dos razones. La primera, por la sencillez de la norma, ya que recoge un listado muy simplificado de créditos protegidos de la exoneración; y, en segundo lugar, porque respecto del pasivo público, no existe una regla de protección general para cualquier deuda pública, sino créditos concretos. Respecto del pasivo privado protegido, encontramos dos créditos: el primero de ellos lo constituyen las deudas por alimentos respecto de las personas sobre las que el deudor resulte obligado a prestarlos [art. 245.1

---

63 Sobre este punto, el legislador presta mucha atención y manifiesta importancia frente a las conductas reprochables y obstativas del deudor en el concurso a los efectos de denegar la EPI. Especialmente graves es la conducta del deudor de ocultar información relevante para el concurso, bien por no entregar la documentación respectiva, alterarla o bien omitir datos en ella. Vid.: DO ROSÁRIO EPIFANIO, M., "A exoneracao do passivo restante -algumas questóes-", *Julgar*, n.º 48, 2022, pp. 39-54, p. 53.

a) CIRE]; esta incorporación obedece a razones humanitarias, ya que esta prestación está concebida para sufragar los gastos más básicos de subsistencia de las personas dependientes del alimentante. El segundo crédito lo constituyen las indemnizaciones derivadas de actos ilícitos dolosos realizados por el deudor, que hayan sido reclamados en tal concepto [art. 245.1 b) CIRE].

2.2. La protección del crédito público y la STJUE de 8 de mayo de 2024

Respecto a la cuestión clave de este trabajo en sede portuguesa, la exoneración del pasivo en nuestro país vecino también goza de cierta protección. No obstante, el CIRE no es tan estricto, y blinda sólo una parte del crédito público, y no cualquiera de tal naturaleza, como sí lo prevé el TRLC. En efecto, el art. 245.2 d) CIRE declara pasivo obligatorio los créditos tributarios y de la Seguridad Social; la razón reposa, no sólo en extender meramente el privilegio de estas administraciones públicas, sino también en que el legislador estima que debe prevalecer el interés público frente al de la persona insolvente interesada en reanudar su vida[64]. Sobre el alcance de la protección, la norma no menciona ningún límite al respecto sobre el importe de estos créditos, de modo que queda fuera de la exoneración la cuantía íntegra. Por tanto, todos los créditos por cotizaciones y otras prestaciones debidas en materia social, así como retenciones tributarias, impuestos y otros conceptos adeudados a la agencia tributaria, habrán de ser soportados por el concursado. El único remedio al que puede aspirar el deudor es alcanzar un aplazamiento por los cauces ordinarios de la legislación fiscal.

En respuesta a esta normativa, que traspone la Directiva 2019/1023 en virtud de la citada Lei n.º 9/2022, el Tribunal da Relação do Porto (Audiencia de Oporto) planteó al Tribunal de Justicia varias cuestiones prejudiciales por razón de un recurso de apelación interpuesto por un deudor al que le denegaron la liberación del crédito público

---

64 SERRA, C., "Exoneracao do passivo restante 20 anos depois", en SOVERAL MARTINS, A. (Coord.), *Congresso Comemorativo 20 anos do CIRE*, Almedina, 2024, pp. 13-54, p. 47.

en la EPI. Las cuestiones formuladas fueron las siguientes: "*1) ¿Debe interpretarse el artículo 23, apartado 4, de la Directiva [sobre reestructuración e insolvencia] en el sentido de que solo se permite la exclusión de otras deudas (distintas de las enumeradas en sus respectivas letras) cuando esté "debidamente justificada"? 2) ¿Debe interpretarse la posibilidad de que los Estados miembros excluyan determinadas categorías de deudas de la exoneración de deudas (siempre que dicha exclusión está debidamente justificada, según se prevé en el artículo 23, apartado 4, de la Directiva [sobre reestructuración e insolvencia]) en el sentido de que permite a los Estados miembros excluir los créditos tributarios (que no figuran en dicho artículo), situándose así en una situación privilegiada? 3) En caso de respuesta afirmativa a estas cuestiones prejudiciales, ¿qué criterios debe cumplir dicha justificación, en el sentido del Derecho de la [Unión], a fin de respetar los principios generales del Derecho de la Unión y los derechos fundamentales, a los que están sujetos los legisladores [de la Unión] y nacional ["prohibición de discriminación por razón de la nacionalidad" (artículo 18 TFUE) y "libertad de empresa" (artículo 16 de la [Carta]), así como las libertades económicas fundamentales del mercado interior]? 4) En caso de respuesta negativa a [dichas cuestiones prejudiciales], ¿comprenden las definiciones (en el sentido del Derecho de la [Unión] y a efectos de la interpretación de la Directiva [sobre reestructuración e insolvencia]) de los conceptos de "deudas derivadas de sanciones penales o relacionadas con estas" y de "deudas derivadas de responsabilidad extracontractual" también las deudas tributarias, según se prevé en el acto legislativo interno de transposición de la Directiva [sobre reestructuración e insolvencia] (Ley n.º 9/2022, de 11 de enero [de 2022])?*".

El TJUE responde en su sentencia de 8 de mayo de 2024[65]. La resolución concluye, en primer término, que la inclusión de una categoría de créditos como pasivo obligatorio que no viene expresamente indicada en el art. 23.4 Directiva 2019/1023 ha de estar debidamente justificada[66], como ocurre con el caso de los créditos de la Seguridad Social y la Agencia Tributaria[67]. En torno a la tercera

---

65 STJUE (Sala Segunda), de 8 de mayo de 2024, Asunto C-20/23 (ECLI:EU:C:2024:389).

66 Considerando 38 STJUE (Sala Segunda), de 8 de mayo de 2024, Asunto C-20/23 (ECLI:EU:C:2024:389).

67 Considerando 44 STJUE (Sala Segunda), de 8 de mayo de 2024, Asunto C-20/23 (ECLI:EU:C:2024:389).

cuestión prejudicial, el TJUE la declara inadmisible puesto que la resolución de remisión no contiene indicaciones que permitan comprender la relación que el órgano jurisdiccional remitente establece entre las disposiciones del Derecho de la Unión cuya interpretación solicita y la legislación nacional aplicable al litigio principal[68]. Y, en último lugar, no contesta a la cuarta cuestión prejudicial en virtud de las respuestas otorgadas a las dos primeras cuestiones planteadas[69].

IV. NUESTRA OPINIÓN

Respecto de mi postura acerca de crédito público en la exoneración, la evolución normativa y jurisprudencial examinada nos ha ofrecido un panorama conflictivo entre nuestro legislador —que opta por proteger el pasivo público a toda costa— frente a la posición de muchos jueces —defensores de la liberación de tales deudas como aspecto básico para obtener una exoneración plena del pasivo. La legislación vigente es la más restrictiva desde que la EPI tiene reconocimiento jurídico en nuestro Derecho. Considerando que la Directiva 2019/1023 aboga por una liberación plena y efectiva de las deudas, lo más razonable hubiera sido que el redactor hubiera decidido un grupo cerrado de deudas inmunes a la exoneración, sin incluir las de naturaleza pública. En la práctica, el peso más significativo del pasivo que afrontan la gran mayoría de concursados empresarios es de naturaleza pública, titulado, especialmente, por la AEAT y por la TGSS; un problema que no suele concurrir en deudores que no ostentan tal condición.

Sobre lo dispuesto en el art. 487.1 2.º TRLC, la imposibilidad de ejercitar un derecho como la EPI en situaciones de acuerdo firme de derivación, parece una restricción excesiva que no guarda una estrecha conexión con una actuación de mala fe del deudor. La derivación tributaria constituye una garantía de cobro específica de ciertos

---

68 Considerandos 50 y 51 STJUE (Sala Segunda), de 8 de mayo de 2024, Asunto C-20/23 (ECLI:EU:C:2024:389).

69 Considerando 52 STJUE (Sala Segunda), de 8 de mayo de 2024, Asunto C-20/23 (ECLI:EU:C:2024:389).

tributos, según la relación que guarda su deudor (generalmente personas jurídicas) con sujetos vinculados a ellas y dotados de poder de decisión en su gestión y representación (administradores sociales). El citado precepto no tiene por objeto proteger la naturaleza de la EPI e impedir su ejercicio a deudores de mala fe, sino asegurarse el cobro de ciertos importes como condición previa y general aplicable a cualquier concursado; constituye, a mi juicio, un exceso injustificado de nuestro legislador.

Por otra parte, la regulación del crédito público como pasivo mínimo del art. 489.1 5.º también merece una fuerte crítica. El precepto nos presenta una parte de su importe como exonerable al amparo de una "suerte" de excepción frente al principio general de no exoneración sobre el resto de pasivo público. La cantidad máxima de 10.000 euros supone una cifra generalmente baja respecto de las cantidades totales debidas en concepto de dichas deudas, salvo que el deudor sea una persona física no empresaria con un volumen escaso de pasivo. Considero inaceptable que un pequeño o mediano empresario, acreedor del concurso, esté abocado a la resignación ante la imposibilidad de cobrar un crédito de —por ejemplo— 15.000 euros, que ha quedado exonerado; todo ello con el impacto económico que puede suponer para su patrimonio y, en definitiva, su negocio. En cambio, la AEAT se encuentra protegida a partir de los 10.000 euros, un organismo que se mantiene constante y buenamente financiado, que ni siquiera es susceptible de entrar en concurso (art. 1.3 TRLC), y que, además, podría soportar sin problemas la exoneración de un importe mucho más aceptable y útil para el deudor.

En torno a la justificación para la tutela del crédito público en la exoneración, no compartimos la postura del TJUE. La STJUE de 11 de abril de 2024 indica que el legislador "parece, a priori" que aporta una justificación. Y nada más lejos de la realidad. Lo que hace el redactor de la norma es mencionar una justificación genérica y con poco sustento, al efecto de cumplir formalmente con el requisito del art. 23.4 Directiva 2019/1023. La "justificación debida" que exige la norma europea no se cumple, pues la protección del crédito público no arroja como resultado una "sociedad justa y solidaria, asentada en el Estado de Derecho". Precisamente, Estado Social ofrecer al ciudadano un equilibrio que, con ayuda del sector público, le permite un adecuado desarrollo personal. El Preámbulo de nuestra constitución de 1978 declara, como una de las principales finalidades del Estado, *"garantizar la convivencia democrática dentro de la Constitución y de las leyes conforme a un orden económico y social justo"* y *"promover el progreso de la cultura y de la economía para asegurar a todos una digna calidad de vida"*. Esta digna calidad de vida sólo es posible si los poderes públicos ofrecen una protección frente al infortunio y al desamparo. La EPI procura la protección del interés individual del deudor, que cede —precisamente por razones humanitarias— frente al interés de los acreedores.

Resulta muy ilustrativo el Acuerdo del Juzgado de lo Mercantil n.° 19 de Madrid de 4 septiembre 2023[70], que efectúa una dura crítica respecto del argumento basado en la justicia social para proteger el crédito público: *"Mantener que estas deudas deben ser pagadas, sin la debida justificación, conducirá al ostracismo, a la marginalidad y a la economía sumergida a buena parte de deudores de buena fe, que se verán impedidos o dificultados para acceder a créditos, a subvenciones e incentivos públicos, pues pesará sobre ellos, como una losa, la deuda por los créditos de derecho público. No estarán en condiciones de generar empleo y podrían quedar relegados de por vida, repito, a una situación de marginalidad económica, fiscal y jurídica. Quiero decir que la exoneración de esta categoría de deudas también podría ser especialmente relevante para una sociedad justa y solidaria, asentada en el Estado de derecho, en cuanto evitaría situaciones como las indicadas"*.

V. BIBLIOGRAFÍA

ADÁN DOMÉNECH, F.; y SIERRA SÁNCHEZ, Z., "La exoneración del pasivo insatisfecho", en AAVV, *La segunda oportunidad de las personas naturales*, Bosch, Barcelona, 2023, pp. 129-212.

BERGADÁ, M.; y FONSECA-HERRERO, L., "El TJUE abre las puertas a la inaplicación del artículo 487.1.2 del Texto Refundido de la Ley Concursal por falta de motivación", *Confilegal*, 8 de noviembre de 2024, disponible en: https://confilegal.com/20241108-el-tjue-abre-las-puertas-a-la-inapli-

---

70 Acuerdo del Juzgado de lo Mercantil n.° 19 de Madrid de 4 septiembre 2023 (JUR 2023\340885).

cacion-del-articulo-487-1-2-del-texto-refundido-de-la-ley-concursal-por-falta-de-motivacion/).

BOTTI, L., "Commentario arts. 278-281 CCII", en ALBERTI, M. (Dir.), *Commentario breve alle Leggi su Crisi d'impresa ed insolvenza,* Cedam, Milán, 2023, pp. 2116-2138.

CANDELARIO MACÍAS, M. I., "Quo Vadis créditos de derecho público de la exoneración del pasivo insatisfecho", en GARCÍA-CRUCES GONZÁLEZ, J. A. (Coord.), *De Iure Mercatus. Libro homenaje al Porf. Dr. Alberto Bercovitz Rodríguez-Cano,* Tomo III, Tirant lo Blanch, Valencia, 2023, pp. 4093-4126.

CERVERA MARTÍNEZ, M., "Comentario a la resolución de la Audiencia Provincial de Barcelona, Sección 15ª, de 17 de junio de 2021 sobre la extralimitación del TRLC en la exoneración pasivo insatisfecho", *Revista General de Insolvencias & Reestructuraciones,* n.º 4, 2021, pp. 445-454.

CUENA CASAS, M., "Crédito público y segunda oportunidad en el Texto Refundido Ley Concursal (A propósito del Auto del Juzgado Mercantil n.º 7 de Barcelona, de 8 de septiembre de 2020)", publicado en Fundación Hay Derecho, el 27 de septiembre de 2020: https://www.hayderecho.com/2020/09/27/credito-publico-y-segunda-oportunidad-en-el-texto-refundido-ley-concursal-a-proposito-del-auto-del-juzgado-mercantil-no-7-de-barcelona-de-8-de-septiembre-de-2020/ (última consulta el 4 de abril de 2024).

CUENA CASAS, M., "Incertidumbres alrededor de la segunda oportunidad", *Revista General de Insolvencias & Reestructuraiones,* n.º 12, 2024, pp. 61-96

CUENA CASAS, M., "Reformas de la Ley Concursal e insolvencia de la persona física", *Revista CESCO de Derecho de Consumo,* n.º 11, 2014, pp. 168-185, p. 171.

CUENA CASAS, M.; y FERNÁNDEZ SEIJO, J. M., *La exoneración del pasivo insatisfecho en el concurso de acreedores de persona física,* Aranzadi, Cizur Menor, 2023.

DELGADO SANCHO, C. D., "Elementos constitutivos de la infracción tributaria", *Crónica Tributaria,* n.º 139, 2011, pp. 59-77.

DO ROSÁRIO EPIFANIO, M., "A exoneracao do passivo restante -algumas questóes-", *Julgar,* n.º 48, 2022, pp. 39-54.

FACHAL NOGUER, N., "¿Cuáles son los efectos que proyecta la exoneración de pasivo insatisfecho sobre los terceros garantes?", *La Ley Insolvencia: Revista profesional de Derecho Concursal y Paraconcursal,* n.º 11, 2022 (Edición digital. Ejemplar dedicado a: Esperando la reforma concursal).

FERNÁNDEZ PÉREZ, N., "La exoneración del pasivo insatisfecho tras la Ley 16/2022 de 5 de septiembre", *Anuario de Derecho Concursal*, n.º 58 (monográfico), 2023, pp. 49-84.

FERNÁNDEZ-MIRANDA, A., "El Estado Social, *Revista Española de Derecho Constitucional*, n.º 69, 2003, pp. 139-180.

FLORES SEGURA, M., "¿Las sanciones de seguridad social o del orden social impiden el acceso a la exoneración del pasivo insatisfecho al margen de su calificación (artículo 487 1-2.º TRLC)?", en TOMÁS TOMÁS, S. y otros (Dir.), *La exoneración del pasivo insatisfecho: 100 cuestiones Polémicas*, Atelier, Madrid, 2025.

GARCÍA BALLESTEROS, J. J., "Evolución del tratamiento concursal de la exoneración del crédito público por derivación de responsabilidad tributaria y de la seguridad social", *La Ley Mercantil*, n.º 99, 2023, (consultado en: La Ley 1282/2023).

GARCÍA-CRUCES GONZÁLEZ, J. A., "Crédito público y planes de reestructuración", en GARCÍA-CRUCES GONZÁLEZ, J. A. (Coord.), *De Iure Mercatus. Libro homenaje al Porf. Dr. Alberto Bercovitz Rodríguez-Cano*, Tomo III, Tirant lo Blanch, Valencia, 2023, pp. 4249-4291.

GONÇALVES FERREIRA, J., *A Exoneração do Passivo Restante*, Coimbra Editora, Coimbra, 2013.

LADO CASTRO-RIAL, C., "Exoneración de pasivo insatisfecho y crédito público", *Revista de Derecho Concursal y Paraconcursal*, n.º 31, 2019 (LA LEY 8450/2019).

LEITAO, L. M., *Direito da insolvencia*, Almedina, Coimbra, 2015.

MARÍN HITA, L., "Comentario a los arts. 500-502", en PEINADO GARCÍA, J.I. (Dir.); y SANJUÁN Y MUÑOZ, E. (Dir.), *Comentarios al articulado del Texto Refundido de la Ley Concursal*, Tomo III, Sepin, Madrid, 2020, pp.769-785.

MARTINS, L. M., *Recuperação de Pessoas Singulares*, vol. I, Almedina, Coimbra 2012.

MORRAL SOLDEVILA, R., "La exoneración del pasivo insatisfecho: extensión y efectos", *Anuario de Derecho Concursal*, n.º 61, 2024, pp. 57-106.

RIBEIRO, M., "A exoneração do passivo restante e a lei n.º 9/2022: alterações de regime, problemas resolvidos, problemas criadose problemas ignorados", en SOVERAL MARTINS, A. (Coord.); y GÓMEZ ASENSIO, C. (Coord.), *Reestructuración de empresas y exoneración de deuda en Portugal y España*, Universidade de Coimbra, Coimbra, 2023, pp. 179-202.

RUBIO VICENTE, P. J., "La exoneración del pasivo, entre la realidad judicial y el mito legislativo. A propósito del auto del Juzgado Mercantil núm. 3

de Barcelona, de 26 de octubre de 2010, sobre conclusión y extinción de deudas. Asunto 671/2007-C 4 (concurso sección 1a)", *Revista de Derecho Concursal y Paraconcursal*, n.º 14, 2011, pp. 229-250.

SÁNCHEZ PACHÓN, L. Á., "El problema de la exclusión de los créditos de derecho público del beneficio de la exoneración del pasivo insatisfecho en el Texto Refundido de la Ley Concursal (Comentario al Auto del Juzgado de lo Mercantil no. 7 de Barcelona de 8 de septiembre de 2020)", *Revista de Derecho Concursal y Paraconcursal*, n.º 34, 2021 (LA LEY 2/2021).

SANCHO GARGALLO, I., "Consideraciones sobre la refundición de la legislación concursal y su adecuación a la jurisprudencia", *Anuario de Derecho Concursal*, n.º 51, 202, pp. 27-34.

SENDRA ALBIÑANA, Á., "El beneficio de exoneración del pasivo insatisfecho como limitación cuantitativa al principio de responsabilidad patrimonial universal", *Revista CESCO de Derecho de Consumo*, n.º 17, 2016, pp. 146-158.

SENDRA ALBIÑANA, Á., "El plan de pagos en la exoneración del pasivo insatisfecho", en GÓMEZ ASENSIO, C. (Dir.), *Derecho europeo de la insolvencia: armonización, reestructuración y exoneración de deudas*, Aranzadi, Cizur Menor, 2024, pp. 275-297

SENENT MARTÍNEZ, S., "Del beneficio de la exoneración del pasivo insatisfecho", en PULGAR EZQUERRA, J. (Dir.), *Comentario a la Ley Concursal. Texto Refundido de la Ley Concursal*, Tomo I, La Ley, Madrid, 2020, pp. 2091-2131.

SERRA, C., "Exoneracao do passivo restante 20 anos depois", en SOVERAL MARTINS, A. (Coord.), *Congresso Comemorativo 20 anos do CIRE*, Almedina, 2024, pp. 13-54.

VALENCIA GARCÍA, F., "Comentario de la sentencia del Tribunal Supremo de 2 de julio de 2019 (381/2019): el beneficio de la exoneración del pasivo insatisfecho: interpretación del artículo 178 bis de la Ley Concursal", en YZQUIERDO TOLSADA, M. (Dir.), *Comentarios a las sentencias de unificación de doctrina: civil y mercantil*, vol. 11, 2020, pp. 45-60

VAZQUEZ LÉPINETTE, T., "Estudio de la remisión legal de la deuda en sede concursal", en MORILLAS JARILLO, M. J. y otros (Dir.), *Estudios sobre el futuro código mercantil: Libro homenaje al profesor Rafael Illescas Ortiz*, ed. Universidad Carlos III, Madrid, 2015, pp. 312-326.

ZABALA RODRÍGUEZ FORNOS, A., "Comentario a los arts. 35-48 LGT", en HERRERO DE EGAÑA ESPINOSA DE LOS MONTEROS, J. M. (Coord.), *Comentarios a la Ley General Tributaria*, vol. I, Aranzadi, Cizur Menor, 2008, pp. 283-412.

ZANICHELLI, V., *La nuova disciplina del fallimento e delle altre procedure concorsuali,* Utet, Torino, 2008.

La comunicación de negociaciones en el concurso de microempresas

CÉSAR GILO GÓMEZ
Profesor Asociado de Derecho Mercantil
Universidad de Salamanca

RESUMEN

El procedimiento especial para microempresas constituye una de las principales novedades del Texto Refundido de la Ley Concursal. Los treinta y cinco artículos que dan contenido al Libro III del TRLC diseñan una normativa especialmente concebida para aquellas sociedades con una plantilla inferior a los diez trabajadores, las cuales demandaban una regulación ágil y flexible adaptada a su especial tamaño. Sin embargo, la puesta en práctica de la reforma no está produciendo los efectos deseados. Sólo el tiempo nos dirá si las dificultades existentes son pasajeras o si lo que existe detrás es un problema de técnica legislativa que incluso llegue a requerir de una nueva reforma.

Palabras clave: Microempresa, Texto Refundido Ley Concursal, formulario, sede electrónica, negociaciones.

ABSTRACT

The special procedure for micro-enterprises is one of the main innovations of the consolidated text of the insolvency law. The thirty-five articles that give content to Book III of the TRLC design a regulation specially designed for those societies with a workforce of less than ten, which required a flexible and agile regulation adapted to its special size. However, the implementation of the reform is not producing the desired effects. Only time will tell us whether the existing difficulties are temporary or whether what lies behind them is a problem of legislative technique which even requires further reform.

Keywords: Microenterprise, Consolidated Text Bankruptcy Law, form, electronic headquarters, negotiations.

I. INTRODUCCIÓN

La reforma del Texto Refundido de la Ley Concursal —en adelante TRLC— trajo consigo la creación de un procedimiento especial para las microempresas, cuya entrada en vigor se demoró hasta el año 2023. La razón de la demora[1] residió en la necesidad de que previamente se implementasen las herramientas técnicas necesarias para el correcto funcionamiento de los trámites telemáticos previstos (particularmente los formularios y la plataforma de liquidación) todo ello conforme al apartado decimotercero de la Disposición Adicional Segunda y a la Disposición Adicional Cuarta de la Ley 16/2022, lo cual fue expresamente cumplido por el Ministerio de Justicia días antes de acabar el año 2022 mediante la promulgación de la Orden JUS/1333/2022, de 28 de diciembre[2].

En este sentido, el libro tercero del TRLC diseñó en los artículos 685 a 720 TRLC un procedimiento especial de aplicación exclusiva y obligatoria a aquellos deudores que entren dentro del concepto legal de microempresa, libro que ampara tanto las situaciones preconcursales como las puramente concursales que afecten a todos aquellos que se encuentren incluidos en esta delimitación.

Con mencionada regulación especial, el legislador ha buscado aplicar un procedimiento más ágil para este tipo de empresas, con el objetivo de conseguir la viabilidad de las mismas. De esta forma, se incorpora a nuestro ordenamiento gran parte de las históricas reivindicaciones, aplicándose estas medidas a un deudor con un patri-

---

1 Desde la publicación de la Ley 16/2022, de 5 de septiembre, de reforma del texto refundido de la Ley Concursal —la cual entró en vigor a los veinte días de su publicación conforme a la Disposición final decimonovena de meritado texto normativo— hasta el 1 de enero de 2023.

2 Respecto a la incorporación de este procedimiento especial a raíz de la Directiva (UE) 2019/1023 del Parlamento Europeo y del Consejo, de 20 de junio de 2019, sobre marcos de reestructuración preventiva, *vid.* CIFREDO ORTIZ. P, MORENO BUENDÍA F.J, «El procedimiento especial para microempresas desde una perspectiva digital», en *LA LEY mercantil*, Nº 104, Sección Derecho digital/Doctrina, Julio 2023, LA LEY, quienes destacan que la disposición europea no exigía la creación de este procedimiento, debiendo acudir para justificarlo a los objetivos generales de la propia Directiva.

monio y una organización teóricamente más sencilla que el de otras personas jurídicas pero con una importancia esencial para el tejido productivo español.

Las dudas respecto a este procedimiento especial que inicialmente se proyectó como más flexible han sido continuas, sobre todo debido a que el legislador, en búsqueda de lo que se denominó como "simplificación procesal máxima", pretendió inicialmente que el procedimiento se tramitara sin necesidad de asistencia letrada[3]. Sin embargo, finalmente operó la prudencia y por tanto se incluyó la necesidad de que el deudor sí que contara con mencionada asistencia letrada[4].

A mayor abundamiento, la puesta en marcha del sistema ha demostrado que el procedimiento, lejos de ser un trámite sencillo, requiere además de conocimientos jurídicos que evidentemente no pueden exigirse a una persona lega en Derecho, así como cierta habilidad técnica para el manejo de la aplicación informática desarrollada por parte del Ministerio de Justicia para dar soporte a todo ello, más aún cuando el funcionamiento de la misma se ha demostrado bastante ineficaz.

---

3 Ello hubiera supuesto un evidente riesgo para el solicitante del concurso, ya que debe tenerse en cuenta que el artículo 688 TRLC califica como culpable aquel procedimiento en el que el deudor hubiera cometido inexactitud grave en cualquiera de los formularios normalizados o en los documentos acompañados a los mismos.

4 Eso sí, nada se dice respecto a los acreedores, de lo que podría deducirse que los mismos sí que pudieran participar en el procedimiento sin necesidad de asistencia letrada, eventualidad que rechazamos totalmente ya que la posibilidad de que alguien lego en Derecho participe activamente en un procedimiento judicial de una complejidad tal como es el proceso concursal (con independencia de que nos encontremos ante un procedimiento especial de microempresas) puede provocar dos efectos: o bien que no participe o bien que cuando lo haga, distorsione la tramitación, pudiendo incluso perjudicarse a sí mismo. Además, ello choca con el artículo 512 TRLC en cuyo apartado tercero deja claro que cualesquiera otras personas que tengan interés legítimo en el concurso podrán comparecer siempre que lo hagan representados por procurador y asistidos de letrado.

II. EL PROCEDIMIENTO ESPECIAL DE MICROEMPRESAS

Dada la importancia[5] que tienen en nuestro país las denominadas como microempresas, la actual regulación del libro tercero del TRLC contiene las reglas específicas establecidas única y exclusivamente para este tipo de sociedades que se encuentren en probabilidad de insolvencia, en estado de insolvencia inminente o en insolvencia actual, siendo de aplicación supletoria las reglas previstas para la generalidad de los supuestos en todo aquello que no venga regulado en mencionado libro[6].

En este punto, se hace necesaria una definición clara y precisa respecto a qué se entiende por microempresa. Mencionada delimitación legal la encontramos en el artículo 685 TRLC, precepto que señala que se consideraran microempresas —y por tanto, se les podrá aplicar las disposiciones establecidas en el libro tercero TRLC— aquellas personas naturales o jurídicas que cumplan una serie de parámetros tales como haber empleado durante el año anterior a la solicitud una media de menos de diez trabajadores y tener un volumen de negocio anual inferior a setecientos mil euros o un pasivo inferior a trescientos cincuenta mil euros según las últimas cuentas cerradas en el ejercicio anterior a la presentación de la solicitud[7].

De esta forma, los parámetros establecidos por el legislador no solo se refieren a una exigencia cuantitativa (número de trabajadores o volumen de negocio) sino también a un parámetro cualitativo como es que nos encontremos ante una persona natural o jurídica

---

5 *Vid.* FLORES SEGURA. M., «El procedimiento de insolvencia especial para microempresas: una visión general», en *Diario La Ley*, Nº 10169, Sección Tribuna, 14 de noviembre de 2022, LA LEY, quien justifica la existencia de este procedimiento especial en las singulares características de este tipo de empresas esenciales en el tejido productivo de nuestro país.

6 Regresando así la reforma a la fórmula de remisión que se creía desterrada tras la aprobación del TRLC.

7 Esta definición es acorde con la previamente contenida en el artículo 2.3 del Reglamento (UE) 651/2014 de la comisión de 17 de junio de 2014 por el que se declaran determinadas categorías de ayudas compatibles con el mercado interior en aplicación de los artículos 107 y 108 del Tratado.

que lleve a cabo una actividad empresarial o profesional. Mencionada definición legal conlleva consecuentemente por contraposición que los deudores que no tengan actividad no puedan solicitar este procedimiento especial, sino que deban acudir al procedimiento genérico del concurso de acreedores conforme a los requisitos exigidos en los artículos 1 y 2 TRLC, siéndole de aplicación —en aquellos concursos sin masa— lo establecido en los artículos 37 bis y siguientes.

Así mismo, debe tenerse en cuenta la posible existencia de microempresa persona física, quienes, por razón del requisito subjetivo, podrán acudir también al mecanismo de segunda oportunidad conforme a los artículos 700 y 715 TRLC.

III. LA COMUNICACIÓN DE INICIO DE NEGOCIACIONES CON LOS ACREEDORES

Nos encontramos ante el escenario inicial que se abre para toda microempresa que acude a este procedimiento especial. Cualquier microempresa tiene la facultad de comunicar por medios electrónicos mediante un formulario normalizado la apertura de negociaciones con sus acreedores. Mencionada solicitud deberá dirigirse —mediando situación de insolvencia, ya sea inminente o actual— al Juzgado competente para conocer de su concurso con la finalidad de alcanzar un acuerdo con sus acreedores.

De esta forma, se contempla un período de negociación de tres meses no prorrogables (690 TRLC) durante los cuales se suspenden las ejecuciones singulares y se puede preparar un plan de continuación o la enajenación de la empresa en funcionamiento, que serán objeto de tramitación en la apertura de la segunda fase, bien en un procedimiento de continuación o bien en un procedimiento de liquidación[8].

---

8 Respecto a ello, advertimos que, tal y como reza el artículo 690.4 TRLC, la suspensión de ejecuciones no afectará a los créditos públicos. Por ello, *vid.* MARTÍNEZ DE MARIGOTA MÉNDEZ, C., «Las particularidades del procedimiento especial de microempresas. Reflexiones sobre la supletoriedad de los Libros I y II del TRLC. Cuestiones problemáticas en la tramitación»,

Debe destacarse que en el régimen general se permite una prórroga de tres meses más (607 TRLC), no así en el procedimiento especial de microempresa, dado que en el mismo no se contempla prórroga alguna por lo que la duración de los efectos de la comunicación será siempre de tres meses como máximo. Ciertamente no se llega a entender la diferencia entre un procedimiento y otro para permitirse en unos casos la prórroga que permita cerrar los acuerdos y en el otro no, salvo la celeridad de la que se quiere dotar al procedimiento especial de microempresas —celeridad que en todo caso también podría ser necesaria en el procedimiento ordinario— ello a costa de poder cerrar un acuerdo. Entendemos que en este aspecto debería reinar la cordura: o la prórroga es permitida en todos los procedimientos o en ninguno, puesto que los efectos indeseables de la demora del procedimiento son igualmente aplicables a ambos tipos de deudores.

Tras él, se abren dos escenarios: bien solicitar el inicio del procedimiento especial para microempresas por vía de continuación o bien solicitarlo vía liquidación. Si se solicita el procedimiento por vía de continuación, deberá presentarse un plan de continuación (697 TRLC) y si se solicita la apertura del procedimiento especial de liquidación, el deudor deberá indicar su disposición para liquidar el activo o para solicitar el nombramiento de un Administrador Concursal (707 TRLC). De esta forma, nos encontramos ante un procedimiento que se desarrolla de forma unitaria, es decir, las microempresas no tienen acceso a otras partes de la regulación del TRLC como los planes de reestructuración, sino que todas las circunstancias inherentes a su situación económica deben ser tramitadas y resueltas en el seno del mismo.

Así, el procedimiento se estructura en dos elementos: la negociación y el modo en el que esta negociación termine.

Debe destacarse la importancia que tiene mencionado procedimiento especial en un país como España, en el que las empresas de

---

en *LA LEY Insolvencia*, nº 19, Sección Estudios, Segundo trimestre de 2023, LA LEY, quien llama la atención respecto a este particular, señalando que el artículo 690.4 TRLC solo a los acreedores públicos de la "suspensión", no de la prohibición de inicio.

este tamaño representan el 38,39%[9] del total de las empresas y donde el 86,25%[10] de las empresas que acuden al concurso son microempresas.

Por esta razón, es entendible el retraso en su puesta en marcha en relación a la entrada en vigor del TRLC que lo regula[11]. Lo que deja de ser defendible es que una vez ha entrado legalmente en vigor, el mismo no funcione correctamente.

La propia apertura del procedimiento conlleva una serie de efectos con importantes consecuencias. Debe destacarse que con carácter general se conservarán las facultades de administración y disposición de los bienes, a diferencia del procedimiento ordinario.

1. La tramitación telemática

Dentro de las novedades más importantes que el nuevo procedimiento ha traído se encuentra la necesidad de que el mismo se desarrolle íntegramente de forma telemática. Así, el artículo 687.1 TRLC deja claro que las comparecencias, declaraciones, vistas y, en general, todos los actos procesales del procedimiento especial se llevarán a cabo mediante presencia telemática[12].

---

[9] Fuente: https://industria.gob.es/es-es/estadisticas/Cifras_PYME/CifrasPYME-enero2023.pdf

[10] Estudio realizado por INFORMA D&B: https://cdn.informa.es/sites/5c1a2fd74c7cb3612da076ea/content_entry5c5021510fa1c000c25b51f0/63bd489dcdd6f900f4a84fac/files/Concursos_diso_122022_v1.pdf?1673349277

[11] Recordemos que la reforma que introduce el procedimiento especial de microempresas en nuestro país se produce con la trasposición de la Directiva (UE) 2019/1023 del Parlamento Europeo y del Consejo, de 20 de junio de 2019 por medio de la Ley 16/2022 de 6 de septiembre de reforma del Texto Refundido de la Ley Concursal cuya entrada en vigor se produjo en fecha 26 de septiembre de 2022, mientras que el libro tercero que contiene el procedimiento especial de microempresas se retrasó hasta el 1 de enero de 2023.

[12] *Vid.* CAAMAÑO RODRÍGUEZ F.J., «*El nuevo procedimiento especial para microempresas*», en Actualidad Jurídica Uría Menéndez, 59, mayo-agosto de 2022, pp. 213-228, quien señala que reconociendo el loable objetivo perseguido por el legislador (particularmente la utilización del correo electrónico

Con ello, el legislador busca agilizar al máximo posible la tramitación del procedimiento especial, tal y como expresamente se recoge en la propia Exposición de Motivos de la Ley 16/2022. Sin embargo, esta apuesta exclusivamente telemática supone desconocer la regulación procesal del procedimiento concursal. En este sentido, no se ha tenido en cuenta que el hecho de efectuar todas las comparecencias a distancia evita el desplazamiento de los profesionales a la sede judicial pero no agiliza de por sí la ordenación procesal del procedimiento[13]. Y es que debe destacarse que, aunque se realicen comparecencias por medio de la tecnología disponible, la propia ordenación del proceso sigue padeciendo exactamente la misma patología de siempre, la cual no es otra que la ausencia del personal necesario que pueda dar impulso al volumen de trabajo actualmente existente en los Juzgados de lo Mercantil.

De igual forma, no puede desconocerse que la generalización de las vistas telemáticas se produjo con la entrada en vigor de la Ley 3/2020, de 18 de septiembre, de medidas procesales y organizativas para hacer frente al COVID-19 en el ámbito de la Administración de Justicia. Sin embargo, desde el momento en que el COVID-19 ha dejado de constituir una emergencia de salud pública de importancia internacional, los Juzgados han vuelto a la presencialidad generalizada de las comparecencias y actuaciones en todas las jurisdicciones, por lo que aún está por ver como podrán articularse ambas exigencias[14].

---

como medio de comunicación) su puesta en práctica puede plantear problemas e inconsistencias y que habrían existido alternativas intermedias más efectivas, eficientes y garantistas.

13 Compartimos la crítica que efectuaba al proyecto de Ley (y que entendemos se arrastra también en el texto definitivo) MONZÓN CARCELLER (MONZÓN CARCELLER N., «El procedimiento especial de concurso para microempresas del Proyecto de Ley de Reforma del Texto Refundido de la Ley Concursal», en *Diario La Ley*, Nº 10122, Sección Tribuna, 2 de Septiembre de 2022, Wolters Kluwer) quien destacaba que *el Proyecto de Ley yerra al confundir la escasa envergadura económica del concurso con una menor complejidad del procedimiento.*

14 De hecho, la Secretaría de Estado de Justicia ha emitido una Circular en fecha 27 de octubre de 2023 para informar que desde el 5 de julio de 2023 se

No obstante, la entrada en vigor del Real Decreto-ley 6/2023, de 19 de diciembre, por el que se aprueban medidas urgentes para la ejecución del Plan de Recuperación, Transformación y Resiliencia en materia de servicio público de justicia, función pública, régimen local y mecenazgo ha dado un nuevo impulso a la tramitación telemática. Esta normativa, que llega para quedarse (a diferencia de la surgida a raíz de la crisis sanitaria que padecimos) prevé la realización de actos procesales por medios telemáticos. En este sentido, el artículo 129 bis de la Ley 1/2000, de 7 de enero, de Enjuiciamiento Civil recoge la celebración de actos procesales mediante presencia telemática de forma preferente. Si bien, el legislador recoge una "válvula de escape" en el precepto, dejando claro que se efectuarán los actos procesales de forma preferentemente telemática siempre y cuando las oficinas judiciales dispongan de los medios técnicos necesarios para llevarlos a cabo. Entendemos que ello puede servir como "patente de corso" para no practicar determinadas actuaciones telemáticas por parte de los Juzgados, ya que éstos cuentan con sistemas de videoconferencias desde hace años. En este sentido, la Administración de Justicia debe invertir para que todas las unidades judiciales dispongan de estos medios y pueda darse cumplimiento a la prerrogativa legal sin "excusas".

Con mencionada reforma, también se han visto afectados los actos de comunicación con el Juzgado a tenor de lo establecido en el artículo 155 LEC, lo que afecta directamente a las microempresas, ya que la nueva redacción del precepto recoge la posibilidad de efectuar el primer acto de comunicación judicial (habitualmente la notificación de la existencia del procedimiento) de forma telemática, lo que afecta frontalmente a las microempresas al venir constituidas como parte obligada legalmente a relacionarse electrónicamente con la Administración de Justicia a tenor del artículo 14.2.a de la Ley 39/2015, de 1 de octubre, del Procedimiento Administrativo Común de las Administraciones Públicas pero que sin embargo, dado su tamaño y recursos, puede no estar en disposición de hacerlo, al no contar con los medios para ello.

---

debe garantizar en todo caso la atención presencial en el Juzgado al haber finalizado la situación de crisis sanitaria.

2. *La eliminación de la Administración Concursal*

En esta búsqueda de la mal entendida agilidad del procedimiento, el legislador ha decidido prescindir de la figura de la Administración Concursal, limitando su intervención a supuestos concretos como el ejercicio de acciones rescisorias o acciones de responsabilidad, decisión que concebimos como muy controvertida por sus evidentes riesgos. Y es que prescindir de los profesionales que integran el órgano técnico que debe encargarse de delimitar el patrimonio del deudor y de supervisar su actividad —en el supuesto de que la misma continúe— supone dejar huérfano al procedimiento de la figura que precisamente actúa como garante de la correcta tramitación del mismo[15].

Debe tenerse en cuenta que al no existir Administración Concursal, el riesgo de que los procedimientos sean incorrectamente tramitados es alto, lo que conllevará en muchas ocasiones el archivo de los mismos sin determinarse pormenorizadamente el activo y el pasivo con el que cuenta el deudor.

Todo ello no va a agilizar el procedimiento, si acaso va a conseguirse la tramitación deficiente del mismo, lo cual no es en absoluto el objetivo de la Directiva, ya que la misma busca la supervisión de la Administración Concursal por los Estados Miembros, no su eliminación[16].

Esta falta de supervisión al deudor, dejando en sus manos el control del procedimiento sin profesional independiente que lo fiscali-

---

15 Compartimos las reflexiones del profesor RUBIO VICENTE en RUBIO VICENTE P.J., «Aspectos controvertidos de la tramitación del procedimiento especial de liquidación de microempresas», en *Diario La Ley*, nº 10135, Sección Tribuna, 21 de Septiembre de 2022, LA LEY quien señala que la reforma finalmente aprobada sigue insistiendo en la reducción de los gastos de tramitación del procedimiento con el riesgo de reducir las garantías y estableciendo soluciones que pueden provocar un efecto contrario a la agilidad pretendida.

16 Artículo 27 de la Directiva (UE) 2019/1023 del Parlamento Europeo y del Consejo, de 20 de junio de 2019, sobre marcos de reestructuración preventiva.

ce, genera una incertidumbre que ha sido incluso denunciada por el propio Banco de España[17].

3. La intervención de Abogado y Procurador

Como ya se ha expuesto anteriormente, el Anteproyecto de Reforma del Texto Refundido de la Ley Concursal preveía inicialmente para los concursos de microempresas la supresión de estos profesionales al considerar que, eliminando la intervención de Letrado y Procurador, se contribuiría a la agilización de este procedimiento especial. Sin embargo, con buen criterio, las presiones efectuadas en su día dieron sus frutos y el artículo 691 TRLC establece la necesidad de que el deudor sea asistido de Abogado en este procedimiento especial. Con ello se busca mantener la importancia que mencionado procedimiento tiene, ya que, de lo contrario, hubiera supuesto una diferencia respecto a los procedimientos ordinarios que hubiera traspasado la frontera de lo cuantitativo hacia lo cualitativo.

Y es que debe tenerse en cuenta que el artículo 6 TRLC exige la firma de Letrado para la presentación de los concursos ordinarios por parte del deudor. No haber incluido esta previsión en sede de procedimiento especial de microempresas, hubiera llevado a entender que este procedimiento carecería de importancia, confundiendo agilidad con facilidad en su tramitación, lo que a buen seguro habría suscitado problemas en su tramitación al haberse dejado a las microempresas huérfanas de los correspondientes profesionales expertos en la tramitación de los procedimientos concursales.

---

17 Informe Anual del Banco de España del año 2021, pág.162. https://www.bde.es/f/webbde/SES/Secciones/Publicaciones/PublicacionesAnuales/InformesAnuales/21/Fich/InfAnual_2021.pdf

IV. LOS FORMULARIOS A DISPOSICIÓN DE LAS MICROEMPRESAS

Todo lo expuesto relativo a la agilidad con la que se pretende dotar al procedimiento, conlleva necesariamente que la propia comunicación de inicio de negociaciones con los acreedores deba ser efectuada de forma telemática. A tal efecto, el artículo 687.2 TRLC señala que los actos de comunicación se producirán con la cumplimentación electrónica de los formularios normalizados exigidos legalmente. De esta forma, la normativa no sólo requiere que las comunicaciones se lleven a cabo de forma telemática (como ya se produce en todas las jurisdicciones) sino que además establece que las mismas vengan efectuadas en los propios formularios que se ponen a disposición.

Por lo tanto, sería esperable que el propio TRLC contuviese los formularios que se exigiesen legalmente o al menos, una referencia expresa y concreta al sitio web donde encontrarlos.

Sin embargo, actualmente mencionada referencia no se realiza, dejando a los profesionales que deben aplicar esta normativa huérfanos de la regulación que a tal efecto se precisa, con todo lo que ello supone respecto a la necesaria seguridad jurídica.

De hecho, nada se menciona en el precepto relativo a la comunicación de inicio de negociaciones para las microempresas (690 TRLC). Para encontrar un mínimo desarrollo, debemos acudir al artículo 691 TRLC el cual no se refiere a la comunicación de inicio de negociaciones, sino a la solicitud de apertura del procedimiento especial de microempresas, artículo en el que se indica que el formulario normalizado deberá presentarse y tramitarse a través de la sede judicial electrónica[18] lo que supone un evidente fallo a la hora de dotar de contenido a cada uno de los preceptos. Debe tenerse en cuenta que cada uno de ellos regulan situaciones diferentes, ya que tanto la comunicación de inicio de negociaciones como el procedi-

---

[18] https://sedejudicial.justicia.es/

miento especial de microempresas son escenarios distintos y como tal, cada cual debe colmar la regulación que se le exige[19].

Sin perjuicio de lo expuesto, basta con acceder a mencionada sede judicial electrónica para comprobar como entre sus trámites y servicios no se encuentra la solicitud de comunicación de inicio de negociaciones con los acreedores para las microempresas, sino que únicamente se dispone del formulario para la comunicación del plan de reestructuración (627 TRLC) y del formulario para la presentación del mencionado plan de reestructuración (artículo 684 TRLC), cuestiones todas ellas ajenas a las microempresas.

Llegados a este punto, debe efectuarse la pregunta respecto a dónde encontrar los formularios relativos a los concursos de microempresas, procedimientos en los que precisamente se pretendía facilitar al máximo su tramitación, algo que ha quedado finalmente en una mera ilusión.

Para ello, debe accederse al Punto de Acceso General de la Administración de Justicia[20], una plataforma distinta a la sede judicial electrónica, cuya referencia no aparece en ningún momento en el TRLC y la cual no debe confundirse con el Punto de Acceso General electrónico de la Administración[21].

Una vez se consigue localizar la plataforma, se tiene acceso al formulario online que debe ser rellenado. A tal efecto, es importante destacar que mencionado formulario no puede ser descargado para ser completarse, sino que el mismo debe ser cumplimentado de forma online, existiendo eso sí la posibilidad de descargar el borrador con los datos que se van consignando. Ello no es baladí, ya que el hecho de que la tramitación sea completamente online —y no sólo el envío— provoca que deban ser afrontados la totalidad de los campos exigidos por la aplicación con independencia de si nos encontramos

---

19 Además de todo ello, debe tenerse en cuenta que no en todas las comunidades autónomas está implantado el sistema de comunicación telemática LexNet, sino que Cantabria, País Vasco, Navarra, Aragón y Cataluña disponen de otros sistemas, lo que hace necesario prever la solución de problemas también en estas Comunidades.

20 https://www.administraciondejusticia.gob.es/inicio

21 https://administracion.gob.es/

ante un dato superfluo o que se ignora, lo que en demasiadas veces obligará a consignar parámetros con el simple objetivo de "engañar" al programa para que el mismo permita avanzar, aun cuando seamos perfectamente conocedores que determinados campos de obligado cumplimiento no son relevantes de cara a la tramitación legal.

Un auténtico galimatías para cualquier operador jurídico, lo que deja en evidencia el proyectado intento contenido en el Proyecto inicial del TRLC de que una persona lega en Derecho pudiera afrontarlo sin ayuda profesional para tratar de este modo de ahorrar costes sin contar con la correspondiente asistencia letrada[22].

Mención aparte merecen la disponibilidad de los formularios en la plataforma habilitada a tal efecto. Estos formularios se dirigen a los profesionales que intervienen en el procedimiento y con ellos se busca simplificar los trámites con una plataforma que permitirá incrementar la agilidad y la eficiencia a través de una tramitación sencilla e intuitiva. Sin embargo, la práctica está demostrando que este sistema dotado de formularios es complejo de utilizar sobre todo cuando viene acompañado de un volumen importante de documentación, situaciones en los que la aplicación llega a "colgarse".

De igual forma, todavía estaría en desarrollo la plataforma de liquidación y pendiente de resolver los problemas de compatibilidad con las Comunidades Autónomas que tienen competencias de Justicia transferidas[23].

---

22 *Vid.* PRENDES CARRIL, P., «Comentario a la reforma del Texto Refundido de la Ley Concursal aprobada por Ley 16/2022, de 5 de septiembre», en *Aranzadi digital* num. 1/2022 parte Estudios y comentarios. Editorial Aranzadi, S.A.U., Cizur Menor. 2022, quien recoge como la tramitación parlamentaria del proyecto de reforma salvó los dos graves defectos de los que adolecía el texto proyectado: la necesaria intervención de profesionales en tales procedimientos especiales y la reducción del ámbito objetivo de aplicación del mismo.

23 *Vid.* LÓPEZ MAÑEZ. L, «Reflexiones sobre la forma de cumplimentar los formularios normalizados en el Procedimiento especial de microempresas», en *LA LEY Insolvencia,* nº 17, Sección Estudios, Primer trimestre de 2023, LA LEY, quien destaca que ante esta situación, en las Comunidades Autónomas donde no opera LexNet, deberán descargarse los formularios, imprimirse a papel y presentarlos al Juzgado.

Finalmente y una vez se ha logrado superar "la gymkana jurídica" nos encontramos con un aviso de error del servidor que no permite presentar el concurso, aviso que no es descargable y que obligará al profesional jurídico a efectuar una captura de la pantalla del ordenador para poder acreditar mínimamente ante el Juzgado la razón por la que no puede presentar la solicitud de forma telemática y se ve obligado a enviar el borrador que con tanto detalle tuvo que acometer, junto con un escrito explicativo y el consabido pantallazo excusatorio, ya que la interoperabilidad del sistema con la plataforma LEXnet es todavía una quimera[24].

V. CONCLUSIONES

La necesidad de la agilización del derecho de la insolvencia no es una cuestión que pueda ponerse en duda. En este sentido, se aplaude una reforma del TRLC que busque este fin. Sin embargo, el objetivo pretendido se ve sobrepasado por unos medios tecnológicos que dejan mucho que desear a pesar de ser parte indispensable del sistema, desconociéndose que el hecho de que los formularios se presenten a través de internet y las Vistas sean telemáticas, no supone per se que el procedimiento especial se tramite más rápido que el resto de procedimientos judiciales que se inician en los Juzgados.

Las microempresas no son precisamente una excepción en España, sino que representan un importante porcentaje del total de las empresas de nuestro país, lo que provoca que ni mucho menos sea un problema menor que precisamente la plataforma que tiene que permitirles una gestión ágil y adecuada en supuestos de su insolvencia —ya sea próxima, inminente o actual— no funcione adecuadamente. A todo ello debe sumarse que normalmente este tipo de empresas cuentan con menos recursos que el resto para afrontar

---

24 Tal y como indica RETANA GIL, en realidad el sistema está provocando una importante complejidad para los usuarios a pesar de que fue ideado para simplificar el procedimiento de insolvencia. Vid. RETANA GIL, C., «Diálogos para el futuro judicial LVIII. La automatización documental en el sector legal» en *Diario LA LEY*, N° 10237, Sección Plan de Choque de la Justicia/Encuesta, 27 de Febrero de 2023, LA LEY.

situaciones como ésta, lo que las coloca en una situación de clara vulnerabilidad.

Lo expuesto deja en evidencia que la Administración de Justicia debe seguir realizando mejoras en el acceso y la interoperabilidad de sus sistemas al objeto de que realmente simplifique esfuerzos y no produzca, como en el caso de las microempresas, una mayor complejidad en los mismos derivado precisamente de sus propios problemas a la hora de enlazar sus diferentes aplicaciones.

VI. BIBLIOGRAFÍA

CAAMAÑO RODRÍGUEZ F.J., «El nuevo procedimiento especial para microempresas», en *Actualidad Jurídica Uría Menéndez*, 59, mayo-agosto de 2022, pp. 213-22.

CIFREDO ORTIZ. P, MORENO BUENDÍA F.J, «El procedimiento especial para microempresas desde una perspectiva digital», en *LA LEY mercantil*, Nº 104, Sección Derecho digital/Doctrina, Julio 2023, LA LEY.

FLORES SEGURA. M., «El procedimiento de insolvencia especial para microempresas: una visión general», en *Diario La Ley*, Nº 10169, Sección Tribuna, 14 de Noviembre de 2022, LA LEY.

LÓPEZ MAÑEZ. L, «Reflexiones sobre la forma de cumplimentar los formularios normalizados en el Procedimiento especial de microempresas», en *LA LEY Insolvencia*, nº 17, Sección Estudios, Primer trimestre de 2023, LA LEY.

MARTÍNEZ DE MARIGOTA MÉNDEZ, C., «Las particularidades del procedimiento especial de microempresas. Reflexiones sobre la supletoriedad de los Libros I y II del TRLC. Cuestiones problemáticas en la tramitación», en *LA LEY Insolvencia*, nº 19, Sección Estudios, Segundo trimestre de 2023, LA LEY.

MONZÓN CARCELLER N., «El procedimiento especial de concurso para microempresas del Proyecto de Ley de Reforma del Texto Refundido de la Ley Concursal», en *Diario La Ley*, Nº 10122, Sección Tribuna, 2 de Septiembre de 2022, Wolters Kluwer.

PRENDES CARRIL, P., «Comentario a la reforma del Texto Refundido de la Ley Concursal aprobada por Ley 16/2022, de 5 de septiembre», en Aranzadi digital num. 1/2022 parte Estudios y comentarios. Editorial Aranzadi, S.A.U., Cizur Menor. 2022.

RETANA GIL, C., «Diálogos para el futuro judicial LVIII. La automatización documental en el sector legal» en *Diario LA LEY*, Nº 10237, Sección Plan de Choque de la Justicia/Encuesta, 27 de Febrero de 2023, LA LEY.

RUBIO VICENTE P.J., «Aspectos controvertidos de la tramitación del procedimiento especial de liquidación de microempresas», en *Diario La Ley*, nº 10135, Sección Tribuna, 21 de Septiembre de 2022, LA LEY.